Ο Τούρκος στον κήπο

ΓΙΑΝΝΗΣ ΞΑΝΘΟΥΛΗΣ

Ο ΤΟΥΡΚΟΣ ΣΤΟΝ ΚΗΠΟ

Μυθιστόρημα

ΔΕΚΑΤΗ ΤΡΙΤΗ ΕΚΔΟΣΗ

ΕΚΔΟΣΕΙΣ ΚΑΣΤΑΝΙΩΤΗ 2001

Πρόσωπα, ονόματα και γεγονότα είναι απολύτως φανταστικά.

XANTHOULIS, Yiannis

O TOURKOS STON KIPO

ΕΚΔΟΣΕΙΣ ΚΑΣΤΑΝΙΩΤΗ Α.Ε.
Ζαλόγγου 11, 106 78 Αθήνα
☎ 330.12.08 – 330.13.27 FAX: 384.24.31
e-mail: info@kastaniotis.com

www.kastaniotis.com

ISBN 960-03-3016-6

Στα ταξίδια μας
και στους ταξιδεμένους

Στην Κηφισιά

Ε ΟΧΙ ΚΑΙ ΤΕΡΑΣ ΤΟ ΠΑΙΔΙ! ΑΝΤΙΠΑΘΗΤΙΚΟ ΚΑΙ ΜΟΝΟΧΝΟ-
το, ναι. Αλλά τέρας; Το «τέρας» το είχε για επιλή-
ψιμη κουβέντα. Γενικά με τις κουβέντες δεν τα πή-
γαινε καλά. Τις φοβόταν. Προτιμούσε τα επιφωνήματα,
τα ουρλιαχτά, τα κλάματα κι ό,τι φθόγγο έβγαζε ο στό-
μας της. Στις λέξεις κόλλαγε. Ίσως γιατί την απασχο-
λούσε η σκόνη, οι ηλεκτρικές απαιτήσεις των σύγχρονων
οικιακών συσκευών που είχε το σπίτι της κυράς και, βέ-
βαια, η κατά βάθος χαριτωμένη προστυχιά του Ηρακλή,
ως άντρα νεότερού της και εμφανίσιμου.
Είχε το νου της σε άλλα πράγματα. Αυτό ήταν. Και ως
γυναίκα και ως παραδουλεύτρα και ως δουλάρα του εαυ-
τού της, που τον υπηρετούσε πιστά και απόλυτα, όταν ε-
πρόκειτο για σκέψεις καταχθόνιες και βαριές, σιδερένιες.
Τη βάραιναν οι σκέψεις, τη βάραιναν οι δουλειές, τη βά-
ραινε κι ο καλοκαιρινός νοτιάς, ο αφύσικος, με τη μαλα-
ματένια ανταύγεια της μπόχας στα τζάμια και στα μαύ-
ρα γυαλιά ηλίου του Ηρακλή.
Εκατό φορές του το 'πε πως τα γυαλιά τον δείχνουν σαν

11

αλήτη και σαν τεντιμπόη, αλλά σημασία που της έδωσε. Δούλευε μισόγυμνος στον κήπο –πότισμα στο φουλ λόγω ζέστης– και κάθε τόσο έριχνε αυτές τις τυφλές ματιές με τις ανταύγειες στα γυαλιά ηλίου. Δήθεν του τα επέβαλε ο γιατρός, εξαιτίας της ευαισθησίας που είχαν οι κόρες των ματιών του. Δεν τον πίστεψε, μα βαρέθηκε να του το πει. Τι; Για να ξαναρχίσει τους όρκους, που τους είχε ψωμοτύρι; Δεν πά' και να κοιμόταν με τα βρομόγυαλα...

Ούτε γιους ούτε κόρες απόχτησε με τον Ηρακλή, εφτά χρόνια στεφανωμένοι και δύο ακόμα συζώντας. Το κορίτσι, που το φώναζαν Μπέλα απ' το Μελπομένη –κι όχι απ' το «τεμπέλα», κι ας έρεπε προς την τεμπελιά– ήταν απ' τον πρώτο της τον άντρα, που σκοτώθηκε όταν σκοτώνονταν ελάχιστοι πια, μετά τους πολέμους και τα μεγάλα στρατοδικεία. Τον πάτησε το λεωφορείο της γραμμής Κηφισιά–Αθήνα μέρα μεσημέρι. Ούτε τότε είπε πολλά λόγια. Έκοψε μάλιστα και τα λίγα που έλεγε. Ψαλίδισε και τα πιο βασικά. Το «Θεός σχωρέσ' τον» το 'κανε σκέτο «...στον». Μόλις που ψιθύριζε την κατάληξη. Την «Καληνύχτα» την έκανε «...χτα». Μόνο το «Ορίστε» κράτησε ακέραιο, ζωηρό και πεντακάθαρο, γιατί αλλιώς θα την έδιωχνε η κυρά της. Το «Ορίστε» και το «Μάλιστα». Κρυστάλλινα.

Τον Ηρακλή τον γνώρισε μέσω της αδελφής της, της Ευζωνίας, ως ξάδελφο μακρινό του γαμπρού της. Κηπουρός και ηλεκτρολόγος σε ελαφριά πράγματα: πρίζες, ασφάλειες, ψιλολοΐδια. Της φάνηκε υπερβολικά νέος κι όμορφος για χήρα με κόρη, για γυναίκα ελάχιστα ομιλητική, αλλά η Ευζωνία, που ήταν καπάτσα, το προχώρησε το θέμα. Την Ευζωνία τη βάφτισε έτσι ο πατέρας τους εις ανάμνησιν που έκανε Εύζωνας και οδηγός αυτοκινήτου υπουργού, στα χρόνια που ο κόσμος «...πέθαινε για οπερέτες». Μέχρι την ύστατη στιγμή του ο πατέρας μιλούσε για τα «χρόνια της οπερέτας», αλλά ουδέποτε τον ρώτησε κάτι παραπάνω. Δεν της κέντριζαν το ενδιαφέρον κάτι τέτοια. Με θέατρο και πουτανιά είχε να κάνει το ζήτημα. Μια φορά πήγε θέατρο, μια και μοναδική, με το μακαρίτη τον άντρα της. Να ακούσουν τη Βέμπο να τραγουδά «Τι μου τη χάρισες αυτή την ταμπακέρα», ένα καλοκαίρι, καλή ώρα όπως τώρα. Και ξανά ποτέ.

Δεν είχε καιρό μετά. Ούτε κέφι. Βρήκε και τη δουλειά στην Κηφισιά, χήρεψε κιόλας, μετά ξαναπαντρεύτηκε, απέβαλε πάνω στο χρόνο λόγω ενός επίπλου που θεώρησε λογικό να το σηκώσει ολομόναχη στον τρίτο μήνα και, στο μεταξύ, στράφηκε στην Εκκλησία, έτσι, για να σπάσει η ακεφιά της. Της άρεσε και η ψαλτική, παρόλο που οι λέξεις των Ευαγγελιστών φάνταζαν σ' αυτήν προχωρημένα κινέζικα. Ήξερε όμως ότι βοηθούν τους φορτωμένους από στενοχώρια και καημούς, κι ας μην μπορούσε να προσδιορίσει τι ήταν αυτό που της βάραινε το ντεκολτέ. Έφευγε από την εκκλησία μια ιδέα πιο ξαλαφρωμένη, μα, σαν τρύπωνε στο μεγάλο σκοτεινό κήπο, που συνεχιζόταν για πάνω από πεντακόσια μέτρα πέρα απ' το σπίτι, ως το δικό της παράσπιτο, το φόρτωμα ξαναρχόταν χειρότερο.

Την Μπέλα την έβαλε σε μοδίστρα ονομαστή, μια Κική Λεφούση, στην περιοχή του Μαρουσιού, να μάθει τα μυστικά της κοπτικής. Να συμμαζευτεί κιόλας, αφού στα γράμματα δεν είχε κλίση. Τρία χρόνια είχε μείνει στάσιμη στην πέμπτη Δημοτικού. Την παγίδεψαν οι δεκαδικοί αριθμοί και η Φυσική Πειραματική. Πότε πήζουν τα υγρά και πότε διαστέλλονται τα μέταλλα. Κι η ζωολογία για τα παχύδερμα και τα ερπετά. Η Μπέλα άκουγε φίδι και λιποθυμούσε. Μόνο τα θαύματα του Ιησού της άρεσαν, στα Θρησκευτικά, αλλά κι αυτά κάποτε σώθηκαν και η Μπέλα ζορίστηκε στα παρακάτω. Την αγρίευε κι ο Ιούδας όσο να 'ναι. Στη «μοδίστα Κική Λεφούση» τσιμπιόταν με τις καρφίτσες, αλλά χάιδευε ωραία υφάσματα. Έκανε και τις βόλτες της, άκουγε και πονηρά απ' τις άλλες μαθητευόμενες – που γέλαγαν για την αθωότητά της, κι ας μην ήταν τόσο αθώα η Μπέλα. Όχι, πάντως, όσο νόμιζαν τα κορίτσια, που έδιναν ψιθυριστά «επιστημονικές» ερμηνείες στη λέξη «πρωκτός», ματώνοντας με τη βελόνα τα δάχτυλα απ' την έξαψη.

Καλό ήταν να λείπει η Μπέλα από το σπίτι, ειδικά τα καλοκαίρια, γιατί το σπίτι ήταν μικρό, αν και βολικό. Πέτρινο, από ροζέ πέτρα, όπως και το κυρίως σπίτι. Για τα καλοκαίρια ο Ηρακλής είχε ταυτίσει την άνεση με τα στρατιωτικά σορτς – κι οι ποδάρες του, ξέσκεπες, έδειχναν απειλητικές για άνηβα κορίτσια. Έτσι δούλευε στον κήπο. Μισόγυμνος, με τα μαύρα γυαλιά ηλίου, τραγουδώντας τραγούδια του Γούναρη. Το δειλινό, αργά, ξυριζόταν κι έβγαινε έξω. Με μια δροσερή υποψία κολόνιας στα μάγουλα.

Δεν τον ζήλευε όσο θα 'πρεπε. Αν τη βασάνιζε κάτι, αυτό ήταν ο πονοκέφαλος, ο βαρύς καιρός που δεν ξεσπούσε σε βροχή και το ιδρωτάρι στην πλάτη, που σερνόταν ως την κιλότα της. Καλά που ήταν γερό το λάστιχο... Όλα αυτά που συνέβαιναν έξω απ' τη λογική της την ενοχλούσαν αφάνταστα. Ένιωθε μάτια ορατά και αόρατα να παραμερίζουν το βαμβακερό ύφασμα με τα εμπριμεδάκια και να διεισδύουν απ' τους πόρους της στο πάγκρεας. Της έκανε φοβερή εντύπωση όταν άκουσε απ' το γιατρό της κυράς πως μέσα μας έχουμε κι ένα «πάγκρεας», όργανο σοβαρό κι επικίνδυνο όταν πάθει. Από τότε είχε την έγνοια αυτής της απειλής, που για άγνωστους σ' αυτή λόγους βρισκόταν εντός της καταχωνιασμένο.

«Να δεις γιατρό. Αυτά είναι νευρασθενικά...» τη συμβούλευε η πρακτική Ευζωνία. «Σε κουράζει η γριά... Γιατί δεν το λες;»

«Μη μιλάς έτσι!» την απόπαιρνε.

«Έμαθες να το βουλώνεις. Τη φοβάσαι! Μα χαζή είσαι;»

Δεν έδινε συνέχεια στη στοργική επίθεση της Ευζωνίας. Σηκωνόταν κι άνοιγε τα ντουλάπια να βρει γλυκά.

Ένα βράδυ, πριν από μια βδομάδα ακριβώς, ο Ηρακλής, προτού ακόμα περάσει το κατώφλι του σπιτιού, με φωνή επίσημη και λίγο μόρτικη επίτηδες, τους παρουσίασε το παιδί. Εκείνη και η Μπέλα καθάριζαν φακή.

«Αυτός εδώ ο μασκαρατζίκος είναι ο γιος μου, ο Ηλίας. Έλα, Ηλία, να σου γνωρίσω τη γυναίκα μου, τη Βάσω, και την κόρη της. Μπέλα, να τον έχεις σαν ξάδελφο. Φέτος θα πάει πέμπτη τάξη. Έλα, Ηλία...»

Παραμέρισε να δουν το παιδί. Πίσω απ' το παιδί, η πάνινη βαλίτσα δεμένη με σκοινί. Κι ένα μικρό ποδήλατο, μισοσκουριασμένο. Μια ζάλη πέρασε βιαστικά απ' τα μάτια της, κάνοντάς τη να σκορπίσει τη φακή. Τρόμαξε και η Μπέλα με τη μάνα της και τη φακή στο πάτωμα.

«Δεν είναι τίποτα. Θα σκουπίσω. Πέρασε μέσα...»

Το παιδί κοίταξε ένα γύρο το δωμάτιο κι ανατρίχιασε από ένα ρίγος που του 'ρχόταν πού και πού.

«Πέρασε. Θα πεινάς κιόλας», είπε ο Ηρακλής.

«Διψώ...» Είχαν στεγνώσει τα χείλη του.

«Της βρύσης να πιεις. Στην Κηφισιά έχουμε ωραίο νερό».

Η Μπέλα, με βλέμμα θριάμβου, γέμισε ένα ποτήρι και του το 'δωσε. Ζήτησε κι άλλο. Το αντρόγυνο κοιτάχτηκε λυπημένα. Η Μπέλα θαύμαζε τη δίψα του παιδιού. Γέμισε και τρίτο ποτήρι.

Η μάνα του αγοριού είχε πεθάνει δύο μέρες πριν. Την περίμεναν από καιρό. Ήταν χωρισμένη με τον Ηρακλή. Τα ήξερε κι εκείνη. Κι από τον ίδιο και από την Ευζωνία. Πού να το άφηναν, παιδί πράμα, ολομόναχο; Το είπαν και στην κυρά.

«Ας έρθει. Ορφανό είναι. Και παιδί σου. Μόνο τα σκυλιά δεν τα μπορώ, για τον εχινόκοκκο...»

Έτσι κλείστηκε η συμφωνία και ήρθε το παιδί. Θα κοιμόταν στο σαλονάκι. Υπήρχε ένα μικρό ντιβάνι δίπλα στη ραπτομηχανή. Τον ορμήνεψαν να μην την πειράξει. Πρώτα, όμως, ζήτησαν και πάλι την άδεια της κυράς.

«Να μην πετά πέτρες στα τζάμια...» νοιάστηκε η γριά.

«Σαν κορίτσι ήσυχος είναι».

«Για ήσυχα τα 'χεις τα κορίτσια, Βάσω μου;»

«Ζωγραφίζει και διαβάζει περιοδικά...» τον υπερασπίστηκε.

«Φορτώνεστε ευθύνες. Απ' την άλλη, παιδί του είναι...»

«Θα του πω να μην πλησιάζει κατά 'δώ...»

«Δεν είπα αυτό. Ζημιές και βρομιές δε θέλω».

«Θα 'χει εμένα και τον πατέρα του...»

«Πώς είπες ότι το λένε;»

«Ηλία».

«Μεθαύριο γιορτάζει. Του Προφήτη είναι. Φέρ' το να το δω και να του κάνω ένα δώρο».

«Μην κακομάθει...»

«Παιδί είναι. Φέρ' τον ανήμερα της γιορτής».

«Ό,τι πείτε».

Ήξερε πως, έτσι και της καρφωνόταν της κυράς κάτι, δεν της το ξεκουνούσε ούτε ο Θεός ο ίδιος. Σιγούρεψε τα ντουλάπια, να 'ναι κλειστά, να 'ναι όλα καταπώς πρέπει στη θέση τους –είχε και μια παραξενιά με τα κλειστά ντουλάπια η γριά– γέμισε και το βάζο κινέζικα γαρουφαλάκια από τον κήπο, επιτεύγματα του Ηρακλή, και βγήκε έξω στη νυχτωμένη αυλή, με τη ζέστη πηχτή σαν κρέμα.

Τελειώνοντας τα βασικά απ' το κυρίως σπίτι, έτρεχε στο δικό της το παράσπιτο να βάλει πλύση, να μαγειρέψει κανένα γεμιστό, να δει αν γύρισε και η Μπέλα απ' τη μοδίστρα. Τώρα είχε προστεθεί και ο Ηλίας, που γιόρταζε μεθαύριο. Το παιδί, ευτυχώς, δεν έδειχνε να 'χει καμιά δυσκολία. Κι όσο από κουβέντες, μάλλον δικό της παιδί έ-μοιαζε κι όχι του Ηρακλή. Κουνούσε στα «όχι» και τα «ναι» το κεφάλι αναλόγως και ψέλλιζε μόνο τα χρειώδη.

Το βράδυ εκείνο, δύο μέρες πριν του Προφήτη Ηλία, το παιδί έβηξε, σαν να καθάριζε το λαρύγγι του για να ξε-στομίσει την πρώτη του βαρυσήμαντη φράση – και, πράγ-ματι, έτσι ήταν.

«Τι δουλειά κάνει ο μπαμπάς μου;»

«Τι θα πει "τι δουλειά";» ξαφνιάστηκε η Βάσω. «Δεν τον είδες;»

«Είδα που έβαλε κοστούμι και γραβάτα. Όπως στις κηδείες».

Απόρησε για τη σιγουριά του, ξαφνιάστηκε που της πέταξε τις απορίες του εν ώρα εργασίας, νύσταζε κιόλας απ' τη ζέστη, την πονούσε και κάτι πάνω απ' την κοιλιά – ένας πόνος ανάκατος με το φόβο για το πάγκρεας. Βα-ρέθηκε να απαντήσει. Έλειπε και η Μπέλα... Τελευταία αργοπορούσε, γιατί η κυρία Λεφούση την έβαζε να μαζέ-ψει με το μαγνήτη τις καρφίτσες απ' το πάτωμα του α-τελιέ. Μία προς μία.

«Θα παίξει στο σινεμά... σε ταινία...» είπε το παιδί με-λαγχολικά. «Σαν ηθοποιός... Αλλά δε θα μιλά».

Κόντεψε να κόψει το δάχτυλό της με το μαχαίρι. Κρεμ-μύδια έκοβε, να τα ρίξει στον κιμά. Όλοι έτρωγαν τα μα-καρόνια με τον κιμά. Φτούραγε αυτό το φαΐ. Τους άρεσε...

«Μεθαύριο θα σε πάω στην κυρά... στην Κυρία...» διόρθωσε. Και συνέχισε με τα κρεμμύδια. «Θέλει να σε δει η Κυρία...»

«Με είδε...»

«Πού σε είδε; Να μη λες ψέματα!»

«Καλά, δε θα λεω...»

Το παιδί μαζεύτηκε κάτω απ' το τραπέζι, μυρίζοντας σαν σκυλί τις παντόφλες και τα παπούτσια που έβοσκαν πέρα δώθε. Του έριξε μια ματιά όλο λύπηση και βάλθηκε ν' ανακατεύει τον κιμά στο τηγάνι. Για τη μάνα του ήθελε να ρωτήσει – τι έλεγε για τον Ηρακλή, τον πρώην άντρα της, γιατί χώρισαν, αφού ήταν τόσο ερωτευμένοι... Έτσι τουλάχιστον έλεγε ο Ηρακλής, ίσως για να την πικάρει.

Της περνούσε η σκέψη ότι μπορεί να ξεψύχησε έχοντας το όνομα του Ηρακλή στα χείλη της. Την πονούσε και την έθλιβε αν, ο μη γένοιτο, συνέβη κάτι τέτοιο, που μάλλον δε θα συνέβη, γιατί η συχωρεμένη είχε χαμένες τις αισθήσεις της στο τέλος για πέντε μέρες. Απ' την Ευζωνία τα μάθαινε, που είχε τις διασυνδέσεις. Ξέχασε να ρίξει πιπέρι με το να σκέφτεται. Έριξε και το πιπέρι. Να μην αργούσε και ο Ηρακλής... Να 'πεφταν νωρίς για ύπνο. Την τριγύρναγε κι ένας πονοκέφαλος.

«Βγες κάτω απ' το τραπέζι... Τι κοιτάς;»

«Τίποτα».

Ο μικρός κάθισε στην καρέκλα με σταυρωμένα τα χέρια, σε μια πένθιμη στάση. Έτσι της φάνηκε. Για να σπάσει τη σιωπή, που δεν την άντεχε πίσω απ' την πλάτη της, θυμήθηκε την κουβέντα του παιδιού.

«Δε σε μαλώνω... Για το καλό σου σου είπα να είσαι φιλαλήθης». Χάρηκε που βρήκε τέτοια σωστή λέξη.

«Είμαι φιλαλήθης!» της αντιγύρισε το παιδί. «Με είδε...»

«Πού;»

«Απ' το παράθυρο. Με κοίταξε όταν έπαιζα με το ποδήλατο...»

«Να μη χτυπάς το κουδούνι σου... Είναι γριά και...» Ας τα σούρωνε τα μακαρόνια τώρα, ας τα βουτύρωνε, κι όποιος είχε όρεξη να φάει, ας έτρωγε. Ζέστη και κατσαρόλα στο γκάζι – το χειρότερο. Δεν πεινούσε. Λίγο νερό θα έριχνε πάνω της να δροσιστεί, να φύγει η κιμαδίλα. «Γιατί φοβάται...» είπε το παιδί.

Αλλά εκείνη δεν το άκουσε, λόγω του βουτύρου που ήδη τσιτσίριζε στην κατσαρόλα.

Έφαγαν χωριστά. Ο Ηλίας έφαγε μαζί της. Αμίλητοι, χτυπούσαν τα πιρούνια στο πιάτο. Όταν τέλειωναν, ήρθε και η Μπέλα. Ο μαγνήτης είχε αποδυναμωθεί με τη ζέστη, κι έτσι αναγκάστηκε να μαζέψει τις καρφίτσες με το χέρι. Το παιδί την κοίταξε που αράδιαζε τα βάσανα της κοπτικής-ραπτικής. Δούλευαν σαν τρελές πάνω σ' ένα νυφικό. Της ήρθε να κάνει εμετό απ' την περιγραφή της κόρης της. Μια ταφταδένια ασπρίλα με τούλια και ανθάκια από οργάντζα. Δύο φορές είχε φορέσει νυφικό. Χειμωνιάτικη νύφη. Και τις δύο κινδύνεψε από πνευμονία, μέσα στις παγωμένες εκκλησίες.

«Δεν είναι έτσι το σχέδιο...» είπε το παιδί.

«Κι εσύ πού το ξέρεις;» Πέταξε το πιρούνι απ' τα νεύρα της.

«Μπέλα, κάτσε κάτω. Τι έπαθες;»

20

Ξαφνικά αυτό το νιάνιαρο αμφισβητούσε τις περιγραφές της. Πάνω που διηγόταν πώς η κυρία Λεφούση ενίσχυσε τον μπούστο της νύφης μ' ένα μπουκέτο χρυσάνθεμα από μετάξι και σύρμα. Ξανάρχισε να τρώει άκεφα η Μπέλα:

«Δεν τον άκουσες;»

«Παιδί είναι... Τρώγε!»

Παιδί του Ηρακλή ήταν. Γι' αυτό η μάνα της έκανε τα πικρά γλυκά. Και με τον Ηρακλή στο κρεβάτι κάνεις αβαρίες... Η αθώα Μπέλα είχε ακούσει επανειλημμένα τι συνέβαινε στην κρεβατοκάμαρα του ζεύγους –τουλάχιστον σε ήχους– αλλά πού να το πει. Τελικά, άνοιξε την καρδιά της στα κορίτσια της μοδίστρας: περιέγραψε τα βογκητά της μάνας της, σαν θρήνο ξεστρατισμένο απ' την Καινή Διαθήκη.

Ναι, το σχέδιο του νυφικού ήταν κάπως διαφορετικό. Όμως η Μπέλα διαφωνούσε ριζικά με το πατρόν της κυρίας Κικής. Συνέχισε να τρώει, ενώ θα προτιμούσε να κρυφτεί κάπου και να κλάψει. Πνιγόταν στις απορίες και στην ανημποριά της. Δεν αγαπούσε κανέναν. Ούτε τον εαυτό της, ούτε τη μαμά της, ούτε την αυταρχική κυρία Κική, με τη μεζούρα τυλιγμένη σαν πύθωνα γύρω απ' το λαιμό της –ένα λαιμό που έμοιαζε μπουκέτο από γαλαζοπράσινες φλέβες– ούτε βέβαια αυτό το σκατόπαιδο, που το αντιπάθησε με το που το είδε. Της μπήκε και η ιδέα για το χειρότερο που μπορούσε να της συμβεί: ότι μία των ημερών, προτού προλάβει να πατήσει τα είκοσι, θα είχε μεταβληθεί σε νέγρα. Έτσι της είπε ο μικρός μουλωχτός, ο γιος του Ηρακλή. Γέλασε, αλλά μετά το καλοσκέφτηκε κι ανησύχησε πραγματικά. Νέγρα μοδίστρα... Ποιος θα της έδινε δουλειά; Όλη τη νύχτα έκλαιγε ως μελλοντική νέγρα μοδίστρα και άνεργη.

Τελικά, κατά το ξημέρωμα, όταν τα πουλιά της Κηφισιάς έπιασαν το παραμιλητό, αποφάσισε πως το μόνο άνθρωπο επί γης που αγαπούσε ήταν την ηθοποιό Αλίκη Βουγιουκλάκη. Στα πρωινά της όνειρα η ασχημούλα Μπέλα ταξίδευε παρέα με τη δροσερή Αλίκη για την Αίγινα, τραγουδώντας ανάμεικτα άσματα της θάλασσας και του έρωτα.

Παραμονή του Προφήτη Ηλία, η Βάσω κόντεψε να πνιγεί με το γάλα. Απ' τη σαστιμάρα. Σηκωνόταν πιο νωρίς απ' όλους. Ένα ψευτοσυγύρισμα έκανε στο σπίτι της κι αμέσως έφευγε για της κυράς. Δεν ξυπνούσε εκείνη πριν από τις οκτώ, αλλά στις οκτώ και δέκα τα ήθελε όλα στην εντέλεια. Μεγάλη γυναίκα, κι όμως το πρωινό της περιλάμβανε και χυμούς και γάλα και καφέ και μαρμελάδες και φρυγανιές κι ένα αυγό μελάτο. Σε δίσκο ασημένιο της ανέβαζε το πρωινό στο δωμάτιο. Καθόταν μπροστά στο παράθυρο που έβλεπε στον άδειο περιστερώνα και στη γέρικη ακακία, μασουλώντας αέρα. Μόνο ο καφές έδειχνε πειραγμένος. Όλα τα άλλα άθικτα. Όμως τα ήθελε κάθε πρωί στο δίσκο, χειμώνα καλοκαίρι, φρέσκα και μοσκομυριστά.

«Έχω ανάγκη να τα μυρίζω...» δικαιολογιόταν, αν και η Βάσω δεν της έδειξε ποτέ πως περίμενε δικαιολογίες.

Την παραμονή, λοιπόν, της γιορτής του Προφήτη, η Βάσω κόντεψε να πνιγεί με το γάλα, όταν είδε τον Ηρακλή να βγαίνει από την τουαλέτα ντυμένος τσολιάς. Κανονικός Εύζωνας, καλή της ώρα της Ευζωνίας. Είχε ζωστεί μια υπερβολικά πολύπτυχη βρόμικη φουστανέλα κατευθείαν πάνω απ' το σώβρακο, με τα πόδια από κάτω, κατά το συνήθιο του, ξέσκεπα· κι από πάνω πουκαμίσα τσολιαδίστικη, με γιλέκο χρυσοκεντημένο· και στο κεφάλι φεσάκι κόκκινο, με μαύρη φούντα κρεμασμένη ως το δεξί βυζί.

Απ' τη μύτη τής βγήκαν τα γάλατα κι άρχισε να βήχει. Στο πρόσωπο του Ηρακλή ήταν απλωμένη μια αμήχανη ευτυχία. Βρομοκόπαγε τσιγάρο και έξαψη.

«Με πήραν στην ταινία. Τρεις μέρες μεροκάματο και τα έξοδα μεταφοράς, συν το φαΐ πληρωμένο... Θα κάνουμε ότι διασκεδάζουμε στο γάμο... με τη Βουγιουκλάκη».

«Και το πότισμα;»

«Βάλε τον Ηλία με το λάστιχο. Θα τα καταφέρει...»

«Εμένα θα γκρινιάζει η γριά».

«Τρία μεροκάματα είναι, σου λέω. Από διακόσιους κομπάρσους, πήραν μόνο εβδομήντα. Με τη Βουγιουκλάκη είναι η ταινία».

«Η φουστανέλα ζέχνει στη βρόμα...»

«Πλύνε την. Να έχει στεγνώσει ως αύριο».

«Τι γάμος είναι;» ενδιαφέρθηκε.

«Παντρεύεται ο γκόμενος της Αστέρως κι εκείνη τρελαίνεται».

Άκρες μέσες, η Αστέρω πληρώνει το τίμημα του έρωτα με μια γερή δόση τρέλας, αλλά στο τέλος διασώζει το μυαλό της. Έλεγε ο Ηρακλής τα δικά του, αλλά τη Βάσω την έτρωγε που της σώθηκαν οι ασπιρίνες. Ο πονοκέφαλος σκαρφάλωνε πίσω από το αυτί της σαν κάβουρας. Έξω η μέρα προμηνυόταν ζεστή και υγρή, χωρίς ήλιο. Έπλυνε βιαστικά τη φουστανέλα, την άπλωσε κι έφυγε για το σπίτι της κυράς, να στύψει πορτοκάλια κι όλα τα υπόλοιπα. Στην παλιά στέρνα, όπου έβρισκαν καταφύγιο τα βατράχια, κοντοστάθηκε να ανασυντάξει μια θύμηση θολή. Δεν την βοηθούσε σε τίποτα εκείνο το τροπικό πρωινό. Κάτι η ζέστη, κάτι ο πονοκέφαλος, κάτι που μισούσε τις λέξεις... πάντως δεν μπορούσε να βάλει σε τάξη το δυσοίωνο ανεξήγητο που ξεμυτούσε απ' το σαρκοφάγο θερμοκήπιο του Ιουλίου. Με μια ασπιρίνη ο κόσμος θα ξαναγινόταν χωμάτινος κι αληθινός, αρκεί να προλάβαινε. Στη μεγάλη δροσερή κουζίνα, στη φιλική σκιά της πέργκολας από την παραδιπλανή βεράντα, θα ξανάβρισκε τον εαυτό της.

Επιτάχυνε το βήμα με το χέρι της στον κρόταφο, όπου φαντάζοταν ένα ροζ πρήξιμο παραγεμισμένο πόνο. Και τότε, στα σύνορα μιας ομίχλης, θυμήθηκε τις κουβέντες του Ηλία για το σινεμά. Κάτι μουρμούριζε το παιδί χθες, την ώρα που ανακάτευε τον κιμά. Θα τον έστρωνε στη δουλειά, να μάθει να ποτίζει, να αλαφρώσει λίγο τον πατέρα του. Δεν ήταν και δύσκολο. Όλα τα παιδιά τρελαίνονται να ποτίζουν με το λάστιχο.

Περπατούσε γρήγορα κι ένιωθε αγκάθια να γραπώνονται στις γάμπες της. Το σπίτι άλλοτε ξεμάκραινε μες στη λευκή αντηλιά κι άλλοτε ερχόταν πιο κοντά, όπως στους μεγεθυντικούς φακούς, που ήταν ακουμπισμένοι στο σαλόνι, πάνω στα βιβλία με τα δερμάτινα δεσίματα. Κάποτε επιτέλους θα απαλλασσόταν απ' αυτό τον ιδιωτικό τρόμο, που –για τ' όνομα του Θεού– ήταν νέα ακόμη για να τον αποδώσει σε κλιμακτήριο. Θα ρωτούσε, όμως, καλού κακού, την Ευζωνία...

Συνήλθε, όταν αισθάνθηκε ένα μυρμήγκι να μπαινοβγαίνει στο ρουθούνι της. Κειτόταν πέρα, κοντά στον ανατολικό φράχτη, ανάμεσα στις φιστικιές. Τις έρπουσες εντός της γης αράπικες φιστικιές. Απ' τα μεράκια του Ηρακλή... Είχε λάσπη στον αγκώνα και στα γόνατα. Το χώμα ήταν υγρό και μαλακό απ' το πότισμα. Σηκώθηκε, τίναξε τα χώματα από πάνω της κι έτρεξε στο σπίτι. Δεν είχαν περάσει ούτε πέντε λεπτά, μα της είχαν φανεί αιώνες. Της είχε περάσει κι ο πόνος. Δεν είπε σε κανέναν τίποτα για το συγκεκριμένο συμβάν – αδιαθεσία, λιποθυμία, απροσεξία; Όπως κι αν ονομάτιζε την περιπέτειά της, δεν είχε πια καμιά σημασία. Ας πρόσεχε! Μόνο μελανιές να μην της έμεναν στα μεριά. Για τον Ηρακλή. Να μη σιχαίνεται...

Ετοίμασε το πρωινό της κυράς της και το ανέβασε στο δωμάτιο με τις ροζ ταπετσαρίες και τις γαλάζιες κουρτίνες. Το δωμάτιο μύριζε καπνό από πίπα και το αγαπημένο άρωμα της γριάς. Μ' αυτό είχαν διαβρωθεί τα πάντα ε-κεί μέσα. Κυρίως τα βελούδα και τα αφόρετα από χρόνια γουναρικά στην ντουλάπα. Ο καπνός και το άρωμα της έφερναν πανικό κι ένα αίσθημα υποταγής. Και τα δύο ήταν πάνω από τις αντοχές της. Γι' αυτό βιαζόταν να ξεμπερδεύει απ' το δωμάτιο.

Εξοικειωμένη τον τελευταίο καιρό η Βάσω με τα λιβάνια και τα υποβλητικά σκοτάδια των εκκλησιών, αισθανόταν πως και στο ροζ δωμάτιο της κυράς της κυκλοφορούσαν ψήγματα απ' τη φιλική άβυσσο της θρησκείας. Μόνο που δεν έβρισκε τις κατάλληλες λέξεις να προσδιορίσει το δέος σε συνδυασμό με το ανακάτωμα στο στομάχι και το γενίκευε μέσα της σαν... αγιωτική αναγούλα.

«Άμα δεις γουρούνια στον ύπνο σου, τι είναι;» ρώτησε η γριά με σηκωμένα ειρωνικά τα ζωγραφισμένα της φρύδια.

«Δεν ξέρω...»

Με κάτι τέτοια η Βάσω έχανε τον μπούσουλα.

«Εμ, τι ξέρεις τότε...» κάγχασε η άλλη.

«Να ρωτήσω την αδελφή μου, την Ευζωνία...» είπε και βγήκε στο μπαλκόνι ν' αερίσει τα σεντόνια.

Γρήγορα τέλειωσε το συμμάζεμα του δωματίου, βοήθησε την κυρά να χτενίσει τα μαλλιά της –το ίδιο μονίμως «μπομπέ» χτένισμα, με το χρυσό χτενάκι πλαγίως να συγκρατεί μια πλούσια λευκή μπούκλα– και κατέβηκε τρέχοντας στην κουζίνα.

Ήταν ακόμα σβέλτη η Βάσω, αλλά ο επιπλέον λόγος του τρεχαλητού ήταν ο μεγάλος μισοσκότεινος διάδρομος του επάνω ορόφου με τις φωτογραφίες. Αυτοί οι άνθρωποι με τα καπέλα, τα κοστούμια και τα μειδιάματα άλλων καιρών, όλοι τους ασπρόμαυροι προς το μπλε και ατσαλάκωτοι, τη φόβιζαν. Είχαν ένα απόκοσμο ύφος, σαν να την έκριναν και να την υποτιμούσαν για τη θέση της, για τον ιδρωμένο της σβέρκο, για τη μυρωδιά που ανάδιναν οι μασχάλες της κι ο κόρφος της. Γάλα και κολόνια. Μια γυναίκα που γαμήθηκε αποβραδίς και δυσκολεύεται ν' απαρνηθεί τις ορμόνες της ένοχης ζωής. Τέτοιες μυρωδιές. Πίσω απ' τα τζάμια όπου βρίσκονταν οι φωτογραφίες, θ' απλωνόταν εσάνς μαραμένων δασών – και το χαρτί έτοιμο να θρυμματιστεί σαν μπισκότο. Τα σκεφτόταν, μα δεν τα είπε ποτέ πουθενά αυτά τα πράγματα η Βάσω. Κοίταζε τη δουλειά της και, στο κάτω κάτω, αν κάτι τη φόβιζε, δική της υπόθεση.

Τέσσερις σαπουνάδες πέρασε το κεφάλι του παιδιού εκείνο το βράδυ. Έκοψαν νύχια, άλλαξαν εσώρουχα κι ύστερα κάθισαν όλοι τους γύρω απ' το τραπέζι, ν' ακούσουν τον Ηρακλή να διηγείται πώς συγκάηκε απ' τη μέσα πλευρά του αριστερού μηρού – λόγω κάλτσας, ως τσολιάς στην ταινία. Η Μπέλα ζητούσε επίμονα πληροφορίες για την Αλίκη Βουγιουκλάκη: τι είπε, πώς γέλασε, πώς έκλαψε... «Πώς κλαίνε οι ηθοποιοί;» θέλησε να μάθει και η Βάσω. «Με κολλύριο κι από μόνοι τους... Σφίγγονται απ' το ταλέντο και κλαίνε».

Ο Ηρακλής, εξαιτίας του ωραίου παρουσιαστικού του, είχε πάρει μέρος σαν κομπάρσος σε ταινίες. Ήταν δηλωμένος σ' ένα γραφείο που εξειδικευόταν σε τέτοια, κάπου στην οδό Βερανζέρου, και κατείχε κάποια μυστικά του επαγγέλματος. Η συζήτηση ήταν διασκεδαστική, αλλά η

27

Μπέλα εξανέστη, όταν έμαθε πως η αγαπημένη της Αλίκη κάπνιζε.

«Και τι σε νοιάζει εσένανε, βρε χαζή;» είπε ο Ηρακλής, που, ενόσω τα διηγόταν αυτά, έριχνε ταλκ στο σύγκαμα, γιατί και την επομένη είχαν «γύρισμα». Η Μπέλα θεωρούσε το κάπνισμα πρόστυχο.

Η Βάσω είχε το νου της στην κυρά και στο δώρο που θα 'δινε στον εορτάζοντα Ηλία. Δεν ήταν γυναίκα των δώρων. Πώς της ήρθε τώρα να κάνει δώρο στο γιο του Ηρακλή; Στις εντεκάμισι βάρυναν τα βλέφαρα του Ηρακλή. Και η Βάσω νύσταξε. Η Μπέλα είχε πικαριστεί με το «κάπνισμα», είχε πετάξει κι ένα μπιμπίκι κατακόκκινο στη μύτη – πού να της κολλήσει ύπνος. Ο Ηλίας πρόλαβε να της εξηγήσει πως, αν έβαζε το μοδιστρικό μαγνήτη σ' ένα ποτήρι με νερό και το έπινε, θα μαγνήτιζε από 'κεί και πέρα όποιον ήθελε.

«Πού τα ξέρεις όλα αυτά, βρε νιάνιαρο;» προβληματίστηκε η Μπέλα.

«Τα ξέρω...» απάντησε ο μικρός, αφήνοντας πίσω του ένα ανήσυχο ρεύμα μυστηρίου. Τρύπωσε στα σεντόνια, ακούγοντας τη Βάσω να καταβρέχει τη βεράντα και κάτι κατσαρολικά να βροντούν στο νεροχύτη. Ξανάφερε στη μνήμη την κηδεία της μητέρας του, την αποφορά απ' τα λευκά λουλούδια και τα δάκρυα, το πρόσωπο της Κυρίας πίσω απ' το τζάμι, προχθές, στο μεγάλο σπίτι. Και το ίδιο το σπίτι να τον κοιτάζει λοξά, λες και είχε μάτια, όχι ένα και δύο, αλλά δεκάδες μάτια, χωμένα στις ροδαλές πέτρες.

28

Αποκοιμήθηκε τυλιγμένος σ' ένα όνειρο γεμάτο φουστανέλες σκόρπιες σ' ένα κίτρινο απέραντο φρεσκοθερισμένο σταροχώραφο. Πίσω από μια αγριοτριανταφυλλιά, ο πατέρας του, ο Ηρακλής, κειτόταν γυμνός, μες στα αίματα, με το λαιμό κομμένο πέρα πέρα από ένα στιλέτο φορτωμένο σμαράγδια και μαργαριτάρια στη λαβή του.

Ξύπνησε με την καρδιά να βροντοχτυπά και το στόμα ξερό. Διψούσε, αλλά τον ξαναπήρε ο ύπνος με όνειρα επίτηδες δροσιστικά, βασανιστικά, γεμάτα βρύσες και πηγές, στάμνες και ψυγεία ηλεκτρικά.

«Τι μυρίζει;»

«Τι θες να μυρίζει; Τα σπίτια μυρίζουν...»

«Αυτό...»

«Τι αυτό;»

«Τίποτα».

Με το που μπήκαν στην κουζίνα –προτίμησε η Βάσω να τον περάσει από τα ανεπίσημα κι όχι απ᾽ την κύρια είσοδο– χτύπησε τον Ηλία η μυρωδιά. Δεν ήταν οι μυρωδιές της κουζίνας που του τράβηξαν την προσοχή, αλλά το άρωμα, ο καπνός και κάτι άλλο που είχε βάση το κάρβουνο. Μόνο που δεν μπορούσε να το προσδιορίσει τότε.

«Να είσαι ευγενικός. Αν σου δώσει κανένα δώρο, μην το δεχτείς αμέσως. Αν επιμείνει, πάρ᾽ το και πες "ευχαριστώ πολύ"...»

«Σαν τι θα μου δώσει;»

«Ξέρω κι εγώ; Αν σου δώσει...»

Έβγαλε την ποδιά της, σκούπισε τα χέρια, έσιαξε τα μαλλιά και τον πήρε απ᾽ το χέρι. Πέρασαν ένα μεγάλο χολ στρωμένο με πλακάκια που σχημάτιζαν γκρίζους ρόμβους,

φωτισμένο ελάχιστα από δύο νυσταγμένες απλίκες, κι α-
νέβηκαν τη μεγάλη ξύλινη σκάλα. Μερικά σκαλοπάτια έ-
τριζαν. Το σπίτι ήταν σιωπηλό, με πολλές σκιές και φω-
τογραφίες παντού, που ο Ηλίας εξαρχής σφάλισε τα μά-
τια, να μην τις βλέπει. Έσφιξε το χέρι της Βάσως, συ-
ντονισμένος πάντα στο βήμα της.

Έπειτα, μπροστά σε μια μισάνοιχτη πράσινη πόρτα
στάθηκαν να φρεσκάρουν τις ανάσες τους. Ένα απαλό «Ε-
λάτε...» ακούστηκε στο χτύπημα της Βάσως. Μπήκαν
στο ευρύχωρο υπνοδωμάτιο της Κυρίας. Τα παντζούρια ή-
ταν κουφωμένα και οι κουρτίνες ανέμιζαν. Τα μελτέμια ε-
κείνο το πρωί έδιναν το στίγμα τους, όσο ψηλά κι αν
σκαρφάλωνε ο υδράργυρος τη μέρα του Προφήτη Ηλία.

«Ώστε εσύ είσαι ο Ηλίας...»

«Αυτός είναι...» μουρμούρισε η Βάσω σπρώχνοντας το
παιδί με νόημα προς τη γυναίκα, που φορούσε μια γαλά-
ζια ρόμπα βαμβακερή, με δαντέλες στα κοντά μανίκια. Έ-
δινε την εντύπωση καλοζωισμένης γριάς, παρά τις ρυτίδες
και τις σακούλες κάτω απ' τα μάτια. Στα μαραμένα χεί-
λη της υπήρχε μια υποψία κραγιόν. Και παντού ο καπνός,
το άρωμα κι εκείνο το άλλο, που στο παιδί θύμιζε κάρ-
βουνο νοτισμένο. Το βλέμμα της, όμως, σαν να μην το έ-
βλεπε. Ένα βλέμμα καλά ασφαλισμένο πίσω από μισό-
κλειστα βλέφαρα, που τα βάραινε μια καφέ μολυβιά – κά-
τι ανάλογο με τις ζωγραφισμένες καμπύλες των φρυδιών.

Ο Ηλίας πλησίασε ακόμα περισσότερο την «κυρά», ό-
πως την αποκαλούσε η Βάσω, εισπράττοντας άλλη μια ι-
σχυρή δόση από εκείνη τη μυρωδιά. Άπλωσε πρώτος το

31

χέρι του διστακτικά, όπως τον είχε δασκαλέψει η μητριά του. Κι ύστερα, άθελά του, ακούστηκε η φωνή του ξεψυχισμένη:

«Τζίκι...»

Η γηραιά κυρία έμεινε με το χέρι ξεκρέμαστο. Ένα χέρι διάστικτο από σκουρόχρωμες κηλίδες, χέρι ευγενικό, που κατά πάσα πιθανότητα θα ήταν από δέρμα, προτού μεταλλαχτεί σ' αυτή τη διάφανη περγαμηνή με τις γαλάζιες φλέβες που διέτρεχαν τα φορτωμένα με δαχτυλίδια δάχτυλα, που αντανακλούσαν το φιλτραρισμένο πρωινό φως. Σήκωσε με προσπάθεια ακόμα πιο ψηλά τα ψεύτικα φρύδια κι ύστερα ξέσπασε σ' ένα ηχηρό γέλιο, που της έφερε φτάρνισμα πρώτα και μετά βήχα.

«Τι είπες;» ανησύχησε η Βάσω, χωρίς να καταλαβαίνει τι ακριβώς είχε γίνει.

Ο Ηλίας, με κατακόκκινα αυτιά, έσκυψε το κεφάλι. Κι ενστικτωδώς, στα γρήγορα, καθησύχασε τον ίδιο του τον πανικό μουρμουρίζοντας:

«Δεν είπα τίποτα...»

«Είπες...» τον κάρφωσε η γριά.

«Τι είπες;» αγρίεψε η Βάσω. «Πες μου αμέσως τι είπες...»

Και χωρίς να περιμένει την απάντηση του παιδιού, του άστραψε το πιο δυνατό ίσως χαστούκι που είχε δώσει ποτέ.

«Σας παρακαλώ, Βάσω... Μη, το καημένο...» μπήκε στη μέση, ενοχλημένη, η κυρά.

«Για να μάθει...» έκανε η Βάσω λαχανιασμένη και μετανιωμένη, αβέβαιη για τη χρησιμότητα της σφαλιάρας.

«Κάτι με το άρωμά μου έχει να κάνει... "Τζίκι" – αυτό είναι το όνομά του. Κι εσύ πού το ξέρεις, παιδί μου;» στράφηκε στον μικρό, γεμάτη περιέργεια, η Κυρία.

«Δεν το ξέρω...» σήκωσε τους ώμους του ο Ηλίας.

«Αφού σε άκουσα».

«Δεν το ξέρω...» επέμεινε το παιδί, τρέμοντας από ένα θυμό που απέφυγε να δείξει.

«Είπες "Τζίκι". Σε άκουσα...» χαμογέλασε η γριά, αφήνοντας να φανεί μια οδοντοστοιχία από μπλε πορσελάνη. Πρώτη του φορά ο Ηλίας έβλεπε μπλε δόντια ν' αστράφτουν έτσι...

«Τέλος πάντων... σήμερα γιορτάζεις. Κι αν δε θες να μας πεις πού ξέρεις το "Τζίκι", που κάποιοι ευφάνταστοι Γάλλοι κύριοι το παρασκεύασαν πριν από πολλά πολλά χρόνια, με γεια σου με χαρά σου. Εγώ σου έχω ένα δωράκι... Βάσω, πάνω στην τουαλέτα... εκείνο το κουτί».

Η Βάσω τσακίστηκε να φτάσει στην τουαλέτα.

«Δεν είναι ανάγκη...» ψιθύρισε το παιδί.

«Έτσι λες;» Η Κυρία διασκέδαζε με το χαμένο ύφος του παιδιού, ενώ σκεφτόταν πως τούτο το τέρας δε διέθετε την τετριμμένη αναίδεια των λαϊκών ανθρώπων.

«Το δώρο μου είναι... κάτι εγγλέζικα σαπούνια λεβάντας για κυρίους. Κι εσύ είσαι ένας μικρός κύριος...» Κάτι ήθελε να προσθέσει ακόμα, αλλά προτίμησε να σωπάσει.

«Πες "ευχαριστώ"...» τον σκούντησε η Βάσω.

Την κοίταξε φοβισμένος, προσπαθώντας να βρει το τυφλό βλέμμα ανάμεσα στα βλέφαρα, που τώρα έκλειναν ύπουλα, όπως το κέλυφος των μυδιών. Είπε ένα πνιχτό «Ευ-

33

χαριστώ», προς μεγάλη ανακούφιση της Βάσως, που απ'
το σφίξιμο της ήρθε να κατουρήσει μ' ένα άγριο τσούξιμο
στην κύστη.

«Είσαι ένα τέρας...» αποφάνθηκε η Κυρία, επιστρέφο-
ντας συλλογισμένη στη συνηθισμένη στάση της. Φρεσκά-
ρισε νευρικά τον αέρα με τη βεντάλια. «Ένα τέρας...» ε-
πανέλαβε σιγανά. «Βάσω, θα φάω αργότερα. Κι αν μπο-
ρείς, φτιάξε για το βράδυ ένα ρυζόγαλο...»

Της κακοφάνηκε της Βάσως που τον χαρακτήρισε «τέ-
ρας», έστω και χάριν αστειότητος. Ε, όχι και τέρας το ορ-
φανό.

«Χρόνια σου πολλά και θα τα ξαναπούμε, κύριε Η-
λία...»

Του άπλωσε πάλι το διάφανο γερασμένο χέρι με τα δα-
χτυλίδια. Μόλις που τον άγγιξαν τα νύχια της – νύχια όχι
πολύ μακριά, αλλά περιποιημένα, παρά την ηλικία της,
και περασμένα μ' ένα σχεδόν διάφανο βερνίκι. Μόλις που
τον άγγιξαν, αλλά τον έκαναν αμέσως να τιναχτεί, λες και
είχε ακουμπήσει γυμνά ηλεκτρικά καλώδια. Κι άλλοτε
του είχε συμβεί κάτι τέτοιο, αλλά δεν μπορούσε να θυμη-
θεί μες στο ξάφνιασμα πού και πότε. Τραβήχτηκε απότο-
μα προς τα πίσω, πέφτοντας με την πλάτη πάνω στην
κοιλιά της Βάσως. Λες κι επίτηδες για την κύστη της που
την πέθαινε.

«Τι συμβαίνει, νεαρέ;» απόρησε η γριά.

Μόνο που τούτη τη φορά γνώριζε το όνομά της: Ιου-
στίνη-Μερόπη. Είχε κι άλλα ονόματα, αλλά του 'ρχόταν
εμετός απ' το σάστισμα...

34

«Τίποτα...»

«Πώς τίποτα;»

Μέσα σε δευτερόλεπτα, ο γιος του Ηρακλή είχε μικρύνει ακόμα περισσότερο. Κι έδειχνε τώρα πιο χλομός από πριν.

«Αυτό το αγόρι έχει αδύνατο στομάχι...» σκέφτηκε η Κυρία, κατανικώντας μια απότομη νύστα κι ένα μπαράζ χασμουρητών.

«Έλα, να πηγαίνουμε», τον τράβηξε η Βάσω απ' το γιακά, θιγμένη που τον είπε η κυρά της «τέρας». «Έλα...»

Πισωπατώντας βγήκαν με τη Βάσω στο διάδρομο, που νύσταζε κι αυτός μες στο ημίφως στο χρώμα του χαλκού. Μαύρες δαντελένιες κουρτίνες σκίαζαν τα πρόσωπα στις φωτογραφίες.

«Κάτσε 'δώ μια στιγμή. Πάω στην τουαλέτα, γιατί μου 'ρθε ένας πόνος. Μην πειράξεις τίποτα...»

Τι να πείραζε; Τα χέρια του κόντευαν να λιώσουν τα σαπούνια της λεβάντας, το «δώρο» με την περίτεχνη συσκευασία, έτσι σφιχτά που τα κρατούσε. Έκλεισε τα μάτια. Τα ξανάνοιξε. Τα ξανάκλεισε, αλλά η τρεμούλα δεν έφευγε. Έπειτα, πήρε να σεργιανά λοξά τους πεθαμένους στις φωτογραφίες. Γυναίκες, άντρες και παιδιά με φορεσιές άλλων καιρών να χαμογελούν, καλλιεργώντας μια ψευδαίσθηση πρόσκαιρης ευτυχίας, με φόντο ανθοστήλες και κίονες ιωνικούς, ταμπλό με μπουκέτα εξωτικών λουλουδιών, τον Πύργο του Άιφελ σαν κακότεχνη τσαγιέρα και την Αγια-Σοφιά, μισή εκκλησία μισή τζαμί, με τον εξαίσιο τρούλο σαν σκεύος μαγειρικό.

35

Στο μεταξύ, ήρθε ανακουφισμένη η Βάσω.

«Τι κοιτάς;»

«Τίποτα...»

«Είναι φωτογραφίες με συγγενείς της που...»

«Δεν είναι...» τη διέκοψε.

«Τι δεν είναι;» αγρίεψε η Βάσω.

«Τίποτα...» Του ξανάρθε ένας φόβος στο σβέρκο.

«Όλο τίποτα και τίποτα λες... Και που σε κοπάνησα, για το καλό σου το 'κανα. Να μην είσαι αυθάδης. Ξέρεις τι είναι αυθάδης;»

Έκανε ένα αόριστο νεύμα με το κεφάλι. Στην κουζίνα, όμως, ένιωσε ασφαλής. Μύριζε η αποχέτευση λόγω ζέστης, αλλά ήταν καλά και ήσυχα. Άκουγε το μελτέμι να σαρώνει τα πεσμένα φύλλα στο τσιμέντο. Ο ήλιος έκαιγε τα χώματα, τα τζιτζίκια τρελαίνονταν.

«Τι θα πει τζίκι;» ρώτησε η Βάσω περίεργη.

«Είναι η κολόνια».

«Κι εσύ πού ξέρεις από κολόνιες γαλλικές;»

«Είχαμε ένα τέτοιο μπουκάλι. Η μάνα μου...»

«Γαλλική κολόνια έβαζε η συχωρεμένη;»

«Είχαμε ένα άδειο μπουκάλι για να παίζω. Δεν ξέρω πού το βρήκε».

«Και το... πώς το λένε, αυτό το "Τζίκι", το πασαλείβεται η κυρά; Η Κυρία... Μωρέ, μπράβο σου που θυμάσαι κάτι τέτοια!» επιβράβευσε σκοπίμως το παιδί, μάλλον από τύψεις για το χαστούκι. Πήρε ένα στραβό, μισό χαμόγελο: «Για αστείο σε είπε "τέρας"».

«Ναι, ξέρω...»

«Όλα, τελικά, τα ξέρεις εσύ...»

Το παιδί κατέβασε το κεφάλι, πασχίζοντας να μην κλάψει. Θυμήθηκε τη μάνα του, λίγες ημέρες νεκρή, σκεπασμένη με πικρές ντάλιες και πικρότερες πικροδάφνες. Πικρά ζουμιά έσταζαν τα κοτσάνια όλων των λουλουδιών στην κηδεία. Δεν του άρεσε που έλεγε ψέματα στη Βάσω για το «Τζίκι». Ούτε που ήξερε τι είναι το «Τζίκι», ώσπου το ένιωσε στα ρουθούνια του, ανήμερα της γιορτής του. Μόνο που δεν ήταν το «Τζίκι», αυτό το παλιό φίνο άρωμα του οίκου Γκερλέν, που αναστάτωσε τις αισθήσεις του. Ήταν κι όλα τα άλλα – και κυρίως το κάρβουνο, που το «Τζίκι» πάσχιζε να εξολοθρεύσει με την κοσμοπολίτικη ευωδιά του.

«Θα δώσω ένα σαπούνι και στην Μπέλα το βράδυ...» είπε ο Ηλίας για να πει κάτι.

«Δώσ' της, μήπως και φιλοτιμηθεί να πλένεται πιο συχνά. Τα κορίτσια στην ηλικία της πρέπει να πλένονται. Πήγαινε τώρα να παίξεις. Βάλε το λάστιχο να ποτίσεις τις ντομάτες που διψούν, οι αχόρταγες... Άντε!»

«Τι όνομα είναι αυτό που έχει... Ιουστίνη-Μερόπη;» είπε το παιδί.

«Μπας και θέλεις να τη φωνάζεις Ιουστίνη;» άνοιξε από τη σαστιμάρα το στόμα της η Βάσω – ένα μεγάλο, τετράγωνο στόμα. «Ποια Ιουστίνη και Μερόπη, βρε; Σαν πολλά δεν ξέρεις για το μπόι σου; Μη χώνεσαι εκεί που δεν σε σπέρνουν, Ηλία μου...»

Πρώτη φορά τον έλεγε έτσι, «Ηλία μου», όπως η μάνα του. Λαχτάρησε που την άκουσε, ξεχάστηκε για λίγο η έγνοια του.

37

«Εμείς τη λέμε "Ορίστε" και "Μάλιστα", δεν πά' να τη γράφουν επίσημα και "Τρεις Ιεράρχες"!»

«Το "Ορίστε" και το "Μάλιστα" δεν είναι ονόματα...»

«Για τον πατέρα σου και για μένα είναι!» φούντωσε η Βάσω.

Δεύτερο χαστούκι πάντως μέσα σ' ένα πρωινό, και μάλιστα τη μέρα της γιορτής του, δε θα σήκωνε το χέρι της να του δώσει. Αν ήταν η Μπέλα, θα την ξεμάλλιαζε. Αλλά η Μπέλα δεν είχε, ευτυχώς, τέτοιες απορίες και αυθάδειες. Το «Μερόπη» γνώριζε σαν όνομα της κυράς της, αλλά από τα πολλά «Ορίστε» το ξέχασε. Είχε κι ένα σωρό δουλειές να κάνει, κι όλα αυτά της έφερναν εκνευρισμό. «Άντε στις ντοματιές, γιατί κοντεύει μεσημέρι».

Τράβηξε κατά το σπίτι προβληματισμένος, αδιαφορώντας για τους μικρούς ανεμοστρόβιλους που σήκωνε το μελτέμι. Προσπέρασε τις ντοματιές, τα κολοκύθια και τα φασολάκια που τυλίγονταν πάνω σε καλάμια παιχνιδιάρικα, πήγε και κάθισε στη βεράντα, που τέτοια ώρα τη χτυπούσε ο ήλιος, αφού ήταν αυτό που λέμε «μεσημβρινή». Κρύωνε κι ας ψηνόταν ο τόπος. Τη δική του την πλάτη την έψηνε ξαφνικά ένας πυρετός ανώτερος από την κάψα του Ιουλίου.

Παρέμεινε εκεί ως τις δυόμισι, οπότε επέστρεψε και ο Ηρακλής από το «γύρισμα», μούσκεμα στον ιδρώτα, με τη φουστανέλα και τα υπόλοιπα σε μια πάνινη τσάντα. Είχαν ξεμπερδέψει νωρίς σήμερα, γιατί αδιαθέτησε λόγω ζέστης η δεσποινίς Βουγιουκλάκη και ο διευθυντής παραγωγής τούς ξαπόστειλε με μισό μεροκάματο. Είπε τα χρόνια πολλά στο γιο του, αλλά, καθώς τον φίλησε στο μέτωπο, ζεματίστηκε:

«Ηλίαση έπαθες, έτσι που καθόσουν καταλιακού, χωρίς ένα καπέλο, χωρίς γυαλιά...»

Για τον Ηρακλή, τα γυαλιά ήταν η βασικότερη και πιο κοκέτικη άμυνα στον ήλιο. Του έβαλε μια κομπρέσα με λίγο τριμμένο πάγο απ' την παγωνιέρα. Το παιδί ψηνόταν στον πυρετό, αλλά τα μάτια του αρμένιζαν σ' άλλους τόπους. Κόκκινες φλέβες πολιορκούσαν την κόρη των ματιών του. Δεν είχαν κοιταχτεί ποτέ στη ζωή τους τόση ώρα κατάματα πατέρας και γιος. Του έδωσε κρύα γκαζόζα να καταπραΰνει το μέσα του και μια ασπιρίνη ολόκληρη. Κι αυτά τον συνέφεραν μια ιδέα. Δε θέλησε ν' ανησυχήσει τη Βάσω, που συνήθως τέλειωνε κατά τις πέντε. Έμεινε με το σώβρακο να δροσιστεί. Είχε ψηθεί όλη μέρα στις συγκοινωνίες και στις φουστανέλες... Χαμογέλασε στον εορτάζοντα γιο του.

«Είμαστε καλύτερα, μικρέ. Δεν είναι τίποτα...»

Κι έπιασε να του εξιστορεί πώς συμπεριφέρονται στο σινεμά οι σκηνοθέτες και οι τεχνικοί, τι γίνεται με τις μηχανές και τα φώτα... Κι ακόμα, για το μακιγιάζ και την κοσμαγάπητη πρωταγωνίστρια, που τη μια στιγμή έκλαιγε και την άλλη γελούσε. Τόσο εύκολα...

«Άνοιξαν τα μάτια σου, Ηλία μου...»

Για να ξαλεγάρει την ατμόσφαιρα, διηγήθηκε πώς φιλιούνται οι ηθοποιοί. Κανονικά, με τη γλώσσα ο καθένας στο στόμα του άλλου. Κι αν κάνουν λάθος, πάλι απ' την αρχή. Κι από σίδερο να είσαι, θα λυγίσεις! Γέλασε δυνατά μόνος του. Έφαγε ανόρεχτα δύο γεμιστές πιπεριές με φέτα. Φούσκωσε με την μπίρα κι έπεσε στο διπλό κρεβάτι να πάρει έναν υπνάκο.

Έξω τα μελτέμια δόξαζαν τον Προφήτη Ηλία. Το παιδί ήπιε τρία ποτήρια νερό να σβήσει την κάψα που το βασάνιζε και γδύθηκε. Έμεινε με το φανελάκι και το μαύρο καμποτένιο παντελονάκι, όπως στην κατασκήνωση, όπου τον είχαν στείλει πέρσι με το Κατηχητικό και σιχάθηκε τις προσευχές. Προτιμούσε το παράσπιτο του πατέρα του και της Βάσως, εδώ, στην Κηφισιά – εκτός κι αν... θύμωνε το σπίτι εκείνης της γυναίκας, και τότε... Ένα ρίγος δυνατό χαράκωσε την αδύνατη πλάτη του, αλλά μετά σκέφτηκε πως για όλα φταίει το χαζό το μυαλό μας κι ότι με τέτοια ζέστη οι φόβοι των ανθρώπων λιώνουν σαν παγωτό σοκολάτα. Τρύπωσε στις ντοματιές να παίξει με τα νερά, να ερεθιστεί με την ξινή χλωροφύλλη τους, να κρυφτεί απ' τις ίδιες του τις απορίες.

Και πέρσι, στην κατασκήνωση του Κατηχητικού, είχε πει κάτι που αναστάτωσε τον ομαδάρχη του. Ένα αγόρι, συνομήλικό του, ζεμάτισε το χέρι του ένα πρωί με το τσάι. Μια κατσαρόλα κοχλαστό τσάι του ρήμαξε το μπράτσο και τον έτρεχαν στο Νοσοκομείο της Κορίνθου. Ο Ηλίας το 'χε πει απ' την πρώτη μέρα στον ομαδάρχη να προσέχουν την κατσαρόλα με το τσάι... Ήξερε και ποιος θα την πλήρωνε, αλλά δεν είχε προχωρήσει παραπέρα...

Ακούμπησε το μάγουλό του που έκαιγε στο υγρό χώμα, ν' ανακουφιστεί λίγο, κι ανάσανε το μεσημέρι, που πότε τραγουδούσε και πότε ούρλιαζε, καταπώς το γλένταγε το μελτέμι. Θα 'πρεπε κάποτε να πάψει να κρύβεται πίσω απ' τα ψέματα, αλλά τούτη τη μέρα της γιορτής του δεν είχε άλλη επιλογή απ' το ψέμα. Τι να 'λεγε στη Βάσω; Ότι πρώτη φορά στη ζωή του συναντήθηκε με το «Τζίκι», που ήταν σαν μια σκοτεινή ευωδιαστή απειλή που κυριαρχούσε μέσα στο σπίτι της κυράς;

Δεν ήταν μόνο ο κόρφος της κι ο λαιμός της που ανάδιναν αυτό το άρωμα, που ερχόταν κατευθείαν απ' το Παρίσι μέσα σε περίτεχνα μπουκαλάκια από κρύσταλλο, ικανό να συγκρατεί και να επεξεργάζεται αισθαντικά κάθε υποψία φωτός. Ήταν και κάτι άλλο, πολύ πιο ζοφερά γοητευτικό, που υιοθετούσε τη χημική ταυτότητα του παιχνιδιάρικου «Τζίκι». Τι θα καταλάβαινε η Βάσω απ' όλα αυτά; Έτσι βολεύτηκε στο ψέμα, ότι τάχα η συχωρεμένη η μάνα του του είχε δώσει ένα τέτοιο μπουκαλάκι για να παίζει...

Τον παρηγόρησε η θύμησή της, αλλά, όσο κι αν έφερνε την εικόνα της κέρινης μορφής της ανάμεσα σε σεντόνια και παπλώματα, εκείνη γλιστρούσε –όπως το νερό απ' το λάστιχο στη ρίζα της ντοματιάς– παραχωρώντας τη θέση της σε άλλες εικόνες, με άδεια κρεβάτια, που υποδήλωναν απουσία. Έκρυψε το πρόσωπο στα χώματα κι έκλαψε μ' όλη του την ψυχή. Με αναφιλητά, να ξεσπάσει το γκρίζο πλάκωμα που έφραζε το λαρύγγι του από νωρίς. Καταλάβαινε πως, για να επιβιώσει στο βλακώδη κόσμο της Βάσως, της Μπέλας και του Ηρακλή, θα 'πρεπε να συνεχίσει να ψεύδεται ως τη στιγμή της Δευτέρας Παρουσίας του: όταν δηλαδή θ' αποκτούσε τη σωστή Παρουσία που χρειάζεται κάποιος, για ν' απολαμβάνει τη δικαιοσύνη του μάταιου τούτου κόσμου. Όπως ο πατέρας του. Ο ψηλός, γεροδεμένος σαν Αϊ-Γιώργης τροπαιοφόρος Ηρακλής, με τους μηρούς και τις γάμπες πανέτοιμες να εκραγούν από χυμούς.

Πλύθηκε, έφτυσε τη λάσπη που είχε κολλήσει στα χείλη του, καθάρισε τα μάτια απ' τα δάκρυα, μετατόπισε το λάστιχο στις πιπεριές που μόλις κι άρχιζαν να κοκκινίζουν, σαν από μια εύθυμη ντροπή.

Ο Ηρακλής κοιμόταν ακόμα. Ανάσκελα και ξέσκεπος. Δικαίως έστελνε η Βάσω την Μπέλα στη δουλειά, να μην της μπαίνουν ιδέες. Χώρια που κάτι θ' άρπαζε δίπλα σε μια τόσο άξια μοδίστρα σαν την κυρία Λεφούση. Στην εφηβεία της πια για τα καλά η Μπέλα, στο παιδικό του χάος ο Ηλίας, και η κυρά στις παραξενιές της.

Λίγο μετά τις πέντε επέστρεψε σήμερα η Βάσω απ' τη δουλειά. Πέρασε δυο βιαστικά νερά τη φουστανέλα, που απ' τους ιδρώτες είχε το χάλι της, να 'ναι αύριο φρέσκια, γιατί το γλέντι στην ταινία δεν είχε ακόμα τελειώσει – και καλύτερα, αφού θα έπεφταν έτσι κι άλλα μεροκάματα. Θες η ζέστη και η ορθοστασία, θες η ταραχή που πήρε το πρωί με τα καμώματα του μικρού, ένιωθε τώρα κομμάρες. Είχε ξεχάσει πια να κουλαντρίζει μικρά παιδιά. Γι' αυτό έχανε την υπομονή της...

Απόγευμα, και δεν έλεγε να δροσίσει. Ίσα ίσα που χειροτέρεψε η ζέστη, καθώς το μελτέμι έπεσε. Σκέψου τι θα

γινόταν κάτω στην Αθήνα, αφού στην Κηφισιά έβραζε έ-
τσι ο τόπος. Μόνο στο σπίτι της κυράς της σου έρχονταν
ρεύματα όπου και να στεκόσουν, αλλά έτσι είναι τα παλιά
σπίτια.

Άπλωσε τη φουστανέλα, τόσα μέτρα ύφασμα, κι έψη-
σε καφέ. Μπορεί κατά το βραδάκι να περνούσε και η Ευ-
ζωνία να τα πουν λιγάκι. Ο αδελφός τους, ο Τάσος, ετοι-
μαζόταν να παντρευτεί μια τραγουδίστρια των Τζιτζιφιών
ονόματι Μερσίνα – καλή, απ’ ό,τι άκουγόταν, στα σεγκό-
ντα δίπλα στον Παπαϊωάννου. Αφού την αγάπησε, ας την
έπαιρνε, να συμμαζευτεί κι αυτός. Τριάντα εφτά χρόνων,
γεροντοπαλίκαρο σχεδόν, ως πότε θα περίμενε;

«Ηλίαααα...» έβαλε η Βάσω τις φωνές. Άκουγε το νε-
ρό απ’ το λάστιχο, αλλά δεν έβλεπε τον μικρό απ’ τη βε-
ράντα.

Τελικά, το παιδί βγήκε μέσ’ απ’ τις φυλλωσιές. Το
λυπήθηκε η ψυχή της έτσι αδυνατούλι, μια σταλιά, μες
στο άσπρο φανελάκι και το καμποτένιο μαύρο βρακί – σαν
χελιδονάκι... Και κάκιωσε πάλι τον εαυτό της για το χα-
στούκι. Μα τι χαζή που ήταν, ώρες ώρες!

«Έλα να σου βάλω να φας ρυζόγαλο...»

«Δε θέλω».

«Έλα τότε να μου κάνεις παρέα στον καφέ...»

Κάθισε στα σκαλιά, αγκαλιάζοντας τα πλευρά του.

«Τι έχεις; Κάτι έχεις εσύ...»

«Τίποτα».

«Εκτός από “τίποτα”, εσύ έχεις και κάτι...»

«Πονάει λίγο το κεφάλι μου...»

«Μικρό το κακό. Σήμερα είναι η γιορτή σου, μην κάνεις μούτρα!»

«Δεν κάνω μούτρα».

«Όπως νομίζεις...»

Ήπιε τον καφέ της, απολαμβάνοντας την κούρασή της. Να 'κανε ένα μπάνιο και να άλλαζε προτού σηκωθεί ο Ηρακλής. Λοξοκοίταξε τον πιτσιρικά. Κοίταζε πέρα, κατά το σπίτι, συννεφιασμένος.

«Θέλεις να μου πεις κάτι;»

«Σαν τι;»

«Ξέρω κι εγώ; Μπορεί να μας βαρέθηκες...»

Το παιδί δεν απάντησε. Ανοιγόκλεινε τα χείλη του σε κουβέντες που δυσκολεύονταν να βγουν παραέξω.

«Μου φαίνεται πως οι ντοματιές σού ρούφηξαν το χρώμα...»

Αστειεύτηκε η Βάσω, αλλά το χρώμα του μικρού ήταν πράσινο, μπορεί κι από τις σκιές που έπεφταν ακατάστατες αυτή την ώρα στη βεράντα. Την έπιασε ανησυχία – κι αυτός ο ευλογημένος ο Ηρακλής ροχάλιζε στο μέσα δωμάτιο.

«Να σου βάλω βανίλια, υποβρύχιο που λέμε, με κρύο νερό;»

Δεν απάντησε. Ανοιγόκλεινε το στόμα όπως τα χρυσόψαρα, χωρίς ήχο, με μάτια ανοιγμένα διάπλατα. Τότε εκείνη άκουσε, σαν μέσα από τα ξέφτια μιας θύελλας ή από παράσιτα ραδιοφώνου, ήχους παράταιρους. Σαν να βαρούσαν νταούλια και να έπαιζαν ζουρνάδες και πίπιζες, μπάντες βαρβαρικές. Κάτι που 'χε να κάνει με αίμα της

44

ήρθε στο στόμα – καμιά σχέση με τον καφέ που είχε μόλις πιει. Αν έφτυνε, ήταν σίγουρη πως θα έφτυνε αίμα – έτσι νόμισε.

Έφτυσε ακριβώς μπροστά στα γυμνά της πόδια. Το σάλιο της καφέ – και τίποτ' άλλο. Μόνο η καρδιά της βροντούσε παραπάνω απ' το κανονικό. Το παιδί συνέχιζε να παίζει το χρυσόψαρο χωρίς να την κοιτάζει, προσηλωμένο σε κάτι αόρατο που το σαγήνευε. Έπειτα, ενώ από μέσα ακουγόταν το νερό της βρύσης –ήταν ο Ηρακλής που πλενόταν– το παιδί σηκώθηκε πράσινο ή γαλάζιο –τι σημασία είχε, άλλωστε, το χρώμα;– και την αγκάλιασε σφιχτά από τη μέση. Δεν περίμενε τέτοιο αγκάλιασμα, όμως ο φόβος και η μεταξένια λάμψη στα μάτια του παιδιού τής αποκαθήλωσαν τα αισθήματα. Ανατρίχιασε με το βλέμμα του.

«Τι είναι;»

«Εκείνη η γυναίκα», είπε το παιδί, «είναι από χρόνια πεθαμένη».

«Τι είπες;»

«Είναι από χρόνια πεθαμένη, η κυρά...»

Η Βάσω ένιωσε έναν ύπουλο πόνο στο πάγκρεας κι ευχήθηκε βαθιά από μέσα της να ήταν μόνη, ολομόναχη σ' αυτό τον κόσμο, χωρίς παιδιά και σύζυγο κομπάρσο στην Αστέρω.

Κρύωνε, ενώ ταυτόχρονα ένιωθε τις πατούσες της να ιδρώνουν. Απομάκρυνε βίαια το παιδί από πάνω της κι έτρεξε ως τη φιλότιμη κίτρινη τριανταφυλλιά που, χειμώνα καλοκαίρι, ανάσταινε τα άνθη της σε πείσμα των καιρών. Έχωσε άτσαλα τα χέρια στο πυκνό φύλλωμα κι έκοβε ό,τι της ερχόταν βολικό, παίρνοντας κουράγιο σε κάθε γδάρσιμο και σε κάθε σκίσιμο του δέρματος.

Στάζοντας αίματα, ζαλισμένη και ξαφνιασμένη, γύρισε στη βεράντα με ύφος θριάμβου. Ο Ηρακλής κι ο γιος του την παρατηρούσαν αποσβολωμένοι. Τους είδε και κοντοστάθηκε να καταπιεί λίγο απ' το ζεστό αέρα του απογεύματος.

«Τι έπαθες;» βρήκε τη φωνή του ο Ηρακλής.

«Έκοψα τριαντάφυλλα για τη γιορτή του. Να μη λέει...»

Ξεχείλισε το βάζο από κίτρινα τριαντάφυλλα και η Βάσω από λυγμούς. Μα ο Ηλίας προτίμησε να κοιτάζει το μεγάλο σπίτι, χωμένο στα μαύρα πεύκα, νυχτωμένο προτού ακόμα δύσει ο ήλιος.

Στην Αδριανούπολη
(*Edirne*)

ΓΙΑΤΙ ΤΟ ΤΡΟΜΑΖΕ ΕΤΣΙ, ΜΙΑ ΣΤΑΛΙΑ ΠΑΙΔΙ; ΑΛΛΑ ΤΙ ΝΑ ΤΗΣ πει, που σεβόταν την ηλικία της – αν και, έτσι που ήταν, κανένας δεν μπορούσε να την κατατάξει ούτε στις γριές ούτε στις νέες. Τι να της πει, που ήταν το ψωμί τους και το αποκούμπι τους; Κι έτσι σώπαινε και υπέμενε τις ξαγρύπνιες του γιου της και το κατούρημα. Αυτό κι αν ήταν βάσανο!

Από τότε που ξεκίνησαν τα παραμύθια, το παιδί κάθε βράδυ έβρεχε το κρεβάτι του. Το πρωί ντρεπόταν κι έκρυβε τα μούτρα του στην ποδιά της. Κι έκλαιγε βουβά. Μπορεί, βέβαια, να ήταν κι απ' τα κρεμμύδια, που είχαν αποτυπώσει την κάψα τους πάνω σ' εκείνη την αλατζένια ποδιά, όσο κι αν την έπλενε τακτικά. Πάντως έκλαιγε, κι άντε εκείνη να τον παρηγορεί: «Όχι, αυτά δεν είναι αλήθεια, είναι παραμύθια... Είναι εκείνο, είναι το άλλο...» Το βράδυ, όμως, πάλι τα ίδια. Το παιδί κατουριόταν.

Έλιωσαν τα χέρια της Νουρ την τελευταία χρονιά να μπουγαδιάζει σεντόνια. Καμιά φορά θα άνοιγε το στόμα της και θα 'βγαιναν τα παράπονα ποτάμι – τύφλα να

49

'χουν ο Μέριτς κι ο Αρντά κι ο Τούντζα μαζί. Όλα τα νερά, δηλαδή, που τριγύριζαν την Εντίρνε κι έκαναν την πόλη υγρή και ένδοξη, κατά κάποιο τρόπο. Και τη δρόσιζαν, παρά την υγρασία και το κουνούπι που έφερναν, ιδίως κάτι τέτοιες ζεστές μέρες του Ιουλίου.

Ευτυχώς το σπίτι της μπαγιάν Ζεϊνέπ, φτιαγμένο από πέτρα και ξύλο, με ωραία τουρκομπαρόκ στολίδια γύρω απ' τα μπαλκόνια και τα παράθυρα, μπορεί να ήταν παλιό, αλλά κρατούσε δροσιά λόγω του μεγάλου μπαξέ τριγύρω και των πολλών δέντρων. Από καβάκια και πλατάνια μέχρι βυσσινιές και καρυδιές. Είχαν και κληματαριές με νόστιμα σταφύλια «τσαούσια» και μουριές μαύρες – πιο πολύ μπελάς, γιατί το μαύρο μούρο, όπου πέσει, λεκιάζει διά παντός.

Μα κι εκείνο το ευλογημένο, πού το έχανες πού το έβρισκες, στο κατόπι της μπαγιάν Ζεϊνέπ θα το 'βρισκες. Να ακούει, να ρωτάει και να μην παίρνει απάντηση. Του άναβε το φιτίλι κι ύστερα το άφηνε να τρώγεται:

«Κάτω απ' το σπίτι αυτό, κάποτε, πριν από πολλά χρόνια, ήταν το παλάτι του αυτοκράτορα... Σουλτάνος απ' τη Ρώμη ήταν ο λεγάμενος, ο Αδριανός...»

«Τούρκος;» ρωτούσε ο Μεχμέτ.

«Από τη Ρώμη...»

«Ρωμιός;» απορούσε το παιδί.

«Απ' όπου κι αν ήταν, κάτω απ' αυτό το σπίτι η γη είναι γεμάτη αγάλματα και σπιτικά στολίδια», αναστέναζε η Ζεϊνέπ.

«Πόσο βαθιά;»

«Και στον μπαξέ μας, παλιά, ήταν ένα ρωμαίικο νεκροταφείο με σταυρούς πάνω απ' τα κεφάλια των πεθαμένων. Και μια εκκλησία εκεί που 'ναι η μουριά».

«Και τι έγιναν οι πεθαμένοι;» ρωτούσε το παιδί με το στόμα στεγνό.

«Είναι ακόμα εκεί... Κάτω απ' τα σκόρδα και τα κουκιά».

«Κι απ' τα λάχανα;» γούρλωνε ο μικρός τα μάτια του.

«Οι πεθαμένοι δεν πεθαίνουν με τίποτα. Και πράσα και κουνουπίδια να τους βάλεις από πάνω, εκείνοι κάνουν τις δουλειές τους».

«Ποιες δουλειές τους;»

«Τα βράδια διψούν για νερό... και τρελαίνονται στις βόλτες».

«Πηγαίνουν στα ποτάμια, θεία Ζεϊνέπ;»

«Καμιά φορά τα ποτάμια πηγαίνουν σ' αυτούς...»

«Τότε πώς και δεν ήρθε το ποτάμι ως εδώ;»

«Δεν έτυχε...» αναστέναζε η Ζεϊνέπ.

Κι άναβε τσιγάρο που μύριζε βιολέτα, απολαμβάνοντας τη «μααντζαρά», τη θέα, απ' το μικρό ανατολικό παράθυρο.

Κόντευε μισός αιώνας που η Ζεϊνέπ καμάρωνε απ' το παράθυρό της το τζαμί του Σουλτάνου Σελίμ, το Σελιμιγιέ, επίτευγμα του κορακοζώητου –έφτασε αισίως τα ενενήντα– Μιμάρ Σινάν. Αρκετά αρχιτεκτονήματα του Σινάν στόλιζαν την Αδριανούπολη, αλλά η Ζεϊνέπ απ' όλα προτιμούσε το χαμάμ του Σοκουλού Πασά, απέναντι απ' το παλαιότερο του Σελιμιγιέ, το «Ουτς Σερεφελί Τζαμί». Ε-

51

κεί αφηνόταν, μέχρι πρόπερσι, στα επιδέξια χέρια της χαμαμτζούς, που πρώτα με τον κετσέ κι ύστερα με άφθονη ζεστή σαπουνάδα της έπαιρνε όλη την κούραση. Τώρα είχε παραγεράσει η ψυχή της. Είχε χάσει τα κουράγια και τους χυμούς απ' το κορμί της. Δεν της πήγαινε να δείξει στις νεότερες τα στήθια τα πεσμένα κι αδιάφορα για έρωτα. Τώρα γέρασε. Κάπνιζε και κοίταζε τη θέα. Μερικές φορές τηλεφωνούσε στο γιατρό Ζεμπέτογλου, να 'ρθει να της μετρήσει την καρδιά.

«Πάλι εκατόν δέκα σφυγμούς, μπαγιάν Ζεϊνέπ;» την πείραζε ο γιατρός.

«Εκατόν δεκαπέντε...»

«Εγώ μετρώ ογδόντα δύο...» σοβαρευόταν ο Ζεμπέτογλου.

«Ξαναμέτρα!»

Ξαναμετρούσε βλαστημώντας από μέσα του. Εβδομήντα οκτώ! Κι αυτό το βιολί συνεχιζόταν χρόνια ολόκληρα, τόσο που ξέχασε ο γιατρός από πότε γνώριζε την ωραία κυρία Ζεϊνέπ, σύζυγο του Τουρχάν μπέη, διευθυντή των τεχνικών έργων στην Ανατολική Θράκη, ενός κοσμοπολίτη συντηρητικού μηχανικού απ' την Ισταμπούλ. Σκοτώθηκε αδιευκρίνιστο πώς και γιατί καθ' οδόν για το εργοτάξιο. Τον πυροβόλησαν στο αυτοκίνητό του. Και μαζί με τον Τουρχάν μπέη πυροβόλησαν και το νεαρό οδηγό του.

Είχαν ακουστεί πολλά τότε για τη σχέση οδηγού και μηχανικού, αλλά όλοι στην πόλη εκτίμησαν την απόφαση της Ζεϊνέπ να παραμείνει στην Εντίρνε ως χήρα βαρυπενθούσα.

Κλείστηκε στο σπίτι με δύο υπηρέτες κι εκεί δεχόταν τους λιγοστούς φίλους, χαμένη στον κόσμο της. Ποιος ήταν αυτός ο κόσμος; Δεν το έμαθε κανείς. Υπέθεταν οι αναμνήσεις και τα λίγα αξιοπρεπή περιουσιακά στοιχεία. Ωστόσο η μπαγιάν Ζεϊνέπ έκανε κάτι που σόκαρε όσους την ήθελαν πρότυπο πένθους. Δεν παρέλειπε, μες στη ζέστη και τη λάβρα, να παρακολουθεί τους διαγωνισμούς πάλης στο Κιρκπινάρ, όπου, πασαλειμμένοι με λάδι πεχλιβάνηδες, φορώντας μόνο ένα πέτσινο παντελόνι ως τα μισά της γάμπας, συνέχιζαν μια παράδοση που κανείς δεν ήξερε αν ήταν ντόπια θρακιώτικη ή φερμένη απ' τις μογγολικές στέπες, τότε που τα τουρκικά φύλα αποφάσισαν να 'ρθουν κατά τα μέρη που τα 'βρεχαν θάλασσες, όπως η Καρά Ντενίζ και η Ακ Ντενίζ. Μούσκευε μες στα μαύρα της ταγιέρ, κάτω απ' την ομπρέλα που κρατούσε η Νουρ, η μάνα του Μεχμέτ. Αλλά για τίποτα στον κόσμο δεν έλειπε από το πανηγύρι. Κι οι πεχλιβάνηδες με τα μούσκουλα λαδωμένα να αστράφτουν κάτω απ' τον ήλιο, ν' αγκαλιάζονται βίαια με μίσος, που όμως στα μάτια της Ζεϊνέπ φάνταζε πάθος ερωτικό, με γεύση από θάνατο αλμυρό, απελπισμένο.

Τότε ένιωθε ως τα τρίσβαθα του κορσέ και της ψυχής της τη μοναξιά και τις παλιές ορφάνιες που πάσχιζε να εξαλείψει, παρατείνοντας το πένθος για τον Τουρχάν μπέη, σαν αντίδοτο σε επιθυμίες καταστροφής. Λέκιαζε το βλέμμα της από το σάλιο και το λάδι των παλαιστών. Ρουφούσε την αψιά μυρωδιά του ιδρώτα, που ζωντάνευε τους πεθαμένους της ιστούς.

Να μπορούσε να τρέξει με το ταγιέρ και τη δαντελένια μπλούζα από μέσα στο πεδίο της πάλης, να τους ανταμείψει με το στόμα, να τους πιει τον πόθο της νίκης, να τους στεγνώσει με τα μαλλιά την πλάτη, να τους ξαλαφρώσει τα βάρβαρα πόδια απ' την αντρική βαρβαρότητα που τη μάγευε. Της έλειπε ο άντρας της – κι ο οδηγός του μαζί. Αυτή ήταν η μεγάλη αλήθεια. Περασμένα ξεχασμένα – «...και τιμημένα», συμπλήρωνε μέσα της, βέβαιη για την αγιοσύνη κάθε αμαρτίας που έμεινε πίσω. Όμως το βράδυ, που έπεφτε να κοιμηθεί, τραβούσε το πάπλωμα ως το μέτωπο, για να μη δει τους πεθαμένους του μπαξέ να την κοιτάζουν πίσω απ' τη σήτα για τα κουνούπια. Τα μάτια της μάνας και του πατέρα της, των αδελφών της και όλα όσα έθαψε σ' ένα παρελθόν κόκκινο από κρασί, αίμα και ντοματοπελτέ. Και του συζύγου της, του Τουρχάν μπέη, αλλά και του νεαρού άντρα, που εκείνος τον απολάμβανε διπλά και τρίδιπλα από κείνη. Κι ας είχε ερωτευτεί τον Τούρκο μηχανικό απ' την Κωνσταντινούπολη ως τα όρια της παραφροσύνης. Αφού παραφροσύνη θεωρήθηκε που τα βρόντηξε όλα, Ζάππεια και Βυζάντια και μάνα και οικογένεια χριστιανική και περιουσία σεβαστή και κάθε προοπτική μεγαλοαστική στην Ευρώπη του πολιτισμού και στην Ελλάδα των ευγενών συνωνύμων, για να πει στον Τουρχάν «έβετ», δηλαδή «ναι» στα τούρκικα, που άρχισε κι αυτά να τα κελαηδά με μένος πολεμικό.

Πρόδωσε τους Ρωμιούς, απειλήθηκε απ' την αριστοκρατική υπεροψία του σογιού του αντρός της, πήρε τις ευλογίες από μόνη της και σκορπίστηκε στον έρωτα, χωρίς να λογαριάσει τίποτα. Έπειτα ήρθαν όλα τ' άλλα, όταν πια σ' αυτή την παλιά πόλη, την Αδριανούπολη ή Εντίρνε, δεύτερη πρωτεύουσα των Οθωμανών –πρώτη ήταν η Προύσα και τρίτη και τελευταία η Πόλη– έφτασε να συνδράμει το κύρος του Τουρχάν μπέη με την ομορφιά και την αλαζονεία της, που ταίριαζε στα έξαλλα γυναικεία πρότυπα των κεμαλικών.

Μόνο που στην Εντίρνε η ζωή είχε παραμείνει τούρκικη, με τους παλιούς αργούς ρυθμούς και την ατολμία στο καινούριο. Είχαν φύγει μετά το '22 οι Έλληνες και οι Ε-βραίοι, ρήμαξε η πανέμορφη Συναγωγή τους... Είχαν φύγει και οι Βούλγαροι, οι Αρμένηδες και οι Φραγκολεβαντίνοι. Πάνε οι καλόγριες και οι φρέρηδες... Το εξευρωπαϊσμένο προάστιο Καραγάτς βυθίστηκε στην εύφορη λάσπη. Μόνο ο λαμπρός σιδηροδρομικός σταθμός απέμεινε, Τουρκάλες, κότες, γάτες και σκυλιά με μάτια Οθωμανού πληβείου στους δρόμους. Κι οι παλιές γέφυρες στον Μέριτς και τον Τούντζα. Αυτές έμειναν. Όπως κι οι στενοί δρόμοι με το λιθόστρωτο, τα καλντερίμια. Νεκροταφεία, εκκλησίες και όσα άλλα θύμιζαν τους «ανταλλάξιμους» και τους άλλους χάθηκαν διά παντός.

«Ό,τι χάρηκα στον έρωτα ήταν από εκδίκηση», είπε μια μέρα στο παιδί.

«Τι θα πει εκδίκηση;» ρώτησε ο Μεχμέτ.

«Κιμ κιμέ, ντουμ ντουμά. Ψύλλος στα άχυρα...» μετέφρασε σιγανά η Ζεϊνέπ στη γλώσσα της μάνας της, που συνήθως την απόδιωχνε όταν της ανέβαινε άθελα στα χείλη.

55

«Πες μου για τους πεθαμένους στον μπαξέ...» επέμεινε το παιδί.

«Αφού, μπρε, κατουριέσαι το βράδυ απ' το φόβο σου», τον αποπήρε τρυφερά.

«Τι σε νοιάζει; Με πλένει η ανέ μου το πρωί... Καθαρός είμαι!» της αντιμίλησε.

«Οι πεθαμένοι είναι κάτω απ' τις πιπεριές. Κυρίως κάτω απ' τις πιπεριές και, όταν θυμώνουν, τις κάνουν καυτερές...»

«Γιατί θυμώνουν;» ρώτησε ο Μεχμέτ.

«Ουφ, μ' έπρηξες! Αλλά εγώ θα σου δείξω κάτι...»

«Τι; Πεθαμένο κάτω απ' τις πιπεριές θέλω εγώ να δω».

«Τη μέρα οι πεθαμένοι κοιμούνται κάτω κάτω, γιατί φοβούνται τον ήλιο και τη ζέστη. Και σήμερα, με τέτοια κάψα...»

Σηκώθηκε με χορευτικό βήμα κι άνοιξε τη μεγάλη καρυδένια ντουλάπα. Ξεχύθηκαν μυρωδιές πρωτόγνωρες για τον Μεχμέτ, αφού τις μόνες που ξεχώριζε με σιγουριά ήταν του κεφτέ στο τηγάνι, του ψαριού στη σχάρα και του κάρβουνου το χειμώνα στη μαντεμένια σόμπα. Αυτές που βγήκαν απ' την ντουλάπα τον τρόμαξαν με το ευγενικό τους μυστήριο. Και μαζί τους πετάχτηκαν και δυο τρεις ασημένιες πεταλούδες, τυφλωμένες απ' το φως. Το παιδί σάστισε.

«Είναι πεταλούδες, κόρες του μεταξοσκώληκα. Γεροντοκόρες πεταλούδες, που κατά λάθος ζούσαν μες στα μεταξωτά μου φορέματα. Δεν με πιστεύεις;» Την πίστεψε.

Οι πεταλούδες, ζαλισμένες, σπαρταρούσαν στο πάτωμα. Η μπαγιάν Ζεϊνέπ έβγαλε σβέλτα την παντόφλα και με το γυμνό της πόδι τις έλιωσε. Μια νοσταλγία, που δεν ήταν του κόσμου τούτου, απλώθηκε στο μούτρο της, σαν ένιωσε τη δροσιά του θανάτου στη φτέρνα. Νοσταλγία και λύπη. Λύπη για τη ζωή, για τον έρωτα, για την αλαζονική της γενναιότητα που μεταλλάχθηκε σε πικρία, διχασμένη στα αισθήματα, προσκολλημένη στα σκιερά πένθιμα μυστικά της. Τελικά, αναγνώριζε περισσότερο ό,τι είχε να κάνει με θάνατο. Ήξερε την υφή των αποχωρισμών —των βίαιων αποχωρισμών, στα όρια της τρέλας— μόνο που αυτά δεν είχαν τώρα πια καμιά απολύτως σημασία. Ούτε καν να κλάψει μπορούσε. Στεγνή, μετρούσε το χρόνο και τις προσευχές των μουεζίνηδων. Απ' τα παράθυρά της τους έβλεπε, μικροσκοπικούς κι ασήμαντους, να επαναλαμβάνουν τα τραγουδιστά τους αραβικά στους εξώστες των τζαμιών και ειδικά στο Σελιμιγιέ.

Ξένοι τής ήταν οι θεοί ανέκαθεν. Κι ο δικός της ο παλιός και ο κατοπινός, του αντρός της. Μόνο που προτιμούσε τους μουσουλμάνους για δικούς της λόγους, βλέποντάς τους διπλωμένους στα τζαμιά, ν' αναζητούν το Θεό στο χαλί. Λες κι η πεμπτουσία του θείου ήταν μια σπάνια δυσδιάκριτη λεπτομέρεια στα σχέδια των χαλιών κι εκείνοι την έψαχναν αγωνιωδώς μες στο μαλλί και το μετάξι.

Οι δικοί της άγιοι είχαν πετάξει ανάλαφρα από πάνω της, αφήνοντάς την άδεια, σαν ξενοίκιαστη κάμαρα. Απ' όλα αυτά κράτησε μια ιδιάζουσα τρυφερή ψευδαίσθηση, που δε θα καθόταν να την αναλύσει με κανέναν. Εξάλλου, είχε συμβιβαστεί με την εφήμερη δόξα της καλοσύνης και της αμαρτίας κι αποδεχόταν τη χλιαρή πλήξη, που στήριζε παρηγορητικά την ύπαρξή της.

Γι' αυτό προτιμούσε να μένει στην Εντίρνε, κοντά στις δραματικές αναμνήσεις απ' το «συμβάν», κοντά στα ελληνικά σύνορα – μισής ώρας ζήτημα ήταν η Ορεστιάδα από 'κεί, χωρίς να 'χει κατά νου να κάνει χρήση αυτής της προκλητικής απόστασης. Και πίσω απ' τα ποτάμια η Ελλάδα, που την είχε προ πολλού ξεγραμμένη. Απ' την άλλη, γύρω στις πέντ' έξι ώρες με το τρένο ήταν η αγαπημένη της Ισταμπούλ.

Μα τα ταξίδια τής ήταν άχρηστα πια. Είχε τελειώσει με τους αποχωρισμούς. Ταξίδευε με κλειστά τα μάτια τα απογεύματα στα κορμιά των δύο σκοτωμένων αντρών, συλλέγοντας ηδονικά λεπτομέρειες, φωτίζοντας με τη φαντασία της, πόντο πόντο, κάθε μυθολογία ενοχής για τον Τουρχάν μπέη και το νεαρό οδηγό με το καστανό μουστάκι, τα χλομά μάγουλα και το νευρώδες κορμί. Τον θεωρούσε αναπόσπαστο στοιχείο της αγαπημένης της τραγωδίας και τον τιμούσε ισότιμα στην απελπισία και τη φρίκη με τον Τουρχάν της. Θυμόταν την αλμυρή καθαριότητα που ανάδινε το κατάλευκο κολάρο του, σε αντίθεση με το σύζυγό της, που, οποιαδήποτε στιγμή της μέρας και της νύχτας, μοσκοβολούσε κύμινο ή κάτι πιο εκλεκτικά ανατολίτικο, με επιπλέον κοσμοπολίτικες αποχρώσεις.

Ακόμα και σ' αυτή την προχωρημένη ηλικία ανασύντασσε ευχάριστα την ξεθυμασμένη ηχώ της παλιάς ντροπής, σαν ακριβό δώρο ενός είρωνα Θεού, ανεξάρτητου από δόγματα και εμβαδά ηθικής. Σαράντα χρόνια πέρασαν από

τότε και η Ζεϊνέπ –Αναστασία ήταν το παλιό, χριστιανι
κό της όνομα– αρνιόταν να εξαντλήσει το απόθεμα του θλι
βερά διεγερτικού έπους της. Όσο περνούσε ο καιρός, τόσο
πιο πολύ σκάλιζε τα κιτάπια του Τουρχάν, αλληλογραφού
σε με μακρινούς του συγγενείς, που για ευνόητους λόγους
σπάνια έκαναν χρήση των πατρογονικών τίτλων των Ο
σμανλήδων. Τη γοήτευε ο απαγορευτικός κλοιός γύρω απ'
την ευγενική ράτσα του αγαπημένου της. Κι έτσι, κάθε
τόσο, κατέφθαναν φάκελοι με γραμματόσημα Ιορδανίας,
Σαουδικής Αραβίας, Αιγύπτου, Γαλλίας, Βρετανίας ή α
πό οπουδήποτε αλλού ζούσαν σκορπισμένοι οι απόγονοι
του Οσμάν.
Μόνο η αγαπημένη αδελφή του Τουρχάν είχε εξαφανι
στεί από προσώπου γης. Κι αν ζούσε σήμερα, θα είχε πα
τημένα τα ογδόντα. Περισσότερες λεπτομέρειες για τη
Ράνα –αυτό ήταν το όνομά της– υποτίθεται πως γνώριζε
η εγγονή του Σουλτάνου Ρεσάτ, η Μιχριμάχ, που εδώ και
χρόνια μοίραζε το χρόνο της ανάμεσα στο Αμάν, το Λον
δίνο και τη Νέα Υόρκη. Δε γνωρίστηκαν ποτέ με τη Ζεϊ
νέπ, όμως αντάλλασσαν αραιά και πού κάρτες ευχετήριες,
στα ραμαζάνια και στο Νέον Έτος. Η Μιχριμάχ με τους
γραμματείς της είχε σκεφτεί να καταγράψει όλα τα ξέ
φτια της δυναστείας, αλλά, ως υπέρμετρα κοσμική, μάλ
λον δε θα έφερνε ποτέ εις πέρας το έργο, που δεν ήταν δα
κι εύκολη υπόθεση. Άλλωστε, παραλίγο να παντρευτεί το
διάδοχο του ιορδανικού θρόνου και ήταν πάντα πνιγμένη σε
υποχρεώσεις βασιλικές.
«Θεία Ζεϊνέπ, τι έπαθες;»

«Σκότωσα τις μεταξοπεταλούδες, για να μη σε τρομάζουν».

«Όχι, λέω τώρα τι έπαθες...»

«Τι έπαθα; Τίποτα δεν έπαθα... Τι να πάθω πια;»

«Τι θα μου έδειχνες; Τι έψαχνες;»

«Τίποτα δεν έψαχνα». Ξέχασε γιατί είχε πάει ως την ντουλάπα. Την ξανακλείδωσε σκεφτική.

«Κάτι θα μου έδειχνες... Έψαχνες ώσπου πετάχτηκαν οι πεταλούδες...» κλαψούρισε ο Μεχμέτ.

Αυτό το παιδί ώρες ώρες την εξόργιζε, αλλά είχε και γούστο, με το σοβαρό μουτράκι του πάντοτε βρόμικο απ' τα καρπούζια και τα πεπόνια. Της κρατούσε καλή συντροφιά και συχνά την ξάφνιαζε με το μυαλουδάκι του. Στο κάτω κάτω, οι γονείς του δεν μπορούσαν να του προσφέρουν και πολλά. Εκείνη αποτελούσε για τον μικρό ένα είδος ανώτερου φροντιστηρίου, αλλά κι ο Μεχμέτ ήταν έξυπνος για την ηλικία του. Της έπαιρνε τα λόγια απ' το στόμα και, πολλές φορές, αναρωτιόταν πώς το κατόρθωνε, μια σταλιά παιδί. Το παιδί της δούλας...

«Δείξε μου!» επέμεινε το παιδί. «Την εικόνα του...»

«Ποια εικόνα, Μεχμέτ;» απόρησε η Ζεϊνέπ.

«Μια εικόνα, κάτι...» έκανε φοβισμένος ο μικρός. Πιο πολύ τον φόβισαν τα φρύδια της, που ανέβηκαν ψηλά στο μέτωπο, έτοιμα να χαθούν στα γκριζοκίτρινα μαλλιά της γριάς.

Όμως κι αυτή δε θα το άφηνε να περάσει έτσι.

«Πού ξέρεις για την εικόνα;» αγρίεψε. «Η μάνα σου σκάλισε πάλι τα πράγματα στην ντουλάπα, αν και της έχω πει χίλιες φορές πως δε θέλω να ψάχνει εκεί μέσα...»

Είπε κι άλλα στο ίδιο οργισμένο ύφος, πολλά και με δύσκολες λέξεις, που ο Μεχμέτ δυσκολευόταν να καταλάβει. «Εσύ, θεία Ζεϊνέπ, ήθελες να μου δείξεις...» τόλμησε ο μικρός να διακόψει τον υγρό χείμαρρο των λέξεων που ξεπηδούσαν απ' το γεροντικό στόμα. Τα δόντια της μπαγιάν Ζεϊνέπ ήταν μια παλιά ανάμνηση, χαμένη στον καιρό του «συμβάντος». Σάπισαν όλα από τη στενοχώρια κι έπεσαν ταυτόχρονα με το ηθικό της. Μόνο που το ηθικό λίγο αργότερα πήρε ξανά τα πάνω του, ενώ τα δόντια... Τα κράτησε σ' ένα βάζο γεμάτο φορμόλη, όπως οι ευνούχοι, στα χρόνια των παλιών σουλτάνων, έκλειναν σε πορσελάνινα δοχεία τους όρχεις τους, για να τους έχουν όταν θα έδιναν αναφορά την ύστατη ώρα στον πρίγκιπα του θανάτου, τον Αζραέλ, που κατέγραφε λεπτομερώς τα μέλη των απερχόμενων απ' τη ζωή. Η Ζεϊνέπ-Αναστασία δε λογάριαζε, βέβαια, να λογοδοτήσει σε κανέναν. Για κείνην κρατούσε το μακάβριο ενθύμιο, για να επιδοκιμάζει την αθεράπευτη θλίψη της εδώ και σαράντα χρόνια.

«Εσύ, θεία Ζεϊνέπ...» συνέχισε να κλαψουρίζει το παιδί.

Το καυτό μεσημέρι έγλειφε πεισματικά την Εντίρνε, τους ασημένιους τρούλους των τζαμιών, των χαμάμ και του καραβάν σεράι, τη στέγη της σκεπαστής αγορά του Αλή Πασά, τους θόλους στο μπεζεστένι, τα παλιά μέγαρα που στέγαζαν δημόσιες υπηρεσίες, τους δρόμους και τις πέτρινες γέφυρες του Τούντζα και του Μέριτς, το πρόσωπο της

Νουρ, της μάνας του Μεχμέτ, που άκουγε τις φωνές της κυράς της.

«Ποιος ξέρει πού έχωσε πάλι τη μύτη του το παλιόπαιδο...» μουρμούρισε.

Ετοιμάστηκε να κατεβάσει την κατσαρόλα απ' τη φωτιά και να πάει να δει τι συνέβαινε στο σπίτι, αλλά οι φωνές καταλάγιασαν. Τότε βρήκε να πέσει και το μελτέμι, κι όλα έγιναν πιο καυτά κι από πιπεριά.

Στο δωμάτιο, πάνω, απλωνόταν ησυχία και θαυμασμός. Η γριά είχε ξανασωριαστεί στην πολυθρόνα της, ε-ρειπωμένη απ' τη ζέστη, και απολάμβανε την έκπληξη του παιδιού.

«Ποιος είναι αυτός;»

«Ένας άγιος... ένας αζίζ. Ο Προφήτης Ηλίας».

«Τούρκος, θεία Ζεϊνέπ;»

«Μάλλον Ρώσος. Απ' τη Ρωσία, πριν από πολλά χρόνια, η πεθερά μου, που ήταν ταξιδεμένη γυναίκα, τον έφερε δώρο στα παιδιά της. Κάνει θαύματα, σαν τον Χιντίρ Ελέζ, αν έχεις ακουστά».

«Θαύματα;» Ο Μεχμέτ έσφιξε τα χεράκια του γύρω απ' τη βαριά εικόνα του Προφήτη Ηλία. Δεν ξεχώριζε το πρόσωπό του απ' την πλατίνα και το χρυσό. Με πολύτιμα μέταλλα ήταν ντυμένος ο Προφήτης και γύρω του, α-κτινωτά, άστραφταν μικρά διαμάντια και κάνα δυο ρουμπίνια παράταιρα.

«Σήμερα γιορτάζει... Αν ήσουν χριστιανός, θα το 'ξερες».

Κάτι πήγε να πει το παιδί, αλλά δαγκώθηκε.

«Είσαι πολύ έξυπνος, Μεχμέτ, αλλά... γιαζίκ».

Έβρισκε πιο ταιριαστή την τούρκικη λέξη στο θλιβερό επίρρημα «κρίμα», αν και μέσα της τα μνημόνευε όλα στα ρωμαίικα. Ο Μεχμέτ δεν κατάλαβε γιατί «γιαζίκ», όμως δεν τον πείραξε. Του αρκούσε που κρατούσε την ωραία εικόνα. Το χρυσαφένιο κοστούμι του Προφήτη Ηλία καλυπτόταν από γυαλί χοντρό, κάνοντας ακόμα πιο δυσδιάκριτη τη μορφή του Αγίου που οδηγούσε κάρο, άμαξα ή κάτι τέτοιο. Μπορεί και ταξί.

«Κοίταξέ το με την ησυχία σου!» αναστέναξε η μπαγιάν Ζεϊνέπ και κούρντισε το ρολόι που κρεμόταν στο λαιμό της με μια αλυσίδα από ξέθωρο ασήμι. Έδειχνε μιάμιση η ώρα και δεν έχανε λεπτό, γιατί αμέσως διέκρινε το μουεζίνη στον εξώστη του μιναρέ, σαν μύγα με το σκούρο του αντερί, να διαλαλεί το Θεό του ζαλισμένος απ' τον καύσωνα.

Υπέθεσε πως θα 'ταν ζαλισμένος, γιατί τον είδε να ταλαντεύεται ασυνήθιστα. Έκλεισε για λίγο τα μάτια της, μπαϊλντισμένη απ' τη ζέστη και τη μυρωδιά της μελιτζάνας και του κιμά που τσιγάριζαν κάπου πιο πέρα. Το μελτέμι φταίει... σκέφτηκε κι έγειρε το κεφάλι της στο πλάι, να ονειρευτεί τον Βόσπορο, πράσινο, γεμάτο σκουμπριά, σαφρίδια και καράβια.

Θαύμαζε το χρυσάφι και την πλατίνα κι έπαιζε κρατώντας λοξά την εικόνα, με τα διαμάντια να διυλίζουν θαρρείς το φως, με μια διαύγεια απόκοσμη που τον τύφλωνε. Ύστερα δεν κατάλαβε πώς και ποιος μεγάλωνε ή μίκραινε. Ή εκείνος ή ο Προφήτης, όμως το χοντρό γυαλί, αυτό ήταν βέβαιο, έγινε κάτι σαν το άσπρο πανί στον κινηματογράφο όπου τον πήγε η Νουρ δύο φορές, σ' ένα στενόχωρο έργο, να δουν μια έγκυο να τη χτυπά η πεθερά της με το τηγάνι. Στο τέλος το μωρό πέθανε μαζί με τη γυναίκα κι ο Μεχμέτ έκανε εμετό. Έτσι, δεν είχε σπουδαία ιδέα για το σινεμά που βασάνιζε αδύναμες γυναίκες. Ανακατεύτηκε το στομάχι του πάλι, όπως στην ταινία, αλλά δεν απέστρεψε το πρόσωπό του. Στην οθόνη-τζάμι, πάνω απ' το θησαυρό του Προφήτη, ένα μικρό παιδί περίπου στην ηλικία του, τρομαγμένο, παρατηρούσε ένα μεγάλο σκοτεινό σπίτι, πνιγμένο στα μαύρα δέντρα. Σμήνη πουλιών πετούσαν πέρα δώθε, κρύβοντας το παγωμένο πρόσωπο μιας γριάς σαν την μπαγιάν Ζεϊνέπ. Μια φοβισμένη γυναίκα, φευγαλέα, όταν το επέτρεπαν τα πουλιά, προσπαθούσε να κάνει νοήματα στο μικρό αγόρι, που το όνομά του ήταν «Ηλίας». Σίγουρα αυτό ήταν το όνομα του παιδιού, που, κάποια στιγμή, έστρεψε αργά το κεφάλι του, σαν να ξυπνούσε από λήθαργο βαθύ, και κάρφωσε το βλέμμα του στο πρόσωπο του Μεχμέτ. Τα μάτια του ξεχείλιζαν από δάκρυα, ενώ τα χείλη του τρεμόπαιζαν σαν να διάβαζε πράγματα δυσνόητα, αλλά εν τούτοις τρομακτικά. Τα δάκρυα κάποτε στέρεψαν και τότε το αγόρι στο τζάμι της εικόνας του Προφήτη σχημάτισε με τα χείλη, σιωπηλά, το όνομα του Μεχμέτ. Και το τζάμι έγινε αμέσως θρύψαλα.

Κομμάτια γυαλιού σκορπίστηκαν στο δωμάτιο. Ένα πήγε και καρφώθηκε στο λαιμό της μπαγιάν Ζεϊνέπ, που ξύπνησε απορημένη, μέσα σε ρόγχο διπλάσιο απ' όσο συνήθιζε τα πρώτα δευτερόλεπτα της αφύπνισης. Το αίμα κατέβαινε βιαστικά ανάμεσα στα στήθη της, το ρολόι και η αλυσίδα του οξειδώθηκαν αμέσως, βρήκε όμως τη φωνή της και ούρλιαξε. Μες στον πανικό της, είδε το μουεζίνη να γλιστρά και να πέφτει κάθετα απ' τον εξώστη του κομψού μιναρέ του τζαμιού του Σουλτάν Σελίμ. Συνέχισε να ουρλιάζει, βαμμένη ή ματωμένη – δεν είχε σημασία. Λαιμός, μπράτσα και μπούστος όλα κόκκινα και το αίμα να επείγεται να περάσει απ' την κοιλιά. Ως εκεί έφτασε...

Ο Μεχμέτ, κοκαλωμένος στη θέα του αίματος, το μόνο που σκέφτηκε ήταν πως δε θα ξαναπήγαινε στον κινηματογράφο που τρόμαζε τα μικρά παιδιά. Ίσως, όταν μεγάλωνε αρκετά, να αναθεωρούσε τις απόψεις του...

Στο μεταξύ, η Νουρ και ο πατέρας του, που μόλις είχε επιστρέψει απ' την αγορά, ξάπλωναν τη Ζεϊνέπ και την περίχυναν με δροσερό νερό, τυλίγοντας μαντίλια γύρω απ' το λαιμό της. Τηλεφώνησαν στο γιατρό Ζεμπέτογλου να 'ρθει, αλλά ο γιατρός χασομέρησε αρκετά στα καφενεία, αναστατωμένος απ' την πτώση του μουεζίνη.

Κανένας δε θυμόταν παρόμοιο περιστατικό στα χρονικά της Εντίρνε και όλοι αναρωτιόντουσαν μήπως επρόκειτο για θεϊκό σημάδι, λόγω των πολλών συσσωρευμένων αμαρτημάτων – μεταξύ αυτών και των κομμουνιστικών κομμάτων, που παραγκώνιζαν εδώ και καιρό τα πανάρχαια θρησκευτικά τους ιδεώδη. Μπορεί και όχι. Να έφταιγε η ζέστη; Ήταν και γέρος με πίεση ο μουεζίνης...

Η Νουρ άλλαξε αμέσως φόρεμα στην κυρά της. Και εσώρουχα. Της έπλυνε απ' το λαιμό και κάτω όλα τα μέλη με μαλακή πετσέτα, μουσκεμένη σε χλιαρό νερό με κολόνια λεμόνι. Ο άντρας της, ο Ασλάν, αφού σκούπισε βιαστικά το δωμάτιο και μάζεψε τα σκόρπια γυαλιά, έκρυψε την εικόνα στα βάθη ενός σεντουκιού κατά διαταγή της μπαγιάν Ζεϊνέπ και έδωσε γκαζόζα στον Μεχμέτ, να ρευτεί το ξάφνιασμα. Ρεύτηκε πρώτα ο μικρός και μετά έβαλε τα κλάματα. Παιδικό κλάμα, όλο παράπονο, στην αγκαλιά του Ασλάν. Η Νουρ έβραζε απ' τα νεύρα και ορκιζόταν πως της είχε κοπεί η όρεξη απ' την ταραχή. Μόνο νερό θα έπινε. Νερό και αϊράνι. Φουστάνια ματωμένα και όλα τα σχετικά ρίχτηκαν στο πανέρι του πλυσταριού.

«Από πού βγήκε τόσο αίμα; Μου λες;»

Η γριά είχε όρεξη για κουβέντα, αλλά της Νουρ δεν της έβγαινε ούτε «αχ».

«Τόσο αίμα ούτε τότε... δεν είδα... Μάλλον από τότε έχω να δω. Μη χειρότερα!»

Το «τότε» αφορούσε, βέβαια, το γνωστό συμβάν με τους δύο νεκρούς άντρες.

Όταν, κατά τις τρεις και τέταρτο, έφτασε επιτέλους ο γιατρός, η Νουρ είχε καπελωθεί έναν απ' τους χειρότερους πονοκεφάλους, ενώ κι ο γιατρός αγκομαχούσε από τη ζέστη. Ζήτησε τσάι και μια λεκάνη να πλύνει τα χέρια του, που μύριζαν κεμπάπ. Η μπαγιάν Ζεϊνέπ είχε τους συνηθισμένους φυσιολογικούς σφυγμούς κι ένα ματωμένο μαντίλι στο λαιμό, που... της φώτιζε το πρόσωπο. Το πρόσεξε κι η Νουρ.

Πρώτη φορά έβλεπε αίμα να δείχνει όμορφο. Κι ο πονοκέφαλος δυνάμωνε. Έξω το μελτέμι ξεσήκωνε ντουμάνια σκόνης, είχε και καιρό να βρέξει. Έφερε και δεύτερο τσάι στο γιατρό. Μετά, κοψομεσιασμένη και στάζοντας στον ιδρώτα, πήγε να δει το γιο της. Ο Ασλάν είχε παρηγορήσει το παιδί με την υπόσχεση ενός γιγαντιαίου ντοντουρμά, στο καλύτερο παγωτατζίδικο της πόλης.

«Πώς έφτασε το τζάμι στο λαιμό της μπαγιάν Ζεϊνέπ;» τον ρώτησε μαλακά. Ο Μεχμέτ ανασήκωσε τους ώμους με το βλέμμα θολό, έτοιμος να ξαναρχίσει τα κλάματα.

«Δεν πειράζει. Ό,τι έγινε, έγινε...» είπε ο πατέρας του.

«Ο Χιντίρ Ελέζ...» θυμήθηκε το παιδί.

«Ποιος είναι πάλι αυτός;» γέλασε δυνατά ο Ασλάν.

«Ο Χιντίρ Ελέζ είναι ένας άγιος... Προφήτη Ηλία τον λένε οι χριστιανοί, αλλά τον προσκυνάνε και κάμποσοι Τούρκοι εδώ στα μέρη μας», πρόλαβε να δώσει τις εξηγήσεις η Νουρ στον άντρα της, που καταγόταν απ' την Κόνια και δεν είχε πάρε δώσε με κανένα Χιντίρ Ελέζ.

«Ένα αγόρι και μια κυρία...» ψιθύρισε φοβισμένος ο Μεχμέτ.

«Ποιοι είναι πάλι αυτοί;»

«Στο τζάμι... κάπου μακριά... Θα πεθάνουν, αν...»

Σταμάτησε, γιατί κατάλαβε ότι η Νουρ θα του άστραφτε καμιά ανάποδη, παίρνοντάς τον για ψεύτη.

«Το αγόρι κι η κυρία έσπασαν το τζάμι στην εικόνα;» ρώτησε ο Ασλάν, κάνοντας ότι πιστεύει τα λόγια του γιου του. Ο Μεχμέτ κατάλαβε την πονηριά.

«Δεν ξέρω...» είπε. «Έτσι μου φάνηκε... Πότε θα μου αγοράσεις τον ντοντουρμά;» άλλαξε κουβέντα.

Πατέρας και μάνα κοιτάχτηκαν ζεματισμένοι.

«Μην τον ζορίζεις...» ένευσε στον Ασλάν η Νουρ.

«Να δροσίσει λίγο. Το απόγευμα, ίσως».

Το μελτέμι σφύριζε ανάμεσα στις στέγες ένα σαγηνευτικό πένθιμο σκοπό. Τενεκεδένιοι θρήνοι και ξύλινοι ανάπηροι βηματισμοί, που κανείς δεν υπολόγιζε για βήματα – εκτός απ' τις γάτες, που πήγαν και κρύφτηκαν σε υπόγεια και καρβουναποθήκες. Κι απ' τα τζιτζίκια που βουβάθηκαν. Στο δωμάτιό της, με το καλοκαιριάτικο γαλαζοπράσινο φως, η Ζεϊνέπ ένιωθε ξανά ήρεμη. Είχαν τραβήξει και τις κουρτίνες –στο σιελ κι αυτές– κι έτσι, παρ' όλη τη ζέστη, η ατμόσφαιρα είχε κάτι απ' την αρχαία ηρεμία του εσωτερικού του Μουραντιγιέ, του τζαμιού του Μουράτ, που είχε χτιστεί πριν από την άλωση της Κωνσταντινούπολης, όταν η Εντίρνε είχε την τιμή να 'ναι πρωτεύουσα των απογόνων του Οσμάν.

Το τζαμί του Μουράτ είχε επενδυθεί με εξαιρετικά κεραμικά του Ιζνίκ, σε μπλε, πράσινες και κιτρινωπές αποχρώσεις: σχέδια λουλουδιών, που συγκλίνανε σε περίτεχνα αραβουργήματα. Το τζαμί στεκόταν ρημαγμένο από σεισμό, προσμένοντας τους τεχνίτες που θα αποκαθιστούσαν το καταρρακωμένο του κύρος. Στις φιλοδοξίες του Τουρχάν μπέη περιλαμβανόταν κι αυτό, αλλά τον πρόλαβε ο θάνατος.

«Το αίμα σταμάτησε. Η αφαίμαξη μ' αυτή τη ζέστη μάλλον καλό θα σου κάνει. Βγάλε αυτό το πανί απ' το λαιμό σου, εκτός κι αν σου αρέσει».

Ο γιατρός Ζεμπέτογλου είχε τα θάρρητα να πειράζει τη Ζεϊνέπ. Γνώριζε καλά τα οικονομικά της, τα γυναικολογικά της, τα καρδιολογικά και τα αναπνευστικά της προβλήματα. Προβλήματα στην ουσία ανύπαρκτα. Τις παραξενιές τις θεωρούσε νάζια, αλλά έτσι ντεκλαρέ δεν είχε τολμήσει να της το πει ποτέ. Ήξερε μέχρι πού να φτάνει με τη γριά – κατ' ευφημισμό, μάλλον, γριά. «Έχεις κολλήσει στην Εντίρνε κι αυτό είναι το χειρότερο. Στη θέση σου θα πήγαινα να γεράσω δίπλα στον Βόσπορο». «Δεν είσαι στη θέση μου!» τον διέκοψε. «Δυστυχώς...» αναστέναξε ο γιατρός. «Εγώ εκεί θα γερνούσα». «Εγώ ήδη γέρασα, γιατρέ... Τι να μου κάνει πια ο Βόσπορος;» «Θα σου κάνει καλή διάθεση. Κάθεσαι εδώ μέσα με τους υπηρέτες... Τι έπαθε ο μικρός;» «Τίποτα. Άτακτος είναι. Παιδί. Δεν ξέρεις από παιδιά;» «Ξέρω, δυστυχώς! Ξέρω και παραξέρω. Πάει κι ο μουεζίνης. Δε σου είπα τα θλιβερά νέα...»

Ο Ζεμπέτογλου, σκουπίζοντας με το μαντίλι τη λιγδωμένη φαλάκρα του, έπιασε να διηγείται την πτώση του γέροντα μουεζίνη όσο πιο δραματικά μπορούσε. Η Ζεϊνέπ νανουρίστηκε απ' το πρωτοφανές δυστύχημα. Σαν να μπήκε κι ένα δροσερό ρεύμα από κάπου. Σάλεψαν οι κουρτίνες, την παρέλαβε ένας βαρύς ύπνος, αλλά ο γιατρός βαριόταν να σηκωθεί κι όλο έλεγε κι έλεγε κι έλεγε...

Τότε ήρθε στον ύπνο της η αδελφή της, η Χρυσούλα, με άσπρο ελαφρύ φόρεμα, καλοκαιρινό. Ξεμπράτσωτη. Στην Πρίγκιπο ήταν, στη Χάλκη ή στα Θεραπειά; Κάπου κοντά στην παραλία, πάντως.

69

«Κουράστηκα, αδελφή, να περιμένω κι έκλεισα τα μάτια μου. Δεν ξαναγύρισες, δε θα 'ρθεις. Κουράστηκα, αδελφή μου...» είπε η Χρυσούλα με τα κελαρυστά ελληνικά της.

Έπειτα την πλησίασε πιο πολύ, σαν να 'θελε κάτι σπουδαίο να της εκμυστηρευτεί, πέρα απ' τη νοσταλγία και την αγάπη:

«Πέρασες σε άλλα χωράφια, ξένα, Αναστασία. Ξένα και επικίνδυνα. Η λάσπη γύρω σας δεν είναι λάσπη με χώμα και νερό. Είναι με χώμα και αίμα παλιό, που δεν το απορροφά η γη και βάλτωσε, αδελφούλα μου. Σφάλιζε τα παράθυρά σου όταν νυχτώνει, αγαπημένη μου...»

Και η Χρυσούλα χαμογέλασε, μες στο πηχτό απόγευμα της Ιστανμπούλ, που ένας Θεός ξέρει μόνο πόσο παλιό απόγευμα ήταν. Και πιο πέρα ο Στέλιος τους, βραχυκυκλωμένος στην εφηβεία, σοβαρός και απόλυτα δυστυχισμένος, όπως τον θυμόταν την τελευταία και έσχατη μέρα που έμεινε μαζί τους.

Ποτέ δε θέλησαν να συμμεριστούν το «θέμα Τουρχάν», κι ας ήξεραν περί τίνος επρόκειτο. Δηλαδή, για την αριστοκρατική καταγωγή της μητέρας του, ανιψιάς του τελευταίου Σουλτάνου, τις θείες του, κόρες πριγκίπων, αλλά και τις ξαδέλφες – όλοι, εννοείται, έκπτωτοι από αξιώματα, αλλά δικαιωματικά απόγονοι της δόξας της Οθωμανικής αυτοκρατορίας. Ο Τουρχάν, πρόθυμος, καταδεκτικός, όμορφος και πολυπράγμων, ήδη τελειωμένος μηχανικός στο Μόναχο, πήγε τότε κατά παράκληση δική της να τους γνωρίσει. Του φέρθηκαν ευγενικά αλλά τυπικά. Με μάτια στιλέτα και καρφιά, με ύμνους για τον Κεμάλ και τους Νεότουρκους, που προσπαθούσαν ν' απαλλάξουν την Τουρκία από την κακοφορμισμένη φάρα των Οσμανλήδων. Έκαναν ό,τι μπορούσαν πίσω απ' τις γεύσεις των καλών κρασιών και τους μεθυστικούς καπνούς των πούρων να τον προσβάλουν. Αφού και στο γραμμόφωνο έπαιξαν ημιπαράνομες πλάκες με σατιρικά τραγούδια, υβριστικά για τους Σουλτάνους και τη γενιά του. Ο Τουρχάν μειδιούσε σκεπτικός. Εξάντλησε κόσμια την υπομονή του και έφυγε. Μαζί του έφυγε κι κείνη. Τους άφησε σύξυλους, χωρίς να πάρει ούτε μια ζακέτα, χωρίς μια τσάντα με τα χρειώδη. Πέταξε ένα «γεια σας» σαν θρόισμα, φίλησε μονάχα το χέρι της γιαγιάς της —που, έτσι κι αλλιώς, δεν καταλάβαινε λόγω άνοιας— κι έκλεισε πίσω της την πόρτα. Θυμάται ακόμα, κι ας πέρασαν τόσα καλοκαίρια, το σκύλο τους, τον Έκτορα, να τρέχει στο κατόπι τους.

Κομματιάστηκε όταν νύχτωσε και κατάλαβε πως η μυρωδιά στο σώμα του Τουρχάν ήταν ό,τι είχε και δεν είχε πια σ' αυτό τον κόσμο. Και τον αγάπησε παράφορα, παραβλέποντας πόσοι δαίμονες κοιμούνταν στο ανήσυχο αίμα του άντρα της. Και τώρα, ξανά μανά, η Χρυσούλα τής έσφιγγε την καρδιά, μιλώντας σαν αίνιγμα σχολικό σ' ένα μεσημεριάτικο όνειρο.

Το απόγευμα εκείνης της επεισοδιακής μέρας άνοιξαν απότομα οι ουρανοί. Κατέβηκαν σύννεφα μαύρα —πιο μαύρα δε θυμόταν η Νουρ— πάνω απ' την πόλη. Και καταλάγιασε το κάμα και η βρομόσκονη. Μέχρι και τα μωρά παιδιά έδειχναν γκρίζα κι αλευρωμένα απ' τη σκόνη, σαν να γέρασαν μες στον Ιούλιο από βίτσιο. Τώρα, επιτέλους, θα ξεβρόμιζε το σύμπαν. Θα φούσκωναν και τα ποτάμια με τα ημιλιπόθυμα ψάρια, γιατί στο νερό τους τις τελευταίες μέρες αυγό έβραζες. Τόσο ζεστό και αηδιαστικό.

Τραγουδούσαν οι λαμαρίνες, τα κράσπεδα και τα πλατάνια, άνοιξαν τα στόματα όλα τα ζωντανά να γευτούν το δώρο του Θεού, έπεσαν κεραυνοί απανωτοί κι έλαμψε πέντ' έξι φορές από τις αστραπές η Εντίρνε, μέσα στη θαμπάδα της βροχής. Τα καλντερίμια, διψασμένα, ρουφούσαν το νερό. Γυάλισαν οι πέτρες, κι όσες ήταν μαύρες φάνταζαν σαν λουστρινένια παπούτσια, κι έτσι ακριβώς έμοιαζε κι ο μεγάλος δρόμος που ένωνε το προάστιο Καραγάτς με την Αδριανούπολη ή Αδριανού ή Εντίρνε. Λουστρινένια αυτοκρατορική λεωφόρος, λεωφόρος Λωζάνης τώρα, κι εκατέρωθεν ορμάνια και μπαξέδες. Άθικτη απ' το χρόνο. Σφίγγα στις αναμνήσεις της, βάλσαμο στην ψυχή του ταξιδιώτη, είτε έφτανε εκεί είτε την αποχαιρετούσε.

Ο Μεχμέτ αναλογιζόταν τους ντοντουρμάδες μέσα στα παγωμένα δοχεία τους, ήσυχος, με τη μύτη κολλημένη στο κουφωτό παντζούρι, να εισπνέει τη μοσκοβολιά της βροχής. Μπόρα ήταν και θα περνούσε. Στο μέσα δωμάτιο έπεσαν να κοιμηθούν για καμιά ώρα ο πατέρας και η μάνα, κατάκοποι. Ήταν κι ο καιρός βαρύς, είχαν συμβεί κι όλα τα δυσάρεστα το μεσημέρι. Θα τον συγχωρούσε η μπαγιάν Ζεϊνέπ οπωσδήποτε. Αλλά ήταν περίεργη και, με την πρώτη ευκαιρία, θα τον ανέκρινε. Όμως τώρα πάνω απ' όλα ήταν για τον Μεχμέτ ο ντοντουρμάς.

Η μπόρα είχε ήδη μαλακώσει. Τα μπουμπουνητά ξεμάκραιναν προς τη Βουλγαρία και την Ελλάδα. Κόντευε τέσσερις και στα πεζούλια η βροχή χοροπηδούσε. Με τα χείλη του Ασλάν στο αυτί της, η Νουρ δυσκολευόταν να κοιμηθεί – μα δεν τον αποθάρρυνε. Ξέπνοη, έγειρε στο στρώμα, αλλά, μόλις το ιδρωμένο κορμί του κόλλησε πάνω της, την έπιασε λιγωμάρα. Ήθελε να του ανοίξει κουβέντα για το παιδί, αλλά προτίμησε να τριφτεί στα μεγάλα τραχιά του πόδια, να νιώσει το τριχωτό του στέρνο στην πλάτη της, τα χέρια του στα μεριά και στο στήθος της. Κάθε φορά που τη ζύγωνε, ο νους της έτρεχε σ᾽ ένα μωρό. Νέοι ήταν ακόμα. Σ᾽ ένα κοριτσάκι, που δεν ευδόκησε ως τώρα να πιάσει, κι ας ήταν τακτικός στον έρωτα και θερμός άντρας ο Ασλάν. Ασλάν, πραγματικό λιοντάρι στο κρεβάτι· και Ασλάν στο ζώδιο, γιατί γεννήθηκε Αύγουστο. Αλλά κι εκείνος παράπονο δεν είχε από τη Νουρ, κι ας συστελλόταν εκείνη όταν της ζητούσε με μισόλογα κάτι παραπάνω απ᾽ το συζυγικό τελετουργικό. Και η Νουρ ντρεπόταν να του διαθέσει πιο ελεύθερα απ᾽ όσο της επέτρεπαν τα χρηστά ήθη της μουσουλμάνας το σώμα της, αλλά παρέκαμπτε συχνά τις δεοντολογίες και γύριζε μπρούμυτα, ανοίγοντας με βαθιές ανάσες τα ένοχα μονοπάτια της. Υπέθετε πως ο Ασλάν θα κατέφευγε για ακόμα πολυπλοκότερες εκδοχές στον περιβόητο μαχαλά με τα πουταναριά, αλλά μπορεί και όχι. Δεν τόλμησε να ρωτήσει ποτέ...

«Να του κάνεις όλα τα χατίρια, να μην την πάθεις σαν κι εμένα», τη συμβούλευε η αδελφή της, η Σεχζαντέ, που

73

είχε χάσει εδώ και δύο χρόνια τον άντρα της, τον Ισμαήλ, εξαιτίας του τραγουδιστή Σερτσέ. Σερτσέ θα πει «σπουργίτης», αλλά μόνο για σπουργίτης δεν έμοιαζε ο δημοφιλέστατος θηλυπρεπής τραγουδιστής από την Ιστανμπούλ. Είχε έρθει να τραγουδήσει στην Εντίρνε κι έπεσε πάνω στον Ισμαήλ, που δούλευε ηλεκτρολόγος. Δεν ήθελε πολύ να γίνει το κακό... Του αφιέρωσε τα μισά τραγούδια της βραδιάς. Και ύστερα, πού τον είδες πού τον έχασες τον Ισμαήλ! Ψηλός, ευρύστερνος, με κάτι ποδάρες ποδοσφαιριστή και βλέμμα ελαφρώς αλλήθωρο, που –δες παραξενιά!– τον ο- μόρφαινε ακόμα περισσότερο. Μαγεύτηκε ο Σερτσέ. Έκο- ψε ένα μηνιαίο επίδομα στη Σεχζαντέ για τα τρία παιδιά τους και, έκτοτε, ο Ισμαήλ υποτίθεται πως κάνει περίπλο- κα ηλεκτρολογικά στον Σερτσέ. Τρέχα γύρευε...

«Κάν' του τα χατίρια, κάν' του και το σιχαμένο το στο- ματικό, γιατί ο Σερτσέ δεν είναι ένας, έχει κι άλλους τέ- τοιους φίλους...» την παρότρυνε η αδελφή της, παθούσα πλέον και χωρίς άντρα, με τρία παιδιά να λατρεύουν το θείο Σερτσέ απ' την Ιστανμπούλ, γιατί τους έστελνε παιχνίδια και σεκέρια. Παιδιά είναι, τι να καταλάβουν...

Ο Μεχμέτ δε ζήλευε τα ξαδέλφια του για το μυθικό, ό- πως τον παρουσίαζαν, «θείο Σερτσέ» με τα παιχνίδια και τα καλούδια. Καταλάβαινε πως αυτός ήταν η αφορμή της δυστυχίας της θείας Σεχζαντέ και της απουσίας του θείου Ισμαήλ. Γι' αυτό καμάρωνε, δίχως να το δείχνει, την α- γάπη των γονιών του και τον έρωτά τους, αν και δεν ήξε- ρε, μια σταλιά παιδί, να προσδιορίσει τα μάγια του έρωτα και τις υγρασίες που ενώνουν τον άντρα με τη γυναίκα.

Ένιωθε πως στο μέσα δωμάτιο, πάνω στο μεγάλο κρεβάτι τους, αγαπιούνται μες στον ύπνο η μάνα κι ο πατέρας. Κι αυτό του έφτανε. Και κοιμόταν ήσυχος, από φόβο μην ταράξει την υπνο-αγάπη των γονιών του.

Σταμάτησε η βροχή και φύσηξε ελαφρά ο δροσερός βοριάς, να στραγγίξουν τα δέντρα κι οι πιπεριές, που έπαιρναν κρυφά δύναμη απ' τους νεκρούς χριστιανούς, όπως του έλεγε η μπαγιάν Ζεϊνέπ. Ξεμαντάλωσε το παντζούρι να μπει το απογευματινό φως. Στη φαντασία του, οι ντοντουρμάδες ήδη αδημονούσαν για τους πελάτες, κάτασπροι κι ορεκτικοί, με άρωμα μαστίχας. Μόνο που δεν τολμούσε να διακόψει τη σιέστα του πατέρα. Αρκετή σύγχυση τράβηξαν σήμερα εξαιτίας του.

Περασμένες πέντε. Πρώτη φορά ο Μεχμέτ μετρούσε την ώρα. Και δεν ήταν η βόλτα στα ζαχαροπλαστεία και οι ντοντουρμάδες. Υπολόγιζε την ώρα που θα 'ρχόταν το βράδυ και το στομάχι του σφιγγόταν. Είχε τρομάξει όσο ποτέ με τη ρωσική εικόνα του Προφήτη Ηλία κι όσα πρόλαβε να δει μέσα στο τζάμι. Κι ίσως να 'βλεπε κι άλλα, αν δεν έσπαγε από μόνο του. Σε κανένα δεν ομολόγησε πώς έσπασε. Όλοι το πήραν για απροσεξία, για ζημιά. Ένα παιδί που παίζει αστόχαστα με το κειμήλιο της κυράς...

Χάραξε ο ουρανός ρόδινος πάνω απ' την Εντίρνε, οι μουεζίνηδες στους μακρινούς μαχαλάδες επαναλάμβαναν τα χιλιοειπωμένα τους ιερά αραβικά, έβηξε ο πατέρας πίσω απ'

75

την κλειστή πόρτα κι ένα ραδιόφωνο απ' τους διπλανούς ακούστηκε να παίζει βαριά τούρκικα τραγούδια, που ανασύρονταν θαρρείς απ' το χρόνο μέσα από ανεξήγητες ρωγμές – και του 'φερναν θλίψη.

Του φόρεσε σιδερωμένα ρούχα η Νουρ, ξυρίστηκε ο Ασλάν, και πατέρας και γιος βγήκαν να βολτάρουν στο κεντρικό μεϊντάνι και στους γύρω δρόμους με τους καφενέδες, τα κεμπαπτζίδικα και τα μουχαλεμπιτζίδικα. Χόρτασε το παιδί ντοντουρμά, ξεχάστηκαν τα μεσημεριανά, σεργιάνισαν μπροστά στο τζαμί Ουτς Σερεφελί και στο Σοκουλού Χαμάμ, πέρασαν μια βόλτα κι απ' τη σκεπαστή αγορά να δουν τον Σουλεϊμάν, ένα φίλο του Ασλάν, που τους προμήθευε –κρυφά απ' τον Μεχμέτ– κάποιο βοτάνι για το νυχτερινό κατούρημα. Το βοτάνι ρύθμιζε, κατά τον Σουλεϊμάν, τα νεφρά και την ουροδόχο κύστη. Σαν μαύρο τσάι έμοιαζε, με άρωμα μέντας.

Ο καιρός είχε αλλάξει, είχε δροσίσει κάπως, κάθισε και η σκόνη. Τρία τσάγια ήπιε ο Ασλάν, έμαθαν και για το μουεζίνη που τσακίστηκε απ' το μιναρέ. Καθένας έλεγε το μακρύ και το κοντό του, πάντως όλους στην αγορά τούς είχε συνταράξει το μοναδικό στα τοπικά χρονικά γεγονός της πτώσης.

«Πάμε στο σπίτι...» Ο Μεχμέτ είχε βαρεθεί ν' ακούει για το μουεζίνη και πόσα κόκαλα έσπασε.

«Αντέχεις να σηκώσεις δύο πεπόνια;»

Άντεχε. Πάντα την επιστροφή τους από κάτι τέτοιους περιπάτους συνόδευε κι ένα μικρό φορτίο από φρούτα ή ψάρια, καθώς στην Εντίρνε έφταναν ωραία ψάρια και από τα ποτάμια και από τη θάλασσα. Σήμερα προτίμησαν τα πεπόνια, εκείνα τα πράσινα, τα πιτσιλωτά, που, στην περιοχή της Αδριανούπολης, Τούρκοι αλλά και οι Έλληνες απέναντι τα ονόμαζαν «καρκάτσια».

Φορτωμένοι με τα πεπόνια πήραν το δρόμο του γυρισμού. «Να μην πιστεύεις στα παραμύθια της μπαγιάν Ζεϊνέπ», σχολίασε ο Ασλάν.

«Κάτω απ' τις πιπεριές είναι ένα ρωμαίικο νεκροταφείο».

«Και πάνω απ' το μουστάκι μου στέκεται ένα τζαμί! Τι ανοησίες είναι αυτές; Σου τα λέει σαν παραμύθια...» Ο Μεχμέτ χαμογέλασε. Μπορεί να είχε δίκιο ο πατέρας του. Στο κάτω κάτω, η Ζεϊνέπ χανίμ ήταν φερμένη από την Ισταμπούλ. Πού ήξερε τα περί νεκροταφείων; Ήταν και γριά...

«Και οι γριές μπερδεύουν τον ύπνο με το ξύπνο... Έχει κι αυτή τα βάσανά της... δεν έκανε παιδιά», δικαιολόγησε την κατάσταση ο Ασλάν.

Πίσω απ' το τζαμί του Σουλτάνου Σελίμ ο ουρανός μάζευε πάλι σύννεφα. Ένα γεμάτο φεγγάρι μπαινόβγαινε ανάμεσά τους, κόκκινο με ασημένιες φλέβες.

«Αύριο θα 'χει πάλι αέρα. Είναι ο καιρός του...»

Ο Μεχμέτ κοίταξε σκεφτικός τον ουρανό, που κατάπινε και ξέρναγε εκείνο το παράξενο φεγγάρι πίσω απ' τη σκοτεινή σιλουέτα του Σελιμιγιέ. Πέρασαν μπροστά από φωτισμένα κουρεία, όλα καταπώς έπρεπε, με τη ζωγραφιά του Κεμάλ στον κεντρικό τοίχο τους, από μπακάλικα και μαγαζιά με αφράτα στραγάλια, τα λεμπλεμπιά, από μικρά εστιατόρια που μοσκοβολούσαν «ισκεμπέ τσορμπασί», μια σούπα σωστό βάλσαμο, από κοιλιά αρνιού με αυγολέμονο. Πέρασαν από πλανόδιους πωλητές αϊράν και μποζά και πάγκους με παστέλια σύκων και λουκούμια και «μπαντέμ εζμεσί», δηλαδή ψίχα αμύγδαλου ζυμωμένη με ροδόνερο.

Χόρταινε το μάτι σ' αυτή την αγορά, μα του Μεχμέτ η έγνοια ήταν η νύχτα, που απόψε είχε κατεβεί υγρή και πηχτή στους δρόμους της παλιάς πολιτείας, με το γινωμένο φεγγάρι να σκαρφαλώνει αλαζονικό πάνω απ' τους μαύρους όγκους του κλειστού ορίζοντα.

Δεν είχε όρεξη για τίποτα. Ένα ρυζόγαλο της έψησε η Νουρ, αλλά μόνο το μισό έφαγε. Καιγόταν. Δε μέτρησε πόσα νερά και λεμονάδες ήπιε. Και που τα έπινε, δηλαδή, η ανησυχία δεν έφευγε.

«Να σας δώσω λίγο απ' το σιρόπι...»

Είχε ένα ηρεμιστικό σιρόπι με βάση τη βαλεριάνα, που βρομοκοπούσε σαν λούστρο επίπλων. Δεν ήθελε ούτε σιρόπι. Ανοιγόκλεινε το ραδιόφωνο. Βούλγαροι, Τούρκοι, Έλληνες, όλοι μαζί αχταρμάς στα μεσαία κύματα. Τελικά απομόνωσε την Ιστανμπούλ, ν' ακούσει τον αγαπημένο της Σοπέν. Αργά το βράδυ, το τουρκικό φολκλόρ καταλάγιαζε κι άρχιζαν προγράμματα με ευρωπαϊκά τραγούδια και κλασική μουσική. Πέτυχε τα βαλς του Σοπέν κι αμέσως μετά ακολούθησε το *Πένθιμο εμβατήριο*, που το γνώριζε καλύτερα διασκευασμένο για μπάντα.

78

«Συγγνώμη για το γιο μου, αλλά μην του δίνετε κι ε-σείς θάρρος! Είναι μικρός και...»
«Μη μ' ενοχλείς τώρα. Θα τα πούμε αύριο. Φύγε, αν τέλειωσες».
Την έδιωξε, ενοχλημένη που επανέφερε το θέμα του παιδιού εν ώρα ραδιοφώνου. Έγειρε στην πολυθρόνα αγγί-ζοντας το τραύμα, που πάνω του ο γιατρός είχε αποθέσει μια παχιά γάζα. Τη φαγούριζε ο λευκοπλάστης, που είχε λασκάρει με τον ιδρώτα. Στο πιάνο το *Πένθιμο εμβατήριο* έμοιαζε σαν ένα οποιοδήποτε ρομαντικό κομμάτι με μο-σκοκάρφια μελαγχολίας. Κι όμως, στο πετσί της η ίδια μελωδία είχε χαράξει μια αυλακιά νοσταλγίας, παράλληλη με την άλλη, του ισόβιου πένθους. Μ' αυτό είχε συνοδεύ-σει τον Τουρχάν στον τάφο. Ήταν η μελωδία εκκίνησης μιας ζωής που δεν ήταν ζωή. Πλήρωνε τα κρίματα και των δύο – ...και των τριών. Το εμβατήριο την έμπασε πάλι στο σιωπηλό δωμάτιο με τα σώματα των εραστών. Σ' αυτό το ίδιο σπίτι, στο μέσα δωμάτιο, το πιο σκιερό, όπου έκτοτε δεν κοιμήθηκε κανείς. Ένα μουσείο προσωπικής φρίκης.
Είχε γυρίσει μια μέρα νωρίτερα από την Ιστανμπούλ, όπου είχε πάει να δει τον αδελφό της που έσβηνε στο Νο-σοκομείο του Μπαλουκλί. Αλλά ήταν ήδη αργά, είχε πε-θάνει το προηγούμενο βράδυ. Τους βρήκε ξέπνοους από έ-ρωτα στο μεγάλο καρυδένιο κρεβάτι –υπάρχει ακόμα, σκε-πασμένο μ' ένα δαμασκηνό ύφασμα– να καπνίζουν χασίς. Αφόρητα ωραίοι και οι δύο, με αναστατωμένα μαλλιά, ο ένας ανάμεσα στα πόδια του άλλου, με τις αδρές καμπύ-λες των σωμάτων να φτιάχνουν περιγράμματα γαλάζιας

σκιάς. Ζήλεψε την αταραξία τους, καθηλωμένοι όπως ή-
ταν απ' το γητευτή καπνό.

Δε μίλησε. Δεν έκλαψε. Πένθησε βουβά τον αδελφό
της –η οικογένεια της απαγόρευε λόγω Τουρχάν οποιαδή-
ποτε επαφή– προσφέροντας το κορμί της στους εραστές.
Απολαμβάνοντας με κάθε τρόπο την ηδονή της ταπείνω-
σης. Από 'κεί και ως το τέλος έγινε ο φύλακας άγγελός
τους, ερωτευμένη με το δικό τους έρωτα, γελοιοποιώντας
το άλλοθι της θυσίας, υπνωτισμένη από τις μουσικές που
ασταμάτητα έπαιζε το αμερικάνικο γραμμόφωνο του ά-
ντρα της: ερωτικές άριες ιταλικές και γερμανικές, ρωσικοί
θρησκευτικοί ύμνοι με μπάσους τραγουδιστές, ερωτικές
θρηνωδίες Τούρκων ασίκηδων, γαλλικά ελαφρά μαρσάκια
του καφέ σαντάν...

Ύστερα όλα χάθηκαν. Κυνηγημένη από τους εφιάλτες
της, γέρασε μαζί με το σπίτι και το μεγάλο κήπο. Το σπί-
τι την κράτησε. Τη φυλάκισε. Κι απόψε –είχε πολύ καιρό
να το νιώσει αυτό– το σπίτι νανουριζόταν απ' το ροκάνι-
σμα του σαρακιού κι από τα άλλα διψασμένα για αίμα έ-
ντομα της Εντίρνε.

Κάτι σαν ν' αφουγκράστηκε κάποια στιγμή. Χαμήλω-
σε το ραδιόφωνο. Ένας θόρυβος σαν να μετακινούνταν σί-
δερα. Μέταλλα. Για κουζινικά δεν έμοιαζαν, αλλά ωστό-
σο έβαλε μια φωνή:

«Νουρ, εσύ είσαι;»

Για λίγο σταμάτησαν. Έπειτα πάλι ξανά τα βήματα –
έτσι της φάνηκε, σιδερένια βήματα. Σαν κάποιος να βη-
μάτιζε, παίζοντας στο χέρι κλειδιά, χιλιάδες κλειδιά...

«Νουρ...» φώναξε αδύναμα.

Απάντηση δεν πήρε. Πάλι ησυχία. Δυνάμωσε το ραδιόφωνο, είχε τελειώσει το πρόγραμμα με τα κλασικά, η μελωδική φωνή της εκφωνήτριας απέκτησε νυχτερινό βάθος, σύγχρονες ευρωπαϊκές ορχήστρες έφεραν έναν ψεύτικο κοσμοπολίτικο αέρα στα ερτζιανά... Νοστάλγησε απότομα την παλιά της φιλοδοξία να ταξιδέψει χωρίς να 'ναι αναγκασμένη να επιστρέψει ποτέ. Οπουδήποτε.

«Γάτες με ορθοπεδικά μηχανήματα κυκλοφορούν εδώ μέσα!» μουρμούρισε. Μιμήθηκε τον ήχο του γέλιου. Αυτό κι αν ήταν για γέλια...

Το κόκκινο φεγγάρι ξαναβυθιζόταν σε σύννεφα που, όσο περνούσε η ώρα, αποκτούσαν υφή ομίχλης. Έτριζαν κι οι πόρτες. «Πεινασμένα σαράκια», σκέφτηκε.

«Ζεϊνέπ... Αναστασία», ψιθύρισαν τα σαράκια.

Κι ύστερα, σαν να συνήλθε, φώναξε δυνατά:

«Τα σαράκια δε μιλούν, ανόητη γριά. Κι ας τα λένε οι Γάλλοι ρολόγια του θανάτου!»

«Νουρ, εσύ είσαι; Ασλάν...» Δούλεψαν τα πνευμόνια της. Ανάσανε βαθιά.

«Αναστασία... Ζεϊνέπ». Την καλούσαν και με τα δύο της ονόματα. Σύρθηκε με κόπο ως την πόρτα. Είχε πιαστεί στην πολυθρόνα παριστάνοντας την ετοιμοθάνατη τόσες ώρες. Ακολούθησε τις σκιές. Υποπτευόταν πως μέσα από 'κεί την καλούσε η φωνή. Μια φωνή που έμοιαζε τυλιγμένη σε βρύα σκουριάς.

«Αναστασία...»

«Είμαι ηλίθια. Τα γυαλιά μου...»

Συνήθως, μεταξύ γυαλιών και μασέλας προτιμούσε τη μασέλα, για λόγους κοκεταρίας. Τα σαράκια δούλευαν στο ξύλο με έξαλλους ρυθμούς. Συγκέντρωσε την προσοχή της στην ψηλή σκοτεινή φιγούρα με το αλλόκοτο σχήμα, που μετακινούνταν ανάλαφρα σαν καπνός. Προχώρησε κι άλλο, με τα χέρια προτεταμένα σαν υπνοβάτης, για να μη σκοντάψει στα έπιπλα – αν και δεν υπήρχαν έπιπλα σ' αυτό το δωμάτιο. Μόνο το μεγάλο διπλό κρεβάτι, άθικτο τόσα χρόνια και σκεπασμένο με το δαμασκηνό ύφασμα, που πάνω του διάβαζες κεντημένο ένα στίχο από το αρχαίο περσικό ποίημα «Ο ύπνος είναι ένα τριαντάφυλλο», γραμμένο με τα περίτεχνα παλιά οθωμανικά γράμματα.

Σαν ύπνος σταχτής την τύλιξε η φιγούρα και την παρέσυρε σε μια χλιαρή κατάσταση απόλυτης άπνοιας. Δεν πρόλαβε καν να φοβηθεί και να υπολογίσει το χρόνο που μεσολάβησε απ' τη στιγμή που μπήκε ψαχτά στο δωμάτιο. Μόνο την ύστατη στιγμή, όταν μπόρεσε ν' απολαύσει ένα βαρύ πόνο έξω από τη λογική της γνωστής οδύνης, κατάλαβε πως πέθαινε σωριασμένη ανάσκελα, φιλημένη θανάσιμα από το σκοτεινό επισκέπτη...

Ο Μεχμέτ, στεγνός και άυπνος, παρακαλούσε να ξημερώσει. Κοιμόταν για λίγα λεπτά, μα πετιόταν πάλι αποφασισμένος να μην αφεθεί στο ύπουλο υποσυνείδητο, που του καταρράκωνε το ηθικό με το νυχτερινό κατούρημα. Θα νικούσε το φόβο, την κύστη του, τα όνειρα... Θα νικούσε την πόλη ολόκληρη, που απόψε σαβανώθηκε στην άσπρη ομίχλη, φαινόμενο σπάνιο για μεσοκαλόκαιρο. Μπορεί να ήρθε από τα ποτάμια, μπορεί να την έφερε ο άνεμος από τις πεδιάδες της Θράκης ή και από πιο πέρα, απ' τη Μαύρη Θάλασσα. Άκουσε πάντως σιδερένια βήματα κάπου κοντά στο δωμάτιο της μπαγιάν Ζεϊνέπ, το θρόισμα των φύλλων του κήπου, το κλάμα ενός σκύλου απ' το διπλανό σοκάκι, μια ανάσα σφυριχτή, που άφηνε πίσω της ηχώ λυγμών και νύστα.

Γύρισε στο αριστερό πλευρό, ώστε να τον παρηγορούν οι χτύποι της καρδιάς του, κι είπε από μέσα του μια προσευχή για όσους περπατούν μονάχοι τέτοιες νύχτες, σε τόπους βαριόσκιωτους.

Στην Κηφισιά πάλι...

Τ ΕΛΙΚΑ, Ο ΗΛΙΑΣ ΜΕΣΑ ΣΕ ΔΥΟ ΜΕΡΕΣ ΕΜΑΘΕ ΝΑ ΤΙΘΑ-
σεύει και τους φόβους και τη γλώσσα του. Προτίμη-
σε ν' ακολουθεί το ρυθμό της σιωπής της Βάσως,
που, μετά το επεισόδιο με το χαστούκι, ήταν κι αυτή προ-
σεχτική μαζί του. Ο Ηρακλής του υποσχέθηκε να τον πά-
ρει μια μέρα στο γύρισμα της *Αστέρως* και μάλιστα να τον
συστήσει και στην ίδια την Αλίκη Βουγιουκλάκη.

Δυστυχώς, την «υπόσχεση» –που έπεσε το επόμενο
βράδυ της γιορτής του Προφήτη Ηλία– την άκουσε και η
Μπέλα. Μέσα σε δυο ώρες γέμισε σπυράκια η μούρη της
κι ανέβασε πυρετό τριάντα οκτώ. Βουβάθηκε, κατέβασε
μούτρα και, στο τέλος, την έπιασε υστερία κι άρχισε να
ουρλιάζει και να χτυπιέται, ότι τάχα μου θυμήθηκε που εί-
ναι ορφανή από πατέρα και δε βρίσκεται άνθρωπος στον
κόσμο να τη συμμεριστεί.

«Ζήλιες...» αποφάνθηκε ο Ηρακλής και πήρε το γιο
του έξω στον κήπο, να χαλαρώσει η ατμόσφαιρα.

Στην κουζίνα, η Βάσω βάλθηκε να παρηγορεί την Μπέ-
λα και να την καλοτυχίζει που έχει μάνα και πατριό, που

η κυρία Λεφούση είναι σπουδαία μοδίστρα... Έφτασε να της πει ακόμα και ότι μία των ημερών το στήθος της θα ήταν το πιο λιμπιστικό στήθος της Ελλάδας. Σ' αυτές τις ανοησίες η κακομοίρα η Βάσω δεν είχε ταλέντο, αλλά άντε να ηρεμήσεις μια Μπέλα μισότρελη.

«Άντρα θέλει...» αποφάνθηκε η Ευζωνία εκ των υστέρων, όταν άνοιξαν συζήτηση οι δύο αδελφές.

Ο Ηλίας πότιζε με το λάστιχο τις ντομάτες, η Μπέλα ήταν στη μοδίστρα και ο Ηρακλής με τα τσολιαδίστικα στο γύρισμα της Αστέρως. Αυτά, την επομένη της σύγχυσης με τη χαζο-Μπέλα.

«Μικρή είναι, Ευζωνία μου... Τι λόγια είναι τούτα...»

«Άντρα θέλει και κόβω το κεφάλι μου ότι καψώνει και με τον δικό σου. Όχι ότι το κάνει επίτηδες, αλλά δε θυμάσαι κι εμένα στα δεκατρία, που με είχε πιάσει το αιμομεικτικό μου –Κύριε φύλαε– με τον αδελφό μας; Δεν ελέγχονται αυτά τα ορμονικά!»

Έλεγαν κι έλεγαν οι αδελφάδες, όμως η Βάσω το καλύτερο το φύλαγε για το τέλος. Της διηγήθηκε λεπτομερώς τι συνέβη του Προφήτη Ηλία με το μικρό και την κυρά της. Η Ευζωνία ανατρίχιασε και ζήτησε ζακέτα.

«Μωρέ, λες να 'ναι μέντιουμ το ορφανό;»

«Σιγά μην είναι φακίρης!» κάγχασε η Βάσω.

«Ότι είναι σαν αλλοπαρμένο, αυτό να λέγεται...»

«Είναι απ' την ορφάνια...»

«Έχω δει κι άλλα ορφανά. Αυτουνού ο νους του φωτογραφίζει διαφορετικά πράγματα...» Η Ευζωνία είχε εντυπωσιαστεί βαθύτατα: «Αν είναι μέντιουμ, μην το πείτε παραέξω – και ξέρεις πώς διαδίδονται αυτά... Να το χρησιμοποιήσεις...»

«Έλα, βρε Ευζωνία...»

«Να το χρησιμοποιήσεις, σου λέω, προς όφελός σας. Να το βάλεις να πάρει λαχείο. Σε ποιους νομίζεις ότι πέφτουν τα λαχεία; Σε σένα και σε μένα; Στα μέντιουμ πέφτουν!» Η Ευζωνία κόντευε να εκραγεί από ενθουσιασμό και ήδη κατέστρωνε σχέδια για το μελλοντικό πλουτισμό της α-δελφής της.

Γλυκό έπεσε το βράδυ στην Κηφισιά, με μια εξαντλημένη Πανσέληνο που άρχιζε να φθίνει σιγά σιγά. Ο Ηλίας έχωσε το λάστιχο ανάμεσα στα κολοκυθάκια. Κάτι σύρθηκε βιαστικά μέσα στα χόρτα. Πρόλαβε να δει μια μαύρη α-πειλητική τεθλασμένη που κινούνταν έρποντας, αλλά δεν τρόμαξε.

«Φίδι...» μουρμούρισε. Είχε ξαναδεί φίδια στην κατασκήνωση του Κατηχητικού. Ούτε και τότε είχε φοβηθεί, κι ας ήταν μικρότερος. Ίσα ίσα που τάχθηκε υπέρ των φιδιών, ως εξολοθρευτών των ποντικών. Τα διάβαζε κάτι τέτοια εγκυκλοπαιδικά παράδοξα στο περιοδικό Η ζωή του παιδιού, τον ενδιέφεραν.

Όση ώρα πότιζε, σκεφτόταν τους φίλους που δεν απέκτησε ποτέ. Κάποια ξαδέλφια από την πλευρά της μάνας του μεγάλωσαν απότομα, γέμισαν τρίχες και γένια και τον παράτησαν σύξυλο. Κάποια άλλα παιδιά, απ' τη γειτονιά της γιαγιάς του, τη Νέα Φιλαδέλφεια, μετακόμισαν στην

Κυψέλη και χάθηκαν. Ακόμα και μια κοπελάρα, η Βαγγελίτσα, που έκανε ενέσεις και τον φιλοξενούσε όταν χειροτέρευε η μαμά του, πάει, αρραβωνιάστηκε κι αυτή.

Όλα τώρα είχαν χαθεί μαζί με τη μάνα του... Εκείνος, όμως, ίσως αποκτούσε αργότερα πιστά λυκόσκυλα και άλογα, όπως διάβαζε στα βιβλία – αν, βέβαια, δεν του συνέβαινε κι αυτουνού τίποτε αναπάντεχο και γέμιζε κι ο ίδιος τρίχες και γένια, όπως τα ξαδέλφια του...

Ξαφνικά, το βράδυ εκείνο, ο Ηλίας ένιωσε πως κάτι δεν πήγαινε καλά. Άρχισε να σκέφτεται μια άγνωστη πόλη. Μια πόλη σκοτεινή, όπου μιλούσαν μια γλώσσα αλλόκοτη, τυλιγμένη σε γαλακτερή ομίχλη. Λέξεις χωρίς νόημα, με χάλκινη ηχώ. Έχωσε το κεφάλι του φοβισμένος κάτω απ' το λάστιχο, να συνεφέρει.

Τα κολοκύθια είχαν πνιγεί στο νερό, το φεγγάρι είχε πάρει το ύψος που παίρνουν τα φεγγάρια γύρω στις δέκα το βράδυ το καλοκαίρι, η «θεία Ευζωνία» καληνύχτιζε τη Βάσω και η φωνή της Μπέλας, πίσω απ' το παρτέρι με τις ντάλιες, διηγιόταν κάτι για υφάσματα «γκοφρέ» που θα ράβονταν «ντραπέ» κι άλλες ανοησίες. Να κι ο πατέρας, με φρέσκα νέα απ' τα «γυρίσματα»:

«Τελειώνουμε την άλλη βδομάδα, πρώτα ο Θεός. Κι ας είναι καλά το ταλκ, γιατί συγκάηκαν τα τέτοια μου, Ευζωνία». Ακολούθησαν γέλια κακαριστά και ξανά καληνυχτίσματα.

Θυμόταν αμυδρά τη γεύση της άγνωστης εκείνης γλώσσας. Ζαχαρωμένο μολύβι. Καραμελωμένοι σβόλοι από χώμα. Σιρόπι ξεραμένο σε ύφασμα μεταξωτό. Λεκέδες από αίμα γλυκό σε μαβί βελούδο. Κολλούσαν οι λέξεις από την κατάχρηση της ζάχαρης και τις συνόδευε ένα σύννεφο σκουριασμένο, κουρασμένο από θύελλες αιώνων, σύννεφο μοναχικό, που δεν μπόρεσε ποτέ να ξεσπάσει την οργή και το παράπονό του, ανάδελφο και διωγμένο απ' ό-λους τους ουρανούς. Ξανάχωσε το κεφάλι κάτω απ' το νερό. Μούσκεψε ο-λόκληρος. Ξανάγινε πραγματικός. Ανάσανε με ανακούφι-ση. «Είμαι παιδί!» βεβαίωσε τον εαυτό του και κατούρη-σε πάνω στα κολοκύθια, ευτυχισμένος που είχε λασπώσει κατά το χειρότερο τρόπο τα πέδιλά του.

Γύρισε να δει το σκοτεινό σπίτι της κυράς της μητριάς του. Έτσι προτιμούσε να σκέφτεται τη γηραιά κυρία του σπιτιού, που μύριζε κάρβουνο και άρωμα. Ένα νυσταγμέ-νο πορτατίφ πίσω απ' την κουρτίνα δήλωνε πως δεν κοι-μόταν. Δεν είχαν ξανασυναντηθεί από τη μέρα της γιορ-τής του. Σφίχτηκε η καρδιά του στην ανάμνηση, ένα σι-δερένιο γάντι ακούμπησε στο στήθος του και, εντελώς φυ-σικά, κρατώντας ακόμα με το ένα χέρι το υγρό πουλί του, απήγγειλε την προστακτική του «προσέχω» στην άγνω-στη γλώσσα: «Ντικάτ ετ...» Έπειτα, τρέχοντας, τσαλα-πατώντας τα παρτέρια με τους υάκινθους και τις γλαδιό-λες, μπήκε στην κουζίνα στάζοντας.

«Χριστέ μου, σαν γουρούνι έγινες...» φώναξε η Μπέ-λα, που έκοβε σαλάτα.

Ο Ηρακλής βρισκόταν στην τουαλέτα, γιατί, με τη φουστανέλα, τα «γυρίσματα» και την ταλαιπωρία, είχε γί-νει δυσκοίλιος. Η Βάσω άσπρισε, αλλά της ήρθαν στο νου τα λόγια της Ευζωνίας περί λαχείου και μέντιουμ και κρατήθηκε. Κι αν είχε δίκιο η αδελφή της; «Καλοκαίρι είναι, θα στεγνώσει. Βγάλε τα πέδιλα στη βεράντα κι έλα να φάμε», είπε ήρεμη. «Μπριάμι...» στραβομουτσούνιασε η Μπέλα. «Εγώ θα φάω σαλάτα».

«Εσύ θα φας καμιά ανάποδη», φουρκίστηκε η Βάσω. Ο Ηλίας κατάλαβε πως πίσω απ' τη σαλάτα και το μπριάμι υφαινόταν καβγάς. Η Μπέλα σούφρωσε περιφρονητικά τη μούρη και, κατακόκκινη, έχωσε μισό αγγούρι στο στόμα, για ν' αποφύγει ν' απαντήσει. Δε θα πλήρωνε αυτή τη νύφη εξαιτίας του γιου του ομορφονιού, που έχεζε τώρα τραγουδώντας ηπειρώτικα, σαν να βρισκόταν στο μαντρί.

«Ηρακλή μου, αν τελείωσες έλα. Τρώμε...» φώναξε ελαφρώς συγχυσμένη η Βάσω, φέρνοντας απ' την παγωνιέρα τη φέτα και κρύο νερό. Ο Ηρακλής τραβούσε το καζανάκι, τραγουδώντας πάντα για τα πουλάκια της ξενιτιάς, που έφερναν πικρά μαντάτα.

«Τα ακούει στην ταινία αυτά τα τραγούδια...» σχολίασε άχρωμα η Βάσω.

«Σιγά την ταινία...» πετάχτηκε η Μπέλα.

«Τζεσούρ ολ», ψιθύρισε ο Ηλίας απορημένος, που καταλάβαινε ότι έδινε κουράγιο στον εαυτό του, σαν να ήταν κάποιος άλλος. «Να τον προσέχει καλά!»

«Τι είπες;» ρώτησε η Μπέλα.

«Είδα ένα φίδι στα κολοκύθια», της είπε σοβαρά.

«Φίδι;» Η Βάσω κοπάνησε το πιρούνι στο πιάτο.

«Έβετ. Μπιρ καρά γιλάν... Ένα μαύρο φίδι... Νόστιμο είναι το μπριάμι. Μπαμπά, έλα... Τρώμε». Ο Ηλίας αράδιασε ένα σωρό φράσεις, μπερδεύοντας α- κόμα πιο πολύ τις δύο γυναίκες. Η Μπέλα έτρωγε σαλά- τα με ηλίθιο ύφος, που σήμαινε ότι είχε προβληματιστεί. «Έχεις τίποτα;» τον ρώτησε η Βάσω. «Πεινάω... Είναι ωραίο το μπριάμι», της απάντησε κεφάτα. «Ναι, είναι». Η Βάσω δεν ήταν ποτέ σίγουρη για το τι εννοούσε αυτός ο μικρός διάβολος. Πότε βουβαινόταν και πότε τις φλόμωνε στις ασυναρτησίες. Και στο μάτι του πάντα ένα γέλιο κοροϊδευτικό. Είχε δίκιο η Ευζωνία, τε- λικά. Τα ορφανά δεν κοιτάζουν έτσι. Αλλά και της Ευζω- νίας της άρεσε να τα παραφουσκώνει. «Δε φοβάμαι όμως τα φίδια...» είπε ο μικρός. «Τι φοβάσαι;» Η Μπέλα είχε συγχυστεί. «Νεντέν κορκούγιορουμ;» Ανασήκωσε τους ώμους του. Αλήθεια, φοβόταν τίποτα περισσότερο απ' αυτές τις ακα- τανόητες λέξεις που έβραζαν στο στομάχι του; Και δεν ή- ταν λέξεις με αναπαυτικά φωνήεντα, αλλά στρυφνές και τσιγκούνικες σε ανάσες, όπως «νίτσιν», «ίτσιν», «τσοκ», «τσουνκιού», παιγμένες σαν ασθματικά σφυρίγματα ανά- μεσα στα δόντια. Κι ακόμη άλλες πολλές, που αποδυνά- μωναν μελωδικά το «ε», το «ι» και το «ο». Και άλλες, που –έτσι τουλάχιστον του φάνηκε– μεταχειρίζονταν επιθετικά τα «ρο» και τα «τζ». Άλλες σαν να κολλούσαν επίτηδες στον ουρανίσκο, όπως καμιά φορά ο φρέσκος μαϊντανός απ' τη σαλάτα, γιατί κουβαλούσαν μέσα τους ένα μαλακό

93

«γκε», το «γιουμουσάκ γκε». Και «νταν» καταλήξεις και «ντεν», ένας χείμαρρος τέτοιων ενθουσιωδών καταλήξεων, που βασίζονταν σε νόμους ευφωνίας. Και ρήματα της επιθυμίας και της αγάπης, όπως «ιστίγιορουμ» και «σεβίγιορουμ», και συμπλέγματα καταστροφής, όπως «μαχβετμέκ», «ολντουρμέκ» και «κεσφετμέκ», ή του θανάτου: «ολμέκ» και «βεφάτ ετμέκ»· και πόνου: «αριμάκ»· και αίματος: «καναμάκ». Το αίμα: «καν». Και η οργή: «εφκέ». Μπουκωμένος με το μπριάμι, του ήρθε να ξεφωνίσει «Βοήθεια!», έτσι όπως μπλοκαρίστηκε από τις φράσεις-παράσιτα, που κόντευαν να πεταχτούν απ' τα ρουθούνια του: «Ιμντάατ... ιμντάατ!» Σ' αυτή τη γλώσσα, όμως, κανείς δεν θα έτρεχε να τον γλιτώσει. Και το 'ξερε. Γι' αυτό προτίμησε να κάνει ένα μεγαλοπρεπή εμετό, ακριβώς τη στιγμή που έμπαινε ο Ηρακλής ξαλαφρωμένος. Χλόμιασε αρχικά και μετά έγινε κατακόκκινος. «Κουπ κουρμουζού»! Ακόμα και τότε η διάθεσή του μεταφραζόταν αυτόματα στην ακατανόητη γλώσσα. Άδειασε το στομάχι του πάνω στο τραπέζι, προτού μάνα και κόρη προλάβουν να αντιδράσουν. Μόνο που εδώ δεν είχαν να κάνουν μ' έναν κοινό εμετό, αλλά με μια θαυμαστή ποσότητα από μικρά και μεγάλα κόκαλα, που προφανώς ήταν αδύνατο να χωνευτούν και από τον πιο σιδεροστόμαχο ενήλικα – πόσο μάλλον από ένα παιδί.

Ο Ηρακλής, κατάπληκτος, έβλεπε τα αρνίσια και τα μοσχαρίσια κόκαλα να βγαίνουν απ' το στόμα του γιου του με πολεμικές κλαγγές, η Μπέλα ήταν έτοιμη να βάλει τα κλάματα γαντζωμένη στη ρόμπα της μάνας της, ενώ η

94

Βάσω συλλογιζόταν αν είχε ποτέ ακούσει για το τι μπορεί να χωρέσει το στομάχι ενός μέντιουμ.

Όταν σταμάτησαν τα αρνίσια και τα μοσχαρίσια κόκαλα, πετάχτηκαν σαν σούστες από παλιό στρώμα και κόκαλα από κοτόπουλα. Γέμισε η κουζίνα λεπτά κοκαλάκια και νύχια γαμψά, αφού σ' εκείνο το εμετικό πανόραμα περιλαμβάνονταν και τα πόδια των πουλιών.

Κανείς δεν πλησίαζε το παιδί. Έκθαμβοι και οι τρεις παρακολουθούσαν, χωρίς να μιλούν, χωρίς καν να τολμούν ν' ανταλλάξουν βλέμματα. Ο Ηλίας, ωστόσο, δεν έδειχνε να υποφέρει ιδιαίτερα. Ίσως να τρόμαζε αν ήταν σε θέση να δει αυτά που έβγαιναν με φόρα απ' το στόμα του, όμως κρατούσε τα μάτια κλειστά, προσπαθώντας ν' απαλλαγεί όσο γινόταν πιο γρήγορα απ' το κοκαλομάνι.

Τέλος, και προτού η Μπέλα πατήσει τις τσιρίδες που θα ακούγονταν ως το σπίτι της κυράς, πετάχτηκαν απ' το στομάχι του κουκούτσια από κεράσια, βύσσινα και καΐσια. Μάλιστα εκτοξεύτηκαν με τόση δύναμη, που τραγούδησαν ένα τσίγκινο παροξύτονο τραγούδι όλα τα κουζινικά που ήταν αραδιασμένα στα ράφια. Άλλα γρατσούνισαν τους τοίχους κι ένα κουκούτσι από καΐσι βρήκε την Μπέλα στο κούτελο. Της κόπηκε εκεινής η ανάσα από την έκπληξη, μα αμέσως έμπηξε κάτι τσιρίδες, που κόντεψε να ξηλώσει τις αμυγδαλές της. Ο εμετός είχε τελειώσει και η Μπέλα σήμανε τη λήξη του συναγερμού, με πρησμένες για τα καλά τις φωνητικές της χορδές.

«Σκάσε, νυχτιάτικα...» αγρίεψε η Βάσω.

Αλλά η Μπέλα δεν έσκασε. Συνέχισε να τσιρίζει και

95

χρειάστηκε να της χώσουν στο στόμα μια φούντα απ' το τσαρούχι που φορούσε ο Ηρακλής στην *Αστέρω*. Μια φούντα και δυο σκαμπίλια ανάστροφα.

«Σκουπίστε, να φάμε...» ήταν οι μοναδικές λέξεις του Ηρακλή.

«Κάτι με πείραξε», μουρμούρισε ο Ηλίας, λες κι όλο τούτο ήταν η πιο συνηθισμένη αδιαθεσία.

«Άλλη φορά να προσέχεις τι τρως...» είπε ο πατέρας του. Δε θέλησε να τον ρωτήσει πού βρήκε κι έφαγε μισό κοπάδι αρνιά και μοσχάρια ή ό,τι τέλος πάντων υπονοούσαν όλα εκείνα τα κόκαλα.

«Κεμίκ, μπαμπά... Κεμίκ...»

«Τι είπες;» Απ' τη σύγχυση ο Ηρακλής δεν άκουγε καλά.

«Κόκαλα, είπα».

Γρήγορα η Βάσω, με πικρό σάλιο απ' τα φαρμάκια που κατάπινε, συμμάζεψε την κουζίνα. Γέμισε ένα σκουπιδοτενεκέ κόκαλα, πότισε και την Μπέλα λίγο βερμούτ να σιάξει το κέφι της, της κόλλησε κι ένα τσιρότο στο μέτωπο, εκεί που την πέτυχε το κουκούτσι, και σέρβιρε εκ νέου, σε πιάτα καθαρά.

Έφαγαν αμίλητοι το μπριάμι, αφού πρώτα η Βάσω απήγγειλε μια προσευχή απ' τα βάθη της καρδιάς της, λοξοκοιτάζοντας τον Ηλία που ταξίδευε ποιος ξέρει πού.

«Είδα στον ύπνο μου πως κερδίσαμε στο λαχείο, Ηρακλή μου...»

«Πόσα; Στους λήγοντες;» κάγχασε ο Ηρακλής.

«Τριακόσια χιλιάρικα, νομίζω. Θα πάρω λαχείο...»

96

«Η κυρία Λεφούση αγόρασε διαμέρισμα στην κόρη της, κοντά στον Άγιο Παντελεήμονα», δήλωσε στο ξεκάρφωτο η Μπέλα.

«Θα πάρω λαχείο. Τι λες κι εσύ, Ηλία;» πέταξε η Βάσω διπλωματικά.

«Πού ξέρει το νιάνιαρο...» αγρίεψε η Μπέλα.

«Δε σε ρώτησα...» της επιτέθηκε η Βάσω. «Ε, Ηλία μου;»

Ο Ηλίας σήκωσε αδιάφορα τους ώμους. Μια κούραση γλυκιά σαν πηχτή βυσσινάδα απλωνόταν μέσα του. Σαν να 'χε τρέξει ατέλειωτες ώρες σε πεδιάδες άνυδρες, με ξυρισμένους απ' τον ήλιο θάμνους, ακολουθώντας φαντάσματα πολεμιστών, αθέατων τις καλοκαιρινές μέρες, που μάκραιναν απρόβλεπτα μέσα στο δειλινό. Θα παρακαλούσε τον πατέρα του να του αγοράσει μερικά από τα περιπετειώδη «Κλασικά εικονογραφημένα», που τον συνάρπαζαν. Με ιππότες τυλιγμένους σε φύλλα ατσαλιού, όπως τα ντολμαδάκια γιαλαντζί, ιππότες αρωματισμένους με δυόσμο, άνηθο και μαύρο πιπέρι...

«Κοιμάσαι, αγόρι μου; Έλα, να σου πλύνω το στόμα και να πλαγιάσεις».

Ο Ηρακλής σήκωσε το κεφάλι του γιου του μέσα απ' το μπριάμι. Τον έσυρε έξω, στη δροσιά της βεράντας, να του πλύνει το μούτρο. Η γλυκιά βυσσινάδα, παχύρρευστη, κατέβαινε θριαμβευτικά στη σπονδυλική του στήλη. Μα δεν τον ένοιαζε. Ήταν ωραία η αγκαλιά του πατέρα, με την αψιά μυρωδιά του ιδρώτα, ανάκατη με την κολόνια μέντα του ξυρίσματος.

Ξάπλωσε από το μέρος της καρδιάς ο Ηλίας, σταυρωμένος από τον πατέρα εκείνο το βράδυ – κι ας μην ήταν θρήσκος ο Ηρακλής, σε αντίθεση με τη Βάσω. «Θέλεις να μου πεις κάτι, αγόρι μου...» άκουσε ήρεμη τη φωνή του πατέρα δίπλα στο αυτί του. «Κλασικά εικονογραφημένα...» πρόλαβε να πει. Κι αποκοιμήθηκε χαμένος σ' έναν ύπνο χαλαρό, όπου τα δροσερά σεντόνια έπαιζαν πρωταγωνιστικό ρόλο κι ονομάζονταν «τσαρτσαφλάρ» στην άγνωστη γλώσσα του φόβου και του εμετού. Ούτε τους δύο αιμοδιψείς ανωφελείς κώνωπες κατάλαβε ο Ηλίας, όταν κατέβηκαν απ' το ταβάνι να πιουν το αίμα από το μέσα μέρος του χεριού του, ούτε την Μπέλα που μαχόταν στον ύπνο της εναντίον τριών ημιτελών πένθιμων ταγιέρ που, με τις καρφίτσες και τα τρυπώματά τους, απειλούσαν να τη σκοτώσουν.

Ευτυχώς, ξύπνησε. Άνοιξε τα μάτια της, ευτυχισμένη που ανάσαινε ανάσκελα την καλοκαιρινή νύχτα της Κηφισιάς, κι άκουσε τα βογκητά του Ηρακλή και τους ηδονικούς λυγμούς του σομιέ του κρεβατιού από το παραδιπλανό δωμάτιο. Τα λόγια όμως που έφταναν στ' αυτιά της ήταν σαλιωμένα και σκεπασμένα από κοφτές ανάσες, κι έτσι δεν έβγαλε άκρη. Προτού λαλήσουν τα συνηθισμένα κοκόρια της αυγής, μέσα στον ύπνο και στη δίψα που της έφερε η λαδίλα απ' το μπριάμι –αλλά που παρέβλεψε, γιατί δεν παρατιέται εύκολα ο τρυφερός πρωινός ύπνος– της φάνηκε πως άκουσε σιδερένια βήματα να σεργιανούν στον κήπο και λαμαρίνες σκουριασμένες να τρίζουν –που μπορεί, δηλαδή, να ήταν και τίποτα κακόφωνα νυχτοπούλια– κι έπειτα να ξεμακραίνουν κατά το σπίτι της κυράς και να χάνονται.

Όταν άνοιξαν τα λαρύγγια των πετεινών να καλωσορίσουν άλλη μια ζεστή μέρα, που ακόμα αργούσε να φωτίσει ο ουρανός της, όλοι κοιμόνταν βαριά, εκστομίζοντας τα σύμφωνα του ύπνου μέσα απ' τα ακούραστα πνευμόνια τους.

«Σε θέλει... Να είσαι προσεχτικός κι όχι πολλά λόγια!» Τον ξύπνησε κατά τις δέκα. Επίτηδες τον άφησε να κοιμηθεί παραπάνω απ' το κανονικό, ως αδιάθετο, λόγω του χθεσινού εμετού. Σιωπηλός σηκώθηκε να πιει το γάλα του, με μια ιδέα καφέ μέσα για να κόβει η γαλατίλα. Του άλειψε και μια φέτα βούτυρο και πορτοκάλι μαρμελάδα, του είχε κι ένα κομμάτι κέικ. Τα έφαγε όλα βουβός, με το βλέμμα σ' ένα δροσερό πουθενά και στο πεντακάθαρο πουκάμισο, που συνήθως του έγδερνε το λαιμό. Τέτοιο θα φορούσε για να πάει στο σπίτι της κυράς. Πουκάμισο με γιακά-λεπίδα.

«Τι με θέλει;»

«Θα σου πει. Να είσαι ευγενικός και να μη...». Κάτι πήγε να προσθέσει, όμως το μετάνιωσε. Είδε που ξαφνικά άστραψε στο μάτι του μια ανησυχία και γύρισε αλλού την κουβέντα:

«Ποιος αναίσθητος τσαλαπάτησε τις ντοματιές; Τρία φυτά, έλα να δεις, είναι πατημένα...»

Πράγματι, τρεις πρώην εύρωστες ντοματιές κείτονταν

καταγής, λες και πέρασε από πάνω τους ρόδα σιδερένια ή κάτι ανάλογο. Μόνο που δεν υπήρχαν ακριβή σημάδια από το όργανο του εγκλήματος.

«Θα πω στον πατέρα σου να φτιάξει ένα σκιάχτρο... κάτι».

Δεν της απάντησε. Τον βάραινε και η διάθεσή του και η ζέστη που φούντωνε από λεπτό σε λεπτό.

«Άκου να σου πω...» Του χαμογέλασε πλατιά και του εξήγησε πως τον θεωρεί γουρλή και, ως εκ τούτου, ήθελε το δικό του το χεράκι να της τραβήξει ένα Λαϊκό Λαχείο. Συμφώνησαν το Σαββατοκύριακο να ξεκλέψουν χρόνο. Του χτένισε τα μαλλιά, του έριξε και μερικές σταγόνες κολόνια μέντα.

«Εγώ θα είμαι κάτω, στην κουζίνα... Θα 'χω το νου μου...» τον καθησύχασε και τράβηξαν για το σπίτι.

Έβραζε ο κήπος, τρελαίνονταν τα τζιτζίκια, τα έντομα βάφονταν κίτρινα στη γύρη των λουλουδιών, που απ' τη ζέστη ήρθαν κι άνοιξαν σαν πολύχρωμα έλκη. Οι σφήκες σεργιανούσαν φονικές στο νεροχύτη. Στην κουζίνα είχε δροσιά απ' τα ρεύματα. Είχε ψήσει η Βάσω μελιτζάνες κι η πικρή μυρωδιά τους ήταν ευχάριστα διάχυτη παντού. Προετοιμάστηκε να εισπνεύσει κάρβουνο κι εκείνο το αναθεματισμένο άρωμα που τον πρόδωσε, αλλά η μελιτζάνα είχε εκτοπίσει τα πάντα στην κουζίνα.

«Τράβα επάνω, όπως είπαμε...»

Τον έμπασε σ' ένα ακόμα δροσερότερο χολ, απ' όπου άρχιζε η σκάλα για το επάνω πάτωμα. Τα ρουθούνια του έπιασαν αμέσως το γαλλικό άρωμα της Κυρίας και το κάρβουνο – το κάρβουνο σε μικρότερη δόση. Έβγαλε με δύναμη τον αέρα από μέσα του κι ανέβηκε τη σκάλα, που του φάνηκε ατέλειωτη. Στο επάνω χολ ο ήλιος μάταια πάλευε να διαπεράσει τις κουρτίνες. Τα φώτα πάντα αναμμένα, της νύστας, και πίσω απ' τα τζαμάκια τους οι νεκροί στις φωτογραφίες να χαμογελούν συνεσταλμένα στο φωτογραφικό θηρίο που αποτύπωνε τις στιγμές τους. «Τι ν' απόγινε, τάχα, ο φωτογράφος τους;» έπιασε τον εαυτό του ν' αναρωτιέται.

Πλησίασε τις φωτογραφίες, επιστρατεύοντας όσο θάρρος διέθετε. Ήταν αρκετά ψηλά βαλμένες και σηκώθηκε στις μύτες των ποδιών του. Τις περιεργάστηκε προσεχτικά. Όλες τους ασπρόμαυρες, αιχμαλωτισμένες σε μια γενική διάθεση κοκεταρίας. Σε μερικές αναγνώρισε τα ίδια πρόσωπα με άλλα ρούχα, σε διαφορετικές πόλεις και εποχές. Καμπάνες και μπουρούδες καραβιών, σκληρές φωνές πλήθους και παραπονεμένα ευσεβή ξεφωνητά τρύπησαν τ' αυτιά του. Οπισθοχώρησε ανήσυχος. Παραλίγο ν' αρχίσει να κατρακυλά τις σκάλες. Κρατήθηκε όμως.

Άφησε καρδιοχτυπώντας ν' απομακρυνθούν εκείνοι οι θόρυβοι και εστίασε την προσοχή του σε μια όμορφη γυναίκα, τυλιγμένη σε γούνες. Στεκόταν στις σκάλες ενός μεγάλου σπιτιού, που το περιτριγύριζε νερό. Θάλασσα. Κρατιόταν απ' το μπράτσο ενός ωραίου άντρα με μαύρα μάτια και χαμόγελο πονηρό. Εκείνη η γυναίκα... Λίγο ακόμα και θα ούρλιαζε, όχι τόσο από φόβο, όσο από τη δύσπνοια που τον έπιασε «μπιρντέν-μπιρέ» – στα ξαφνικά.

Ακούμπησε στη λουστραρισμένη κουπαστή της σκάλας παίρνοντας βαθιές ανάσες, μέχρι που του 'ρθε ζάλη. Όρμησε ο αέρας στους πνεύμονες, συνήλθε και, με φωνή που δεν αναγνώρισε για δικιά του, ψιθύρισε: «Πόλη από χρυσάφι, από ασήμι, γυαλί, αίμα και σκατά».

Έπειτα του φάνηκε πως το γέλιο της γυναίκας στη φωτογραφία απομακρυνόταν, σαν τόπι που δεν πέτυχε το στόχο του. Μεγάλα ελαστικά βήματα γέλιου, ώσπου όλα έσβησαν.

Ένα κορίτσι, όχι πάνω από δεκατριών χρόνων, στεκόταν στην ανοιχτή πόρτα του δωματίου της Κυρίας και τον κοίταζε με έκπληξη. Το φόρεμά της ήταν από λευκή οργάντζα και τα ξανθά μαλλιά της την έκαναν να φαίνεται σαν νεράιδα. Ήταν ένα κορίτσι έξω από τη λογική των κορνιζωμένων ηρωίδων του χολ, με μια γλώσσα αφύσικα κόκκινη κι επιδέξια, αφού, αντί για οποιαδήποτε χαιρετούρα, προτίμησε να επιδοθεί σε αναιδείς μορφασμούς.

«Ποιος είναι, Στέλα;» ακούστηκε η φωνή της κυράς. Και μετά ο βήχας.

Το κορίτσι-Στέλα συμμάζεψε την κόκκινη γλώσσα για ν' απαντήσει ευγενικά:

«Ο νεαρός κύριος, θεία Μερόπη, είναι εδώ. Ήρθε...»

«Έλα, λοιπόν, ακριβοθώρητε κύριε...» φώναξε με ιδιαίτερη ζωντάνια η κυρά. «Καλώς μας ήρθες...»

Μπήκε στο δωμάτιο, που τώρα του φάνηκε πολύ πιο ευχάριστο από την πρώτη φορά, κρατώντας τις αποστάσεις από την «αρχόντισσα». Τους γούσταρε αυτούς τους μυθιστορηματικούς τίτλους ο Ηλίας: «αρχόντισσα», «βασιλοπούλα», «ιππότης», «πυργοδέσποινα». Τέλος πάντων, του 'χε μείνει απ' τις μεσαιωνικού ευδαιμονισμού ιστορίες που διάβαζε και τον παράσερναν σ' έναν κόσμο δυσνόητης δικαιοσύνης, αλλά γοητευτικό και επίπονα χριστιανικό. «Χόσμπουλντούκ... Καλημέρα σας...» ψέλλισε. Κι ύστερα επανέλαβε με έμφαση: «Καλημέρα σας», για να κρύψει τον ήχο των άγνωστων λέξεων που, όποτε ήθελαν, μπαινόβγαιναν ύπουλα απ' τον ουρανίσκο του.

Μια σκιά, σαν μαύρη μύγα, εγκυμονούσα υποψίες, φάνηκε στα ξέθωρα μάτια της κυρίας Μερόπης-Ιουστίνης ή οτιδήποτε άλλο.

«Προτιμάτε βανίλια ή παγωτό;» έκανε χαρούμενη εκείνη, για να ξεθαρρέψει ο μικρός που στεκόταν προσοχή μπροστά της σαν ζεματισμένος.

Η θρασυτάτη Στέλα ήδη αναμετρούσε την ενδυματολογική ευτέλεια του παιδιού, ασφαλής στο φόρεμα-οχυρό από οργάντζα.

«Παγωτό, φυσικά, θεία Μερόπη... Σοκολάτα. Εσύ;»

«Εγώ... ό,τι... Το ίδιο». Ο Ηλίας ακολούθησε την προτίμηση της Στέλας, που εδώ και πέντε λεπτά εξακολουθούσε να είναι το πιο εκθαμβωτικό κορίτσι που είχε δει ποτέ. Ακόμα και η αφύσικα κατακόκκινη γλώσσα της, που πετιόταν ανάμεσα απ' τα μικρά της δόντια σαν φίδι έτοιμο να τον περιλούσει με δηλητήριο, έμοιαζε υπέροχη.

Η Στέλα έτρεξε κάτω στην κουζίνα, να δώσει την παραγγελία στη Βάσω.

«Είναι ανιψιά μου. Η μητέρα της είναι κόρη της ανιψιάς του άντρα μου. Είσαι έξυπνος και είμαι βέβαιη πως καταλαβαίνεις από συγγένειες...»

«Τι με θέλετε;» βρήκε το θάρρος να τη διακόψει.
«Να σε κεράσω παγωτό ήθελα...»
«Ευχαριστώ», ψιθύρισε πανικόβλητος, γιατί μέσα στο στόμα του γυρόφερνε η φράση «τεσεκιούρ εντέριμ».
«Συμβαίνει τίποτα;»
«Όχι...»
«Λυπάμαι για το ατυχές προχθεσινό γεγονός... για το χαστούκι. Δεν έφταιγες εσύ που αναγνώρισες το άρωμά μου, ούτε η Βάσω που δεν έχει ιδέα από αρώματα...»
Το παιδί σώπαινε, κοιτάζοντας το δαιδαλώδες φλεβικό σύστημα στο διάφανο δέρμα της κυράς.
«Λυπάμαι, επίσης, που έχασες τη μητέρα σου...»
Δεν απάντησε. Κούνησε το κεφάλι του σαν να συμμεριζόταν τη λύπη της, έτοιμος να βάλει τα κλάματα. Πίσω, όμως, από τα τυπικά πονετικά λόγια της αρχόντισσας διέκρινε το δόλο και την ενορχηστρωμένη πονηριά της, που θα την οδηγούσαν την κατάλληλη στιγμή αλλού.
Η Στέλα επανήλθε δριμύτερη και ωραιότερη. Ήταν «αριστούχος», μιλούσε γαλλικά «απταίστως» και μάθαινε και την αγγλική, που ήταν πολύ της μόδας. Μιλούσε ακατάπαυτα για βιβλία, είχε επισκεφθεί τους Δελφούς, τις Σπέτσες, το Παρίσι, τη Διεθνή Έκθεση Θεσσαλονίκης και, βέβαια, είχε πετάξει με αεροπλάνο. Λάτρευε τους ζωολογικούς κήπους, την παιδική χορωδία της Βιέννης, τα Χριστούγεννα και το τραγούδι «Κε σερά σερά» με την Ντόρις Ντέην.
«Τι φλύαρη που είσαι... Αλλά κελαηδάς καλύτερα κι απ' τα τζιτζίκια», παρατήρησε η θεία της, πάντα ακίνη-

τη στην πολυθρόνα, με τη βεντάλια κι ένα γαλλικό βιβλίο ανοιχτό πάνω στην κοιλιά της, σαν χάρτινη κομπρέσα. Ο Ηλίας άκουγε με ορθάνοιχτα ρουθούνια τη Στέλα ν' αραδιάζει ονόματα και τοποθεσίες. Και πού δεν είχε πάει και τι δεν ήξερε τούτο το μαγευτικό κορίτσι... «Τα παγωτά σας και με ρέγουλα. Να λιώνει καλά στο στόμα σας και μετά να το καταπίνετε». Η Βάσω είχε ορμήσει στο δωμάτιο μ' ένα μεγάλο ασημένιο δίσκο. Εκτός απ' τα παγωτά, υπήρχε και κομπόστα για την Κυρία, καθώς και φάρμακα. Ένα, μάλιστα, θα το 'παιρνε με το σταγονόμετρο. Έριξε μια αυστηρή ματιά όλο νόημα στον Ηλία και ξανάφυγε φουριόζα.

«Είστε άρρωστη;»

Η κυρά χαμογέλασε. Του έγνεψε να περιμένει ώσπου να πέσει και η εικοστή σταγόνα του φαρμάκου στο φλιτζανάκι. Το ήπιε μορφάζοντας. Χωρίς αμφιβολία ήταν πικρό. «Είμαι γριά. Αυτό είναι όλο... Φάτε τα παγωτά σας».

Η Στέλα συνέχισε να περιγράφει την υπέροχη ζωή της, γεμάτη μητέρες παρφουμαρισμένες και πατεράδες που ο-δηγούσαν αυτοκίνητα – γονείς που τα βράδια έτρεχαν σε χορούς, να διαδηλώσουν τη σημασία του να είσαι τόσο ζωντανός, υπό την επήρεια μιας κεφάτης ορχήστρας. Στο σχολείο οι δάσκαλοι τη λάτρευαν κι έκλαιγαν από τώρα που του χρόνου θα την αποχωρίζονταν. Έπαιζε και πιάνο, από Μπέγιερ μέχρι Μπετόβεν, ενώ η αδελφή της, που ή-δη είχε τελειώσει –με άριστα κι αυτή– το Γυμνάσιο, θα σπούδαζε αρχιτέκτων στη Φλωρεντία.

Χείμαρροι θαυμάτων έτρεχαν από το στόμα της Στέλας. Κατατροπωμένος ο Ηλίας ρουφούσε αχόρταγα τον κόσμο του κοριτσιού, με τη σοκολάτα να 'χει απλώσει μια ευχάριστη κρούστα πολυτέλειας στο στομάχι του. Η κυρία Μερόπη-Ιουστίνη λαγοκοιμόταν νανουρισμένη από το πλούσιο ρεπερτόριο της μικρανιψιάς της. Παρόλο που ε- πειγόταν να κρατά τα μάτια της ανοιχτά, παραδόθηκε σε μια γλυκιά αποχαύνωση, ίσως κι εξαιτίας της κουρτίνας που ανέμιζε στο προμεσημβρινό παιχνίδι του μελτεμιού. «Κι εσύ;» Η φοβερή Στέλα έφτασε, επιτέλους, στην ε- ρώτηση που τον φόβιζε. Έσκυψε στο αυτί της, για ν' αναπνεύσει την κοριτσί- στικη μυρωδιά. «Εγώ είμαι ορφανός. Με βάζουν να κοιμάμαι στο πά- τωμα χωρίς μαξιλάρι, με δέρνουν με αλυσίδες, με ταΐζουν σούπα από λάχανο και κουνουπίδι για να φουσκώνουν τα έντερά μου κι ύστερα να ξεσπούν ασυγκράτητα σε δυνα- τές πορδές. Στο σχολείο, όποιος μπερδέψει την ψιλή με τη δασεία τον κατεβάζουν στο υπόγειο, όπου ο επιστάτης, γυμνός από τη μέση και πάνω, μας δέρνει αλύπητα μ' έ- να μαστίγιο. Η δασκάλα της Ωδικής βαριέται να πάει στο αποχωρητήριο και κατουράει μέσα σ' ένα μαντολίνο κι έ- πειτα μας υποχρεώνει να πάμε να το καθαρίσουμε. Την Κυριακή με δένουν στο κρεβάτι, για να μην μπορώ να παί- ξω. Και τις νύχτες με παρατάνε μόνο στο δωμάτιο, παρέα με πεινασμένα ποντίκια...»

«Πάψε...» Η Στέλα, βουρκωμένη, τον παρατηρούσε σαν να 'βλεπε τέρας.

Της χαμογέλασε ενθαρρυντικά.

«Αυτά τα ξέρει η Βάσω;» ρώτησε το κορίτσι.

«Φυσικά και τα ξέρει, αλλά έτσι είναι η μοίρα των ορφανών...»

«Δηλαδή... είσαι κάτι σαν αλήτης».

«Ας πούμε...» Του άρεσε ο τρόμος της για τα εύσημα της αλητείας.

«Και λες και παλιόλογα;» Τα μάγουλά της φλογίστηκαν απότομα απ' αυτό το ενδεχόμενο.

Ο Ηλίας έριξε μια γρήγορη ματιά στην κυρά, που ροχάλιζε ελαφρά, κι έγειρε ερεθισμένος ξανά στο λαιμό του κοριτσιού:

«Ρώτησέ με όποιο παλιόλογο θέλεις και...»

«Δεν ξέρω...» τον έκοψε με πνιχτή φωνή.

«Καυλί... Το καυλί του καυλωμένου κι η ψωλή του πεθαμένου...» της απήγγειλε ψιθυριστά.

«Τι θα πουν αυτά;» Είχε στεγνώσει το σάλιο της.

«Είναι λόγια για πολύ μεγάλους αλήτες... Λίγοι τα ξέρουμε!»

«Αυτά είναι μόνο;»

«Μέσα στην κωλοτρυπίδα μπαινοβγαίνει μία βίδα...»

«Πού τα έμαθες;»

«Στο δρόμο. Πού αλλού;»

«Σε ποιο δρόμο;»

Είχαν λυθεί τα γόνατά της απότομα. Δεν είχε σημασία σε ποιο δρόμο είχε μάθει όλες αυτές τις επίλεκτες ρίμες, που τους ζάλιζαν και τους δύο.

«Γιατί τα λες σαν ποιήματα;» απόρησε η Στέλα.

«Είναι συνθηματικά... Γι' αυτό θα σε παρακαλέσω να μην τα πεις πουθενά... Ορκίσου!»

«Τ' ορκίζομαι...» Ένιωθε ασήκωτο το κορμί της δίπλα στα ισχνά μελαχρινά πόδια του τρομακτικού αγοριού. Πρώτη φορά γνώριζε παιδί ορφανό και ταυτόχρονα αλήτη, που να μη μοιάζει σε τίποτα κι απ' τα δυο. Κι όμως, ήξερε πολύ καλά όλα τα μεγαλειώδη προστυχόλογα, που αντιστοιχούσαν στους μύθους της αλητείας.

«Κλέβεις κιόλας;» τον ρώτησε ελπίζοντας το χειρότερο. «Οι κλεψιές έρχονται αργότερα. Και πιο μετά οι σκοτωμοί. Ξέρεις τώρα... Μαχαιρώματα, αποκεφαλισμοί...»

«Και τι σκέφτεσαι να κάνεις ύστερα απ' όλα αυτά;» Η φωνή της είχε ραγίσει από ενδιαφέρον για το σκοτεινό μέλλον του προγονού της Βάσως.

«Α, δεν ξέρω...» αναστέναξε ο Ηλίας, γοητευμένος από τον κίνδυνο που ανάδινε το πεντακάθαρο πουκάμισό του.

«Δε θα μου πεις;» Η Στέλα σφίχτηκε πάνω του.

«Μια άλλη φορά...»

Έμεινε ξεκρέμαστη μπροστά στην προσωποποίηση της αμαρτίας που η θεία της καλοδεχόταν στο δωμάτιό της. Είχε ρίγη και μια ακατάσχετη διάθεση να ξεδιαλύνει τον πολύχρωμο βούρκο που υπαινισσόταν ο μικρός αλητάμπουρας. Και, απ' την άλλη, τα καστανά μελαγχολικά μάτια του με τα τεράστια ματοτσίνορα, τα καλοχτενισμένα μαλλιά και η σοβαρότητά του να τον αθωώνουν και να τον εξυψώνουν σαν άγγελο της συμφοράς, εκατό φορές πιο πάνω απ' τους χριστουγεννιάτικους δικούς της αγγέλους, που φτεροκοπούσαν στη Βηθλεέμ.

Αλλά κι ο Ηλίας ποτέ δεν είχε νιώσει τόση λαχτάρα να καταδυθεί στα βάθη μιας επηρμένης απελπισίας, βγάζοντας όλη την κούραση των ρόλων που ήταν αναγκασμένος να υποδύεται στο ξένο σπιτικό του πατέρα του. Το δικό του Παρίσι, οι Σπέτσες, τα ακριβά σχολεία και οι τέλειοι γονείς, που τα φιλιά τους μύριζαν οδοντόκρεμα, κολυμπούσαν στη φαντασμαγορική αποχέτευση της στέρησης και του κρίματος. Πρώτη του φορά διπλάρωνε κορίτσι με άσπρη οργάντζα – κι αυτό το 'κανε παίζοντας τον κακό. Πρώτη του φορά ένιωθε το πουλί του τόσο στητό και ανυπόμονο να εκταθεί, να ξεφύγει απ' τα όριά του και να τυλίξει σαν φίδι τη Στέλα της «ευτυχίας» και του «άριστα».

Ήταν ένα βαρετό μεσημέρι με σταχτιά, ανυπόφορη ζέστη. Η Στέλα είχε φύγει με την αόριστη υπόσχεση να ξαναβρεθούν σύντομα. Σε λίγο θα ξεκινούσε «ιδιαίτερα» στα Μαθηματικά, γιατί έπρεπε, λέει, να εμβαθύνει στους δεκαδικούς και στα κλάσματα.

Καθόταν συλλογισμένος στην καρέκλα απέναντι από την κυρία Μερόπη, που συνέχιζε να κοιμάται, μ' ένα χαμόγελο απλωμένο στο πρόσωπό της και μοσκοβολώντας «Τζίκι» κάτω απ' τα διπλοσάγονα και τα μανίκια της.

«Τι συμβαίνει, λοιπόν, νεαρέ μου;»

«Σε μένα μιλάτε;»

«Υπάρχει κι άλλος;» ρώτησε πονηρά εκείνη.

«Συμβαίνει... ζέστη».

«Πώς τα πήγατε με τη Στέλα;»

«Καλά...» Δαγκώθηκε στην ιδέα να 'χε ακούσει η γριά τον οχετό που αράδιαζε προηγουμένως στην ανιψιά της.

«Νόμιζα πως ήθελες να μου πεις κάτι...»

«Σαν τι;»

«Έλα, ντε. Σαν τι;» Τον κοίταξε λυπημένα και αναστέναξε.

«Αυτή τη μυρωδιά... την κολόνια, την ξέρω από τη μαμά μου...»

«Ααα, θυμήθηκες το επεισόδιο, προχθές. Θα βαριέσαι εδώ μέσα και με το δίκιο σου. Δεν πήγατε πουθενά; Καμιά βόλτα, στο σινεμά, στο θέατρο κάτω στην Αθήνα...»

«Θα με πάει ο πατέρας μου να δω πώς γυρίζονται οι ταινίες».

«Με τη μητέρα σου πού πηγαίνατε;»

«Στους γιατρούς».

«Εκτός απ' τους γιατρούς...»

«Στη γιαγιά και στη θεία μου». Έσκυψε το κεφάλι, να μην τον δει που βούρκωσε. Δεν ήθελε.

«Πώς λέγανε τη μητέρα σου;» επέμεινε η κυρά.

«Γεωργία». Έκρυψε το πρόσωπο στις παλάμες του και ξέσπασε σε αναφιλητά.

Τον άφησε να κλάψει με την ψυχή του. Κι όπως έκλαιγε, παρατηρούσε πόσο αντρίκεια και με αξιοπρέπεια εκτόνωνε τούτο το μικρό παιδί τη θλίψη του.

«Είναι ωραίο να κλαίμε για τους δικούς μας, αλλά όχι για πολύ, γιατί θα χαλάσουμε τα μάτια μας. Φέρε εκείνο το άλμπουμ, να σου δείξω φωτογραφίες... Θέλεις;»

111

Σκούπισε τα μάτια του κι έφερε το δερμάτινο άλμπουμ. Από δέρμα κροκόδειλου, στιλβωμένο σε χρώμα μαρόν ή-ταν. Κάθισε δίπλα στην κυρία Μερόπη-Ιουστίνη, ρουφώ-ντας τη μύτη του.

«Ξέρεις ποια είναι αυτή η πολιτεία;» τον ρώτησε με τρεμάμενη φωνή. Σε μια μεγάλη καρτ-ποστάλ, που πάνω της ήταν σημειωμένη με πράσινο μελάνι η ημερομηνία, «1915», απλωνόταν μια θάλασσα με γέφυρες και πλοία. Και στη στεριά, άνθρωποι σαν μυρμήγκια και μεγάλα τζαμιά με αιχμηρούς μιναρέδες, σαν τους κονδυλοφόρους που χρησιμοποιούσαν στο μάθημα της Καλλιγραφίας. Κούνησε το κεφάλι του. Ήξερε!

«Αυτό είναι το τζαμί του Σουλτάν Αχμέτ κι αυτή η Α-για-Σοφιά. Τούτο εδώ, ψηλά, το τζαμί του Σουλεϊμάν, το Σουλεϊμανιγιέ Τζαμί...»

Σε άλλες φωτογραφίες ξανασυνάντησαν τα διάσημα τζαμιά της Πόλης, αλλά πρωταγωνιστές ήταν οι άνθρω-ποι – όλοι ντυμένοι όπως εκείνοι στο χολ. Μόνο πιο χαμο-γελαστοί. Λοξά χαμόγελα, ειρωνικά, και βλέμματα σκιε-ρά, βελούδινα.

Τα χέρια της κυράς έτρεμαν ελαφρά – αν λέγονταν χέ-ρια εκείνα τα κόκαλα, που σαν δαντέλες φρίκης τα περιέ-βαλλαν κόκκινες και γαλαζόμαυρες φλέβες, θρόμβοι και στίγματα, ανάκατα με δαχτυλίδια. Κι ένας διάφανος ιστός, που περνιόταν για δέρμα. Του έδειξε ένα παμπάλαιο ξύλι-νο σπίτι δίπλα στην παραλία.

«Το σπίτι μιας εξαδέλφης μου...»

«Θεία της Στέλας κι αυτή;» ρώτησε το παιδί.

«Όχι, γλυκέ μου. Η Στέλα είναι ανιψιά από το σόι του άντρα μου. Δεν έχουν καμιά σχέση...» Κάτι σαν λυγμός της έφραξε το λαιμό και γύρισε στην επόμενη σελίδα. Ο Ηλίας αναγνώρισε το ζευγάρι στη φωτογραφία του χολ. Τον όμορφο άντρα κι εκείνη τη γυναίκα δίπλα, γαντζωμένη στο μπράτσο του. Με καπέλα πλατύγυρα και οι δύο.

«Τι έχεις; Βαρέθηκες;»

Δεν είχε βαρεθεί. Είχε πάλι μια δύσκολη φράση μέσα στο στόμα, με συρμάτινο περίγραμμα. Έβηξε δυνατά.

«Πιες λίγο νερό. Έχει εδώ μια κανάτα...»

«Βεφάτ ετί...» Κάτι σαν λόξιγκας του 'ρθε απ' την τρεμούλα. Σηκώθηκε, ήπιε λαίμαργα νερό και ξανακάθισε κατάχλομος δίπλα στην κυρία Μερόπη, που ανασηκώθηκε φοβισμένη στην πολυθρόνα της.

«Τι είπες;»

«Έβηξα...»

«Δεν έβηξες μόνο. Είπες και κάτι...» Τα μάγουλα της γριάς βάφτηκαν απότομα κόκκινα.

«Τίποτα δεν είπα. Κάτι στάθηκε στο λαιμό μου». Ο μικρός είχε ξαναβρεί την αυτοκυριαρχία του.

«Δε με ξεγελάς... Είπες λόγια που απορώ ποιος σου τα έμαθε». Η φωνή της είχε σκληρύνει. Όλη η ειδυλλιακή ατμόσφαιρα του μεσημεριού στο δωμάτιο πήγε περίπατο.

«Δεν ξέρω τι είπα...» της απάντησε στον ίδιο τόνο.

«Ξέρεις και παραξέρεις, μικρό τέρας. Λέγε...» Ξαφνικά, η γριά γυναίκα, που μέχρι προ ολίγου ήταν χωμένη στην πολυθρόνα της σαν γκρίζο ζελέ, πήρε διαστάσεις τεράστιου πτηνού. Όρθωσε το ανάστημά της σε θέση επί-

113

θεσης, τέντωσε τους χαλαρούς μυς του λαιμού, άνοιξε τα μάτια κι έμπηξε τα περιποιημένα ωχρά νύχια στο ύφασμα της πολυθρόνας.

«Ποιος σου έμαθε αυτή τη γλώσσα; Ποιος σου έμαθε αυτή την καταραμένη γλώσσα; Λέγε! Θα μου πεις...»

Ήταν εκτός εαυτού, αλλά όχι τόσο ώστε να μην ελέγχει τη φωνή της, που για κανένα λόγο δεν ήθελε να φτάσει ως κάτω, στην κουζίνα και στη Βάσω.

Ο Ηλίας την κοίταζε αποσβολωμένος. Άσπρος. Πανί. Μα το χειρότερο ήταν που λέξεις από σκληρό υλικό, κολλώδες, λέξεις από ουσίες γλυκαντικές, με ενδιαφέρουσες γεύσεις ποτού –που θα μπορούσες να το πεις και σιρόπι αλλά και βαλτόνερο ενός ιδιότυπου, μεθυστικού βάλτου– του έφραζαν το λαιμό, πολεμώντας να ξεφύγουν απ' τα χείλη και το φράχτη των δοντιών του.

«Γιατί μουγκάθηκες; Λέγε...»

«Τι να πω; Μπανά γιαρντίμ εντεμπιλίρμισινίζ...» Της ζητούσε να τον βοηθήσει, με ακατανόητους φθόγγους.

«Πού τα ξέρεις αυτά;»

«Μπιλμίγιορουμ... Μπιλμίγιορουμ...» ψέλλισε το παιδί έντρομο, χωρίς να ελέγχει πια τα κύματα των άγνωστων φθόγγων.

Η κυρία Μερόπη-Ιουστίνη είχε γουρλώσει τα μάτια, προσπαθώντας ν' αναπνεύσει από τη μύτη. Ο λαιμός της είχε φράξει. Θα ούρλιαζε ευχαρίστως, αν δεν ήταν η Βάσω.

«Μη φοβάσαι...» τον καθησύχασε. «Μη φοβάσαι», έλεγε και ξανάλεγε, χωρίς να 'ναι σίγουρη σε ποιον απευθυνόταν. «Πιες νερό, φέρε και σε μένα».

Ξαφνικά, είδε την κανάτα με το νερό σαν το μοναδικό φάρμακο σ' αυτή την τρέλα. Με υγρό το λαρύγγι, πάσχιζαν να βελτιώσουν την κατάσταση. Ο μικρός συνήλθε πιο γρήγορα. Το άλμπουμ βρισκόταν στο πάτωμα. Είχαν χυθεί νερά πάνω στη φωτογραφία του ζευγαριού και το πρόσωπο της ωραίας γυναίκας είχε πρηστεί ξαφνικά, με λίγες σταγόνες νερό. «Αφεντέρσινίζ... αφεντέρσινίζ... Συγγνώμη...» είπε η γριά, ντροπιασμένη για το φέρσιμό της. Κοίταξε απολογητικά το παιδί με βλέμμα κατάπληκτο, που άρθρωνε κι αυτή αισθήματα σε μια γλώσσα θαμμένη μέσα της βαθιά, όσο πιο βαθιά γινόταν. Και τώρα ανέσυρε τη συγγνώμη στα τούρκικα. Δάκρυα έτρεχαν απ' τα γέρικα μάτια της. Λιγώθηκε από κάποιο παλιό, αφυδατωμένο παράπονο. Μάτωσε η ψυχή... Κι αν συνέχιζε έτσι, θα μάτωνε κι η μύτη της και θα 'χε νταραβέρια πάλι με αιμοστατικά και ταμπόν.

Ο Ηλίας καταπράυνε τον πανικό του με ένα δεύτερο ποτήρι νερό. Καιγόταν το μέσα του, μόνο που τώρα ένιωθε την κυρά απέναντί του για σύμμαχο. Στον τρόμο, τουλάχιστον. Ίσως κι εκείνη να φοβόταν βλέποντάς τον να φοβάται.

«Μερικά πράγματα είναι μυστήρια...» αποφάνθηκε με τρεμάμενη φωνή εκείνη. Τον κοίταξε κατάματα, λες και μέσα στις σκοτεινές κόρες των ματιών του θ' ανακάλυπτε το κλειδί αυτής της τρέλας. Έπειτα την έπιασε μια λύπηση για το πεσμένο άλμπουμ και το φουσκωμένο απ' το νερό πρόσωπο της γυναίκας στη φωτογραφία. «Τι είπες; Τι ξέρεις γι' αυτήν...»

«Πέθανε...» του βγήκε αβίαστα η λέξη. Του έφυγε ένα βάρος.

«Πότε;» Τον ρώτησε, σαν να υπήρχε λογική στην κουβέντα τους. «Πότε πέθανε;»

«Προχθές».

«Πού;»

«Δεν ξέρω. Όμως πέθανε προχθές...»

Δεν τον ρώτησε για τον άντρα της φωτογραφίας. Γι' αυτόν τα ήξερε όλα εδώ και πολλά χρόνια. Όλα ήταν κλεισμένα στην ψυχή της, σαν θησαυρός σαβανωμένος με τη σκόνη της λύπης.

«Πώς πέθανε; Ξέρεις;»

Το παιδί κατέβασε τα μάτια του, κουρασμένο από τις εντυπώσεις και την προσπάθεια να θυμηθεί.

«Άσχημα... Είναι κάτι...»

«Τι κάτι;» Πάλι ο φόβος τρεμόπαιξε στα βλέφαρά της.

«Δεν ξέρω. Αλλά είναι κάτι...»

«Τι θα πει κάτι;»

Σήκωσε τους ώμους. Δε γνώριζε παρά μόνο ότι η γυναίκα αυτή σκοτώθηκε μέσα σε μια ομίχλη αδιαπέραστη, κάπου μακριά. Μπορούσε όμως να μυρίσει το ίδιο κάρβουνο, να νιώσει το πέρασμα της φωτιάς. Και τίποτ' άλλο.

«Είναι καιρός που άρχισαν αυτά;» θέλησε να μάθει.

Ο Ηλίας δεν μπορούσε να προσδιορίσει πότε ακριβώς ξεκίνησαν οι άγνωστες λέξεις να γλιστρούν απ' τα χείλη του. Τον παρατηρούσε καχύποπτα, ξαναβρίσκοντας τον εαυτό της. Ένιωσε μάλιστα και λιγούρα, θέλησε να φάει.

«Αυτά είναι όλα;»

«Αυτά...»

«Και τώρα, νάσιλ χισετίγιορσουν...» Τον ρωτούσε πώς αισθάνεται. Έγδερνε τις φωνητικές χορδές, παίζοντας μετά από τόσα χρόνια την παρτιτούρα μιας γλώσσας παρατημένης, ηθελημένα σβησμένης απ' την τρικυμισμένη της ζωή. Το παιδί την κοίταξε απορημένο. Δεν καταλάβαινε. Σίγουρα δεν καταλάβαινε τίποτα, εκτός από την απόγνωση – που κάπως τη γλύκαινε η κατανόηση της κυρίας Μερόπης. Μόνο που, κατά βάθος, μια άλλη φωνή τού μαρτυρούσε πως τα ονόματα αυτής της γριάς ανήκαν σε πρόσωπο φευγάτο από καιρό από τούτο τον κόσμο. Δεν της το 'πε.

«Μην πεις σε κανέναν...»

«Δε θα πω...»

«Να 'ρθεις και αύριο. Μπεκλιγετζέιμ... Θα περιμένω».

«Θα 'ρθω... Κι η Στέλα;»

«Αφού θέλεις και τη Στέλα, θα τη φέρουμε. Έλα κοντά μου...»

Την πλησίασε διστακτικός. Τον αγκάλιασε θερμά και τον φίλησε στο μέτωπο με τα παγωμένα της χείλη.

«Εμείς θα γίνουμε φίλοι. Έτσι δεν είναι;»

«Έτσι...» Τα βλέμματά τους συναντήθηκαν ήρεμα.

«Να προσέχεις όταν βραδιάζει, καλέ μου...»

«Θα προσέχω...»

«Οι δυο μας θα το ξέρουμε μόνο... Οι δυο μας και κανείς άλλος».

«Κανείς άλλος». Το γαλλικό της άρωμα τον έπνιγε.

«Είσαι πολύ έξυπνο παιδί, Ηλία. Κι εγώ μισώ τους κουτούς και τους ανόητους με την ευλογία της χαράς». Τον ξαναφίλησε συνεπαρμένη από αυτό που της συνέβαινε. «Ώστε η Ζεϊνέπ πέθανε!» έκανε πάλι, σαν να έψαχνε για επίλογο. Και απόρησε που δεν έβαλε τα κλάματα. «Φαίνεται πως στέγνωσαν όλες μου οι τύψεις», σκέφτηκε και φώναξε τη Βάσω να της φέρει φαγητό όσο γινόταν πιο γρήγορα. Πεινούσε φριχτά.

Δεν ήξερε τι να υποθέσει, αλλά το θέμα δεν ήταν αυτό. Ήταν η δράση. Έπρεπε να δράσει, να βγει απ' τη μίζερη ακαμψία της, να κατανικήσει την παθητικότητα των γηρατειών και τη μοναξιά της που τη διέφθειραν. Μέσα σ' έναν ασυνάρτητο ενθουσιασμό, εκείνο το μεσημέρι του Ιουλίου, ξανάβρισκε τον παλιό τρομαγμένο εαυτό της η Μερόπη-Ιουστίνη – ή Ράνα, όπως την είχε ονομάσει ο πατέρας της πριν από ογδόντα τέσσερα χρόνια, στις ατυχείς για την οικογένεια χρονιές.

Όταν παντρεύτηκε τον πλούσιο Ζάννο Ριζούδη, ελληνορουμανικής καταγωγής, ασπάστηκε χιλιάδες πασπαρτού αισθήματα κι ένα δικοτυλήδονο όνομα, που, για ανεξήγητους λόγους, της θύμιζε ορεινή λίμνη. Κρύφτηκε πίσω απ' το γάμο της, κρατώντας την αμφισημία των διαθέσεών της προς το μεγαλείο της ελληνικής φυλής. Οι Οθωμανοί αριστοκράτες παρέδιδαν αμαχητί τη σκυτάλη στο νεοτουρκικό ήθος, βυθίζονταν στη σιωπή από τη μια στιγμή στην άλλη και άφηναν πίσω τους την αίγλη μιας μουσειακής αμαρτίας. Κι εκείνη δεν πρόλαβε να εισπράξει ούτε μισό δράμι αξιοπρέπειας από τους θρύλους των Οσμανλήδων.

Τσακίστηκε να μάθει τα πλεονεκτήματα της βουβαμάρας, σύρθηκε έφηβη σχεδόν στην αγκαλιά του Ζάννου και στην ασφάλεια των λεγόμενων ινδοευρωπαϊκών γλωσσών. Το μογγολικό παρελθόν της, με τους βαρβαρικούς ήχους ανάμεικτους με εξαίσια «φαρσί», περσικά και καλοδιαλεγμένα αραβικά, θάφτηκε κάτω από μια ημίαιμη καθαρευουσιάνικη γλώσσα κι ένα ολοκαίνουργο όνομα, που της το διάλεξε ο Ριζούδης: «Μερόπη-Ιουστίνη». Το όνομα της νεκρής αδελφής του, θαμμένης έναν αιώνα τώρα στο νεκροταφείο της Βραΐλας.

Οι Οσμανλήδες έγιναν τάχιστα οι επιφανείς αποδιοπομπαίοι ενός ολόκληρου λαού, που παραδινόταν στο καθεστώς της Άγκυρας, της νέας πρωτεύουσας, πιστεύοντας έτσι πως θα απομόνωναν την Κωνσταντινούπολη-Ιστανμπούλ, τη μολυσμένη καλλονή με τα ράκη των Βυζαντινών και τα πνευματικά αποτυπώματα των «γκιαούρηδων», που μεγαλούργησαν με την ανοχή όλων των Σουλτάνων προγόνων της απ' την εποχή του Πορθητή.

Κρύφτηκε στην αγκαλιά του Ζάννου, που της ανοίχτηκε ολόψυχα και ειλικρινά. Ούτε τον έρωτα είχε προλάβει να γνωρίσει, αφού εκείνος φάνηκε πάνω που κατέστρωνε φαντασιώσεις για τη «στρατιωτική ηδονή». Σαν όνειρο θυμόταν τις κουβέντες με τις ξαδέλφες της για τον έρωτα που εξέπεμπαν οι λυγεροί νεαροί αξιωματικοί της εποχής.

Ακόμα και ο Τουρχάν, ο αδελφός της, έμοιαζε διχασμένος στους έρωτές του. Στα λίγα πράγματα που θυμόταν απ' αυτόν το μονάκριβο αδελφό, συγκαταλεγόταν η μελαγχολία του μπροστά στη μελλοθάνατη γοητεία των υπολοχαγών, που παρήλαυναν στους κεντρικούς δρόμους του Μπέγιογλου. Τον τρέλαινε η ερωτική αποφορά του θανάτου που γέμιζε τον αέρα. Κι ύστερα, ξέπεφτε στο θαυμασμό κάποιας γυναίκας, που τον αποσπούσε απ' την απόγνωση των επιθυμιών του.

Μέσα σε μια τέτοια παραζάλη τούς κουβάλησε μια Ρωμιά, την Αναστασία, με ταλέντο προσαρμοστικότητας χειρότερο κι απ' των γενιτσάρων, στα μυθικά χρόνια του «ντεβσιρμέ», του παιδομαζώματος. Οι επίλεκτοι έμπαιναν στο σώμα των γενιτσάρων. Αυτή η Αναστασία έγινε «Ζεϊνέπ», πάνω κάτω τον ίδιο καιρό που εμφανίστηκε και ο Ζάννος, σαν μεγαλόθυμος προστάτης κι άλλα τέτοια. Ο Τουρχάν, αργότερα, βρέθηκε νεκρός. Τον είχαν πυροβολήσει. Ζούσαν ήδη με την Αναστασία-Ζεϊνέπ στην Εντίρνε. Εκείνη τα έμαθε όλ' αυτά καθυστερημένα. Από 'κεί και πέρα αρνήθηκε να μάθει περισσότερα γι' αυτή τη γυναίκα που είχε ενσωματωθεί στην οικογένεια. Στα γράμματα, που της έστελναν μέχρι προ πενταετίας οι ξαδέλφες της που διέμεναν στο Λονδίνο, στο Ιράκ ή και αλλού, την πληροφορούσαν πως η Ζεϊνέπ ζούσε μόνιμα σ' εκείνη την πόλη ως χήρα του αδελφού της, απολαμβάνοντας το επαρχιώτικο δέος.

Δεν τη συνάντησε εδώ και τόσα χρόνια. Αμέτρητα χρόνια. Σαν να μην τα έζησε όσα πέρασε. Σαν να 'χε δανεικές ζωές κάποτε, με μοναδική αληθινή την κηφισιώτικη – στην οποία, έτσι κι αλλιώς, αναλογούσε το μεγαλύτερο ποσοστό του χρόνου της. Και τώρα ένα μικρό αγόρι της ξυπνούσε την έγνοια για τους αθάνατους δαίμονες της οικογένειας. Μιας οικογένειας ξεκληρισμένης, διασπασμένης στα πέρατα της γης, διασυρμένης απ' τους κεμαλικούς ιστορικούς, φοβισμένης να πλησιάσει ακόμα και τους τάφους των προπάππων της στο νεκροταφείο του Εγιούπ, στην Ιστανμπούλ, με θέα στον «Χαλίτς», τον Κεράτιο των Βυζαντινών.

Αχνά θυμόταν δυο τρεις φορές που επισκέφθηκε με τη μητέρα της τους τάφους στο Εγιούπ. Οι τάφοι των αντρών είχαν στην κορυφή της επιτύμβιας στήλης τα τουρμπάνια, που φανέρωναν την τάξη στην οποία ανήκε ο νεκρός. Των γυναικών οι τάφοι είχαν λουλούδια. Μαρμάρινα λουλούδια, με προεξάρχοντες τους λαλέδες. Τουλίπες τους έλεγαν στην Κηφισιά. Κι όσες φορές ο Ηρακλής παράχωνε βολβούς από τουλίπες στον κήπο, έδινε εντολή να τους ξεπατώσουν αμέσως. Της έκαιγαν την καρδιά οι λαλέδες και η ιερότητά τους, ανέκαθεν λουλούδι αγαπημένο της πρωτινής της πατρίδας.

Στους κήπους, στα κεραμικά του Ιζνίκ, στα μάρμαρα των νεκροταφείων, στα τζαμιά, στις μικρογραφίες των βιβλίων και στα υφάσματα των παλατιών οι λαλέδες είχαν την πρωτοκαθεδρία. Πολύ αργότερα απέκτησαν οι Ολλανδοί τους λαλέδες κι έπαθαν σωστή υστερία, εκχυδαΐζοντας διαστροφικά την κομψή τους απλότητα.

Τα 'χε ακούσει όλ' αυτά και της είχαν εντυπωθεί, κοριτσάκι ακόμα, απ' την μπουγιουκ-ανέ, τη γιαγιά της, τη Νεσλισάχ Χανίμσουλταν. Και τι δεν έφτιαχνε με τα λόγια εκείνη η γιαγιά! Αμέτρητες ιστορίες, αληθινές κι αποδεδειγμένες. Όλες για τους παλιούς Σουλτάνους, που δεν είχαν καμιά σχέση με τους κατοπινούς και τους σύγχρονούς τους. Άγριοι, γενναίοι και τρελοί για τ' άλογα. Πιο πολύ στη ράχη του αλόγου τους κάθονταν παρά στο θρόνο. Με την πρώτη ευκαιρία έπαιρναν τα στρατεύματά τους και χάνονταν, αφήνοντας πίσω στα χαρέμια το μόνιμο ερωτηματικό του πένθους.

Δεν της ξανοιγόταν και πολύ η Νεσλισάχ Χανίμσουλταν για να μην την αγριέψει. Ήταν που ήταν άγριες και αβέβαιες οι εποχές. Ούτε για το έθιμο της αδελφοκτονίας της μίλησε και την υποχρέωση που είχε κάθε φρέσκος Σουλτάνος να ξεπαστρεύει διά στραγγαλισμού τα αδέλφια του για παν ενδεχόμενο διεκδίκησης του θρόνου, ούτε για τις σφαγές προσώπων που εξέφραζαν το υποτιθέμενο αντίπαλο δέος. Οι Σουλτάνοι ήταν θεϊκοί πολεμιστές και, ως εκ τούτου, λάτρευαν και το κυνήγι. Πάει τέλειωσε.

Η Ράνα και ο Τουρχάν τρελαίνονταν ν' ακούνε στα τραγουδιστικά «οσμανλίδικα» της γιαγιάς τους για τα κυνήγια των προπροπροπάππων τους στα δάση πέριξ της Αδριανούπολης-Εντίρνε, όπου αφθονούσαν τα νερά. Και τι δεν υπήρχε σ' εκείνα τα δάση! Μέχρι λέοντες και τίγρεις, που αργότερα απηύδησαν τα ζωντανά και παράτησαν τη Θράκη για μέρη ασφαλέστερα και απρόσιτα, όπως η Σιβηρία. Πάντως, κάποιος όχι και τόσο μακρινός Σουλτάνος είχε για καλύτερό του φαγητό τον ψητό ιαγουάρο μαζί με τη βαρύτιμη γούνα του... Άι στο καλό του!

Η Μερόπη-Ιουστίνη ξέσπασε σε γέλια και η Βάσω, στην κουζίνα, σκιάχτηκε. Κόντευε απόγευμα πια. Με ταχυπαλμία ανέβηκε γρήγορα τη σκάλα.

«Τι πάθατε;»

«Έπαθα; Δεν έπαθα τίποτα!» Σούφρωσε το στόμα της σ' ένα λυπημένο όμικρον, σαν παιδί. «Έπαθα, ναι... που πεθύμησα το αλατισμένο αεράκι της Πόλης...»

«Ναι, δε λέει να δροσίσει...» μουρμούρισε η Βάσω α-διάφορη για τη νοσταλγία της κυράς.

«Στείλε μου πάλι αύριο το γιο του Ηρακλή».

«Να μην κάνει αταξίες...» γκρίνιαξε η Βάσω.

«Μ' ακούς τι σου λεω; Στείλ' τον. Έχει ενδιαφέρον...» Στο αμήν έφτασε να της μιλήσει για τους φόβους της σχετικά με την υγεία του μικρού και το φριχτό εμετό με τα κόκαλα. Μπορεί, βέβαια, να ήταν κάτι περαστικό. Ό,τι θέλει ας ήταν, εκτός από πάγκρεας.

«Πρόσεχέ το. Είναι ευαίσθητο αγόρι...»

«Ό,τι μπορούμε κάνουμε, αλλά, βλέπετε, τώρα έτυχε και του Ηρακλή αυτή η δουλειά στο σινεμά...»

«Μη μαραθεί ο κήπος για το σινεμά...»

«Κάθε μέρα ποτίζονται όλα... Εξάλλου, τούτη τη βδο-μάδα ακόμα και τέλειωσε ο ρόλος του...»

«Μπα;» Έδειξε ενδιαφέρον η γριά. «Έχει και ρόλο; Τι ρόλο;»

«Φουστανελάς στους γάμους και στα πανηγύρια... Εί-ναι ιστορικό».

Ο νους όμως της Μερόπης-Ιουστίνης έκανε ξαφνικά άλλες σκέψεις. Ήταν που είχε θυμηθεί τη γιαγιά της Νε-σλισάχ και την ξεχασμένη παιδική της λαχτάρα για τις ι-στορίες των μεγάλων Σουλτάνων ή και των πιο παλιών, προτού γίνει δική τους η Κωνσταντινούπολη, όταν είχαν πρωτεύουσα την Αδριανούπολη. Πρώτη η Προύσα, μετά η Εντίρνε και μετά η Ιστανμπούλ: οι τρεις πρωτεύουσες της φάρας της.

«Θα 'ρθω κατά τις οχτώ για το βραδινό σας», είπε η Βάσω. Το βραδινό, φυσικά, περιλάμβανε και φάρμακα, καθώς και μια τελευταία ματιά ότι όλα είναι εντάξει.

«Ν' ανάψεις τα φώτα έξω στις βεράντες».

«Από τώρα;» Έξω ο ήλιος πυρπολούσε τον κήπο.

«Από τώρα και στο εξής θα τ' ανάβουμε νωρίς... Μπορεί να γίνει καμιά έκλειψη ηλίου και να αιφνιδιαστούμε». Χασκογέλασε με το τζούφιο αστείο, που τη γύρισε περίεργως στη συνήθη της έκφραση, μεταξύ απαξίας και υπνηλίας.

«Κλείστε τα μάτια σας», τη συμβούλεψε η Βάσω ψιθυριστά.

«Είναι η μόνη φορά που θα κάνω το παν για να μην τα κλείσω», μουρμούρισε η γριά μέσα απ' την οδοντοστοιχία της, που αντικατόπτριζε τη θαλασσιά ατμόσφαιρα του δωματίου.

Άκουσε τη Βάσω να κλείνει τις κάτω πόρτες. Το σπίτι βυθίστηκε στη σιωπή και η Μερόπη-Ιουστίνη ή Ράνα ονειρεύτηκε, με τα μάτια της ορθάνοιχτα, το μαρτύριο του σουβλισμένου ιαγουάρου στην πυρά.

Τους ζάλισε η Μπέλα με το «τρανσπαράν». Μόλις είχε ε-μπεδώσει τη σημασία του και το επαναλάμβανε συνέχεια, σίγουρη πως είχε σκαρφαλώσει απότομα τουλάχιστον πέ-ντε σκάλες στην ιεραρχία του μοδιστρικού οίκου της κυ-ρίας Λεφούση. Δεκάδες Αθηναίες κυρίες αναζητούσαν πα-ρηγοριά ή επιβεβαίωση για τα κάλλη τους σε κάτι που, τέλος πάντων, ήταν «τρανσπαράν». Ο Ηρακλής γύρισε πτώμα απ' το «γύρισμα». Είκοσι φορές τους έβαλε ο σκηνοθέτης να επαναλάβουν ένα χορό, υποτίθεται εν ώρα μεγάλου κεφιού, με συνέπεια να συ-γκαεί απ' το μέσα μέρος των ποδιών του. Άσ' τα να πά-νε. Πέταξε το σώβρακο-καλσόν και άπλωσε φέτες αγγου-ριού στο σύγκαμα, να παρθεί η κάψα. Τους διηγήθηκε πό-σες λεμονάδες ήπιε η δεσποινίς Βουγιουκλάκη, τι αστεία αντάλλαχτηκαν, πώς λιποθύμησε μια υποτασική νεαρού-λα ηθοποιός από τη ζέστη κι ένα σωρό άλλα συναρπαστι-κά, κυρίως για την Μπέλα, που ενδιαφερόταν για τα περί κινηματογράφου. Κι έτσι τους βρήκε η συναυλία των βα-τράχων, όταν πια χάθηκε εντελώς το φως της μέρας, στις εννιά και τέταρτο. Τα βατράχια έπιασαν χαρούμενα το τραγούδι τους και ο Ηλίας κλείστηκε στο μπάνιο να εξετάσει το στόμα του και ιδιαίτερα τη γλώσσα. Ήθελε σώνει και καλά να διαπιστώσει το ακριβές δρομολόγιο των τουρκικών, που ακολουθούσαν τη λαρυγγική οδό και εκπέμπονταν από τη στοματική του κοιλότητα. Δεν έβγαλε άκρη. Καμάρωσε όμως τη χωρίστρα στα μαλλιά του, θαύμασε τα καστανόμαυρα μάτια του, βεβαιώθηκε πως τα γένια μάλλον θα αργούσαν να φυτρώσουν στο πρόσωπό του και άπλωσε «Κολυνό» στα δόντια του. Τα έτριψε δυνατά με το δάχτυλο, σαν να ήθελε να διώξει κάποια υπολείμματα της απροσδόκητης γλώσσας, που γλιστρούσε αναιδώς ανάμεσά τους τις τελευταίες μέρες.

Η Βάσω, πάλι, γύρισε συλλογισμένη από το σπίτι της κυράς. Δεν μπορούσε να καταλάβει πότε και πώς χύθηκε ένας τενεκές λάδι στο υπόγειο, όπου φυλάσσονταν τα λάδια και κάποια τρόφιμα. Κάποιος άτσαλος είχε ποδοπατήσει άγαρμπα δύο μεγάλα πανέρια γεμάτα κρεμμύδια και σκόρδα. Δεν έλειπε τίποτα, αλλά την περίμενε αύριο άγρια λάτρα. Γάτες ήταν, σκύλοι ήταν, ή μπας κι ήταν τίποτα κλέφτες, που δε βρήκαν τίποτα της αρεσκείας τους; Ό,τι κι αν ήταν, αύριο θα κοψομεσιαζόταν πάλι. Γι' αυτό απόψε κομμένα τα πολλά πολλά με τον Ηρακλή. Είχε κι έναν προκαταβολικό πόνο, ευτυχώς όχι απ' τη μεριά του παγκρέατος. Ζωή κι αυτή!

Ωστόσο, κάτι χαρούμενο πετάριζε μέσα της, σαν σκεφτόταν την πιθανότητα να της πέσει το λαχείο. Το είπε και η κυρά της: «Το παιδί αυτό έχει ενδιαφέρον». Φυσικά εκείνη δε φλεγόταν για λαχεία και τα ρέστα, όμως ο μικρός είχε «ενδιαφέρον» ακόμα και για την παράξενη υπερήλικη Μερόπη-Ιουστίνη. Της ξανάρθαν στο νου τα λόγια της «σοφής» Ευζωνίας περί μέντιουμ. Ας ερχόταν με το καλό το Σάββατο!

Συγχύστηκε, βέβαια, όταν είδε τον Ηρακλή με τις μαλλιαρές ποδάρες του να απλώνει αγγούρια και να ζητάει και γιαούρτι. Για την Μπέλα, κυρίως. Να μη βλέπει το κορίτσι τον άντρα της σε στάσεις, Κύριε φύλαε. Την έπιασε και η απελπισία που η ίδια μαραινόταν, ενώ εκείνος ανθούσε και νταβραντιζόταν. Θα τους έψηνε μπριζόλες στα κάρβουνα. Είχε ψωνίσει από χθες. Για τον μικρό αγόρασε σπλήνα και συκώτι. Έτσι χλομός κι αδύνατος που ήταν, θα έμοιασε μάλλον της μακαρίτισσας, γιατί ο Ηρακλής, όποια ώρα και να τον κοίταζες, έμοιαζε με αιμοδότης. Λίγη σπλήνα με το αίμα της καλό θα του έκανε.

Όμως η Μπέλα ήταν συνεπαρμένη με το «τρανσπαράν», το μεθερμηνευόμενο «διαφανές». Κάποια στιγμή, της φάνηκε πως ο μικρός πέταξε μια λέξη ακαταλαβίστικη. Κάτι σαν «σαϊντάμ». Αλλά ψηνόταν το κρέας, τσιτσίριζε και το λίπος στα κάρβουνα, οπότε...

Ο Ηλίας δε θυμόταν να έχει φάει ποτέ του τέτοια ματωμένη παντόφλα. Σαν παντόφλα πήχτρα στο αίμα έμοιαζε η σπλήνα του μοσχαριού, αν και η Βάσω την έψησε καλά, «να μην αηδιάσει το παιδί κι έχουμε πάλι εμετούς», σκέφτηκε.

Η Μπέλα με την μπριζόλα της έκανε χαρές και αστειάκια του στυλ: «Ηλία, θέλεις να σου αφήσω το κόκαλο για μετά;» Όμως η Βάσω της έδωσε μια κλοτσιά στο καλάμι κάτω απ' το τραπέζι κι έσκασε. Ο Ηρακλής βρήκε καταπληκτική την ιδέα της σπλήνας και μάλιστα προέτρεψε το γιο του να βουτάει στο ωφέλιμο, για την υγεία του, αίμα το ψωμί του.

«Κανλού... μπαμπά. Κανλού».

«Τι είπες, παιδί μου; Μπέλα, αμάν, μας γάμησες με το τρανσπαράν. Τι είπες, Ηλία;» Ο Ηρακλής είχε πάρει ανάποδες με τη χαζο-φλυαρία της Μπέλας.

«Είναι... είναι ματωμένο», διόρθωσε γρήγορα τα λόγια του ο μικρός, κοιτάζοντας τρομοκρατημένος τη σπλήνα.

«Θα τη φας, είναι ωφέλιμη». Ύψωσε τη φωνή του ο πατέρας.

«Κι αν κάνει εμετό πάλι;» πετάχτηκε η Μπέλα.

«Ας κάνει. Θα τη φάει».

«Σιγά σιγά, με το μαλακό!» μπήκε στη μέση η Βάσω. Ζορίστηκε, έγινε ένας άλλος και την έφαγε. Ένας άλλος, που ήξερε πως «κανλού» είναι το ματωμένο.

«Έτσι μπράβο! Ξέρεις τι θηρίο θα γίνεις;» Ένα ωραίο αντρικό χαμόγελο, σαν διαφήμιση τσιγάρων, απλώθηκε στο πρόσωπο του Ηρακλή. Το πρόσεξε και η Μπέλα, δήθεν θιγμένη για κείνο το «αμάν, μας γάμησες». Προτού την πάρει ο ύπνος, οπωσδήποτε θα ανέλυε αυτή τη φράση με το τρισκατάρατο ρήμα.

Ο Ηλίας πρέπει να βρισκόταν στην τελευταία μπουκιά της σπλήνας. Ανέκφραστος, μ' ένα περίεργο ενήλικο βλέμμα –η Βάσω το πρόσεξε, αλλά τι να 'λεγε;– με ματωμένο πιάτο, πιρούνι και χείλη, υποτίθεται ότι απολάμβανε το

αιμοσταγές δείπνο. Πρέπει, λοιπόν, να βρισκόταν στην τε-
λευταία μπουκιά, όταν χτύπησε το τηλέφωνο. Υπήρχε μια
βαριά μαύρη συσκευή, για να επικοινωνούν με την κυρά.
«Τέτοια ώρα;» Ο Ηρακλής ανησύχησε. Τον πρόλαβε η
Βάσω:
«Ναι... Ναι... κατά λάθος! Από συνήθεια, ναι...»
Μιλούσε σε ελαφρά απολογητικό τόνο. Κι όταν έκλει-
σε, τους εξήγησε πως, μέσα στη βιασύνη και την αφηρη-
μάδα της, είχε σβήσει τα φώτα στις κάτω βεράντες. Δεν
ήταν τίποτα. Θα πετιόταν ως το σπίτι να τα ανάψει, να
ησυχάσει η γριά, γιατί ήταν ικανή να μην κλείσει μάτι –
και ποιος είχε όρεξη για γκρίνιες...
«Θα πάει ο μικρός. Κάτσε να φας σαν άνθρωπος. Έλα,
μάγκα, πετάξου. Ολόκληρος άντρας...»
Ο Ηρακλής, αλήθεια ή ψέματα, καμάρωνε για το γιο του,
που θα γινόταν σαν κι εκείνον μαλλιαρός. Η Μπέλα έκανε
ένα μορφασμό, που σήμαινε μάλλον «τρανσπαράν» περιφρό-
νηση· κι ο Ηλίας, με τις οδηγίες της Βάσως «πώς κλειδώ-
νουμε, πώς μανταλώνουμε», ξεκίνησε για το σπίτι της κυ-
ράς, διασχίζοντας την υγρή νύχτα του μεγάλου κήπου.
Το φωτισμένο της παράθυρο το 'βλεπε αρκετά καθα-
ρά μέσ' απ' τις φυλλωσιές. Προχωρούσε ανασαίνοντας το
βρεγμένο χώμα και την ξινή μοσκοβολιά απ' τις ντομά-
τες, άκουγε το τραγούδι των βατράχων που συνέχιζαν α-
πτόητοι κι έφτυνε ανά δέκα βήματα, για ν' απαλλαγεί α-
πό την απαίσια γεύση του αίματος.
Πόσος καιρός είχε περάσει από την κηδεία της μητέ-
ρας του; Του φάνηκε ένας αιώνας. Ένας αιώνας όμως χω-

ρίς εποχές, ένας καλοκαιρινός αιώνας. Δεν μπορούσε να ε-
ξηγήσει τι του συνέβαινε. Μερικές φορές ήταν σαν να σκε-
φτόταν με το δέρμα κι όχι με το μυαλό του. Όπως απόψε,
που ανατρίχιαζε αγγίζοντας τα φύλλα στο σκοτάδι κι έ-
νιωθε στην πλάτη το ρίγος μιας δυσοίωνης προσμονής.
Κάθε δέκα βήματα σταματούσε να φτύσει. Κι όσο έφτυ-
νε, τόσο του ανέβαινε η αιματίλα στο στόμα. Στάθηκε στο
παρτέρι όπου ο πατέρας του είχε φυτέψει μαϊντανό για τις
ανάγκες του σπιτιού. Έκοψε λίγα φυλλαράκια και τα
μπουκώθηκε, να δροσίσει τη γλώσσα του. Αν έβρισκε το
δυόσμο θα ήταν καλύτερα, αλλά δε θυμόταν προς τα πού
φύτρωνε.

Λίγο ακόμα και θα έφτανε στο σπίτι, που η απόστασή
του τριπλασιάστηκε μες στη νύχτα. Μπορεί να ήταν και
η κούραση που έσερνε αυτό τον καιρό. Μια αρρώστια απ'
το πουθενά. Κούραση που ξεκινούσε απ' τους κροτάφους.
Θυμήθηκε την ωραία Στέλα και τα προστυχόλογα που της
απήγγειλε με σοβαρότητα ανάλογη των δραματικών ποιη-
μάτων που του έβαζε η δασκάλα να πει στο σχολείο.

«Πατρίδα, Ελλάδα της καρδιάς
Για σένα θα πεθάνω».

Πάντα, όταν ανακατευόταν η πατρίδα στα ποιήματα,
την ακολουθούσε από πίσω κι ο θάνατος, σαν πικρό επι-
δόρπιο. Πώς δεν ντράπηκε να πετάξει κατάμουτρα στη
δεσποινίδα Στέλα εκείνες τις βρομιές, που ξεπατίκωνε α-
πό τα ξαδέλφια του και τα αλητάκια της γειτονιάς; Γιατί
της έπαιξε τον αλήτη, αυτός που ήταν τύπος και υπο-

γραμμός; Μετάνιωνε ντροπιασμένος για όσα έγιναν, αν και προς στιγμή ένιωσε περήφανος και μεγάλος μπροστά στην υποκριτική αθωότητα της Στέλας. Σκόνταψε κι έπεσε, ευτυχώς στα μαλακά, λίγο πριν α- πό τα σκαλιά της μεγάλης βεράντας. «Άι στο διάολο», μουρμούρισε έξαλλος με την αδεξιότη- τά του. Τα κλειδιά τού είχαν γλιστρήσει πιο πέρα, εκεί που άρχιζαν τα ρομβοειδή γκρίζα πλακάκια. Πήγε να σηκωθεί, αλλά το δέρμα του τον κράτησε κάτω. Αν και ήταν ιδιαί- τερα σκοτεινή η βεράντα, με την επιπλέον σκιερή σκοτει- νιά μιας στείρας κληματαριάς, είδε τη μεγάλη σκιά και τη λευκή ομίχλη που την τύλιγε. Το κάτω μέρος της παράξε- νης παρουσίας και τα ανήσυχα στριφογυρίσματα, ελάχιστα μέτρα μακριά του. Μα η ομίχλη, αδιαπέραστη σε πολλά σημεία, έκρυβε το μεταλλικό όγκο που βημάτιζε βιαστικά αλλά με μεγαλοπρέπεια. Κοιτούσε παγωμένος το τρομα- κτικά ακαταμάχητο όραμα, τη μεθυσμένη σκιά της ομί- χλης που απομακρυνόταν, αφήνοντας μια χάλκινη οσμή θυ- μού. Πήγε να ψελλίσει το «Πάτερ ημών», μα το 'χε ξεχά- σει ολότελα. Ούτε βρισιές ούτε προσευχές. Μόνο το δέρμα του τον ειδοποιούσε πως τώρα είχε φύγει εκείνη η γαλα- κτερή απειλή.

Πολλά χρόνια αργότερα, ο Ηλίας θα θυμόταν πως, ξα- πλωμένος καταγής, με το μάγουλο κολλημένο στο χώμα, αφουγκραζόταν τους δυνατούς χτύπους μιας καρδιάς φυ- τεμένης στον κήπο. Ρουφούσε κοντές, δύσκολες ανάσες, με μάτια κλειστά. Τα έκλεισε για να τ' ανακουφίσει απ' ό,τι είχαν δει.

Οι μύες σφίχτηκαν, βρήκε το κουράγιο να ξεφύγει από τις λερωμένες σκέψεις του, σηκώθηκε αργά, πρώτα στα τέσσερα. Μπουσούλησε ως τα κλειδιά, τα άρπαξε σαν λάφυρο ακριβό και, χωρίς να κοιτάζει ούτε δεξιά ούτε αριστερά, ξεκλείδωσε με χέρι σταθερό, μπήκε στην κουζίνα και γύρισε τους διακόπτες. Ένα φιλικό πορτοκαλί φως κάλυψε τη βεράντα. Η κληματαριά, τα πλακάκια, το ψάθινο τραπέζι με τις παλιές πολυθρόνες, οι γλάστρες και το ποτιστήρι στη γωνία φωτίστηκαν με ανακούφιση. Τρεμούλιασαν τα κληματόφυλλα από μια ξαφνική ριπή νότιου ανέμου. Πόση ώρα είχε περάσει; Ο χρόνος κομματιάστηκε σε μικροσκοπικούς διάφανους κρυστάλλους. Τέντωσε τα αυτιά του ν' ακούσει κάποιον παρήγορο ήχο απ' το σιωπηλό σπίτι, αλλά τίποτα. Η κυρία Μερόπη-Ιουστίνη θα κοιμόταν βυθισμένη στη γαλάζια ανυπαρξία της, ε-κτός κι αν ο επισκέπτης ήταν δικός της.

Τον παρηγόρησε αυτή η σκέψη. Μια παράξενη, ιδιότροπη γριά, που γνώριζε γλώσσες σαν κι αυτήν που πετιόταν κομμάτι κομματάκι από τα σπλάχνα του, δικαιούνταν να έχει και μια στάλα προσωπική ζωή. Μπορεί να ήταν κάποιος επισκέπτης βραδινός, ένας κύριος με βάδισμα βαρύ κι επιβλητικό, όπως είχε παρατηρήσει σε μερικούς γέροντες. Κι όσο για τη λευκή ομίχλη που φωσφόριζε σαν ασθενική λάμπα διαδρόμου νοσοκομείου, ίσως να 'ταν η ι-δέα του. Τόσα του συνέβαιναν τις τελευταίες μέρες. Φοβισμένος, έριξε μια ματιά στη βεράντα. Πέρα απ' το πορτοκαλί φως, που συγκέντρωνε κιόλας κάποιες πεταλούδες έτοιμες να καψαλιστούν στους γλόμπους, απλωνόταν το σκοτάδι. Το παχύ σκοτάδι του κήπου.

«Θα πω ένα τραγούδι με προστυχόλογα, όπως τα ξαδέλφια μου. Δυνατά, να μ' ακούσουν ως τη λεωφόρο». Δεν μπορούσε, βέβαια, να προσδιορίσει κατά πού έπεφτε η λεωφόρος που οδηγούσε στην Αθήνα, αλλά θα το επιχειρούσε. Τα ξαδέλφια του είχαν συνθέσει ένα βρομερό τραγούδι για «πούστηδες και κωλομπαράδες», με ομοιοκαταληξίες όπως «κουμπαράδες», «αγάδες» και «γαμιάδες». Θα ξεσήκωνε την Κηφισιά, έτσι όπως θα το 'λεγε σαν θούριο.

Γύρισε δύο φορές το κλειδί στην κλειδαριά, ήχος σκληρός κι απόκοσμος μες στη νύχτα και τη σιωπή. Και τότε το είδε στ' αλήθεια, δεν του φάνηκε. Στο τζάμι πρόβαλε μια μορφή. Ένα παιδικό πρόσωπο τον παρατηρούσε, με μεγάλα σκούρα μάτια και χείλη που ψιθύριζαν λόγια που ήταν αδύνατο ν' αποκρυπτογραφηθούν πίσω απ' το τζάμι. Ένα αγόρι στη δική του πάνω κάτω ηλικία, κουρεμένο με την ψιλή και ντυμένο φτωχικά, αν έκρινε απ' το πουκάμισο που φορούσε. Ένα πουκάμισο κουμπωμένο ως πάνω στο λαιμό. Κάτι ήθελε να του περάσει εκείνο το αγόρι, που ήταν μια θαμπή μορφή στο τζάμι με τους αντικατοπτρισμούς των γλόμπων της βεράντας. Ένα τρομαγμένο παιδί, που έλεγε κι έλεγε κι έλεγε... Απ' τα μάτια καταλάβαινε ο Ηλίας πως τον νουθετούσε για πράγματα που αγνοούσε. Παρατηρούσε τα χείλη του, που μάλλον θα σχημάτιζαν λέξεις στη γλώσσα που τον ταλάνιζε.

Προσπάθησε να πλησιάσει περισσότερο στο τζάμι, μαγνητισμένος απ' τον ίδιο του τον τρόμο. Όμως η μορφή έσβησε, όπως σβήνει στο σινεμά η εικόνα. Μόνο η άχνα της ανάσας έμεινε απλωμένη στην επιφάνεια του τζαμιού. Και γράμματα, που σε ελάχιστο χρόνο θα 'σβηναν κι αυτά: «ΜΕΗΜΕΤ». Το δύο «Μ» και τα δύο «Ε» συγκράτησε. Ά- πλωσε το χέρι στο τζάμι. Δεν ήξερε τι θα άγγιζε. Το τζά- μι, φωτισμένο σαν γούνα τίγρης με πορτοκαλιές και μαύ- ρες ρίγες, ήταν η μοναδική πραγματικότητα. Έκανε πίσω. Αβέβαια βήματα. Έσφιξε τα κλειδιά κι άρχισε να τρέχει μες στο απόλυτο σκοτάδι.

Έβγαλε μια κραυγή. Τραγούδι θέλησε να πει, μα του βγήκε κραυγή ζώου ξετρελαμένου. Μια δυνατή, αδέξια κραυγή. Στάζοντας από παντού ιδρώτες, σταμάτησε μπροστά στο φωτισμένο βεραντάκι του σπιτιού.

Η Μπέλα έτρωγε καρπούζι τραγουδώντας παράφωνα ένα αισθηματικό της μόδας. Τα βατράχια συνέχιζαν μονό- τονα τον ύμνο των θεών του έλους. Πήρε ανάσες, με τα πνευμόνια ανοιγμένα στο φουλ. Τα φαντάστηκε σαν φτε- ρά πελαργού σε ταξίδι αποδημίας. Ένιωσε την ανακουφι- στική ζέστη του κάτουρου στα πόδια του, ευτυχισμένος που επέστρεφε στην κουζίνα της Βάσως.

Άρπαξε έναν κουβά, τον γέμισε απ' τη βρύση δίπλα στο κεφαλόσκαλο και τον άδειασε στο κεφάλι του τραγου- δώντας:

«Είμαστε κωλομπαράδες κάτω απ' τον Πειραιά
κι άμα λάχει καβαλάμε τα πιο μπάνικα παιδιά».

Η Μπέλα του πέταξε νευριασμένη την καρπουζόφλου- δα και μπήκε ορμητικά μέσα, να διαμαρτυρηθεί στη μάνα της για το ελεεινό ορφανό που τους φόρτωσε η μοίρα. Αλλά η Βάσω είχε άλλα στο νου της. Ο Ηρακλής με τη σωβρακάρα, αλειμμένος «Νιβέα», κοιμόταν στο συζυγικό κρεβάτι. «Άι στο διάολο για σπίτι», συναξάρισε η οπαδός όλων των «τρανσπαράν» της οικουμένης, ρίχνοντας μια φευγαλέα ματιά στο συγκαμένο πατριό. Απ' το ένα μπατζάκι του χασεδένιου εσώρουχου πρόβαλλε ένα απ' τα ζουμερά «ροδάκινα» του Ηρακλή εν υπνώσει. Λυπήθηκε και σιχάθηκε τη μάνα της, που ήταν αναγκασμένη να κοιμάται με τούτο το «δράκο». Τα κορίτσια, στη μοδίστρα, είχαν σαν θέμα εκείνες τις μέρες τους «δράκους» του Σέιχ-Σου και άλλων τοποθεσιών, που δεν ήταν του γεωγραφικού της ύψους. Κι όμως, τα άγρια μεσάνυχτα ο «δράκος» δε βογκούσε κατάμονος, είχε και την «αγία Βάσω» συνένοχο στα βογκητά και στ' άλλα παραμιλητά του.

Μία παρά κοιμόνταν όλοι τους. Φυσούσε νοτιάς, φυσούσε βοριάς, τα παντζούρια έτριζαν, όμως οι μελωδίες των μεντεσέδων δεν τάραξαν τον ύπνο κανενός. Σκυλιά λυσσασμένα, με παραπονεμένα μάτια, αλυχτούσαν στα όνειρα του Ηλία, μα δεν τα απόδιωχνε. Ίσα ίσα, με χειρονομίες οίκτου αγωνιζόταν να μαλακώσει την οργή και το άλγος τους.

Ξύπνησε για νερό. Μια δίψα για θαλασσινό νερό θέριεψε μέσα του. Ένα μεγάλο ποτήρι αλμυρό νερό αποζητούσε. Όπου να 'ταν θα ξημέρωνε. Ήπιε του σκασμού νερό απ' τη βρύση του νεροχύτη και κρυφοκοίταξε απ' το μισάνοιχτο παράθυρο. Φυσούσε ελαφρά. Η νύχτα υποχωρούσε, αφήνοντας στον ουρανό ένα ρόδινο οροπέδιο που διευρυνόταν λεπτό προς λεπτό.

Η Στέλα πάλι ήταν προσεχτικά ντυμένη, μ' ένα φόρεμα όπου περίσσευε το πράσινο. Και άσπρη κορδέλα στα μαλλιά, που χύνονταν φωτεινά στους λεπτούς ώμους με χάρη ιδιαίτερη, ώστε να εντυπωθούν σαν κάτι το πολύ εξαίσιο στη συνείδηση του Ηλία. Πάλι βρίσκονταν και οι τρεις τους στο δωμάτιο της κυράς, ώρα πρωινή προχωρημένη, περιμένοντας το παγωτό της Βάσως να 'ρθει από την κουζίνα. Μόνο που σήμερα ήταν απόμακρη και επιτηδευμένα ευγενής. Στα μάτια της σπίθιζε μια πονηριά, που δεν ήξερες αν ήταν πονηριά ή οργανωμένη κακία. Δε γελούσε, δε μιλούσε πολύ, απέφευγε να τον πλησιάζει, μετρούσε μ' ένα ξινό ύφος ανωτερότητας τις λέξεις του.

Η κυρία Μερόπη-Ιουστίνη έδειχνε κουρασμένη, έτοιμη να κοιμηθεί εκειδά, αλλά κρατιόταν και μάλιστα ανησυχούσε για πράγματα ασήμαντα. Δέκα φορές έκανε παρατήρηση στη Στέλα να μη στριφογυρνά στο κάθισμά της γιατί ζαλιζόταν, γκρίνιαζε που ο Ηλίας ήταν τόσο σιωπηλός, που η Βάσω αργούσε τα παγωτά, που το μελτέμι τής ανακάτωνε τις στοιβαγμένες στο κομοδίνο εφημερίδες...

Η Στέλα είχε σαν βασικό θέμα τη μεγαλύτερη αδελφή της, που θα αρραβωνιαζόταν μες στο καλοκαίρι έναν Ίκαρο.

«Ξέρεις τι είναι ο Ίκαρος;» ρώτησε με ανασηκωμένα φρύδια τον Ηλία.

Πήγε αυτός να ξεστομίσει πως ήταν εκείνος ο άτυχος

νέος που τσακίστηκε πριν της ώρας του παριστάνοντας το πουλί, αλλά τον πρόλαβε η Στέλα:

«Ήμουν βέβαιη πως δεν είχες ιδέα... Ίκαροι είναι οι σπουδαστές της Σχολής Ικάρων, που θα γίνουν αξιωματικοί της αεροπορίας μας...»

«Ήταν ο γιος του Δαίδαλου», συμπλήρωσε εκείνος ενοχλημένος.

«Δε μιλώ για τη μυθολογία...» ύψωσε φωνή το κορίτσι, θέλοντας να βγει λάδι.

«Και λοιπόν;» μπήκε στη μέση η θεία της μ' ένα χασμουρητό εξουθένωσης. «Ίκαρος ο ένας, Ίκαρος κι ο άλλος».

Η Βάσω ήρθε με τα παγωτά, τους προειδοποίησε πάλι να προσέξουν τα λαιμά τους και δήλωσε με βεβαιότητα πως θα τους κοβόταν η όρεξη. Μετά, έφυγε για το στρατηγείο της.

«Αγαπάς κανένα αγόρι;» της σφύριξε ο Ηλίας, μπουκωμένος παγωτό. «Έχεις γκόμενο;» της επανέλαβε μόρτικα.

«Ααα, μα είσαι εντελώς αλήτης... Θα το πω στη θεία μου».

«Δε θα το πεις, γιατί σ' αρέσει να τ' ακούς».

«Τρελάθηκες, μικρέ;» Γέλασε κακαριστά, έτσι που να τον κάνει να υποχωρήσει, να τον προσβάλει.

«Σου αρέσει. Το ξέρω». Το ήξερε.

«Τα αγόρια που γνωρίζω δε λένε τέτοια...»

«Γιατί είναι φλώροι...»

«Τι είναι;»

«Φλώροι. Μαμόθρεφτα. Μουνάκια...»

«Θεία!» Της ξέφυγε σαν κραυγή η λέξη.

«Τι είναι, Στέλα μου;»

«Τι... ώρα θα περάσει η Μαρία μας να με πάρει;»

«Όπου να 'ναι... Τι γρήγορα περνά η ώρα...» Η Μερόπη-Ιουστίνη έκλεισε τα μάτια, νανουρισμένη απ' τους ψιθύρους των παιδιών. Μαρία ήταν η επίσης αριστούχος αδελφή της και Δήμος ο Ίκαρος και μέλλων αρραβωνιαστικός.

Ο Ηλίας, ερεθισμένος απ' το αναψοκοκκίνισμά της, α-γωνιζόταν ν' αποδείξει όλο το εύρος της αλητείας του.

«Και σε τι διαφέρουν δηλαδή οι φλώροι από την αφεντιά σου;» τον τσίγκλισε η Στέλα.

Της άρπαξε το χέρι και, χωρίς να πιστεύει ούτε ο ίδιος στην τόλμη του, το δάγκωσε ελαφρά, παίζοντας τον ερωτευμένο κανίβαλο.

Ποτέ μέχρι τώρα η Στέλα δεν είχε σχετιστεί με τέτοιο αγόρι.

«Θα το πω στον πατέρα μου. Έχεις ακουστά για τα α-ναμορφωτήρια και τις φυλακές ανηλίκων;» Η Στέλα α-ποφάσισε να θυμώσει και να θυμηθεί μια σειρά από ενδιαφέρουσες απειλές.

«Θα μου τα ξυρίσει κόντρα!» της αντιγύρισε ο άλλος.

«Δε θα ξανάρθω. Θα ζητήσω απ' τη θεία μου...»

Πάνω που άρχιζε ένα δεύτερο ημίχρονο απειλών και μέτρων εξαιτίας της συμπεριφοράς του, ακούστηκε κόρνα αυτοκινήτου.

«Η Μαρία κι ο Δήμος... Η Μαρία κι ο Δήμος!» Η Στέλα πετάχτηκε χαρούμενη, ξυπνώντας την κυρία Μερόπη-Ιουστίνη με τις φωνές της.

«Θεία, ήρθαν ο Δήμος κι η Μαρία...» Ίσιωσε το φόρεμά της που είχε τσαλακωθεί, τακτοποίησε τα μαλλιά της, ανέβηκε αίμα στα μάγουλά της.

«Καλή μου, πώς κάνεις έτσι; Αααχ, τα νιάτα...» Ο Ηλίας τραβήχτηκε σε μια γωνιά, νιώθοντας μειονεκτικά μπρος στη χαρά της Στέλας. Ξαφνικά του έλιωσαν τα θάρρητα και τα αντριλίκια. Η Στέλα μεγάλωσε απότομα, ψήλωσε, θέριεψε, άγγιξε το ταβάνι. Μέχρι και το στήθος της έδειξε μεγαλύτερο, κι ας έμοιαζε για άνηβη. Γρήγορα βήματα στις σκάλες και... να τους. Η ωραία Μαρία όλο χαρές και γέλια και αγκαλιές. Μοσκοβολούσε γιασεμί και καραμέλες. Κράμα γυναίκας και παιδιού, έτοιμη να ξεχειλίσει απ' τους χυμούς. Και πίσω ένας μελαχρινός ψηλός άντρας, νευρώδης, με ονειροπόλα μάτια. Ο Ίκαρος-Δήμος. Χαιρέτισαν τη «θεία», φίλησαν τη Στέλα που κρεμάστηκε στο λαιμό του αεροπόρου, αντάλλαξαν ερωτηματικά βλέμματα για τον Ηλία.

«Στέλα, δε θα συστήσεις το φίλο σου;» παρατήρησε η κυρία Μερόπη-Ιουστίνη, αναστατωμένη απ' την έφοδο των νέων.

Η Στέλα ζύγιασε την κατάσταση και, απολύτως φυσικά, με μια αέρινη κίνηση, εξήγησε:

«Ο Ηλίας είναι ο γιος του κηπουρού. Του Ηρακλή...» Θέλοντας να βελτιώσει κάπως την ατμόσφαιρα, το ζευγάρι χαιρέτισε διά χειραψίας τον Ηλία, που είχε συρρικνωθεί ανάμεσα στα έπιπλα. Πρώτα το ζεστό χέρι της Μαρίας και ύστερα του Ίκαρου, το στιβαρό. Μεγάλη στεγνή παλάμη, με μπλαβιές φλέβες στη βάση του καρπού.

Χάθηκε το χέρι του παιδιού μες στην αντρική παλάμη του Δήμου. Και τότε τινάχτηκε, σαν να τον τσίμπησε σφήκα. Ο πόνος διαπέρασε το στήθος και βγήκε λιγότερο οξύς απ' τους πόρους της πλάτης, αφήνοντας τη λιγούρα μιας θλίψης στο στομάχι. Κοίταξε φοβισμένος στα μάτια τον Ίκαρο, μα γρήγορα ξαναβούλιαξε στη μειονεξία του και στον πληγωμένο εγωισμό του.

Άκουσε τα γέλια και τις χαιρετούρες. Οι τρεις έφευγαν, ξεκαρδισμένοι στα γέλια. Τους άκουγε, βέβαιος πως διασκέδαζαν με την απρέπεια της Στέλας.

«Σφάλισε την πόρτα κι έλα εδώ. Αρκετά με τη μικρή έχιδνα. Κλείσε, παιδί μου, την πόρτα και μη στέκεσαι σαν μαγεμένος...»

Υπάκουσε. Τράβηξε μια καρέκλα κοντά της. Συνωμοτικό ζύγωμα.

«Τι έπαθες; Τι είναι;» Η γριά μπερδεύτηκε, αλλά δε χρειάστηκε να προχωρήσει.

«Αυτός ο κύριος...» Το παιδί χλόμιασε, έτοιμο να κλάψει.

«Μπα σε καλό σου... Σε μένα μιλάς. Ξέχασες τα μυστικά μας;»

«Μπορεί να του συμβεί κακό...» Πήρε βαθιές ανάσες, που του 'φεραν αναφιλητά. «Θα του συμβεί», είπε με στέρεη φωνή.

Η Μερόπη-Ιουστίνη αναζήτησε το ποτήρι με το νερό. Μα ήταν γεμάτο ζεστή λεμονάδα. Μόρφασε από αηδία.

«Μη δίνεις σημασία στη Στέλα. Είναι σκληρό κορίτσι. Σκληρή, ώσπου να φάει τα μούτρα της – όπως όλοι μας...»

Δεν του άρεσε να την ακούει να μιλά έτσι για τη Στέλα.

140

«Όσο για τον αεροπόρο...»

Σήκωσε τους ώμους κι ο νους της χάιδεψε ατέλειωτα χιλιόμετρα πένθους με γεύση ασφάλτου φρέσκιας, με την πίσσα να αχνίζει. «Συνέβη τίποτα;» Ήθελε να αποσπάσει τη σκέψη της απ' το προαίσθημα του παιδιού.

«Σαν τι;»

«Ξέρω κι εγώ; Αφεντέρσινίζ –έπιασε επίτηδες τα τούρκικα– αλλά είμαι πλέον μια γριά που αφαιρείται. Μπορεί να μου μίλησες για πράγματα ενδιαφέροντα κι εγώ να τα ξέχασα». Γέλασε με κόπο, νιώθοντας τη λεμονάδα να γίνεται μια πικρή φυσαλλίδα νοσταλγίας στο στομάχι της, μ' εκείνη τη «συγγνώμη» αλά τούρκα. Πόσο πιο σύνθετη και περίτεχνα ευγενική της φάνηκε ξαφνικά η λέξη στη γλώσσα των προγόνων της! «Αφεντέρσινίζ...»

«Όχι, δεν είπα τίποτα. Μόνο...» Ο Ηλίας κόμπιασε, αλλά, ξέροντας πως δε θα ξεμπέρδευε εύκολα με τη γριά, της ανέφερε τυχαία για κάποια νυχτερινή επίσκεψη.

«Επίσκεψη νυχτιάτικα σε μένα;» Η Μερόπη-Ιουστίνη απόρησε. «Πότε; Τον είδες τον επισκέπτη ή μήπως ήταν κάποια κυρία;» Έριχνε κουβέντες στην τύχη.

«Ήμουν στον κήπο μετά το φαγητό. Μου φάνηκε...»

«Τι σου φάνηκε;»

«Το βράδυ με τα δέντρα ξεγελιέμαι».

Τον κοίταξε στενεύοντας τα μάτια, σίγουρη πως το αγόρι αυτό δεν ξεγελιόταν εύκολα.

«Ό,τι και να 'ναι, πες μου... Πες μου, μικρέ φιλαράκο». Μαλάκωσε τη φωνή της.

141

«Ένα παιδί σαν κι εμένα...» Έσκυψε το κεφάλι ταραγμένος.

«Μόνο εσύ είσαι φίλος μου. Άλλα παιδιά, απ' όσο ξέρω, δεν υπάρχουν εδώ μέσα. Ίσως κάποιο παιδί απ' τις φωτογραφίες».

«Όχι!» Ήταν κατηγορηματικός. Πρώτη φορά έβλεπε αυτό παιδί. Και ήταν κουρεμένο.

«Νομίζω πως η νύχτα μαγεύει πολύ πρωτότυπα τον κήπο μας», αναστέναξε η κυρά. «Εκτός από ντομάτες και κολοκυθάκια, φαίνεται πως φυτρώνουν και κουρεμένα α-γοράκια».

«Μεχμέτ. Αυτό είναι το όνομά του».

«Μεχμέτ... Να που ξέρεις και το όνομα του φίλου σου!»

«Δεν είπα ότι είμαστε φίλοι...»

«Σε κουράζω. Το νιώθω. Σε ζαλίζω με τις ερωτήσεις μου...»

«Δεν ήταν αυτός ο επισκέπτης... Άλλος ήταν».

«Άλλος; Τέτοιος συνωστισμός στο σπίτι μου και να μην το πάρω είδηση; Ποιος άλλος;»

«Ένας...»

Δάκρυα φόβου κύλησαν απ' τα μάτια του Ηλία.

«Καλά, καλά. Δεν επιμένω... αφού είναι πρόβλημα».

«Σαν ομίχλη... Σις γκιμπί...»

«Ένας άντρας σαν ομίχλη... Θεέ μου, είχα ξεχάσει πως η ομίχλη είναι πολύ πιο σκληρή στα τούρκικα. Σις...»

«Το βράδυ, τα δέντρα...» δικαιολογήθηκε πάλι.

«Του μίλησες;» τον διέκοψε νευρική.

«Δε με είδε».

«Και ο κύριος Μεχμέτ;» Η Μερόπη-Ιουστίνη πήγε να ξαλεγράρει την κουβέντα τους.

«Ήταν μέσα. Μέσα απ' το παράθυρο της κουζίνας μου μίλαγε, αλλά δεν καταλάβαινα. Ύστερα μου έγραψε το ό-νομά του στο τζάμι, που ήταν θολό από την ανάσα του».

«Άρα βρισκόταν μέσα στο σπίτι! Και σταμάτα να κλαις».

«Έμοιαζε σαν να βρισκόταν μέσα...»

«Ααα, άλλο έμοιαζε κι άλλο ήταν μέσα! Κατάλαβα...»

Δεν καταλάβαινε, δεν έβγαζε άκρη, κι όμως το ένστι-κτό της τη βεβαίωνε πως συνέβαιναν απίστευτα πράγμα-τα στο κεφάλι του γιου του Ηρακλή. Αυτός ο μικρός σα-τανάς ήταν ο πιο ενδιαφέρων απ' τους άθλους του Ηρακλή, εκτός κι αν χρειαζόταν επειγόντως ψυχίατρο.

«Είχα έρθει ν' ανάψω τα φώτα της βεράντας», συνέχι-σε ο μικρός. Ήθελε και δεν ήθελε να μιλήσει, αλλά το πα-ραμύθι τού παράπεφτε βαρύ κι αναζητούσε τρόπο να ξα-λαφρώσει την καρδιά του.

«Ναι, θυμάμαι που τηλεφώνησα στη Βάσω να ανάψει τα φώτα στη βεράντα».

Θυμόταν κι αναρωτιόταν αν έπρεπε να τηλεφωνήσει το απόγευμα σ' έναν παλιό της γνώριμο, τον Άγγελο Κατα-κουζηνό, που ήταν νευρολόγος-ψυχίατρος. Είχαν χρόνια και ζαμάνια να βρεθούν. Παλιά είχαν κοινωνικές σχέσεις, αλλά θα την άκουγε. Και, στο κάτω κάτω, μια γνώμη θα έπαιρνε. Όσο κι αν της κρυβόταν ο πιτσιρίκος, τα νεύρα του θα 'χαν γίνει σμπαράλια. Ακόμα κλαψούριζε...

«Σταμάτα, σε παρακαλώ, να κλαις. Είσαι άντρας...»

Του έθιξε ελαφρά το φιλότιμο κι αμέσως τον τράβηξε στην αγκαλιά της, παρόλο που δεν την ξετρέλαιναν τα παιδιά. Καλά μεν, αλλά όχι και για πολλά πολλά. Τη Στέλα τη θεωρούσε κατά κάποιο τρόπο μαθήτριά της. Της είχε διδάξει την υπεροψία και την ανωτερότητα με τους κώδικες που συγκρατούσε αρκετά καλά απ' τα δικά της νεανικά χρόνια. Τότε, που ξεφτούσαν οι απόγονοι του Οσμάν σαν φθαρμένο χαλί που δεν επιδέχεται διόρθωμα. Την είχε διδάξει την αντοχή στα γυρίσματα της μοίρας και την προσαρμοστικότητα, σαν τους στρατιώτες των επίλεκτων σωμάτων, που, αλίμονο, κι αυτοί εν μια νυκτί πρόδωσαν το παλιό καθεστώς και ενσωματώθηκαν στη νεοτουρκική θύελλα.

Όμως αυτός ο μικρός την έβγαζε βίαια από τη νοοτροπία της, την επέστρεφε στην οδύνη των παλιών τραυμάτων, που αιμορραγούσαν αραιά και πού στις απειθάρχητες αναμνήσεις της. Δεν αγαπούσε τα παιδιά, γιατί κι αυτή σαν παιδί στάθηκε αδύνατον να κατανοήσει τον εφιαλτικό κόσμο των μεγάλων. Τον φίλησε στα μαλλιά, στα κλαμένα μάγουλα, τον νανούρισε με ψεύτικες παρηγοριές περί φαντασιώσεων που έχουν μονάχα οι έξυπνοι και οι τυχεροί αυτού του κόσμου.

«Ποιος ήταν μέσα στην ομίχλη;» τη ρώτησε πιο ήρεμος τώρα.

«Έλα, καημένε. Ομίχλες μες στο μεσοκαλόκαιρο δεν υπάρχουν...»

«Σαν ομίχλη», επέμεινε. «Ποιος ήταν;»

«Μπορεί ένας όμορφος άγγελος. Γκιουζέλ μπιρ μελέκ... Αχ, τι με βάζεις να λέω! Επειδή είμαι γριά, όλο και κάποιος άγγελος θα με έχει κατά νου. Έλα, βρε κουτό, αστειεύομαι... Και να σου πω κάτι; Αν θέλεις, μπορώ να σε στρώσω να μάθεις μια πιο χρήσιμη γλώσσα. Ας πούμε γαλλικά ή αγγλικά. Κρυφά απ' τη Στέλα, την πολύξερη». Του άρεσε που η θεία της Στέλας του φερόταν έτσι. Που τον κανάκευε και μάλιστα ήταν έτοιμη να του μάθει αυτές τις θαυμάσιες γλώσσες, που θα τον γλιστρούσαν αμέσως σ' έναν αρωματικό κόσμο υπεροχής, που διαισθανόταν πως υπήρχε ερήμην του, πέρα απ' τον κόσμο του Ηρακλή, της Βάσως και του άλλου, που τον τρόμαζε και τον βύθιζε σε μια απελπισία χειρότερη κι απ' την ομίχλη του «επισκέπτη», που μπορεί να ήταν και άγγελος. Θα έπρεπε κάποια στιγμή να εξακριβώσει αν κυκλοφορούν άγγελοι με βήμα σιδερένιο, χωρίς φτερά και, κυρίως, χωρίς την άφυλη αίγλη των αγγέλων που συναντούσε στις εκκλησίες και στις ζωγραφιές των βιβλίων.

Όταν έφυγε το παιδί, η Μερόπη-Ιουστίνη-Ράνα έβαλε τα δυνατά της και κατέβηκε στην κουζίνα, που πνιγόταν μέσα σε ντουμάνια τηγανητής πιπεριάς και μελιτζάνας. Πήρε βαθιές εισπνοές καταπονώντας το αναπνευστικό της, γιατί, όσο να πεις, ρούφηξε και τη λαδίλα του τηγανιού. Κανείς δε θα άγγιζε τα ορεκτικότατα τηγανητά, αλλά εκείνη ήθελε να κοροϊδεύει το σύμπαν πως της ήταν απολύτως απαραίτητα. Η Βάσω ανησύχησε, χαμήλωσε τη φωτιά κι έτρεξε κοντά της.

«Τον αέρα μου ήρθα να πάρω. Συνέχισε εσύ...» Δεν ά-φησε περιθώρια για κουβέντα. Έφερε ένα γύρο στην κου-ζίνα με μάτι ερευνητικό κι ύστερα πήγε και στάθηκε στο τζάμι. Σκόνη απαλή και χνάρια εντόμων. Αντικατοπτρι-σμός του μεσημεριού και τίποτ' άλλο. Εξέτασε δυο και τρεις φορές όλα τα τζάμια.

«Το πρωί τα σκούπισα», φώναξε μέσ' απ' το τσιτσίρι-σμα των τηγανητών η Βάσω. «Αλλού είναι το πρόβλημα!»

«Τι πρόβλημα;»

«Είπα να μην το πω, αλλά στην αποθήκη μάς έκαναν ζημιά».

«Γάτες...» Τις αγαπούσε τις γάτες από κορίτσι. Ανα-γάλλιασε στην ανάμνηση της λευκής γούνας ενός περσι-κού γάτου.

Η Βάσω της εξήγησε ότι είχαν πειραχτεί κάποια πράγματα στην αποθήκη, σαν να τα τσαλαπάτησαν... Αλ-λά, πάλι, ούτε γι' ανθρώπου ζημιά έμοιαζε.

«Φτιάξε μου μια κρέμα και βάλε μπόλικη κανέλα», τη διέταξε, για να βάλει τέλος στη συζήτηση. «Και λεμονάδα με φρέσκα λεμόνια». Έπειτα πήγε και κάθισε σε μια καρέ-κλα κι άρχισε να τη ρωτά τι σκέφτονταν για τον Ηλία.

«Θα πάει σχολείο», είπε η Βάσω.

«Κάτι έχει αυτό το παιδί...» Πήγε να πει «Είναι μα-γεμένο», αλλά κρατήθηκε. Ώρα ήταν να τρέχουν το μικρό της φίλο σε παπάδες με ξόρκια και φυλαχτά. «Είναι ευαί-σθητος και μεγαλωμένος πρόωρα...»

«Είπε τίποτα που δεν έπρεπε;» συννέφιασε η Βάσω.

«Όχι, βέβαια!»

Η Βάσω δεν ξεχνούσε πως τον είχε αποκαλέσει «τέρας». Δε λες έτσι εύκολα «τέρας» ένα μικρό αγόρι για το τίποτα.

«Τον πήρε ο πατέρας του εκεί που γυρίζουν την ταινία», έδωσε ραπόρτο η Βάσω, κατεβάζοντας το τηγάνι απ' τη φωτιά. «Πατέρας του είναι. Ας αναλάβει τις ευθύνες...» αναστέναξε όσο πιο δραματικά γινόταν. Και το εννοούσε. Της αρκούσε η ευθύνη της Μπέλας και τα νεύρα της. Ματαίως έψαξε να βρει λέξεις απ' την πολιτισμένη ορολογία των υποχρεώσεων των φυσικών γονιών. Δεν της προέκυψαν και βουβάθηκε. Άπλωσε τις πιπεριές στην πιατέλα και τις μελιτζάνες σε χαρτιά, να στραγγίξουν το λάδι τους.

«Παλιόμυγες... Ούτε με το ντι-ντι-τι ψοφάτε...» μονολόγησε.

Η κυρά καμάρωσε τις ωραίες χρυσόμυγες με την πράσινη ράχη από σμάλτο, που άστραφταν σαν ιπτάμενα κοσμήματα, αλλά, όταν το μάτι της έπεσε στο τζάμι, όπου καθρεφτίζονταν τα άγουρα σταφύλια της κληματαριάς, της έφυγε το αίμα από το πρόσωπο. Μέσα απ' τα κληματόφυλλα και τις ανθισμένες μπιγκόνιες μιας γλάστρας, ένα ξένο εχθρικό βλέμμα τής φάνηκε πως κρυφοκοίταζε το σπίτι. Φύσηξε το μελτέμι κι αναταράχτηκαν τα φύλλα και τα λουλούδια της μπιγκόνια με την ξινή σάρκα. Το βλέμμα θρυμματίστηκε στην αντηλιά.

«Θα πεθάνω τρελή», σκέφτηκε και ζήτησε νερό απ' τη Βάσω, που έβαζε τώρα μπροστά την κρέμα. Ξανακοίταξε με το σφυγμό γρήγορο στο τζάμι. Μονάχα ο κήπος χόρευε ανάλογα με τα κέφια του μελτεμιού.

«Να μην ξεχνάς ν' ανάβεις τα φώτα στη βεράντα...»
«Καμιά φορά, από αφηρημάδα...» δικαιολογήθηκε η
Βάσω, που αναλογιζόταν τον Ηρακλή και μαύριζε η ψυχή
της. Δεν είχε εμπιστοσύνη στο λεγόμενο «κόσμο του σι-
νεμά», αν και ο άντρα της, με το σύγκαμα που του 'κανε
το καλσόν, μόνο για ερωτικά δε θα είχε όρεξη. Βέβαια ή-
ταν και το παιδί μαζί. Τελευταία μέρα κομπαρσιλίκι σή-
μερα το απόγευμα.
«Το όνομα Μεχμέτ τι σου λέει;» τη ρώτησε απότομα
η κυρά.
«Μεχμέτ; Τι να μου λέει;... Να την κάνω γλυκιά την
κρέμα;»
«Μη λιγωθώ κιόλας...» Προτίμησε να αποσυρθεί στο
δωμάτιό της.
«Ωραίος ο νεαρός της ανιψιάς σας. Να ζήσουν...» έκα-
νε η Βάσω.
Όμως η γριά αρκέστηκε να βήξει, γδέρνοντας το φά-
ρυγγα. Διέσχισε το διάδρομο με τα νυσταγμένα φώτα, ε-
πιβαρημένα με επιπλέον υπνηλία λόγω της ζέστης, και
μπήκε στο δωμάτιο μ' ένα κάψιμο στον οισοφάγο. Απ' το
υπογάστριο άρχιζε το κάψιμο, αλλά, λόγω μιας ξαφνικής
ταραχής, δεν ήταν σε θέση να το προσδιορίσει επακριβώς.
Είχε αναστατωθεί απ' την επίσκεψη της μεγάλης της α-
νιψιάς και του ωραίου αεροπόρου. Δεν μπαινόβγαιναν συ-
χνά νεαροί άντρες στο σπίτι της. Κι αυτός ο νέος της έ-
φερνε πάντα μια ελαφρά αδιαθεσία, γιατί της ξυπνούσε ό-
λους τους χαμένους ένστολους της νιότης της.
Κι όμως, το μεγάλο της αποκούμπι, όλα αυτά τα χρό-

νια της επίσημης μοναξιάς της, ήταν η ανυπόληπτη μνή-
μη της, που ανέσυρε αποσπασματικά τα τρομακτικά πέν-
θη των μεγαλείων της οικογένειας. Θυμόταν ή προσποι-
ούνταν πως θυμόταν –δεν είχε καμιά απολύτως σημασία–
τους αποχαιρετισμούς στο μεγάλο σταθμό του Χαϊντάρ
Πασά, στην ασιατική ακτή του Βοσπόρου, αγαπημένη α-
πασχόληση και παιχνίδι της εφηβείας γι᾽ αυτήν και τον α-
δελφό της.

Στοιχημάτιζαν στις πιθανότητες που είχαν να επιζή-
σουν και να επιστρέψουν οι νεαροί αξιωματικοί που αναχω-
ρούσαν για μονάδες-φαντάσματα ή για πολεμικά μέτωπα
γεμάτα χιόνια και λάσπες σε γεωμετρική διάταξη – ο πα-
γωμένος εφιάλτης του θανάτου σε άσπρο-μαύρο. Στοιχη-
μάτιζαν στις πιθανότητες που είχαν να επιζήσουν και να
επιστρέψουν το ίδιο ατσαλάκωτοι, όπως την ώρα που, κα-
τανικώντας το δέος της συγκίνησης, χαιρετούσαν στρα-
τιωτικά τους δικούς τους.

Με τον Τουρχάν είχαν αναπτύξει μια ελευθεριάζουσα
κωδική γλώσσα πάνω στις ερωτικές τους προτιμήσεις, γι᾽
αυτό της ήρθε τρέλα όταν τους παρουσίασε την Ελληνίδα
Αναστασία σαν τελεσίδικη απόφαση. Φυσικά, είχαν παί-
ξει ρόλο και οι άγριες μέρες της φθοράς και του ξεπεσμού,
η υστερική προσήλωση του λαού της Τουρκίας στις νέες
θεόσταλτες δυνάμεις του Κεμάλ. Θυμόταν, πάντως, πόσο
την ερέθιζε να ακούει τον όμορφο –ευτυχώς, διασώζονται
οι φωτογραφίες να το πιστοποιήσουν– αδελφό της να της
περιγράφει ασυνάρτητα την ερωτική πράξη. Απ᾽ τη μεριά
του. Τα φιλιά των αντρών μεταξύ τους στις αδρές καθαρές

γραμμές του σώματός τους, την ντροπή που τύλιγε το πάθος τους, το περίγραμμα ενός έρωτα πέρα απ' την τραγωδία των ερώτων που τραγουδούσαν οι παλιοί Πέρσες ποιητές και οι ρομαντικές όπερες των Ιταλών. Τη μάγευε ο τρόπος της εξιστόρησης μιας ξεχωριστής ηδονής από τον αδελφό με τη σκοτεινή ιδιοφυΐα, έτσι που οι άλλοι έρωτες, οι αποδεκτοί, να της δημιουργούν τουλάχιστον απαρέσκεια. Τώρα μπορούσε πια να το ομολογήσει: ουδέποτε συνάντησε τα θαύματα του Τουρχάν στα λιγοστά κρεβάτια που ξάπλωσε με άντρες. Όλη της η ερωτική ζωή χαρακτηρίστηκε από μια παράδοξη διαστροφή της συνείδησης, ώσπου ήρθε το γήρας και η παθητική σοφία της πλήξης. Κι έμεινε ξεκρέμαστη μέσα στις απορίες, που κι αυτές όμως ατόνησαν με την εξασθένιση του σώματος.

Κι εκείνο το μεσημέρι, ξαφνικά, ένας γεροδεμένος νεαρός αεροπόρος με δέρμα μελαψό κι ένα ρολόι με ασημένιο μπρασελέ να κλυδωνίζεται ελαφρά στον καρπό του χεριού του της θύμισε την ξεθυμασμένη θηλυκότητά της.

«Μόνο το θάνατο μπορώ να σαγηνεύσω...» σκέφτηκε ικανοποιημένη που είχε το θάρρος ν' αποδέχεται τα χειρότερα. Και κάκιωσε του Τουρχάν που ξέφυγε απ' τις δαγκάνες των γηρατειών, νέος κι επιλήψιμος, με αιμόφυρτο προφίλ, δίπλα σ' ένα αρσενικό επίσης αιμόφυρτο. Τη διασκέδαζε όλα αυτά τα χρόνια να φαντάζεται τη Ζεϊνέπ-Αναστασία να θρηνεί στην Εντίρνε κάτω απ' τα νεκρά άστρα της μοναξιάς.

Άρχισε να κλαίει χωρίς παράπονο και χωρίς συγκεκριμένη αιτία. Μάλλον όμως έκλαιγε από φόβο για τον εξ αγ-

χιστείας ανιψιό αεροπόρο. Γιατί ήξερε ότι το αγόρι του Η-
ρακλή είχε συναντήσει τη μοίρα τους τούτο το απαίσιο κα-
λοκαίρι. Κι ότι τα βράδια, ή κι άλλες ώρες, κάποιοι παρα-
βίαζαν τη σιωπή του σπιτιού της κουβαλώντας τις βαλί-
τσες ενός καινούριου φόβου.

«Βρέχει; Άλλο και τούτο...»

Διέκοψε απότομα το κλάμα, για ν' αφουγκραστεί τη
βροχή που έπεφτε. Δυνατή, βίαιη καλοκαιριάτικη βροχή,
με χαλάζι μάλιστα να πετροβολά τη στέγη και τις μπαλ-
κονόπορτες. Κάπου εκεί κοντά έπεσαν δύο κεραυνοί. Σκού-
πισε τα μάτια της, άνοιξε το στόμα να νιώσει καλύτερα
την υγρασία που τρύπωνε απ' τη μισάνοιχτη πόρτα κι α-
ποφάσισε, προτού κοιμηθεί ανάμεσα στους γαλαζωπούς τοί-
χους που βάθαιναν σε αποχρώσεις ζωγραφικής καταιγίδας,
ότι βρισκόταν σε κίνδυνο. Χαμογέλασε ικανοποιημένη για
την απόφασή της κι έκλεισε τα βλέφαρα. Στον ύπνο της
ονειρεύτηκε μυρωδιές από κάρβουνο.

«Δεσποινίς Αλίκη, να περιμένουμε λιγάκι...» Ο διευ-
θυντής παραγωγής κοιτούσε απεγνωσμένα μια τον ουρα-
νό και μια την πρωταγωνίστρια, που είχε φορέσει τα μαύ-
ρα της γυαλιά, σιωπηλή – αυτή που συνήθως ήταν λαλί-
στατη. Μια αμπιγιέζ τής άναψε ένα τσιγάρο με φίλτρο, ε-
νώ δύο βοηθοί σκοτώνονταν μέσα στη βροχή να καθησυ-
χάσουν τους ηθοποιούς και τους κομπάρσους με κάτι σά-
ντουιτς της συμφοράς και μπίρες ζεστές. Οι κρύες είχαν
καταναλωθεί προτού πιάσει το ξαφνικό μπουρίνι, που ανέ-

τρεπε τη φιλοδοξία του παραγωγού να τελειώσουν μια κι έξω τη σκηνή του γλεντιού.

Είχαν τραβήξει τις μηχανές κάτω από βρόμικες τέντες που κάποτε ήταν άσπρες, μερικές φουστανέλες κομπάρσων είχαν σουρώσει απ' τη βροχή που έπεφτε με τα τουλούμια, ενώ το συγκρότημα δημοτικής μουσικής, που έπαιζε ζωντανά, διαμαρτυρόταν για τα όργανα που θα σκέβρωναν. Του Ηλία του ήρθε δίψα, αλλά τι να πιει; Μόνο ζεστή μπίρα υπήρχε και ψωμί με σαλάμι και ντομάτα. Έβγαλε τη γλώσσα του να τη δροσίσει η βροχή, αλλά ο Ηρακλής τον τράβηξε κάτω από το λαμαρινένιο υπόστεγο όπου οι κομπάρσοι, οι άντρες, άλλαζαν.

«Θέλεις να σε χτυπήσει κεραυνός;» τον φόβισε.

«Διψώ... Πόνεσε ο λαιμός μου απ' τη δίψα...» γκρίνιαξε το παιδί.

«Κι εμένα με πέθανε το σώβρακο, μου άνοιξε πληγή από κάτω... Τελευταία μέρα σήμερα... Υπομονή».

«Βαρέθηκα...» μουρμούρισε ο Ηλίας και βάλθηκε να κοιτάζει από μακριά την ωραία Αλίκη Βουγιουκλάκη, που κάπνιζε με κομψές κινήσεις. Είχε λύσει τα μαλλιά της. Τα 'χε αφήσει ελεύθερα, φωτεινά καστανά μαλλιά, που τώρα τα χτένιζε μια κυρία με περισσή φροντίδα.

Στον κινηματογράφο της παλιάς γειτονιάς του, πέρσι το καλοκαίρι, είχε δει δύο απ' τις ταινίες της. Στη μια έπεφτε απ' την Ακρόπολη για τον έρωτα ενός αξιωματικού και πέθαινε. Στην άλλη ήταν χαρούμενη κι έκανε χιλιάδες σκανταλιές. Όλοι την αγαπούσαν, τη θαύμαζαν και της συγχωρούσαν τα πάντα χωρίς δεύτερη κουβέντα.

Σκέφτηκε τη Στέλα, που προσπαθούσε να φανεί αυστηρή, ενώ θα μπορούσε να 'ναι το ίδιο χαρούμενη, όπως η δεσποινίς Αλίκη στην ταινία. Οι κεραυνοί ξεμάκραιναν και πέρα, στο μεγάλο ξέφωτο, φάνηκε το ουράνιο τόξο, γεγονός που ανακούφισε όλο το συνεργείο. Το ευχάριστο βουητό της προετοιμασίας ξανάρχισε.

«Έλα μαζί μου μια στιγμή!» Ο Ηρακλής πήρε το παιδί απ' το χέρι, ξαναβρίσκοντας το βάδισμά του το κανονικό κι όχι το συγκαμένο. Πλησίασαν την πρωταγωνίστρια, που ακόμα έκρυβε τα μάτια της πίσω απ' τα μαύρα γυαλιά.

«Περίμενε εδώ», του είπε ο πατέρας. Και, συνεσταλμένα, μίλησε στην Αλίκη-Αστέρω. Εκείνη φορούσε τα ρούχα του ρόλου: μια χωριατοπούλα σε μια Ελλάδα ελαφρώς παρελθόντων ετών. Έτσι κατάλαβε.

«Για έλα εδώ εσύ, που κάθεσαι μες στη βροχή».

Με φωνή παιχνιδιάρικη, σχεδόν παιδική, η Αλίκη τον κάλεσε κοντά της. Τον ρώτησε τι τάξη θα πήγαινε στο σχολείο και πόσων χρόνων ήταν. Ο Ηρακλής πρόλαβε και της ξεφούρνισε ότι «...χάσαμε τη μαμά μας, αλλά είμαστε γενναίοι». Μια ανησυχία διέτρεξε τα χείλη της ηθοποιού κι ύστερα, βιαστικά, ζήτησε μια φωτογραφία της, που την έδειχνε πάνω σ' ένα ποδήλατο να τρώει σταφύλια.

«Τι να γράψω, νεαρέ;» τον ρώτησε με νάζι.

«Στη Στέλα με αγάπη για να με θυμάται», της απάντησε αμέσως, σαν να προετοίμαζε μήνες την απάντηση.

«Στέλα σε λένε;» τον πείραξε, κατάπληκτη απ' την ετοιμότητα του αγοριού.

«Είναι για δώρο...»

Η Αλίκη έσκασε στα γέλια, είχε βγει στο μεταξύ κι ο ήλιος, κι ο σκηνοθέτης έδινε ήδη οδηγίες στον κόσμο. Του έγραψε με στρωτά, καλλιγραφικά γράμματα ό,τι της ζήτησε και πέταξε τα γυαλιά της στην αμπιγιέζ. Δύο ζωηρά καστανά μάτια τον γάζωσαν απ' την κορφή ως τα πέδιλα, που 'χαν γεμίσει λάσπες. Έσκυψε και του 'σκασε ένα πεταχτό φιλί στο μάγουλο. «Γεια σου, Στέλα!» του φώναξε κεφάτα και έτρεξε να συναντήσει τον παραγωγό που σταυροκοπιόταν.

Το καλοκαίρι επέστρεφε δυναμικά στον ουρανό και η γη στέγνωνε γρήγορα. Τα όργανα έκαναν πρόβα σ' έναν τσάμικο, το κλαρίνο έπιασε το σκοπό πιο ψηλά, λιγωτικά. Ήταν η πιο ευχάριστη μέρα του εδώ και πολύ καιρό. Μακάρι να χανόταν μες στο φιλμ, μακάρι να τον έπαιρνε η Αστέρω και να τον έκανε αστεράκι ασήμαντο στο δικό της ψεύτικο διασκεδαστικό ουρανό, να μη γυρνούσε ποτέ στο φόβο της νύχτας και των δωματίων του σπιτιού της Κηφισιάς.

Είδε τον Ηρακλή πάνω απ' το ντεκολτέ μιας νεαρής χωριατοπούλας να τραγουδά «του γάμου και της κλεφτουριάς και της λεβεντιάς», χωρίς να υπολογίζει το σύγκαμα κάτω απ' τα αρχίδια του. Τα χέρια του πατέρα χούφτωναν μες στον ενθουσιασμό ό,τι πρόφταιναν απ' την ωραία παρτενέρ... Το «γύρισμα» τράβηξε ως τις εννιά, που νύχτωσε, με την πιθανότητα να επαναλάβουν ορισμένα πλάνα μεθαύριο.

Εξουθενωμένοι γύρισαν με λεωφορείο στην Πλατεία Κάνιγγος κι από 'κεί περπάτησαν ως την Ομόνοια, να πάρουν το τρένο για την Κηφισιά. Του άρεσε η Αθήνα του

Ηλία και η φασαρία της, που την προτιμούσε χίλιες φορές απ' την πράσινη ησυχία της Κηφισιάς. Είχε ζέστη πάλι, αλλά στο τρένο δρόσισε.

«Το στομάχι σου είναι εντάξει, παιδί μου;» ενδιαφέρθηκε ο Ηρακλής για το γιο του.

«Ποια ήταν εκείνη δίπλα σου που της έπιανες τη μέση;» ρώτησε τον πατέρα του.

Ο Ηρακλής γέλασε και του 'κλεισε το μάτι πονηρά.

«Σου άρεσε; Και η Στέλα; Ποια είναι η Στέλα;»

«Η Στέλα είναι ανιψιά της κυράς...» απάντησε άχρωμα και με τέτοιο τρόπο, που ο Ηρακλής έχασε κάθε διάθεση για κουβέντα. Τον βασάνιζε πάλι το σύγκαμα, πεινούσε κιόλας, τον έπιασε και το συναισθηματικό του που τέλειωσαν τα «γυρίσματα», τα καλαμπούρια και οι πλάκες. Αύριο θα του φέρνανε κοπριά απ' τον Μαραθώνα. Τέρμα οι καλλιτεχνίες, που γι' αυτές ήταν γεννημένος, δυο μέτρα λεβέντης, κι όχι για μπαξέδες κι αλισβερίσια με γυναικόπαιδα.

Έγειρε και κοιμήθηκε ως το Μαρούσι στον ώμο του παιδιού. Κι αν δεν τον σκουντούσε ο γιος του δε θα 'χε ξυπνημό, έτσι όπως τον είχαν απορροφήσει τα όνειρα, γιατί για όνειρα πολλά επρόκειτο. Όνειρα ασυνάρτητα, γεμάτα υφάσματα βαριά, όπως αυτά στις ταπετσαρίες των επίπλων στα καταστήματα της Πατησίων. Και γούνες. Ολόκληρα στρέμματα απλωμένες γούνες σε κάμπους. Γούνες που τις έσπερναν σαν σιτάρι και τις κατέστρεφαν βροχές από μαύρο αίμα.

Ξύπνησε με τσούξιμο δυνατό από το σύγκαμα, κατάπληκτος που κοιμόταν τόσες ώρες.

«Για ένα δεκάλεπτο τον πήρες...»

«Μου φάνηκε...» Δε συνέχισε, γιατί δεν ένιωθε να έχει κεφάλι, αλλά ένα σιδερένιο κουτί γεμάτο θορύβους.

«Φτάσαμε», τον καθησύχασε ο Ηλίας, που είχε ξαναπάρει το φοβισμένο, απόμακρο ύφος του.

«Με μάτιαξαν... Ξέρεις, το μάτι το δέχεται και η θρησκεία μας...» αποφάνθηκε σίγουρος για την αιτία του ύπνου-λήθαργου.

Ο Ηλίας άπειρες φορές θα άκουγε στο υπόλοιπο της ζωής του για αλαφροΐσκιωτους ματιασμένους και για το ατράνταχτο επιχείρημα της θρησκείας «μας», που έδειχνε κατανόηση, μεταξύ άλλων, και στο «μάτιασμα». Εκείνο το βράδυ, όμως, ήξερε πως ο πατέρας του μόνο ματιασμένος δεν ήταν.

Στην Κηφισιά έφτασαν την ώρα που η Ευζωνία, η αδελφή της Βάσως, που είχε κληθεί εκτάκτως για να συνδράμει στο αναπάντεχο δράμα που προέκυψε νωρίς το απόγευμα, ετοιμαζόταν να αναχωρήσει μαζί με την Μπέλα. Μια Μπέλα μουτρωμένη, με φωτοστέφανο οσιομάρτυρα, χαμένη σε μια προσωρινή ανακωχή, μετά την υστερία που αναστάτωσε το μοδιστράδικο της Λεφούση.

Και να πώς είχαν τα διατρέξαντα.

Ξαφνικά, ενώ η Μπέλα σιδέρωνε ένα ταγιέρ κάποιας που επειγόταν για ένα γάμο, αφηνίασε στα καλά καθούμενα κι άρχισε να κυνηγά τις άλλες μαθητευόμενες με το καυτό σίδερο. Μέσα στο πανδαιμόνιο κόντεψε να πάθει

και ηλεκτροπληξία, γιατί πετάχτηκαν πράσινες φλόγες α-
πό την πρίζα, ενώ τα κορίτσια ούρλιαζαν και η Λεφούση
τράβαγε τα μαλλιά της.

Το χειρότερο όμως ήταν που, όταν κατάλαβε τι έκανε,
πέρα απ' τα παραμιλητά και τα ακατανόητα, έπεσε κάτω
αφρίζοντας, χωρίς να τολμά να την πλησιάσει κανείς. Σαν
ένιωσε, δε, πως είχε εκτεθεί ανεπανόρθωτα, πετάχτηκε
σαν ελατήριο, με τα μούτρα πρησμένα από την ένταση,
και κατάπιε χωρίς νερό δέκα φιλντισένια κουμπιά μικρού
μεγέθους και ένα μεγαλύτερο.

Σε κατάσταση «που δεν περιγράφεται», όπως τόνισε η
Ευζωνία, την έφεραν στο σπίτι. Η μάνα της την έτρεξε
στο φαρμακείο και σ' ένα γιατρό, που διέταξε καθαρτικό,
για να βγουν τα φίλντισια απ' τον οργανισμό της. Και μό-
λις μπήκαν, επιτέλους, στο σπίτι, η Μπέλα ξέσπασε σε
κλάματα και σε κατάρες προς πάσα κατεύθυνση. Την ξυ-
λοφόρτωσε εκεί, κακώς, και η Βάσω, αλλά η Ευζωνία
πρότεινε λίγες διακοπές: μία εβδομάδα μπάνια στη Σαλα-
μίνα, στην Κακή Βίγλα, όπου παραθέριζε μια συγγένισσά
τους, θα 'ταν ό,τι έπρεπε.

«Απ' τη μέρα που πάτησε το πόδι του ο μικρός μπά-
σταρδος...» έλεγε και ξανάλεγε η Μπέλα.

«Σκάσε, μη μου διαλύσεις το σπίτι...» αγρίεψε η Βάσω.

«Γιατί σε καλοπηδά ο αλητάρας, ο πατέρας του...» α-
ντιγύρισε έξω φρενών η Μπέλα – και εκεί πάνω άρπαξε
τα χαστούκια της.

«Πού τα 'μαθε αυτά τα λόγια η Μπέλα μου, που ντρε-
πόταν να πει ολόκληρο το όνομα της Σταχτοπούτας, για-

τί φοβόταν μην μπερδευτεί και πει σταχτοπουτάνα...» θρηνούσε η Βάσω.

«Μες στα νεύρα μας όλοι λέμε...» Η Ευζωνία, για μια ακόμα φορά, ως η ψύχραιμη της οικογένειας, έσωσε την κατάσταση.

«Τον είδα... τον είδα να ξυρίζεται με ματωμένο ξυράφι...» φώναζε μες στ' αναφιλητά της η Μπέλα.

«Ποιον είδες, κοπέλα μου;» ρωτούσε πλαγίως η Ευζωνία.

«Τον άντρα το γυμνό...»

«Καλά, καλά... Καλοκαίρι έχουμε. Και άντρα γυμνό θα δεις και ξεβράκωτους θα δεις και τις πατσές του θείου Μενέλαου θα δεις στη Σαλαμίνα. Καλοκαίρι γαρ...»

«Δεν τρελάθηκα... Αυτός με το ξυράφι!»

Η Μπέλα γούρλωνε τα μάτια της, κάτι μεταξύ τρόμου και βρογχοκήλης, στην ανάμνηση του γυμνού άντρα.

«Ή που τρελάθηκε ή που άργησε να της έρθει περίοδος ή που κάποιος κερατάς ξεβρακώθηκε μπροστά στο κορίτσι μου...» Το μυαλό της Βάσως είχε σταματήσει από τη λύπη και την κούραση. Λούφαξε στο πλευρό του Ηρακλή ο Ηλίας, όταν αντίκρισε την Μπέλα, φαινομενικά ήρεμη, με μια χαραπάταλη βαλίτσα στο χέρι, να βαδίζει σαν κουρντισμένη πίσω από την Ευζωνία.

«Αυτός φταίει για όλα», είπε το κορίτσι ξερά, χωρίς να υψώσει ή να χρωματίσει τη φωνή της. Κι έδειξε με το δάχτυλο το αγόρι. Ύστερα συνέχισε το δρόμο της, χωρίς να καταδεχτεί να ρίξει πίσω ούτε μισή ματιά.

«Μα τι έπαθε; Εγώ ήσυχη τη βλέπω...» απόρησε ο Ηρακλής.

«Ήσυχη απ' το καθάρσιο. Πέντε φορές πήγε στον κα-
μπινέ και ποιος ξέρει πότε θα βγουν τα κουμπιά απ' το έ-
ντερο...» εξήγησε η Βάσω φαρμακωμένη.

Έφαγαν σιωπηλοί οι τρεις τους μέσα σε ατμόσφαιρα
βαριά. Είχε κόψει η ζέστη κάπως, λόγω της μεσημεριά-
τικης βροχής. Ο Ηλίας βγήκε να ανασάνει τις δροσερές ξι-
νίλες απ' τις ντοματιές που του άρεσαν. Λίγο να χάιδευες
το φύλλωμά τους, σου χάριζαν αμέσως το άρωμα μιας ευ-
γνωμοσύνης γεμάτο χλωροφύλλη και φρεσκάδα.

Η φωνή της Βάσως, απ' την κουζίνα, εξιστορούσε τα
γεγονότα και πώς η Μπέλα, χθες το πρωί, προτού χαρά-
ξει, είχε σηκωθεί να πιει νερό. Είχε φάει κασέρια και κε-
φαλοτύρια αποβραδίς. Και, μες στη σιωπή, άκουσε κά-
ποιον άντρα να τραγουδά γλυκά εκεί κοντά. Της φάνηκε
για κοντά. Και όπως έκανε την αποκοτιά να βγει να δει
ποιος είναι ο κανταδόρος που ακουγόταν από τις πιπεριές,
βλέπει σε απόσταση μικρότερη από είκοσι μέτρα έναν ά-
ντρα – όπως κατάλαβε αμέσως απ' το περίγραμμα του
λευκού αντρικού σώματος. Είχε ξυρισμένο σχεδόν το κε-
φάλι κι όλη η έγνοια του ήταν το μεγάλο ξυράφι, που η
Μπέλα το περιέγραφε ως ματωμένο. Το ξυράφι, λοιπόν,
το ανέβαζε και το κατέβαζε στα απόκρυφά του, που τα ξύ-
ριζε με άγριες αλλά σίγουρες κινήσεις, τραγουδώντας ένα
τραγούδι με λόγια ακαταλαβίστικα. Πάντως λυπητερά. Έ-
τσι κατάλαβε η Μπέλα. Πιο πολύ μαγνητίστηκε, λοιπόν,
η Μπέλα από τον άντρα παρά φοβήθηκε, γι' αυτό κι ολό-
κληρη μέρα δεν έβγαλε κιχ. Αλλά στο τέλος τής προέκυ-
ψε η κρίση και κατάπιε τα κουμπιά.

«Ποιος είχε όρεξη να ξυρίζει μες στα σκοτάδια τα τέτοια του; Έλα, τώρα...» κάγχασε ο Ηρακλής.

«Αυτά μου είπε κι ορκίστηκε στη μνήμη του μακαρίτη του πατέρα της. Μου είπε, βέβαια, πως όταν ο άντρας την πήρε είδηση, γύρισε και την κοίταξε με μάτια υγρά και σκοτεινά, πιο σκοτεινά απ' τη νύχτα. Τέτοια λόγια μου είπε. Γύρω απ' το λαιμό του είχε μια ουλή μαύρη, σαν κορδέλα. Της έκανε εντύπωση που η ουλή έμοιαζε με πληγή ανοιχτή, καλοσχεδιασμένη, χωρίς να στάζουν αίματα. Αντί να την πλησιάσει, ο άντρας σκούπισε το ξυράφι στην παλάμη του και πισωπάτησε προς τις ντοματιές. Μπήκε ανάμεσα στα φυτά και χάθηκε...»

«Γυμνούς άντρες ονειρεύεται η κόρη σου...» Ο Ηρακλής αδιαφόρησε για την ιστορία κι άνοιξε ραδιόφωνο, να σκορπίσει η παγωμάρα και η ακεφιά. Είπε κάτι για το «γύρισμα» που τέλειωσε και για την κοπριά που θα έφερναν αύριο από τον Μαραθώνα. Αύριο ήταν Σάββατο.

Ο Ηλίας άκουγε το Σάββατο παρέα με άλλους ήχους: «Τζουμαρτεσί». Και η Κυριακή, «Παζάρ». Ανατρίχιασε στην ιδέα πως κάποιος άντρας γυμνός, ξυρισμένος, κρατώντας μια λεπίδα πολύ πιο επιθετικά απ' ό,τι οι κουρείς, ανάσαινε ταυτόχρονα μ' αυτόν τα αρώματα από τις ντοματιές. Μέτρησε ως το τρία κι έτρεξε με όση δύναμη είχε προς το σπίτι.

Μόνο όταν σκόνταψε στα σκαλιά της βεράντας και είδε μπροστά του τα κίτρινα φώτα κατάλαβε πως, μες στην τρομάρα του, είχε βρεθεί στο σπίτι της κυράς. Σταμάτησε ν' ανασάνει, να ηρεμήσει την καρδιά του, να κόψει την τρεμούλα που, απ' τη ραχοκοκαλιά, έστελνε ριπές ρίγους στην κάτω σιαγόνα. Αφουγκράστηκε το τίποτα της νύχτας. Η νύχτα μονίμως αχανής, μονίμως ν' αναδεικνύει τη σιωπή με τους φανταστικούς της ήχους. Δεν ήταν κουτός ούτε κουβαλούσε τις συνηθισμένες φοβίες των παιδιών. Καμιά φορά καμάρωνε την αντοχή του στη μοναξιά. Σε λίγο και η ορφάνια θα του γινόταν παράσημο, θα ψηνόταν στη ζωή, όπως τόσα και τόσα παλικαρόπουλα ορφανά της παγκόσμιας ιστορίας. Είχε στο νου μερικά παραδείγματα για τέτοιες στιγμές.

Κοίταξε το μισοφωτισμένο παράθυρο της Μερόπης-Ιουστίνης, θυμήθηκε την εντύπωση που του 'κανε το όνομα και κυρίως η αίσθηση πως ήταν ένα όνομα παρμένο α-πό πρόσωπο νεκρό – μια βίαιη αρπαγή. Έτσι ένιωσε ε-κείνη την πρώτη φορά, που δεν μπόρεσε να κρατηθεί και φώναξε δυνατά το αναθεματισμένο όνομα του αρώματος...

Αν έμπηγε μια φωνή, ίσως και να τον άκουγε η γριά, που σίγουρα τέτοια ώρα θα ροχάλιζε με το αιώνια κολλημένο στην κοιλιά της βιβλίο. Δε θα το επιχειρούσε, όμως. Έπρεπε πρωτίστως να βρει το δρόμο της επιστροφής, που σήμαινε κουράγιο. Δεν ξενιτεύτηκε δα και στην άλλη ά-κρη του κόσμου. Λίγο κουράγιο και τα πόδια θα 'βγαζαν φτερά. Του ήταν δύσκολο να καταλάβει πώς μπέρδεψε την κατεύθυνση, εκτός κι αν ηθελημένα είχε βρεθεί εκεί. «Δηλαδή εδώ. Δηλαδή πουθενά».

Νόμισε πως άκουσε τη φωνή του να εξηγεί το ανεξήγη-το και να ομολογεί πως δε βρισκόταν πουθενά, κι ας έμοια-ζαν όλα γνώριμα μες στη σιωπηλή κίτρινη ανησυχία της βε-

161

ράντας. Έπειτα κάρφωσε το βλέμμα του στο σκοτεινό τζάμι της πόρτας που οδηγούσε στην κουζίνα. Και ήταν εκεί. Ήταν εκεί και τον κοίταζε με τα γλυκά καστανά του μάτια να λάμπουν, όπως λάμπουν τα μάτια που είναι στολισμένα με δάκρυα, ακόμα κι όταν δεν κλαίνε. Το παιδί εκείνο, που η ανάσα του θάμπωνε το τζάμι, επαναλάμβανε το όνομά του: «Μεχμέτ». Και μιλούσε τη γλώσσα του πανικού. Δεν άκουγε ο Ηλίας τον ήχο των λέξεων, μα ένιωθε ότι στο μυαλό του ανοίγονταν χάρτες γεμάτοι κόκκινες ενδείξεις, που τον ταξίδευαν προς το Βορρά με ανατολικό έρεισμα. Κι απ' το χάρτη με τα πυκνογραμμένα ονόματα των πόλεων, των χωριών και των βουνών, διείσδυε στην πεδινή ανοιχτωσιά μιας καμπίσιας πολιτείας, όπου τα στρώματα της ιστορίας έπεφταν το ένα πάνω στο άλλο, σαν τα παντεσπάνια στις τούρτες – με την κρέμα της ζωής ενδιάμεσα. «Αδριανού», «Αδριανούπολη», «Εντίρνε»... Κι ολόγυρα ποτάμια και δάση λεύκας, που οι άνθρωποι τη λέγανε «καβάκ». Και ο ζεστός αέρας της νύχτας, «ρουσγιάρ». Λέξεις, λέξεις σαν βροχή πυροτεχνημάτων – κι ύστερα, να το, κόντρα σ' ένα μεγάλο φεγγάρι από λαμαρίνα, το τζαμί του Σουλτάνου Σελίμ, πέτρινο, περίτεχνο, αιχμηρό, με τους μιναρέδες να καρφώνουν τον ουρανό. Φυλλώματα καστανιάς ν' ανατριχιάζουν στα συνώνυμα της λέξης «ρουσγιάρ», σαν νύχτα προχωρημένου Σεπτέμβρη. Και χαμηλά, στα καλντερίμια, να σέρνεται γρήγορη η γαλακτερή ομίχλη, αναγκάζοντας τις κουκουβάγιες να κρυφτούν στο τέμενος, σε κόχες χρήσιμες μόνο την ώρα της καταιγίδας και του χαλασμού.

Τότε το παιδί στο τζάμι του 'κανε νόημα να φύγει ή να κρυφτεί. Τα μάτια του γέμισαν φρίκη, τα χείλη του ακατάπαυτα μίλαγαν σιωπηλά, έλεγαν λόγια σαν να επεξηγούσαν την ξαφνική ψύχρα που ζύγωνε στη βεράντα, βγαλμένη απ' τα σκοτάδια του κήπου. Ούτε οι βάτραχοι ούτε τα κουνούπια ούτε οι γρύλοι και οι αναστεναγμοί των δέντρων. Σιωπή. Τα πέδιλα του Ηλία νότισαν απ' την παγωμένη ομίχλη που απλωνόταν απ' άκρη σε άκρη. Το τζάμι άδειο. Ξέσκισε τα πνευμόνια του μ' ένα τραγούδι απ' το σχολείο:

«Θα φύγω από την πόλη κι απ' τα σπίτια,
θα πάω σε ψηλή βουνοκορφή,
με μια μαγκούρα μόνη μου βοήθεια
κι ένα καλάθι με αρκετή τροφή...»

Κι άρχισε να τρέχει, νοσταλγώντας φριχτά την κουζίνα και την πλάτη της Βάσως καμπουριασμένη στο νεροχύτη. Πνιγόταν μα τραγουδούσε. Το 'χε πιάσει το τραγούδι ψηλά, μα το πάλευε. Κι έτρεχε, αποφεύγοντας να αγγίζει τις ντοματιές, που, αντί για την ευχάριστη ξινίλα, μύριζαν κάρβουνο. Κι έτρεχε με ζιγκ-ζαγκ, γδέρνοντας τα πόδια του, έτρεχε χωρίς να κοιτάζει πίσω του, χωρίς να αισθάνεται πόνο στις γάμπες. «Κος, κος...» του φώναζε το στομάχι του, «Τρέχα, τρέχα...» στη γλώσσα του Μεχμέτ, ώσπου αντίκρισε τον πατέρα του πίσω απ' τη σήτα να καπνίζει μισόγυμνος και τη Βάσω να κουρντίζει νυσταγμένη το ξυπνητήρι.

«Σ' ακούμε, δεν κουφαθήκαμε ακόμα, μάγκα», παρα-

τήρησε ο Ηρακλής. «Πλύνε πόδια, προσευχή και ύπνο...»
«Θα πρέπει να πάω η ίδια στη μοδίστρα, να την παρα-
καλέσω... Κι αυτά δεν τα μπορώ καθόλου. Έλα κι εσύ μα-
ζί μου!»
Η Βάσω είχε κι αυτή τα βάσανα της χαζο-Μπέλας και
ήθελε να τα μοιραστεί με τον Ηρακλή. Με το δίκιο της.
«Λασπώθηκες. Βγάλε τα πέδιλα έξω, να τα πλύνω.
Πο, πο, γδάρθηκες! Να σου βάλω λίγο οινόπνευμα... Κοί-
τα εδώ χάλια!»
«Δεν είναι τίποτα. Νυστάζω...»
Ο Ηλίας ξεφυσούσε για να συνέλθει. Ήπιε νερό, έφαγε
ένα βερίκοκο, ξανάπιε νερό. Η κούραση ανέβαινε απ' τους
αστραγάλους στα αυτιά.
«Αύριο μου υποσχέθηκες κάτι...» Η Βάσω ζωντάνεψε
απότομα, σαν να 'χε τεράστια σημασία εκείνη η υπόσχε-
ση, που ο μικρός δεν έδειχνε να τη θυμάται. «Θα πάμε
στην αγορά και θέλω να μου τραβήξεις με το χεράκι σου
ένα λαχείο... Το υποσχέθηκες. Οι δυο μας!»
Ένα χαμόγελο τρεμόπαιξε στα χείλη της, που, τέτοια
ώρα και με τόση κούραση, έδειχναν άσχημα, χαραγμένα
από πίκρα με την καμπύλη τους προς τα κάτω, όπως ό-
σων δεν έχουν να περιμένουν τίποτα σ' αυτό τον κόσμο.
«Αύριο είναι Σάββατο», του επανέλαβε με σκέρτσο και
του φάνηκε ακόμα πιο θλιβερή. «Το λαχείο μας... Μα πού
έχεις το μυαλό σου; Σε σένα μιλάω...»
Σ' εκείνον μίλαγε, κι όμως του ήταν αδύνατο να της
πει πόσο ευτυχισμένος ένιωθε που αύριο θα ξημέρωνε Σάβ-
βατο, με τον ήλιο να τους λιώνει το σβέρκο, που βρισκό-

ταν σώος στην κουζίνα, μακριά απ' τα κίτρινα φώτα της βεράντας του μεγάλου σπιτιού, έτοιμος να σωριαστεί απ' την ένταση, που υποχωρούσε σιγά σιγά. Ξανάπιε νερό με βουλιμία και χώθηκε στα σεντόνια, που μύριζαν εντομοκτόνο. Προτού αποκοιμηθεί, άκουσε μια α-γορίστικη φωνή, αδιόρατα μπάσα, να του εύχεται «καλη-νύχτα» από κάπου μακριά: «Ιγί γκετζελέρ».

Υπήρχε, αυτό ήταν βέβαιο, μια κακής ποιότητας νοσταλ-γία· και μάλλον πρέπει να 'φταιγαν τα γεράματα. Κι όχι ακριβώς γεράματα. Μια ηλικία χαλαρών συναισθημάτων, που ρέπουν προς τον ύπνο. Όλα τα συναισθήματά της κα-τέληγαν σ' έναν ύπνο κουτό μα αναγκαίο. Τον ζητούσε το σώμα της και, κυρίως, ο συνδυασμός σώμα-πολυθρόνα-μοναξιά. Απολάμβανε τις αντιδράσεις του κορμιού της σαν άμυνα. Ανεξάρτητα απ' το θυμικό κι απ' τα κέφια της. Το κορμί ακολουθούσε τις δικές του νόρμες και υπερίσχυε ακόμα και της συχνουρίας. Ξεκαρδίστηκε με τις χαζοσκέ-ψεις της. Πώς της ήρθε η συχνουρία! Λες και ήταν πρω-τεύον συναίσθημα η σιχαμένη, ανεξάρτητη απ' τη σμπα-ραλιασμένη κύστη της, όπως της άρεσε να φαντάζεται την παλιοφιλενάδα της, την κύστη. Να, και τώρα που γε-λούσε, κάτι πονούσε εκεί κάτω. «Το σκουριασμένο εργο-στάσιο της Ράνας...» Αναστέναξε με πικρό στόμα. Μια γαλακτερή γεύση φαρμάκων. Και πάντα η ζέστη να πο-λιορκεί το σπίτι.

Η Μερόπη-Ιουστίνη δε θυμόταν άλλο καλοκαίρι να 'χε

ζεσταθεί τόσο πολύ στην Κηφισιά. Κοίταξε την ώρα, περασμένες δώδεκα, και υπολόγισε το χρόνο που θα ξανάβλεπε εκείνο το διαβολόπαιδο. Δεν ήξερε τι ρόλο ακριβώς έπαιζε, όμως ήταν ο μοναδικός τρελός κρίκος με τη ζωή που απόδιωξε, που ξέχασε, που άφησε πίσω σαν να μην υπήρξε ποτέ. Και τα γράμματα των συγγενών απ' το εξωτερικό είχαν αραιώσει. Κάθε δύο, τρία χρόνια, «Ιγί γίλμπασι», «Καλή Πρωτοχρονιά», αν και μερικοί τη θυμούνταν ως χριστιανή και τα Χριστούγεννα. Δεν ήταν λίγοι οι αριστοκράτες Οσμανλήδες που ζούσαν στα Λονδίνα και στις Νέες Υόρκες σαν Αγγλοσάξονες, με συζύγους χριστιανούς. Αλλά και στην Πόλη θυμόταν πόσο τη γοήτευαν οι εγγλέζικες ιστορίες των Χριστουγέννων ή τα γερμανικά ποιήματα, που μύριζαν ψωμί και σταφίδα, χιόνια, έλατα και ψητά χοιρομέρια καραμελωμένα με μέλια μαριναρισμένα σε γλυκά κόκκινα κρασιά.

Όλοι οι συγγενείς της, ακόμα και η οικογένεια του Σουλτάνου, είχαν δοκιμάσει τα «βρομερά» για το θρήσκευμά τους γουρούνια, τα «ντομούζ», στα ταξίδια τους στην Ευρώπη. Στην Πόλη, όμως, κάτι τέτοιο ήταν αδιανόητο, τουλάχιστον όσο ζούσε ο παππούς και η γιαγιά. Ο Τουρχάν υποστήριζε πως είχε δει τους γονείς τους να τρώνε τα περίφημα χοιρινά λουκάνικα της Φράου Σουλτς κι ότι δεν μπορεί να τηρούσαν τα «μουσουλμανικά τους» στις αυστριακές και τις γερμανικές πρεσβείες.

«Τρελό παιδί, γλυκέ μου...» ψιθύρισε. Κι άκουσε τη φωνή της, μες στην ερημιά, ασυνήθιστα νεανική. «Γλυκό μου αγόρι, γλυκέ μου αδελφούλη...» συνέχισε στον ίδιο υπνωτιστικό τόνο, συνεπαρμένη από την τρυφερότητά της. Μόνο ο Τουρχάν μπορούσε να διεγείρει στο έπακρο τα ένστικτά της, να τη ζωντανέψει, να την τρελάνει με το κέφι και την ομορφιά του, που τη σπαταλούσε σε έρωτες ύποπτους αλλά εξωφρενικά γαργαλιστικούς. Και όλα αυτά για το συμβατικό τίποτα. Για την Αναστασία-Ζεϊνέπ, που δεν καταδέχτηκε ποτέ να της γράψει, να της ζητήσει πληροφορίες για την ελάχιστη ζωή τους. Σκοτώθηκε τόσο νέος και, ευτυχώς, έξω απ' τη νοικοκυρίστικη λογική... Ας μην τα σκέφτεται πια. Την πλήγωσαν οι απουσίες, τα θρησκεύματα, οι προφήτες, οι άγγελοι. Μόνο στους ανθρώπους σκάλωνε η περιέργειά της και στην επίγεια ζωή. Δε διέθετε το τάλαντο της ταπείνωσης, δε θα έπλενε τα πόδια κανενός θεού, σιχαινόταν τα καμώματα του Πάπα με την επηρμένη ταπεινοφροσύνη να πλένει τις ποδάρες των καρδιναλίων. Τα διάβαζε στις γαλλικές εφημερίδες και αηδίαζε. Δεν άντεχε από παιδί τους μεγαλοπρεπείς ατζέντηδες του Θεού. Όμως αδιαφορούσε, υπολογίζοντας μόνο στις αγάπες που ακρωτηριάστηκαν άγαρμπα και σε τίποτ' άλλο.

Φυσικά και είχε βαφτιστεί, κοτζάμ γυναίκα, εκεί στις αρχές του αιώνα, στη Βράιλα, για να καταπραΰνει τις τύψεις μιας αυστηρής κουνιάδας, που μετά από λίγο τους άφησε χρόνους. Της έδωσαν το όνομα Μερόπη-Ιουστίνη, όπως η μικρή αδελφή, που καταχράστηκε την πνευμονία της και θάφτηκε σ' ένα μαυσωλείο πάλλευκο.

Θυμόταν πόσο ουδέτερα μούσκευε σε μια υπερβολικά μεγάλη κολυμπήθρα, με τα λάδια να της μαλακώνουν την καχυποψία και να την οδηγούν στην Ορθοδοξία, αυτήν, μια Τούρκισσα απ' το «τζάκι» του ίδιου του Αμπντούλ Χαμίτ – καταγωγή που μόνο για εύσημο δε λογαριάστηκε κπ' τα σόγια του γλυκύτατου άντρα της. Καλός άνθρωπος. Της επέτρεψε να θρηνεί «στεγνά» τον Τουρχάν, την προφύλαξε απ' όλους τους εξευτελισμούς που υπέστησαν οι νεότερες εξαδέλφες και ανιψιές, κόρες των τελευταίων «κατ' ευφημισμόν» Παντισάχ. Πώς ήρθαν έτσι τα πράγματα με τους πολέμους και τις αλλαγές δεν κατάλαβε. Έσβησε το «αξάν» απ' τα ρωμαίικά της, έμαθε την πρέπουσα καθαρεύουσα των σαλονιών και τα ελληνικά της Αθήνας, που της φάνηκε χωριό αντάξιο μονάχα για γαλατάδες και τσοπαναραίους.

Επιπόλαια ασπάστηκε όλους τους ρόλους της, λόγω της επιθυμίας να ζήσει και να επιζήσει. Γρήγορη στη μάθηση, κρυφή, συνεπής, επιμελής, αριστοκρατική και άψογη. Ξαφνικά γέρασε και, στο μεταξύ, είχε οριστικοποιηθεί ο πολιτικός χάρτης με τις διάφορες πατρίδες.

Θεωρούσε τον εαυτό της, όπως και την οικογένειά της, θύμα της γεωγραφίας περισσότερο και λιγότερο της ιστορίας. Γερασμένη πια και μόνη στην Κηφισιά, με το βαθυπράσινο αειθαλές αίσθημα των κήπων, αποφάσισε ότι χάλασε τη ζωή της σε μια φαντεζί ευγένεια, χωρίς ν' απολαύσει ποτέ το βάθος του τραγικού – που, δόξα τω Θεώ, της προσφερόταν σε δόσεις αφόρητα χορταστικές.

Εκείνη απόλαυσε απ' τα μετόπισθεν τη μοίρα των Οσμανλήδων, συμμερίστηκε με τους Έλληνες την «ανίατη βαρβαρότητα» των Τούρκων και σώπασε αδιάφορη για την Ανατολή. Δυτικά έμαθε να κοιτάζει και στραβώθηκε. «Ήμουν ηλίθια!» μονολόγησε και πεθύμησε λεμονάδα. «Δεν έζησα ποτέ, δε ζήσαμε ποτέ...» συνέχισε αναζητώντας με το δεξί πόδι τις παντόφλες της. Δικαίως η σοφή γιαγιά της, όταν μιλούσε για την οικογένειά της, την αποκαλούσε «οικογένεια μίμων που προσπαθεί να μιμηθεί τη σωστή ζωή». Κι εκείνη η ανόητη συνέχισε έτσι. Μίμος! Γέλασε πάλι, ταράζοντας το στήθος της. Της ήρθε βήχας κι έφτυσε στο μαντίλι ένα σάλιο σαν κόλλα.

Μόνο ο Τουρχάν, ερωτευμένος με αγόρια και κορίτσια, δραπέτευε απ' το πρωτόκολλο της πλήξης και του τρόμου. Το κέφι του έγινε σαράκι στα νεανικά τους χρόνια. Κι αν κράτησε δυο τρεις αληθινές σπίθες ζωής, στον Τουρχάν τις όφειλε. Έτσι τον αγαπούσε χρόνο με το χρόνο και πιο πολύ, ώσπου έφτασε στη σημερινή ηλικία της να αναδιπλώνει τα απομεινάρια της λίμπιντο για χάρη του. Αυτό ήταν το μνημόσυνο και το κόλλυβό του.

Η γεροντική της επιθυμία για τον πεθαμένο αδελφό, το μονάκριβο, που μια φορά έβαλε τη γριά μαγείρισσα να τους ετοιμάσει πίτα από βιολέτες, μενεξέδες και τριαντάφυλλα... ο τρελός! Μια περσική συνταγή για εραστές, που αποφασίζουν να ζήσουν ένα δωδεκαήμερο μονάχα με ύπνο και συνουσία. Έφαγαν λαίμαργα την πίτα με τα λουλούδια, αλλά εκείνη παρέμενε δαιμονικά ενάρετη. Εκείνος, πάλι, πήγε να κάνει έρωτα με τον όμορφο γιο της μαγείρισσας, σκασμένος στα γέλια. Τον μίσησε και τον ζήλεψε, αλλά οι καλοί τρόποι της παλιάς Τουρκίας δεν της επέτρεψαν να ξεθυμάνει, να στήσει ένα μιναρέ θυμού, τόσο αιχμηρό και ψηλό, που θα μάτωνε ο ουρανός.

Ποτέ δεν ξαναγύρισε στα νερά και στα χώματα του σπιτιού τους. Από μακριά άκουσε τη φθορά και την «αναγέννηση» της Τουρκίας, που δεν τη φανταζόταν παρά σαν μια σαλάτα κόκκινη στο αίμα και στις πιπεριές, καυτερή κι απρόσιτη στους ευγενικούς ουρανίσκους. Με τον Τουρχάν αντάλλασσαν τυπικές ευχετήριες κάρτες. Κι όσες φορές εκείνη του έγραψε συνθηματικά κάτι, εκείνος δεν ανταποκρίθηκε. Κι έκλαψε πικρά.

Απορροφήθηκε απ' το φτηνό στυπόχαρτο της επιβίωσης, αυτός, ο πιο τρελός κι αγαπημένος της. Τη γέρασαν όλα όσα δεν έγιναν. Τη γέρασαν όλα όσα άφησε πίσω της λειψά. Ύστερα, απρόσμενα, ήρθε η είδηση της δολοφονίας του. Έκλαψε πάλι, δαγκώνοντας τα σεντόνια και τις ζακέτες της, στην προσπάθεια να πνίξει το λυτρωτικό γέλιο – και μετά προσποιήθηκε, σαν καλή μίμος, το θρήνο.

Έτσι έπρεπε να πεθάνει. Απροσδόκητα, όπως στο θέατρο οι πρωταγωνιστές και οι ανεκδιήγητοι της Ιστορίας, που αφήνουν εξουσίες και δόξες εξαιτίας ενός χαλασμένου αυγού, μιας ουρανοκατέβατης κεραμίδας, ενός κόκαλου που στέκεται πεισματικά στο λαιμό, μιας λυσσασμένης μαϊμούς, μιας παλιάς σύφιλης... ουφ, της ήρθε να ουρήσει. Η παλιοφιλενάδα της, η κύστη, θα την έβγαζε πάλι απ' τον πολτό των παραμυθιών της.

Τα ρολόγια από ώρα είχαν σημάνει μεσάνυχτα, ο ύπνος δεν ερχόταν, όπου να 'ναι θα διαλυόταν η βεντάλια στα χέρια της. Μόνο το αγόρι του Ηρακλή μπορούσε να παίξει το

παιχνίδι που είχε σκεφτεί να του προτείνει. Η λαχτάρα
τής πίεζε την κύστη, αλλά καιρούς και ζαμάνια είχε να
νιώσει επιθυμίες κατευθείαν βγαλμένες απ' τα «μουσεια-
κά της αισθήματα». Αυτή ακριβώς ήταν η έκφραση που
ο αείμνηστος σύζυγός της χρησιμοποιούσε για να κρατή-
σει σε απόσταση ανεπιθύμητες συγκινήσεις. Τώρα, που
ήταν όλοι τους πεθαμένοι, θα ασκούσε πλήρως τα δικαιώ-
ματά της. Γέρασε και ακόμα δεν καταλάβαινε πόσο μόνη
και δυνατή ήταν. Δύο συμβολαιογράφοι αναθέρμαιναν κά-
θε τόσο τη σχέση της με την πραγματικότητα, υπογραμ-
μίζοντάς της ότι δεν της έκανε σωστή χρήση. Τώρα, ό-
μως, που όλοι ήταν πεθαμένοι...
    Λέρωσε το εσώρουχό της και σιχάθηκε τον εαυτό της.
Πλύθηκε κι ένιωσε ευχάριστα το χλιαρό νερό στα σκέλια
της. Μπορεί να ήταν κι απ' την ταραχή της προοπτικής
να επικοινωνήσει με τον Τουρχάν... Ήταν εκ πρώτης όψε-
ως γελοίο, μα θα το επιχειρούσαν μαζί με το γιο του κη-
πουρού. Θα έβρισκαν το σημείο επαφής – τόσα και τόσα
άκουγε για τέτοιου είδους επικοινωνίες με το υπερπέραν,
κι αυτό το παράξενο παιδί με το συνεσταλμένο ύφος...
    «Ποιος είναι;» ρώτησε απότομα. Η φωνή της ακού-
στηκε σαν μην ήταν δική της. Ίσως κι από ώρα να την α-
πασχολούσε αυτή η ερώτηση: «Ποιος είναι;» Ποιον περί-
μενε μες στη νύχτα; Κάτι μισόλογα του μικρού για νυχτε-
ρινούς επισκέπτες την απασχόλησαν από νωρίς για λίγο,
αλλά μετά τα ξέχασε. Κάποιος της φάνηκε ότι βάδιζε τώ-
ρα αργά, προσεχτικά, με βήμα ιδιαίτερα σκληρό. Οι τριγ-
μοί στα σανίδια των πατωμάτων πολλαπλασιάζονταν μέ-

σα στη νύχτα. Χαμογέλασε. «Ποιος να 'ρθει να επισκεφθεί μια ξεβράκωτη κυρία από την παλιά Τουρκία!»

Θα δυσκολευόταν να την πάρει απόψε ο ύπνος, απόψε που όλα στριφογύριζαν μέσα της, φωτισμένα από το «φαρμακευτικό φως» της νοσταλγίας. Με τον Τουρχάν εκστασιαζόταν στα φαρμακεία της Πόλης με τα ιώδη και μπλε βάζα, καθώς το φως της μέρας φιλτραριζόταν απ' τα χρωματιστά γυαλιά και τους καθρέφτες με τα μαύρα φιδάκια, ένδειξη ότι πίσω τους, σε μυστικά ντουλάπια, βρίσκονταν καλοφυλαγμένες θανατερές ιαματικές ουσίες.

Πάγωσε όταν άκουσε να θρυμματίζονται τζάμια έξω στο διάδρομο. Πλησίασε το τηλέφωνο. Η φιλική μαύρη βαριά συσκευή με το κατάλευκο καντράν. Αριθμοί-φίλοι για τέτοιες ώρες. Συγκεντρώθηκε να θυμηθεί τον αριθμό του παράσπιτου. Κάποιος έφευγε εκεί έξω... Έφευγε ή ερχόταν; «Δεν φοράω και κιλότα, η τρελή...» μουρμούρισε, ευχαριστημένη που μπορούσε να γλεντά τους φόβους της.

Το σήκωσε ο Ηρακλής:

«Ευζωνία, εσύ είσαι;» Μες στον ύπνο, του 'ρθε η Ευζωνία για πιο πιθανή. Είχαν και τα ντράβαλα με την Μπέλα.

«Ποιος είναι;» άκουσε τη φωνή της Βάσως φοβισμένη. «Έπαθε τίποτα η Μπέλα;»

«Κάτι θέλω. Ελάτε μια στιγμή...»

Οι σκάλες. Άκουγε τις σκάλες. Μακάρι να μπορούσε να καταλάβει αν τις ανέβαινε ή τις κατέβαινε ο επισκέπτης. Το πιο λογικό ήταν ν' ανάψει τα φώτα στο διάδρομο, όμως η λογική της δεν ήταν στο φόρτε της.

«Κιμ ο;» ψιθύρισε, ανατριχιάζοντας που της βγήκε τό-

σο φυσικά η ερώτηση στα τούρκικα. «Κιμ ο;» Ποιος είναι;
Κανείς δεν απάντησε. Μόνο ένα απαλό σύννεφο ομίχλης πλανήθηκε για λίγο στο δωμάτιο και, αμέσως, άκουσε τα κλειδιά κάτω στην κουζίνα και την αγουροξυπνημένη φωνή του Ηρακλή:
«Κυρία Μερόπη, εγώ είμαι...»
Εκείνος ήταν. Κάθισε γρήγορα στην πολυθρόνα της, διόρθωσε τη ρόμπα, το βιβλίο στα γόνατα, τα γυαλιά της, η βεντάλια στο δεξί χέρι.
«Ποιος τα 'κανε αυτά; Κυρία Μερόπη...»
Κάτι τον καθυστερούσε έξω και παραμιλούσε, με το «γαμώτο» σαν αρχή ενός θυμού που ακουγόταν μάλλον για περιέργεια και απορία παρά για θυμός. Δεν ανεχόταν βρισιές και βρομόλογα, αλλά το «γαμώτο» τέτοια ώρα νομιμοποιούνταν. Μπήκε μέσα με το φανελάκι και το παντελόνι στραβοκουμπωμένο.
«Δεν κοιμάστε; Ποιος το 'κανε;»
Της έδειξε μερικές κατεστραμμένες κορνίζες φωτογραφιών και, στην παλάμη του, χαρτάκια κομμένα. Απ' το ύφος του προσπαθούσε να καταλάβει το μέγεθος της καταστροφής.
«Ποιος ξέσκισε τις φωτογραφίες, κυρία;»
Της ξέφυγε ένας λυγμός σαν ρέψιμο, όταν είδε στη χερούκλα του Ηρακλή τα κεφάλια του Τουρχάν, του πατέρα και της μάνας της, των εξαδέλφων της και της Αναστασίας-Ζεϊνέπ... Ο κηπουρός την κοίταζε με κατανόηση.
«Άκουσα ένα θόρυβο...» απολογήθηκε στον Ηρακλή.
«Να σας φτιάξω ένα τίλιο... ένα χαμομήλι... Τα τζάμια

που σκορπίστηκαν θα τα σκουπίσω σε μισό λεπτό». Της χαμογέλασε καθησυχαστικά και πρόσθεσε αμήχανος: «Ήταν κλειδωμένα...»

«Το ξέρω. Επίσης ξέρω τι άκουσα...» Ακουγόταν ανόητη, αλλά δε θα ενέδιδε.

«Εσείς τι λετε; Κρίμα τις φωτογραφίες...»

Κοιτούσε με οίκτο τα κεφάλια των δικών της στο χέρι του. Ο Τουρχάν την έκοβε λοξά, με το πονηρό του χαμόγελο, πλάι στον αντίχειρα του κηπουρού. Δεν το άντεξε και ξαναρεύτηκε.

«Άνοιξε το παράθυρο να μπει αέρας...» τον παρακάλεσε.

«Να τα πετάξω; Είναι κρίμα...» είπε εκείνος.

«Γιαζίκ, γιαζίκ... Ναι, είναι κρίμα. Άφησέ τα εδώ...» Ούτε ήξερε τι έλεγε απ' την ταραχή της. Την εκνεύριζαν και τα μάτια του Ηρακλή, στενεμένα απ' το πρήξιμο του ύπνου. Τέτοια μάτια θυμόταν απ' τα χρόνια της Ισταν-μπούλ, μάτια αγουροξυπνημένα, γεμάτα απόγνωση απ' την κυκλοθυμία της Υψηλής Πύλης. Τον πατέρα, τους θείους, μα πιο πολύ το στόμα της μητέρας της, τα χαράματα, ν' αρνιέται ν' ανοίξει ακόμα και για μια γουλιά τσάι. Ήταν κοριτσάκι ακόμα, αλλά καταλάβαινε ότι σκιές ανήσυχες βάραιναν το σπίτι. Μόνο ο Τουρχάν κοιμόταν του καλού καιρού, ο Τουρχάν που αποκεφαλισμένος –ποιο χέρι τόλμησε;– χαμογελούσε στην παλάμη αυτού του μεγαλό-σωμου τριχωτού άντρα.

«Τι με κοιτάς έτσι;» τον αποπήρε.

«Πώς έτσι, κυρία;» Ο Ηρακλής κοκκίνισε από ντροπή.

«Έτσι... Μη και νομίζεις ότι το 'κανα εγώ;»

«Δε νομίζω τίποτα, κυρία... Να φωνάξουμε την αστυνομία!»

«Σκούπισε τα γυαλιά και πήγαινε... Είναι αργά...»

«Μήπως...» Κάτι πήγε να πει ο Ηρακλής, αλλά το μετάνιωσε. Ακούμπησε προσεχτικά τα κεφάλια από τις κατεστραμμένες φωτογραφίες στο σεκρετέρ και βγήκε να συγυρίσει σκεφτικός. Πέρα απ' τις σκισμένες φωτογραφίες και τις σπασμένες κορνίζες στο χολ, τίποτα δε φανέρωνε ότι το σπίτι είχε παραβιαστεί.

«Τρελόγρια! Γαμώ την τύχη μου...» συναξάριζε με μισόλογα, ψόφιος απ' την κούραση, καθώς μάζευε τα τζάμια. «Όποιος κι αν ήταν αυτός που το 'κανε, τους μισούσε», σκέφτηκε. Τέλειωσε γρήγορα, αφήνοντας τις λεπτομέρειες για τη Βάσω, το πρωί.

«Ο γιος σου είναι προικισμένο αγόρι. Να τον νοιάζεσαι...»

«Τον νοιάζομαι, κυρία. Είχε, όμως, την ατυχία να πεθάνει η μάνα του...»

«Είναι αξιόλογο παιδί και ώριμο...»

«Ευχαριστώ, κυρία. Θέλετε τίποτ' άλλο; Να μείνω απόψε εδώ, αν... νομίζετε ότι...»

«Δε θέλω κανέναν», τον έκοψε. «Αύριο, όταν ξημερώσει με το καλό, να μου τον στείλεις. Κατάλαβες τι σου είπα;»

«Φυσικά... Θα αφήσω τα φώτα αναμμένα. Σίγουρα δε θέλετε ένα τσάι;»

«Δεν το 'κανα εγώ...» αναστέναξε η γριά κατάκοπη απ' τη συγκίνηση.

«Κοίταξα παντού, κυρία. Δεν είδα τίποτα».

«Δεν το 'κανα εγώ...» μουρμούρισε, ίσα ίσα για ν' ακούσει τη φωνή της. Ξαφνικά τα βλέφαρά της βάρυναν. Θα κοιμόταν αμέσως και, όταν ξυπνούσε το πρωί, όλα θα βρίσκονταν σωστά στη θέση τους. Μονάχα να έφευγε αυτός ο άντρας με τις επιθετικές ορμόνες. Απ' τις δασωμένες μασχάλες του ερχόταν μια ξινή μυρωδιά μαγιάς, που της αναστάτωνε το στομάχι. Της βάραιναν τα βλέφαρα. Μια νύστα ακαταμάχητη κι έπειτα η βεβαιότητα πως κοιμόταν στην πολυθρόνα της, μέσα σε αθόρυβα όνειρα νοτισμένα από διώροφα ποτάμια, ξαδέλφια του Βοσπόρου, ποτάμια από κόκκινο και μαύρο μελάνι, που ποτέ κανένας δε θέλησε να χρησιμοποιήσει για να γράψει ιστορικές υποσημειώσεις πόνου και πένθους...

Ούτε που κατάλαβε πότε έφυγε ο Ηρακλής, πότε κλείδωσε, πότε ξανάνοιξε και ξανάκλεισε όλες τις πόρτες και τα παράθυρα, για να διώξει μια υποψία ομίχλης. Αλλά εκείνος, μέσα στην κούρασή του, ούτε που έδωσε σημασία...

«Αρρώστησε και δεν έχει όρεξη να δει κανέναν. Μόνο στενούς συγγενείς». Η Στέλα, μάλιστα, αυτό το «στενούς συγγενείς» το τόνισε όσο γινόταν πιο στρυφνά, έτσι που στα αυτιά του καημένου του Ηλία καταγράφηκε σαν «στενά παπούτσια», με πόνο και φουσκάλες με υγρό.

Η Στέλα είχε κατεβεί στην κουζίνα να πάρει μια κανάτα κρύο νερό, γιατί η Βάσω δεν προλάβαινε σήμερα. Είχε γενικώς νευρικότητα, αλλά κι ένα σωρό δουλειές, που προέκυψαν με την αδιαθεσία της κυράς της. Στη φωτιά οι κατσαρόλες μοσκομύριζαν χορταρικά βραστά και ψάρι,

χειμωνιάτικο σαφώς φαγητό, αλλά η κυρά απ' το ξημέ-
ρωμα, μεταξύ ύπνου και παραληρήματος, απαιτούσε σαν
γκαστρωμένη «τσορμπά». Τα νεύρα της Βάσως δε θα άντεχαν για πολύ. Αυτό
σκεφτόταν, ανακατεύοντας στο ζεστό γάλα το «κάστερ
πάουντερ» για την κρέμα. Δε θα άντεχαν, γιατί είχε το
παλούκι της Μπέλας. Ποιος ξέρει αν θα την ηρεμούσε η
«αγία» Ευζωνία, καλή της ώρα. Είχε και το βασανιστικό
ερώτημα ποιος κερατάς αποκεφάλισε τις φωτογραφίες
του χολ, είχε και τη λαχτάρα του λαχείου. Γιατί το 'χε
προγραμματίσει να πάρει τον Ηλία και να κατεβούν στην
αγορά για λαχεία, μπας και ξεστραβωθεί η τύχη της.

Κι από πάνω οι δουλειές κι ο Ηρακλής, που ψες το βρά-
δυ, επιστρέφοντας άγρια χαράματα απ' το σπίτι της κυ-
ράς, μετά το τηλεφώνημα, αντί να ξεραθεί στον ύπνο, τη
μάγκωσε σαν τανάλια με τις ποδάρες του και ώσπου ξη-
μέρωσε της έκανε το ακατονόμαστο.

Τώρα είχε κι αυτό το αντιπαθητικό ψηλομύτικο κορι-
τσάκι να της δίνει εντολές: «Βάσω, εκείνο... Βάσω, τ'
άλλο...» Πέταξε και η Βάσω την κιλότα της, που την έ-
κοβε το λάστιχο σε άσχημο σημείο, και δροσιζόταν, αν και
η ζέστη είχε υποχωρήσει κάπως. Να προλάβαινε. Μόνο
αυτό ήθελε. Και τις σούπες και την κρέμα και την καθα-
ριότητα και το λαχείο. Προπαντός αυτό, πάση θυσία.

«Η κυρία Μερόπη διέταξε να ξανάρθω... Για σήμε-
ρα...» είπε ο Ηλίας σίγουρος για το δίκιο του. Το «ωραιό-
τερο κορίτσι που είχε δει μέχρι τότε» τρεμόπαιζε τις πλού-
σιες βλεφαρίδες της, αστράφτοντας από έπαρση:

«Η θεία κοιμάται. Έλα όταν ξυπνήσει και τότε βλέπουμε. Κατάλαβες, παιδί μου;»

Φυσικά και κατάλαβε πως η Στέλα ήταν σκληρό καρύδι σε θέματα εθιμοτυπίας και μεγάλο στραβόξυλο. Και πανέμορφη, να κάθεσαι να τη χαζεύεις με τις ώρες. Τότε εκείνος έκανε τη θαυματουργό, όπως νόμισε, χειρονομία και έβγαλε μέσα απ' το πουκάμισό του τη φωτογραφία της Αλίκης με την αφιέρωση.

«Στη Στέλα...»

«Τι είναι αυτό;» απόρησε η μικρή.

«Για σένα. Μου το 'δωσε η ίδια. Η υπογραφή και τα γράμματα είναι δικά της», καμάρωσε.

«Και πού ήξερε το όνομά μου;»

«Εγώ της το 'πα. Είχα πάει στο "γύρισμα" με τον μπαμπά μου και...»

Η Στέλα, κατακόκκινη σαν ντομάτα, έσφιξε τα χείλη της κι έσκισε σε πολλά κομμάτια τη φωτογραφία: «Να μάθεις να με καρφώνεις σε ξένους... Πήγαινε τώρα κι έλα όταν ξυπνήσει η θεία».

Το κορίτσι, με μια αφύσικη τρεμούλα στο στήθος, σήκωσε θριαμβευτικά τους ώμους και ανέβηκε γρήγορα τα σκαλιά, αφήνοντας τον Ηλία μικροσκοπικό πίσω της, σε μέγεθος φακής.

Η Βάσω κάτι μυρίστηκε:

«Τι ήθελε αυτή;»

«Τίποτα...» Μόλις που του βγήκε η φωνή.

«Κι άλλη φωτογραφία κομματιασμένη; Ε, λοιπόν, εγώ θα τρελαθώ εδώ μέσα!»

Μουρμούρισε κάτι ακαταλαβίστικα ξόρκια κι έφερε σκούπα και φαράσι. Ο Ηλίας βγήκε αργά στη βεράντα και κατούρησε απ' τα νεύρα του μια γλάστρα σγουρό βασιλικό, να ξαλαφρώσει απ' το παράπονο. Τα κοκόρια διαλαλούσαν πέρα μακριά την αλλαγή του καιρού. Σύννεφα τύλιξαν τον ήλιο, σκούραιναν οι σκιές στον κήπο, σκοτείνιασε η κουζίνα και η Βάσω αναστέναξε βαριά:

«Μια βροχή μας έλειπε». Ο νους της στο λαχείο...

Η Ράνα-Μερόπη-Ιουστίνη παρακάλεσε τη Στέλα να της βάλει άλλο ένα μαξιλάρι, να σηκωθεί λίγο. Ζήτησε χτένα και το άρωμά της, να βεβαιωθεί ότι ζούσε ή ότι έβγαινε από τον κολλώδη λήθαργο. Το δωμάτιο με τα κίτρινα φώτα του πορτατίφ την καθησύχασε ότι δεν είχε υποστεί τη συναισθηματική παράλυση που φοβόταν. Ένιωσε ξανά τον πόνο της νοσταλγίας, τη λαχτάρα για τον αέρα των αγαπημένων νεκρών, θυμήθηκε τη νύχτα. Θυμήθηκε την αδυναμία της να υποστηρίξει με σθένος πως δεν ήταν ένοχη για τον «αποκεφαλισμό» του αδελφού της.

Το ρολόι έδειχνε πια μεσημέρι και η Στέλα ήταν κοντά της με δροσερά χέρια, χαμογελώντας συγκρατημένα. Αν το νέο είχε διαρρεύσει, θα τη θεωρούσαν σήμερα όλοι τους τρελή.

«Το 'κανε ο μικρός. Τον έχω ικανό για όλα...» είπε η Στέλα τακτοποιώντας τα μαξιλάρια. «Ή αυτός ο αγριάνθρωπος, ο κηπουρός πατέρας του...» συμπλήρωσε.

«Σταμάτα, σε παρακαλώ... Αυτή είναι δουλειά άλλου...»

«Ποιου άλλου;» Η Στέλα, με ύφος αυθεντίας, τη βοήθησε να χτενιστεί. Την αρωμάτισε ελαφρά και της έδωσε το κουτί με τα χάπια. «Ποιου άλλου, θεία;» επανέλαβε. Δεν της απάντησε. Έκλεισε το στόμα, πικρό απ' τα φάρμακα και τον ύπνο. Από το μισάνοιχτο παράθυρο ερχόταν δροσιά.

«Πες του Ηλία ν' ανεβεί, που τον θέλω».

«Λείπει με τον πατέρα του. Γυρίζουν ταινία...» Γέλασε ειρωνικά, ευχαριστημένη που είχε το πάνω χέρι.

«Τουρχάν...» Πρόφερε το όνομα του αδελφού της αναστενάζοντας.

Η Στέλα είχε ξανακούσει τέτοια ονόματα, αλλά δεν έδωσε βάρος. Άρχισε να κελαηδά διάφορα οικογενειακά κουτσομπολιά με αφορμή το χορό της Σχολής Ικάρων. Και άλλα, που τα άκουγε απ' τις φίλες της αδελφής της. Διασκέδαζε με τις αποτυχίες και το άσχημο τέλος των «δεσμών». Νέοι άντρες, που πλήγωναν με ευκολία τις καρδιές των κοριτσιών, άπιστοι κι άστατοι εξαιτίας της ομορφιάς τους, και πάντα γυναίκες αφημένες στο έλεος μιας μυθιστορηματικής δυστυχίας.

«Μακριά από μας...» αποφάνθηκε με μικρομέγαλο ύφος, αλλά η θεία της την έκοψε μ' ένα βλέμμα τόσο ερωτηματικό, που προσγειώθηκε αμέσως στην πνιγηρή πραγματικότητα του δωματίου.

«Να έρθει να με δει οπωσδήποτε. Ό,τι ώρα και να 'ναι. Προτού νυχτώσει...»

Κατάλαβε ότι μιλούσε για τον Ηλία κι ένιωσε τύψεις για το ψέμα της. Ξανάπιασε τη φλυαρία αμέσως, αυτή τη φορά με περιγραφές φορεμάτων και κοσμημάτων. Κορδέλες, υφάσματα, βάτες, κεντημένα μπούστα, διαμάντια, χρυσές αλυσίδες, ζαφείρια και ρουμπίνια κελάρυζαν στη γλώσσα της Στέλας, που θυμόταν απίστευτες λεπτομέρειες από τα μοντέλα των φιγουρινιών.

«Βιάζεται να γίνει γυναίκα, για να δυστυχήσει και να το φχαριστηθεί», σκέφτηκε η Ράνα, αν και η φοβερή Στέλα τη βιομηχανία της μόδας την είχε αναγάγει σε ανδροκτόνο όπλο, πανέτοιμη να σπάσει τις καρδιές όλων των αρσενικών της υψηλίου. «Ή χαζή είναι ή τέρας», κατέληξε κουρασμένη απ' τις περιγραφές και τα σχόλια η Ράνα-Μερόπη-Ιουστίνη.

«Πες στη Βάσω να ετοιμάσει λίγη ψαρόσουπα, καλή μου».

Λήθαργος, ξελήθαργος, τη σούπα τη θυμόταν, αφού ανάμεσα στα βυθίσματά της είχε προλάβει να δώσει τις σχετικές εντολές στη Βάσω για το φαγητό. Αχ, το φαγητό... Το φαγητό ανέκαθεν αποτελούσε για την οικογένειά της μια προτεραιότητα που δεν μπορούσε να αναβληθεί με τίποτα. Ακόμα και τις χειρότερες μέρες, οι μαγείρισσες δε σταμάτησαν να ξεπουπουλιάζουν κότες για το αγαπημένο «ταβούκιοκσου» της μαμάς της.

Το 1908 ήταν που πέθανε. Μαζί με το τέλος της εξουσίας του Αμπντούλ Χαμίτ. Του μελαγχολικού χλεμπονιάρη εξαδέλφου με τους ευγενικούς τρόπους, που έσπερνε μια παγωμάρα όπου εμφανιζόταν. Μόνο η γιαγιά της ήταν ιδιαίτερα ευπρόσδεκτη στο πάρκο του Γιλντίζ, όπου ο εξάδελφος-Σουλτάνος κρυβόταν μέσα στα δέντρα και στους ψηλούς φράχτες, αφήνοντας το μύθο του να παρασέρνει τη φαντασία στις πιο τρελές και φρικιαστικές υποθέσεις. Α-κόμα και μέσα στην οικογένεια.

Ο Τουρχάν υποστήριζε ότι ο Σουλτάνος επιδιδόταν στο σπορ της αιμορραγίας, γενικώς, αλλά άκουσε τα σχολιανά του απ' τον πατέρα, που ήταν άνθρωπος μετριοπαθής και υπέφερε στωικά όλα όσα ακολούθησαν αργότερα με τους Νεότουρκους.

Στο μεταξύ, η Ράνα έφυγε με το σύζυγό της στη Ρουμανία κι από 'κεί στην Κηφισιά, σαν Μερόπη-Ιουστίνη πλέον. Τι ν' απέγινε ο τάφος στο Εγιούπ; Δεν μπορούσε να φανταστεί εδώ και πολλά χρόνια τάφους χωρίς σταυρούς και αγάλματα, κι όμως στο παλιό νεκροταφείο του Εγιούπ κοιμόταν όλη σχεδόν η οικογένειά της, πλην του Τουρχάν, που τον έθαψε άρον άρον στην Εντίρνε εκείνη η Ρωμιά.

«Μόνο ο Τουρχάν θα μπορούσε να κάνει κάτι τέτοιο...» μουρμούρισε αρκετά δυνατά, δαγκώνοντας τα χείλη της. «Αν ήξερα, Θεέ μου, αν ήξερα...»

Μια τρελή λαχτάρα της ανακάτωσε το στομάχι κι ανα-ζήτησε τη Στέλα.

Το κορίτσι ήρθε τρέχοντας. Έπρεπε οπωσδήποτε να βρεθεί ο Ηλίας. Να ειδοποιούσαν, όπου κι αν βρισκόταν το κινηματογραφικό συνεργείο. Έβαλε τις φωνές, για ν' α-κούσει η Βάσω:

«Εγώ προσέλαβα κηπουρό κι άνθρωπο για τα θελήμα-τα, όχι τον Κλαρκ Γκέιμπλ».

Η Στέλα έσκασε στα γέλια με τον ψευτοθυμό της θείας της. Της άρεσε που, επιτέλους, έμπαιναν τα πράγματα στη θέση τους, γιατί το υπηρετικό προσωπικό παραείχε πάρει

θάρρος. Μέσα της φωτογράφιζε το θρασύ μουτράκι του α-
γοριού, που γρήγορα θα μεγάλωνε, αφού ήδη η φωνή του
είχε καβαλικέψει κάτι μπάσες χορδές, που δεν πολυθύμι-
ζαν παιδί.

«Θα ξανακοιτάξω, μπορεί να ήρθαν στο μεταξύ...» Η
Στέλα, προβληματισμένη, έφυγε να μπαλώσει την κατά-
σταση. Αυτά τα ιδιαίτερα της θείας της με τον πιτσιρικά
τής γυρνούσαν τα έντερα. Πότε πρόλαβε να τους γίνει τό-
σο απαραίτητο το ορφανό του Ηρακλή; Κι αν την κάρφω-
νε; Οι σιγουριές της κλονίστηκαν, αλλά βρήκε πάλι απο-
θέματα αυτοπεποίθησης. Βγήκε στο συννεφιασμένο κήπο,
διασχίζοντας το ανυπόφορο καθεστώς της ψαρόσουπας. Η
Βάσω έστυβε λεμόνια. Ούτε που της έδωσε σημασία...

«Είναι ο Τουρχάν. Το ξέρω πως τρελάθηκα, αλλά ναι,
ναι, είναι ο Τουρχάν... Χόσγκελντίν, αδελφέ μου».

Η Ράνα πλημμύρισε από την ευτυχία ενός πανικού που
τη βάρεσε κατευθείαν στην κύστη. Θυμήθηκε τη λαγνεία
στα χείλη και τα μάτια του αδελφού της, όταν της περιέ-
γραφε τα αντρικά κορμιά στα φημισμένα χαμάμ της Πό-
λης, όπως το Τζαάλογλου, το Τσεμπερλιτάς και το μεγά-
λο, στην παραλία του Ουσκουντάρ, αν κι εκείνος προτι-
μούσε να τρυπώνει σ' ένα λαϊκό και κακόφημο εκείνα τα
χρόνια, στον Τοπχανέ, το Κιλίτς Πασά χαμαμί, με όλα τα
καθάρματα του λιμανιού, άστεγους ως επί το πλείστον,
που βόλευαν τη μιζέρια τους μες στη θαλπωρή του χαμάμ.

Πώς τα θυμόταν όλα αυτά ξαφνικά; Ένιωσε πως κάπου κοντά της φτερούγιζε η ψυχή του Τουρχάν, αλλά, στο μεταξύ, μπήκε η Βάσω με το δίσκο: ψαρόσουπα και τα χορταρικά της, με λεμόνι και λάδι.

«Δεν την αυγόκοψα, για να μη σας βαρύνει», είπε. «Την κρέμα την έβαλα να κρυώσει. Το απόγευμα θα πεταχτώ ως την αγορά, αλλά θα 'ναι εδώ ο Ηρακλής. Δε θ' αργήσω».

«Πες του να ξεμπερδεύει με τα κομπαρσιλίκια...»

«Τέλειωσε με την ταινία. Σήμερα περιμένει κοπριά απ' τον Μαραθώνα. Θα τη φέρουν με άμαξα...»

«Αν τον φωνάξουν σε καμιά ταινία με την Γκάρμπο, ας με ειδοποιήσει. Σιχαίνομαι το σινεμά, αλλά ευχαριστώ το Θεό που με αξίωσε να δω την Γκάρμπο...»

Η Βάσω άνοιξε το στόμα, μη ξέροντας αν έπρεπε να γελάσει ή να το βουλώσει. Η γριά ήταν απολύτως σοβαρή και προσηλωμένη στη σούπα της.

«Φοβάμαι τις βουβές ταινίες, κυρία...»

«Μπα; Εγώ νόμιζα ότι φοβάσai μόνο το πάγκρεας».

«Εκείνο είναι άλλο πράγμα... Τα χάπια σας...» Της έβαλε στο δίσκο τα χάπια κι έφυγε τρέχοντας, για να μην ειπωθούν χειρότερα.

Η Στέλα πέτυχε τον Ηλία μέσα στις ντοματιές. Γυμνός απ' τη μέση και πάνω, με μαύρο καμποτένιο σωβρακάκι και ξυπόλυτος, βάθαινε μ' ένα σκαλιστήρι τα αυλάκια του νερού.

«Τι κάνεις εδώ;»

«Κατουρώ τις ντομάτες για λίπασμα...»

«Σαχλαμάρες. Ντύσου, σε θέλει η θεία μου. Ξύπνησε».

«Δεν πάω πουθενά αν δεν τελειώσω...»

Το παιδί χώθηκε όσο μπορούσε πιο βαθιά στις ντοματιές, που μετά βίας κρατούσαν τον καρπό τους. Η Στέλα τον έχασε απ' τα μάτια της.

«Άκουσες τι σου είπα; Ξέρω πως θύμωσες για τη φωτογραφία, αλλά όλες οι ώρες δεν είναι ίδιες. Νόμιζα πως η θεία Μερόπη πέθαινε... ήταν πολύ άσχημα. Ηλία...»

Είχε μαλακώσει ο τόνος της, κλαψούριζε, πρόφερε το όνομά του προσεχτικά, πεντακάθαρα το λάμδα, όπως μια γυναίκα που ζητά συγχώρεση, αξιολύπητη απ' την ταπείνωση.

«Σου το ορκίζομαι... Αν ξαναβρεθείς με την Αλίκη Βουγιουκλάκη, θα ήθελα ένα αυτόγραφο. Δε μαζεύω φωτογραφίες, αλλά... Ηλία, μ' ακούς;»

Την άκουγε και λιγωνόταν. Βούρκωνε και σάλιωνε τα χείλη του, που είχαν ξεραθεί. Τριβόταν στα φύλλα της ντοματιάς με την πικρή αψάδα, άγγιζε τα μάγουλά του στα χνούδια των κορμών. Έσταζαν κόκκινα ζουμιά απ' τις ώριμες ντομάτες, που είχαν ανοίξει σαν θανατερές πληγές κι αιμορραγούσαν σταλιά σταλιά. Σαν να 'ταν δικές του οι πληγές, αρωματικές πληγές της αγάπης. Γέμισε το στήθος του σπόρια και πράσινες αμυχές, αίματα πράσινα και κόκκινα. Δεν άντεξε και τραντάχτηκε ολόκληρος απ' τον κεραυνό που 'σκασε ανάμεσα στα σκέλια του.

Του ξέφυγε μια κραυγή πόνου, γιατί δεν είχε σιγουρευτεί για τον έρωτα που κυλούσε ζεστός, λυτρωμένος, απ' τους αδένες στα πόδια του. Εκείνη μιλούσε παρακλητικά, με τη φωνή των σειρήνων. Το πιο όμορφο κορίτσι του κόσμου ολόκληρου δίπλα στις ντοματιές, μόνο για εκείνον, που μεγάλωνε απροσδόκητα γρήγορα. Φοβήθηκε να βγει απ' την πράσινη αναιδή ευτυχία, που μοσκοβολούσε σαλάτα, ώσπου μια προσταγή στη γλώσσα του τρόμου δάγκωσε τη γλώσσα του: «Γκιτ!»

Τσαλαβούτησε στις λάσπες κι έπεσε πάνω της. Εκείνη ένιωσε τις μυρωδιές του αρσενικού και σκιάχτηκε. Κοίταξε τα γλαρωμένα επικίνδυνα μάτια του κι έκανε πίσω. Ο ουρανός του κήπου κατέβαινε πάνω τους ζαλισμένος απ' τις αστραπές που χάραζαν τον ορίζοντα. Την τράβηξε κοντά του και τη δάγκωσε ελαφρά. Τα δόντια του μόλις που άφησαν ίχνη στην επιδερμίδα του μπράτσου.

«Σε θέλει η θεία, βιάσου...» ψιθύρισε η μικρή με κόπο και το 'βαλε στα πόδια, απολύτως βέβαιη πως αυτή ήταν η τιμωρία για τα ψέματά της. Τρέχοντας ανάμεσα απ' τα δέντρα και τα λουλούδια που έγερναν, φορτωμένα μέλισσες βασίλισσες, ένιωσε πάνω της τα μάτια ενός άντρα που δεν είδε – ή, κι αν τον είδε, γυμνό, να τρίβει με δυόσμο τις μασχάλες του, θα 'ταν καλύτερα να πίστευε πως δεν τον είδε. Και δεν τον είδε...

Έτρωγε τη σούπα της άτσαλα. Νόστιμη ήταν, αν και μες στο κατακαλόκαιρο δεν τραβιόνταν οι σούπες. Έχυνε παντού σταλαγματιές, λέκιαζε τη ρόμπα της, έσταζε το κουτάλι στο στήθος της, έκαψε τον ουρανίσκο πάνω στη βιασύνη. Κράτησε πιο αποφασιστικά το κουτάλι. Την έπιασε ένα γέλιο νευρικό, στην ιδέα και μόνο ότι ο Τουρχάν βρισκόταν κάπου εκεί κοντά και την παρατηρούσε να υποδύεται τη γριά Ρωμιά –την Ελληνίδα, πες καλύτερα– με τέτοια φιλοτιμία και τόσο πειστικά, ώστε ουδείς είχε πάρει ποτέ μυρωδιά πούθε κρατούσε η σκούφια της. Επιπλέον, όλοι οι παλιοί μάρτυρες είχαν πεθάνει εδώ και πολύ καιρό, οπότε τα της καταγωγής της στα κουτσομπολιά της οικογένειας αναφέρονταν με ελάχιστα πειστικό τρόπο. Όλα αυτά ήταν τρελά, αλλά τα γλένταγε. Κάτι παραπάνω από γλέντι.

Τη συγκλόνιζε και η παραμικρή πιθανότητα να περιστοιχίζεται από την ψυχή του παλιόπαιδου εκείνου, που, αν ζούσε τώρα, θα ήταν ένας σεβάσμιος γέροντας αριστοκράτης, με σύφιλη ελεγχόμενη ή με κάποια μορφή χρόνιας βλεννόρροιας. Τον είχε ικανό για όλα – και γι᾿ αυτό τον λάτρευε. Εν μέσω ψαρόσουπας και βραστής πατάτας σιχάθηκε αναδρομικά όλο τον καθωσπρεπισμό της τάξης της. Από τα παιδικά και τα νεανικά χρόνια της ήταν έτσι, αν και, συγκριτικά με τις άλλες συγγενικές οικογένειες, στο δικό τους το σπίτι έπνεε μπόλικος αέρας ελευθερίας, με γαλλικά, γερμανικά, πιάνα και τένις ως τις μέρες του αείμνηστου συζύγου, που κι αυτός ήταν επηρεασμένος απ᾿ το δυτικό τρόπο ζωής, αλλά, όσο να πεις, κρατιόνταν και τα προσχήματα.

Οι Έλληνες της παλιάς καλής κοινωνίας είχαν την τάση να μηρυκάζουν τα πένθη τους και γενικώς να μνημονεύουν τις συμφορές, με πρωταρχικό πένθος την «κατάντια» της Αγίας Σοφίας στην Πόλη. Τα είχε ακούσει εκατομμύρια φορές όλα αυτά, με υπονοούμενα και αναστεναγμούς, ώστε τέλος, σαν τον παπαγάλο, έμαθε τέλεια ν᾿ αναστενάζει κι εκείνη και να συμμερίζεται την καινούρια πολύπαθη πατρίδα της. Δεν την ενδιέφερε η πολιτική, αλλά έζησε αρκετά για να καταλαβαίνει τις αθλιότητες των «συμμάχων», που μεταξύ βαλς και αρχαιολατρίας σταύρωναν εναλλάξ και καταπώς τους βόλευε τις «δύο εχθρές χώρες». Είχε πενθήσει άπειρες φορές σε πολέμους και γεγονότα που άλλαζαν τις ισορροπίες, θύμα και η ίδια αυτών των ισορροπιών, βαρυπενθούσα εξ αποστάσεως, αφού δεν παρέστη σε καμιά κηδεία συγγενούς της εξ αίματος. Έτσι, όποτε της έκανε κέφι, θρηνούσε αόριστες καταστάσεις. Έκλαψε στη νεότητά της για όλους, με κορύφωση τους Αυστραλούς, που έθρεψαν με τα κορμιά τους τα χωράφια της Καλλίπολης. Της φαινόταν εξωφρενική η απάτη και εγκληματικός ο ρομαντισμός εκείνων που έστειλαν τόσες χιλιάδες νέους να πεθάνουν σε μια χερσόνησο που αγνοούσαν μέχρι προ ολίγου ακόμα και καταπού πέφτει στο χάρτη, εν ονόματι μιας αμφιλεγόμενης ηθικής του πολέμου. Είχε περάσει φοβερά πολύς καιρός απ' τα απαίσια χρόνια, που τα γεγονότα κακοφόρμιζαν τη ζωή της με ταχύτητα φωτός.

Στο μεταξύ, είχε πασαλειφτεί ολόκληρη με ζουμιά που έζεχναν ψαρίλα, γι' αυτό, μόλις μπήκε η Στέλα με τη γλώσσα έξω απ' το λαχάνιασμα, φωνάζοντας «Τον βρήκα και θα έρθει», την έστειλε αμέσως να φωνάξει τη Βάσω. Δε γινόταν να μείνει έτσι βρομερή και μουσκεμένη. Είχε γεράσει, αλλά δεν επέτρεπε στον παλιο-Τουρχάν να γελά εις βάρος της, γιατί ήξερε τι μούτρο ήταν... Ήξερε...

Η Βάσω την έβγαλε από τις σκέψεις της. Με δίσκο μπήκε πάλι, γιατί έφερνε την κρέμα.

«Δε σε φώναξα για την κρέμα. Βοήθησέ με ν' αλλάξω...»

«Ποια ρόμπα θέλετε;» Πρώτη φορά την έβλεπε έτσι ζωντανή κι έτοιμη να πηδήξει απ' το μπαλκόνι.

«Δε θέλω ρόμπα. Βγάλε το φόρεμά μου, εκείνο το κρεπ».

Τα μάτια της Βάσως στένεψαν υποψιασμένα, αλλά είχε μάθει να υπακούει. Άνοιξε την τεράστια ντουλάπα, απ' όπου ξεχύθηκε άρωμα ανάκατο με μυρωδιά ναφθαλίνης.

Η Στέλα φταρνίστηκε, έτοιμη να βγάλει γλώσσα και να ρωτήσει αν όλη αυτή η επισημότητα γινόταν για χάρη του βρομιάρη που της δάγκωσε το μπράτσο. Δεν καταλάβαινε γιατί ο μικρός αλητάκος τύγχανε τέτοιας υποδοχής.

«Η θεία Μερόπη τρελάθηκε», σκέφτηκε. Δεν υπήρχε άλλη εξήγηση.

«Και τα διαμαντένια σκουλαρίκια... Πρώτο συρτάρι δεξιά, σε μια φανελένια σακούλα».

Έτριξαν τα συρτάρια, φταρνίστηκαν τούτη τη φορά και οι τρεις ομαδικά, η Στέλα έσπευσε να βοηθήσει τη θεία της να περάσει στα αυτιά της τα βαρύτιμα σκουλαρίκια με τα μεγάλα σαν ρεβίθια διαμάντια.

«Νοχούτ καντάρ...» σχολίασε η Ράνα, ιδρωμένη κιόλας απ' την προσπάθεια. «Σαν ρεβίθια...»

«Τι είπατε;» Η Βάσω βαριόταν ν' ανοίξει συζήτηση. Η γριά ήταν ισχυρογνώμων και, αν μες στο μεσημέρι τής γούσταρε να θυμηθεί τα μεγαλεία της, με γεια της με χαρά της. Δε θα 'τρωγε την ώρα της με χαζολογήματα.

Ντύθηκε, δρόσισε το πρόσωπό της με μια πετσέτα βουτηγμένη σε ξεθυμασμένο ροδόνερο, βεβαιώθηκε πως τα διαμάντια στα σκουλαρίκια βρίσκονταν απ' τη σωστή μεριά, έστρωσε το γκρίζο κρεπ φόρεμα πάνω της –είχε αδυνατίσει τα τελευταία χρόνια– έριξε στον κόρφο και στα μαλλιά της άφθονο άρωμα –ξαναφταρνίστηκε η Στέλα– και η Μερόπη-Ιουστίνη-Ράνα σωριάστηκε με χάρη στην πολυθρόνα της.

Η Βάσω της υπέδειξε τα φάρμακά της. Η μικρή έτρεξε να τα δώσει στη θεία, που μ' ένα ολοκαίνουργο πονηρό ύφος ρώτησε: «Σε πόση ώρα νυχτώνει;»

Η συνήθως ετοιμόλογη Στέλα στραβοκατάπιε το σάλιο της κι άρχισε να βήχει, αλλά το βέβαιο ήταν πως οι μέρες του καλοκαιριού τράβαγαν καμιά φορά κι ως τις δέκα.

«Τον βρήκα... Πότιζε τις ντομάτες».

«Μπράβο σου!»

Την έκαιγε να ρωτήσει, να μάθει προς τι όλη αυτή η ετοιμασία και η φροντίδα. Η θεία της ξαφνικά είχε γίνει επιβλητική κι απόμακρη. Μέχρι ωραία θα μπορούσες να την πεις, αν δεν είχε στα μάτια μια άγρια λάμψη θηρίου. Ένιωσε στενόχωρα, την έπνιγαν τα αρώματα, η ναφθαλίνη, τα διαμάντια που ζωντάνευαν κάθε λεπτό, σκορπίζοντας αστραφτερές λάμψεις που τη φόβιζαν.

«Σαν να 'πιασε απότομη ζέστη... Κουφόβραση!» Η θεία της Στέλας, που συνέχιζε πάνω από ένα τέταρτο της ώρας να την εντυπωσιάζει με τη ζωντάνια της, άνοιξε με μια σβέλτη κίνηση την ισπανική βεντάλια της κι άρχισε να φυσιέται. Αυτή ήταν μια έκφραση του σπιτιού της Κηφισιάς: «Φυσιέμαι» ή «Θέλω να φυσηθώ», που η Στέλα έβρισκε άκρως διασκεδαστική. Ωστόσο την έτρωγε η ανυπομονησία, γιατί το παλιόπαιδο του κηπουρού αργούσε, λες και το 'κανε επίτηδες. Τελικά, ακούστηκαν τα βήματά του. Τρεχαλητό, πες καλύτερα, στη σκάλα. Δεν μπήκε στο δωμάτιο αμέσως. Καθυστέρησε ένα δυο λεπτά στο χολ, ξαφνιασμένος με την αποκαθήλωση των φωτογραφιών.

«Καλώστον τον πρωταγωνιστή!» φώναξε χαρούμενη η κυρία Μερόπη, πετώντας τη βεντάλια στο τραπεζάκι δίπλα της. «Μωρέ, το Χόλιγουντ έχω στο σπίτι μου και δεν το κατάλαβα τόσο καιρό;» Γέλασε μόνη της, διασκεδάζοντας με το κατάπληκτο ύφος του παιδιού.

«Δε θα πεις τίποτα; Έλα, χρυσέ μου. Πες μου...»

«Σαν τι;». Ο Ηλίας πρώτα πρόσεξε τη Στέλα, που ο ιδρώτας μούσκευε το ωραίο της φόρεμα, στάμπες στάμπες στο στήθος και στην πλάτη. Και μετά τα διαμάντια της κυράς. Τη χαιρέτισε με χειραψία χαλαρή, εισπνέοντας μια γενναία δόση απ' το πανταχού παρόν «Τζίκι».

«Στέλα, γλυκιά μου, άφησέ μας μόνους. Αύριο πάλι... αν και αύριο είναι Κυριακή, μέρα για θάλασσα».

«Ναι, θα πάμε με τον αρραβωνιαστικό της αδελφής μου, όλοι μαζί, εκδρομή στη Βάρκιζα...» πετάχτηκε η Στέλα, διασώζοντας την αξιοπρέπειά της. Δεν το χωρούσε το μυαλό της πως η θεία την έδιωχνε εξαιτίας αυτουνού.

«Τη Δευτέρα, τότε, ή την Τρίτη. Ή την Τετάρτη...»

«Ναι...» Η Στέλα κόμπιασε. Δεν ήξερε τι να πει. Φίλησε τη θεία Μερόπη στο μάγουλο, αγγίζοντας με τα χείλη επίτηδες τα διαμάντια με το επιθετικό φως που ερχόταν από κόσμους παλιούς κι έφυγε τρέχοντας, χωρίς να ρίξει ούτε μισή ματιά στον αποσβολωμένο Ηλία.

«Με ζητήσατε...»

«Κλείσε την πόρτα, νεαρέ...»

Υπάκουσε. Κάθισε στη γνώριμη καρέκλα, λίγο πιο πέρα από την κυρά που ακτινοβολούσε.

«Είναι ο Τουρχάν; Σε μένα μιλάς... Είναι ο Τουρχάν;» Τα μάτια της γέμισαν απότομα δάκρυα, τα χείλη της έτρεμαν, χούφτωσε με το δεξί χέρι την καρδιά της. «Ποιος το 'κανε; Ποιος έκοψε τα κεφάλια απ' τις φωτογραφίες; Πες μου, αγόρι μου...»

«Δεν ξέρω, κυρία...» Τα είχε πραγματικά χαμένα.

«Ξέρεις...» Πάλι εκείνη η φωνή, που δε σήκωνε αντίρρηση. Του μίλησε στη γλώσσα της, μα ο μικρός δεν κατάλαβε τίποτα. «Ποιος; Ξέρεις... Μόνο εσύ ξέρεις. Δεν ήρθες τυχαία εδώ, μικρέ διάολε...»

«Τι είναι ο Τουρχάν;»

«Ο αδελφός μου. Έλα, τώρα...» Ήταν τόσο βέβαιη πως το ορφανό κατείχε όλα τα μυστικά της ζωής της. «Τι λέγαμε χθες;» Προσπάθησε να του φρεσκάρει τη μνήμη.

Ο Ηλίας σφράγισε το στόμα του, έτοιμος να μπήξει τα κλάματα. Η γριά με τα αστραφτερά σκουλαρίκια τον φόβιζε. Μπορεί να ήταν και η σκοτεινιά του δωματίου και οι βροντές, που γρήγορα έφεραν βροχή. Να οι πρώτες χοντρές στάλες στα παντζούρια.

«Γιααμούρ γιαΐγιορ», ψιθύρισε εκείνη, απογοητευμένη με τη στάση του, που την έπαιρνε πιο πολύ για νάζι και πείσμα. «Βρέχει».

«Ναι, βρέχει...» της απάντησε, νιώθοντας το στομάχι του ν' ανακατεύεται. Ίδρωσε πανικόβλητος, πήγε να συ-

νεχίσει, πάλι εκείνη η γλώσσα των Μογγόλων που τον παί-
δευε, άλλαζε τις λέξεις στη γλώσσα του, γλώσσα που δεν
όριζε.

Αργότερα δε θα θυμόταν τίποτε απ' όσα της είπε, για-
τί και στον ίδιο έμεναν ανερμήνευτα. Όμως, ξαφνικά, το
στόμα του γέμισε κουκούτσια από βύσσινα, που τα έφτυσε,
αδειάζοντας τελικά στο παρκέ πάνω από ένα κιλό τέτοια
κουκούτσια, μουλιασμένα στο κονιάκ, με γεύση υπόξινη.

«Δεν είναι τίποτα! Ξέρνα όσο θες...» άκουσε τη φωνή
της. «Ζαράρ γιοκ... Δεν πειράζει...»

Κουλουριάστηκε δίπλα της αδύναμος, χωρίς κουράγιο,
δέχτηκε να πιει νερό, πήρε ανάσες όσο πιο βαθιές γινόταν,
βρήκε σιγά σιγά το χρώμα του, άκουγε καθαρά τη βροχή
να πέφτει στα δέντρα του κήπου, ανάσαινε βρεγμένο χώ-
μα κι εκείνο το καταραμένο υπέροχο άρωμά της.

«Δεν είναι ο Τουρχάν, κυρία...» είπε απολύτως σοβαρά.

«Αδύνατον... Μούμκιουνσέ!» Ένας λυγμός ξεχύθηκε
απ' το στήθος της. Της ήρθε να του μπήξε τα κίτρινα νύ-
χια της στο λαιμό.

«Μούμκιουνσέ! Κιμ ο; Ποιος είναι;»

«Δεν ξέρω, κυρία. Μπιλμίγιορουμ...»

Το παιδί έκλαιγε σιγανά για την αδυναμία του να ξε-
διαλύνει τις ομίχλες που σέρνονταν στο σπίτι της. Χάιδε-
ψε συντετριμμένη τα διαμαντένια σκουλαρίκια και σκού-
πισε τα ιδρωμένα της χέρια στο γκρίζο φόρεμα, προτού τα
αποθέσει, εξουθενωμένη, στο κεφάλι του παιδιού.

«Κι εγώ που νόμισα...» μουρμούριζε ξανά και ξανά.

«Είναι κάτι από μακριά, αλλά όχι ο αδελφός σας. Δε

θα 'κανε ποτέ κάτι τέτοιο εκείνος», είπε το παιδί φοβισμένο.

«Δεν ξέρεις τον Τουρχάν, γι' αυτό μιλάς...»

«Δεν είναι ο Τουρχάν, κυρία. Είναι κάτι κακό... κάτι...» Σώπασε, γιατί δεν ήξερε τίποτ' άλλο.

«Κακό; Πόσο κακό; Πόσο πιο κακό... Είσαι σίγουρος;»

«Δεν ξέρω, κυρία Ράνα».

Ούτε και θυμόταν πόσα χρόνια είχε ν' ακούσει το παλιό της όνομα να προφέρεται από κάποιον άλλο. Χαμογέλασε.

«Κάτι από μακριά, ένας δικός σας...»

Δεν ήξερε να προσδιορίσει ποιος ήταν και από πού ερχόταν αυτός ο «δικός της» επισκέπτης, με βασικό πολεμοφόδιο την κακία του.

«Δικός μου, εκτός από τον Τουρχάν, δεν υπάρχει...» Πουθενά, σε κανένα πρόσωπο ή όνομα δε στέκονταν οι αναμνήσεις της, όπως μπροστά στην αβάσταχτη επιθυμία της για τον Τουρχάν. Μα ήθελε οπωσδήποτε να μάθει.

«Δεν ξέρω, κυρία...» επανέλαβε ο Ηλίας φοβισμένος, καθόλου βέβαιος για το στομάχι του, αν και τώρα, μετά τον εμετό, το αισθανόταν καλύτερα. /

Η βροχή έπεφτε πάντα δυνατή στον κήπο και η Ράνα την ακολουθούσε κλαίγοντας σιωπηλά, βουτηγμένη στην πιο παραπονεμένη νοσταλγία για τον αδελφό που έχασε, για το μοναδικό άντρα που αγάπησε παράφορα. Τράβηξε απ' τα μαλλιά της τις φουρκέτες και το χτενάκι που στήριζαν ένα χαλαρό κότσο, ξεκούμπωσε ό,τι μπορούσε απ' το φόρεμα, μίσησε τα διαμάντια στα αυτιά της. Δε θα ξαναντυνόταν έτσι. Μόνο στο φέρετρο. Πεθύμησε τη ρόμπα της, να νιώσει ασφάλεια, να ξεφύγει απ' την τρελή ελπίδα που της διέλυσε αυτός ο μικρός σατανάς.

«Πήγαινε τώρα...» τον παρακάλεσε.

Κάτι πήγε να πει το παιδί, αλλά δε βρήκε λόγια μπροστά στη λύπη της γερασμένης γυναίκας, που οι ώμοι της τραντάζονταν από το κλάμα.

«Πες στη Βάσω να με βοηθήσει ν' αλλάξω», είπε με σκληρή φωνή.

Ο Ηλίας βγήκε στο διάδρομο με τα νυσταγμένα φώτα: όπως τον ήξερε, χωρίς όμως τις φωτογραφίες των νεκρών συγγενών τώρα. Τα καρφιά στον τοίχο και τα σημάδια της απουσίας παντού. Άρχισε να κατεβαίνει αργά τις σκάλες. Βαριά η καρδιά, τα πόδια, το κεφάλι. Μόνο το στομάχι ελαφρύ, με το που έφυγαν τα βύσσινα. Τότε τον ξανάδε μέσα στο μεγάλο καθρέφτη. Τα λυπημένα γλυκά μάτια, το αμυδρό χαμόγελο, το ξυρισμένο κεφάλι, μ' ένα σωρό σημάδια από τον πετροπόλεμο.

«Μεχμέτ...» ψιθύρισε κοιτάζοντας γύρω, σαν να μην ήθελε να προδώσει την παρουσία του παιδιού στον καθρέφτη. Ο Μεχμέτ έβαλε το δείχτη του δεξιού του χεριού στα κλειστά του χείλη, λες και του υπαγόρευε τη σιωπή. Έτσι κατάλαβε. Δε μίλησε. Κοιτάχτηκαν μισό λεπτό στα μάτια, ώσπου δάκρυσαν και οι δύο από την ένταση. Έπειτα η ματιά του άλλου παιδιού, φοβισμένη, καρφώθηκε ψηλά, προς το δωμάτιο της κυράς.

Τα μάτια του αγοριού απ' την Εντίρνε-Αδριανούπολη μεγάλωναν συνέχεια, ώσπου έκλεισαν σφιχτά, να μη βλέπουν άλλο. Σφιχτά και να δακρύζουν, μέχρι που το πρόσωπο στον καθρέφτη έγινε μια θαμπή σκιά πίσω από βροχή κι από παγωμένες ανάσες.

Ο Ηλίας έτρεξε όσο πιο γρήγορα μπορούσε στο διάδρομο που έβγαζε στην κουζίνα κι έπεσε πάνω στη Βάσω, που τέλειωνε τη λάτρα.

«Σιγά, θα μας σκοτώσεις...»

«Σε θέλει να την αλλάξεις», είπε ξέπνοος. «Το φόρεμα...»

Η Βάσω τον ζύγιασε με το βλέμμα, απέφυγε να πει οτιδήποτε, αλλά του τράβηξε το μαλλί σαν παλιά φιλαράκια που αστειεύονταν.

«Μην το ξεχνάς, έχουμε έξοδο το απόγευμα, κύριε Ηλία!»

«Έκανα εμετό στο δωμάτιό της...» ψέλλισε απολογητικά.

«Σαν πολλά ξερατά έχουμε τελευταία. Έτσι κάνουν οι γκαστρωμένες...» χαχάνισε η Βάσω, για να κρύψει την οργή της που είχε να ξεβρομίζει πάλι, πάνω που τέλειωνε. Μόνο η πιθανότητα να γυρίσει η μαγκούφα η τύχη της τη συγκράτησε απ' τα χειρότερα.

Το βούλωσε, πήρε κουβά και φαράσι και τράβηξε για πάνω, βλαστημώντας όσο πιο χριστιανικά μπορούσε, γιατί είχε παρακολουθήσει τρεις απανωτές ομιλίες «περί βλασφημίας και συζυγικών καθηκόντων» από έναν Αρχιμανδρίτη, στα Κατηχητικά όπου έτρεχε.

«Διακόσιες χιλιάδες, Παναγιά μου!» Τόσα της έφταναν. Εκατό για την Μπέλα, που ποιος ξέρει τι σχέδια θα 'κανε τώρα στη Σαλαμίνα, κι εκατό για κείνην. Μακάρι και πεντακόσιες, αλλά καλύτερα λίγα, μην τρελαθεί κιόλας, έτσι αμάθητη στο χρήμα. Οι παπάδες στην ενορία τους επαινούσαν με πάθος τα προσόντα της φτώχειας, αλλά η Ευζωνία, που ήταν άνθρωπος της ζωής, την προσγείωνε: «Βάλε το μέντιουμ να σου τραβήξει λαχείο κι άσε τις αηδίες, κακομοίρα μου, που για τρεις κι εξήντα νταντεύεις αυτή την τρελόγρια, το σάψαλο...»

Για την ώρα, όμως, το μέντιουμ απλώς ξέρναγε. Όσο για τη γριά, ούτε κρύο ούτε ζέστη. Τακτική στις πληρωμές και το σπίτι δωρεάν.

«Σκυλιά, παιδιά δεν έχει, σε ποιον θα τ' αφήσει, μου λες;» απορούσε η Ευζωνία, αγανακτισμένη που ο Θεός έγινε φίρμα, παρ' όλα τα χοντρά του λάθη.

«Το 'κανε στάβλο ο μικρός το δωμάτιο!» στέναξε η Βάσω, παίζοντας τη θιγμένη μητριά.

«Φέρε μου τη ρόμπα... Και μη μ' αφήσεις να ξαναφορέσω καλό φουστάνι. Κρύψε και τα σκουλαρίκια. Διά παντός!»

«Έγινε κάτι με το παιδί;» ρώτησε η Βάσω σκοτεινιασμένη.

«Ζαράρ γιοκ... Σαν τι να γίνει; Βρέχει ακόμα, ε;»

«Ναι, βρέχει...»

Η Βάσω δεν καταλάβαινε πολύ καλά τα μισόλογα της κυράς της. Πάντοτε ήταν παράξενη, αλλά τούτο το καλοκαίρι το 'χε παραξηλώσει. Έφταιγε η μασέλα; Έφταιγαν τ' αυτιά της; Λόγια ακαταλαβίστικα, με ήχο βαρύ για την ακοή της, έβγαιναν απ' το στόμα της γριάς.

Τέλος πάντων, ξεβρόμισε το δωμάτιο, αλλά έμεινε με την απορία πού βρήκε και καταβρόχθισε με τα κουκούτσια τόσα βύσσινα ο μικρός. Και μόνο που τα μύρισε της ήρθε λιποθυμιά απ' τη μεθυστική αποφορά τους. Έβρεξε το σβέρκο της κυράς με κολόνια, ν' αλλάξει διάθεση. Της φόρεσε τη ρόμπα, περνούσε και η ώρα.

«Τα φώτα της βεράντας... Μην τα ξεχάσεις! Όλα τα θέλω αναμμένα».

«Θα νομίσουν ότι έχουμε γιορτή και θ' αρχίσουν να 'ρχονται», αστειεύτηκε η Βάσω, που από φυσικού της ήταν άχαρη να λέει αστεία και χωρατά.

«Έχουν αρχίσει. Ήρθαν...» Η φωνή της γριάς έσπασε και, για να μη μιλήσει παραπέρα, προτίμησε να βήξει.

«Πιείτε νερό...»

«Μπουγκιούν γκιούνλερντέν νε;»

Η Βάσω πάγωσε. Δεν αναγνώριζε λέξη πια. Η γριά μιλούσε αλαμπουρνέζικα...

«Τι μέρα έχουμε σήμερα σε ρώτησα. Τι με κοιτάς σαν να είδες φάντασμα. Τι έπαθες; Το πάγκρεας σου 'στειλε κανένα μήνυμα;» Γέλασε μόνη της, δυνατά, για ν' ακούσει το γέλιο της. Τρελαινόταν να πειράζει τη Βάσω.

«Σάββατο, κυρία... Σάββατο έχουμε».

«Όλα τα φώτα τα θέλω αναμμένα!»

«Δε θ' αργήσω. Θα επιστρέψω γρήγορα... Ο Ηρακλής θα βρίσκεται εδώ».

«Δώσε μου το τετράδιο με τα τηλέφωνα και φύγε...»

Έκανε ό,τι της ζήτησε κι έφυγε βιαστικά, πανέτοιμη για την επιχείρηση-λαχείο μες στη βροχή. Ο κήπος έσταζε ολόκληρος και, πάνω απ' τις ντοματιές, που λαμποκοπούσαν φρεσκοπλυμένες, φάνηκε και το ουράνιο τόξο. Εκείνη όμως βιαζόταν να φτάσει στο σπίτι και ν' αλλάξει, γιατί μέσα σ' όλα τής ήρθε και περίοδος μια βδομάδα νωρίτερα. Απ' τη σύγχυση της Μπέλας θα 'ταν.

Κάτι, ωστόσο, δεν πήγαινε καλά. Το 'χε νιώσει κι αρκετές μέρες πριν, ακριβώς το ίδιο: σαν να μάκραινε η απόσταση που χώριζε το σπίτι της κυράς απ' το δικό της. Αλλά η Βάσω, ως πρακτική γυναίκα, το απέδωσε στην περίοδο, όπως και την παράξενη εντύπωση –εκ των υστέρων το συνειδητοποιούσε– πως, πριν από λίγο που κατέβαινε τις σκάλες για να φύγει, σ' εκείνον τον καθρέφτη του χολ είδε –αν είδε– μια θαμπή φιγούρα που μετακινήθηκε. Είχε δίκιο που ένιωθε μονίμως δυσφορία στο χολ με τα φώτα στο χρώμα του χαλκού. Κι άλλοτε είχε τέτοιες «φαντασιοπληξίες», όπως τις έλεγε η Ευζωνία. Θα έπαιζε ρόλο και η περίοδος...

Στρίβοντας, έπεσε πάνω στον Ηρακλή. Μουσκίδι, μισόγυμνος, ξεφόρτωνε κοπριά από ένα κάρο.

«Θα πουντιάσεις!» έβαλε τις φωνές.

«Σιγά μην πεθάνω! Πήγαινε μέσα, γιατί ζέχνει ο τόπος».

Η κοπριά που έφεραν από τον Μαραθώνα ήταν φρέσκια. Αλλά και να μην ήταν, με τη βροχή αναζωογονήθηκε η μοσκοβολιά της κι απλωνόταν γρήγορα παντού.

Ο Ηλίας έτρωγε λαδερά φασολάκια στο μισοσκότεινο σπίτι, ακούγοντας τραγούδια ελαφρά και διαφημίσεις. Η «Καλμαλίνη» θα έδιωχνε όλους τους πόνους και τα βάσανα, το «Τάιντ» θα εξαφάνιζε κάθε λεκέ απ' τα ρούχα και

199

τα σεντόνια, ενώ η χλωρίνη θ' απολύμαινε και θα χάριζε αστραφτερή καθαριότητα στα ασπρόρουχα, στα πλακάκια και στο μπάνιο, καταστρέφοντας κάθε πιθανότητα μικροβίων, δράκων και τρελών δολοφόνων. Τον μελαγχολούσε που δεν μπορούσαν να τον ηρεμήσουν τόσες θαυμαστές ανακαλύψεις ανώνυμων εφευρετών.

Θυμήθηκε τα ατέλειωτα απογεύματα και τη λυπημένη λευκότητα των θαλάμων στο νοσοκομείο όπου πέθαινε η μητέρα του. Κρεβάτια στη σειρά, λευκά. Και στους τοίχους ατέλειωτοι Χριστοί με κατακόκκινους μανδύες, σε ενσταντανέ του ύστατου μαρτυρίου. Ποιος ασθενής θ' ανακουφιζόταν με τέτοιο ζωγραφικό παράδειγμα υπομονής και εγκαρτέρησης, ξέροντας μάλιστα πως πρόκειται για έναν Παντοδύναμο Θεό;

Μακάρι η χλωρίνη και η «Καλμαλίνη» να τον έσωζαν απ' αυτή την απειλητική σαλάτα που έπαιρνε, ώρες ώρες, τη θέση του μυαλού του, απλώνοντας τα ξίδια της σε όλο του το κορμί.

«Επιτέλους, ξεμπέρδεψα...» φώναξε η Βάσω φουριόζα. «Να κατεβούμε, λέω, στην Αθήνα με τον Ηλεκτρικό, ν' αλλάξουμε τον αέρα μας. Θα φάμε παγωτό στο "Πικαντίλι", στην οδό Πανεπιστημίου, θα σεργιανίσουμε λίγο, θα πάρουμε κάνα δυο λαχεία και θα επιστρέψουμε. Τι λες;»

«Και στην Κηφισιά πουλάνε λαχεία. Στην πλατεία...» είπε το παιδί άκεφα.

«Το ίδιο είναι, κύριε πολύξερε, τα λαχεία της Ομόνοιας με τα λαχεία της Κηφισιάς; Για τη βόλτα πιο πολύ το κάνω...»

«Αφού είναι για βόλτα...»

Δεν τον ένοιαζε τι είχε στο μυαλό της η Βάσω. Όλα τον βάραιναν εκείνο το στενόχωρο απομεσήμερο.

Άκουσε τα πουλιά. Η βροχή είχε σταματήσει κι ο πατέρας του φτυάριζε την κοπριά σφυρίζοντας.

Άκουγε τα πουλιά ενθουσιασμένα να ξανατραγουδούν, τώρα που σταμάτησε η βροχή. Και οι κουρτίνες ακίνητες πια, όπως και ο αέρας στο δωμάτιο. Πηχτός σαν την κρέμα της Βάσως και σαν τις σκέψεις της. Μέσα της γάβγιζαν πολλά κίτρινα σκυλιά, όπως ήταν παλιά τα σκυλιά στην Ισταμπούλ. Γάβγιζαν μ' εκείνους τους οθωμανικούς φθόγγους, τους λεπτεπίλεπτους, τους γεμάτους περσικές και αραβικές αποχρώσεις, που σαρώθηκαν στο πέρασμα του χρόνου κι αντικαταστάθηκαν από άλλους τόνους, νεοβαρβαρικούς, μοντέρνους και απροκάλυπτα «τουρκικούς». Στον καιρό της, οι άνθρωποι της τάξης της μιλούσαν οθωμανικά κι όχι «τούρκικα». Οθωμανικά διανθισμένα με γαλλικά και γερμανικά.

Πάντως οι μισοξεχασμένες ξαδέλφες απ' τα τέσσερα σημεία του ορίζοντα της έστελναν κάρτες στα γαλλικά – και, ανάμεσα στα λατινικά στοιχεία, έριχναν πού και πού φράσεις της πατρίδας, γραμμένες με την παλιά γραφή, την περίτεχνη, που απαιτούσε χέρι αυστηρά εξασκημένο στην καλλιγραφία.

Ξαφνικά ένιωσε να βυθίζεται σε μια θάλασσα από μαύρο νάιλον. Δεν την ένοιαξε. Χρόνια είχε να δει θάλασσα πραγματική, φουρτουνιασμένη, που στον αφρό της να παίζουν κοπάδια οι παλαμίδες, τα χαμσιά και οι σαρδέλες. Μια φορά, πηγαίνοντας με το καράβι στην Οδησσό θυμόταν κάτι τέτοιο – που μπορεί να ήταν και όνειρο της πολυθρόνας, γλυκιά, νοσταλγική παρενέργεια των χαπιών και της μοναξιάς.

«Βρομόπαιδο, Τουρχάν, που ξεγέλασες το γιο του κηπουρού... Το ξέρω ότι είσαι εσύ».

Νανουρισμένη απ' τη φωνή της, αποκοιμήθηκε με την εντύπωση πως ένα παιδί αλλόκοτο –εξαιτίας των φοβισμένων ματιών του αλλόκοτο– στεκόταν στο άνοιγμα της πόρτας και την παρατηρούσε λυπημένο. Αν δεν κοιμόταν, ίσως να έπαιρνε το θάρρος να της μιλήσει, γιατί τα χείλη του άνοιξαν και ξανάκλεισαν. Μα δε μίλησε, μόνο διαλύθηκε σαν καπνός, αφήνοντας τη ζεστή ανάσα του να 'ρθει καταπάνω της.

Έσφιξε στο χέρι της τη βεντάλια, έτοιμη ν' αμυνθεί στο μικρό καύσωνα που της χάιδεψε τα βλέφαρα. Όταν άνοιξε τα μάτια της, το ρολόι έδειχνε περασμένες τέσσερις και το σπίτι ήταν βυθισμένο στην απόλυτη σιωπή. Τιράντες απ' τη λιακάδα του απογεύματος χάραζαν τους τοίχους. Σφίχτηκε το στομάχι της.

«Βάσω... Βάσω», φώναξε. Αλλά μετά θυμήθηκε ότι η Βάσω θα έλειπε.

Τράβηξε το τηλέφωνο κοντά της κι άρχισε να ψάχνει τον αριθμό του δικηγόρου της, του κυρίου Τάκη Σαριπόλου, σαλιώνοντας τις φθαρμένες σελίδες του τετραδίου. Αρκεί να μην παραθέριζε, κατά το συνήθιο της οικογένειας Σαριπόλου, στον Πόρο. Είχε πάρει τις αποφάσεις της εν υπνώσει.

Διάλεξαν μέσα από δεκάδες λαχεία τρεις τριάδες. Τρεις με διαφορετικούς λήγοντες κι από διαφορετικούς λαχειοπώλες της Ομόνοιας. Χάζεψαν τα καφενεία, τους μικροπωλητές και τους επαρχιώτες που συνέρεαν μαζί με τους τουρίστες εδώ, να κατανοήσουν τη φήμη της πλατείας που αμολούσε ένα γύρο οδούς προς όλες τις κατευθύνσεις.

Ο Ηλίας ήταν βαρύς σαν τον ουρανό, που το είχε γυρίσει πάλι σε συννεφιά. Συννεφόκαμα. Μόνος του υπέδειξε άκεφος τα λαχεία στη Βάσω, που, για την περίσταση, είχε ντυθεί σαν κυρία των «Επικαίρων». Μέχρι και μια κουάφ με ανθάκια φόρεσε στο κεφάλι. Και γάντια διάφανα και το ρολόι της και το βραχιόλι με το πεντόλιρο —του πρώτου της άντρα— και το κολιέ με τα καλλιεργημένα μαργαριτάρια του Ηρακλή. Της τα 'χε αγοράσει από μια παλιά ηθοποιό που ξεπουλούσε αναμνηστικά.

«Ωραία!»

«Τι ωραία;»

«Ωραία! Και τα λαχεία μας πήραμε, γιατί εγώ σου έχω τυφλή εμπιστοσύνη...» είπε η Βάσω.

«Γιατί;»

«Τι γιατί; Γιατί δείχνεις σοβαρός κι έχεις κρίση...»

«Ααα, γι' αυτό...» Με το ζόρι του 'βγαιναν οι κουβέντες.

«Και θα πάμε και στο "Πικαντίλι". Έχεις πάει ποτέ στο "Πικαντίλι";»

Δεν είχε πάει. Πώς να πάει; Καλά καλά δεν ήξερε ούτε το Βασιλικό Κήπο. Φοινικόδεντρα και φυλακισμένα παγόνια θυμόταν, και τη μαμά του άρρωστη, να περπατά αργά αργά. Τον κράτησε όσο μπορούσε πιο σφιχτά απ' το χέρι και προχώρησαν στην Πανεπιστημίου. Του έδειξε το «Ρεξ» επαινώντας τις αίθουσές του αλλά και το «Σινεάκ» με το Χοντρό και το Λιγνό, όπου κάποτε είχε φέρει την Μπέλα κι αυτή κατουρήθηκε πάνω της απ' το φόβο. Τόσο χαζή... ως παιδί.

«Τι λέτε με την κυρία Μερόπη;» τον ρώτησε με τρόπο.

«Θέλει παρέα. Τι να πούμε;»

«Ξέρω κι εγώ; Σ' έχει περί πολλού...»

«Έτσι είναι οι γριές...» αναστέναξε ο Ηλίας.

«Η δικιά μας δεν είναι απ' τις συνηθισμένες... Δυστυχώς, άρχισε να τα χάνει. Μιλάει ακαταλαβίστικα. Αααχ, γεράματα!»

Μπορεί και να τη λυπόταν, αλλά είχε τόση λαχτάρα με τα λαχεία, που όλα τα ξεστόμιζε σαν τα πιο διασκεδαστικά πράγματα αυτού του συννεφιασμένου κόσμου.

«Κουράστηκες, παιδί μου; Σε βλέπω απρόσεχτο όταν σου μιλάω...»

«Θ' αργήσουμε;»

«Καλέ, στο "Πικαντίλι" πηγαίνουμε. Να το, απέναντι. Παγωτό θα φάμε και θα γυρίσουμε. Αμάν, πια! Μουχλιάσαμε στην Κηφισιά. Ας μας αποθυμήσουν και λίγο...»

«Δεν είναι αυτό...»

Το μυαλό της αναποδογύρισε απότομα και φρέναρε με τις τακουνάρες, πάνω που διέσχιζαν το δρόμο:

«Δεν πιστεύω να μετάνιωσες για τα λαχεία; Οχτώ, πέντε και δύο οι σειρές. Μόνος σου τα διάλεξες...»

Την έζωσαν τα φίδια.

«Δεν είναι τα λαχεία, κυρία Βάσω...»

Η Βάσω άνοιξε το στόμα, έτσι που τον άκουσε με μια φωνή αλλόκοτη, αντρική και πουλίσια μαζί.

«Το στομάχι σου πάλι; Μα τι τρως; Μπορείς να μου πεις τι είναι τα αμάσητα κόκαλα και τα κουκούτσια από τα βύσσινα; Είσαι λίγο χλομός, αλλά φταίει και η συννεφιά. Κι εγώ εκ γενετής χλομή είμαι – μην κοιτάς που βάφτηκα για να βγούμε... Να το "Πικαντίλι"!»

Το «Πικαντίλι» ήταν σκοτεινό και τεράστιο. Με ξύλινη επένδυση σκούρα και πολλά σεπαρέ. Τους υποδέχθηκε ένας γέρος σερβιτόρος που βαριανάσαινε. Το παπιγιόν στο λαιμό του τον έπνιγε. Μπορεί η ζέστη. Μπορεί και το άσθμα. Οι ανεμιστήρες, που κρέμονταν απ' το ταβάνι σαν αρπακτικά πουλιά, στριφογύριζαν με μια κίνηση αργή, νυσταλέα. Δυο τρεις οι πελάτες, σκυμμένοι στα πιάτα τους.

Η Βάσω διάλεξε τραπέζι κοντά στην είσοδο, για να χαζεύουν την κίνηση. Ελάχιστη, λόγω Σαββάτου και καλοκαιριού. Ήταν και νωρίς για βόλτες.

Τους πλησίασε ένας άλλος σερβιτόρος, λιπόσαρκος, με

λοξά μάτια, κινέζικα, και χέρια όλο φλέβες. Παρήγγειλαν παγωτά σπέσιαλ.

«Και, να σας ρωτήσω...» Η Βάσω είχε ένα γνωστό γκαρσόνι, τον κύριο Θόδωρο, συγγενή του μακαρίτη του άντρα της, που δούλευε στο "Πικαντίλι".

«Ο Θόδωρος μας άφησε χρόνους από πέρσι, μαντάμ... Στα ξαφνικά. Έπεσε με το δίσκο, να, εδώ ακριβώς. Στα πλακάκια. Συγκοπή καρδίας, δυστυχώς...»

Ο λοξομάτης σερβιτόρος ήταν πρόθυμος να συνεχίσει τις μακάβριες λεπτομέρειες, αλλά η Βάσω ταράχτηκε κι άρχισε να πίνει παγωμένο νερό.

«Τόσο νέος...» Στα εξήντα οχτώ πάταγε και δούλευε σαν παλικάρι. Άφησε πίσω του γιο φαντάρο και γυναίκα νευρασθενικιά... Έμαθαν πολλά για το μεταστάντα.

Δυο αστραπές, δυο βροντές, κι έπιασε η βροχή! Αποσκοτείνιασε στο «Πικαντίλι», αλλά τα παγωτά ήρθαν σπέσιαλ, «χειροποίητα» πάντα, όπως τα θυμόταν η Βάσω, με σιρόπι βύσσινο, μπισκότο και καραμελωμένα καρύδια. Έξω έριχνε με το τουλούμι.

«Μη σε πειράξει το βύσσινο...» παρατήρησε η Βάσω μπουκωμένη.

«Δε θα με πειράξει».

«Το είχα ανάγκη...» Η Βάσω έχωνε το κουτάλι ως τις αμυγδαλές απ' την ηδονή. Το είχε ανάγκη.

Ο Ηλίας έτρωγε ανόρεχτα το παγωτό-έπαθλο για την υποτιθέμενη επιτυχή επιλογή των λαχείων. Μα δεν τον ένοιαζαν τα αισθήματα της απλοϊκής γυναίκας που μισόκλεινε τα μάτια με το κουτάλι στο στόμα. Έτσι, σαν τη

Βάσω, ρουφούσαν κάτι κουτάβια στην παλιά του γειτονιά το γάλα της μάνας τους. Τα παρατηρούσε με τις ώρες πέρσι τέτοιο καιρό. Ένα χρόνο πριν. Ένας χρόνος που κατάπιε τη σκύλα και τη μαμά του και την παλιά του ζωή. Ούτε για Τούρκους ήξερε τότε, ούτε για το σπίτι της Κηφισιάς με τις ομίχλες και τη Στέλα. Ίσως ό,τι πέρασε αυτό το χρόνο να άξιζε μόνο και μόνο για τη Στέλα, που απόψε την ένιωθε βουτηγμένη σ' ένα μαύρο ποτάμι, να υπομένει παθητικά την απειλητική του ροή.

«Μόλις σταματήσει η μπόρα θα φύγουμε. Φά' το πριν λιώσει...»

«Τι είναι η Στέλα;» του ξέφυγε.

«Η Στέλα είναι...» Η Βάσω χαμογέλασε πασαλειμμένη με το παγωτό. «Σαν πολύ ψηλά δεν κοιτάς, παιδί μου; Τι σε νοιάζει εσένα τι είναι η Στέλα...»

«Έτσι...»

«Είναι η κληρονόμος και...» Πήγε να πει: ένα παλιοκόριτσο, αντιπαθητικό και κακομαθημένο, αλλά κρατήθηκε.

Τον πλάκωσε απότομα το ολοκαίνουργο ειρωνικό ύφος της μητριάς του και σηκώθηκε να βρει την τουαλέτα, στο βάθος της αίθουσας, που τα σκοτάδια της μύριζαν αυγό. Ανακουφίστηκε που βρέθηκε μόνος μες στα λευκά πλακάκια, τυλιγμένος σε σύννεφα αμμωνίας και καμφοράς. Έβρεξε τα μάγουλά του και καμάρωσε τη μελαγχολία του στο σκουριασμένο καθρέφτη. Γέμισε τα πνευμόνια του με τον αέρα της τουαλέτας και τον ξανάβγαλε με δύναμη. Θάμπωσε ο καθρέφτης και, μέσα στη θολούρα, διέκρινε το ιδρωμένο μούτρο του γέρου σερβιτόρου. Το παπιγιόν τού μελάνιαζε το λαιμό, που αποτελούνταν από τέσσερα χαλαρά προγούλια. Το παιδί πάγωσε απ' το ξάφνιασμα, αλλά ο γέρος με τον ελαφρώς ανάπηρο βηματισμό κατευθύνθηκε στο παραδιπλανό λαβομάνο. Έβαλε τα χέρια κάτω απ' τη βρύση ασθμαίνοντας. Του αρκούσε που τα 'βρεχε, κρατώντας τα δάχτυλα όσο γινόταν πιο τεντωμένα. Θα κατέρεε από στιγμή σε στιγμή, αν δεν τον συγκρατούσε το καθήκον και το σατέν παπιγιόν. Έκλεισε τη βρύση με κόπο και κοίταξε τον Ηλία με βλέμμα τυφλό.

«Ξέρεις... Εσύ ξέρεις! Εσύ... μπορείς και ξέρεις», του είπε με κόπο. Τα προγούλια μελάνιασαν ακόμα πιο πολύ.

«Τι ξέρω;» Το παιδί φοβήθηκε πως ο σερβιτόρος θα πέθαινε εκειδά, μπρος στα πόδια του. Θα σωριαζόταν.

«Κι εγώ, κάποτε... Το έχω καταλάβει και σε άλλον έναν πελάτη μας, πριν από πολλά χρόνια. Κράτησέ το για σένα ή καλύτερα ξέχνα το. Όταν μπορέσεις και το ξεχάσεις, θα ησυχάσεις...»

Τίναξε τα νερά απ' τα δάχτυλά του με σιχασιά, σαν να τα είχε πλύνει με βαλτόνερα.

«Δεν ξέρω τίποτα, κύριε... Κι ούτε θέλω να ξέρω...»

Ένας τρομαγμένος θυμός τον κυρίευσε. Έδωσε μια κλοτσιά στον τενεκέ των σκουπιδιών και, αφήνοντας το γέρο να μουρμουρίζει προσευχές, έτρεξε έξω.

«Λεμόνια... Θέλω λεμόνια, έστω ένα λεμόνι καλά στυμένο. Σκέτο. Σεκερσίζ...» Λεμονάδα χωρίς ζάχαρη οπωσδήποτε. Έτσι την ήθελε ακριβώς κι έτσι τη ζήτησε, με φωνή τσιριχτή από την αγωνία και την έξαψη. Του φάνηκε σαν μια παντελώς καινούρια κρίση, όπου τα λεμόνια έπαιζαν πρωταγωνιστικό ρόλο. Ο νους του ήταν πάντα στο σινεμά, κι ας είχε χαλαρώσει μετά την κοπριά και τη βρόμα, συν τη βροχή.

Ζέχνοντας χώθηκε κάτω απ' το λάστιχο, στα τσιμέντα της αυλής, να πλυθεί προτού μπει στο σπίτι. Τσιτσιδώθηκε και δεν πάει να τον έβλεπε όλη η Κηφισιά – πράγμα έτσι κι αλλιώς απίθανο με τόση βλάστηση. Κάτι ανάλογο είχε φανταστεί και η Μπέλα κι έπνιξαν οι ορμόνες το λιγοστό μυαλό της.

Την ώρα που ησύχαζε, πεσμένος ολόγυμνος πια στο κρεβάτι, βρόντηξε το τηλέφωνο και η γριά άρχισε να ξεφωνίζει: «Λεμόνιαααα».

Γαμοσταύρισε την τύχη του που δεν αξιώθηκε να τελειώσει μια Δραματική Σχολή, να είναι τώρα ένας Γιώργος Φούντας ή ένας Αλεξανδράκης, κι έτρεξε να λύσει το μυστήριο των αναθεματισμένων λεμονιών.

Ο καιρός είχε στρώσει, ο ουρανός καθάρισε, τα νερά τραβήχτηκαν, οι ντομάτες ρούφηξαν όσο μπόρεσαν και διπλασίασαν τον όγκο τους, τα τζιτζίκια ξανάπιασαν τη ροκάνα. Βρήκε σ' ένα πανέρι τα λεμόνια, δικά τους, απ' τις λεμονιές στο φράχτη, τα 'στυψε, πέρασε το ζουμί κι απ' το σουρωτήρι και ανέβηκε στο δωμάτιο φωνάζοντας:

«Έτοιμη η λεμονάδα, κυρία Μερόπη. Εγώ είμαι, ο Ηρακλής...»

Μόνο που εκείνη δεν ήταν και τόσο βέβαιη πως καταλάβαινε τι της έλεγε. Κάτι για λεμόνια. Ο Ηρακλής; Στην αρχή σκέφτηκε ότι επρόκειτο για κάποιο άγνωστο άθλο: «Ο Ηρακλής στη χώρα των λεμονιών».

Γέλασε κακαριστά, μ' ένα πνιχτό, ηλεκτρισμένο γέλιο. Τη διασκέδαζε η μυθολογία των Ρωμιών και ίσως μια Μυθολογία να ήταν και το μοναδικό βιβλίο που ξεφύλλιζε τακτικά, όσα χρόνια ήταν γυναίκα του Ζάννου Ριζούδη. Την προτιμούσε από τα ασιατικά ματοβαμμένα μετάξια των δικών τους μύθων. Πολλές φορές είχε φανταστεί τους αιώνες των προγόνων της σαν ένα άρρωστο τέρας με ανάγλυφη επιδερμίδα από μπροκάρ και κεντίδια, όλο λουλούδια σαρκοβόρα, ανελέητα, νοτισμένα από ματωμένους ιδρώτες.

«Η λεμονάδα σας...»

«Ποια λεμονάδα; Αααα, ναι...»

Πράγματι, ο Ηρακλής, ο κηπουρός, μ' ένα ποτήρι μισογεμάτο χυμό λεμονιού στεκόταν στο άνοιγμα της πόρτας, ξεστηθιασμένος κατά το συνήθιό του. Ίσως ο Τουρχάν να τον έβρισκε διασκεδαστικό ως ένα σημείο. Έπειτα, ξαφνικά, θυμήθηκε το σημείο εκκίνησης όλης αυτής της τρέλας και βούρκωσε.

«Τι συμβαίνει, κυρία; Να η λεμονάδα....»

«Το παιδί;»

«Λείπουν με τη Βάσω. Όπου να 'ναι θα γυρίσουν...»

Του έριξε μια ματιά θολωμένη απ' τα δάκρυα, που σιγά σιγά κύλησαν στο πρόσωπο, στα χέρια. Ήπιε μια και κάτω εκείνο το δηλητήριο, χωρίς τον παραμικρό μορφασμό.

«Να στύψω κι άλλα λεμόνια;»

«Να μη στύψεις τίποτα. Δε μου λες, ο γιος σου πήρε από σένα ή απ' τη μάνα του;»

Ο Ηρακλής, μπλεγμένος μεταξύ λεμονιού, δακρύων και υστερίας, δεν καταλάβαινε πού το πήγαινε η γριά.

«Θαρρώ απ' τη μάνα του πήρε τα πιο πολλά. Αργότερα, αν ψηλώσει...»

«Σκοτίστηκα κι αν γίνει νάνος...» Αγρίεψε η Ράνα, της πετάχτηκε η φλέβα στο μέτωπο με το βλάκα κηπουρό. «Από πού πήρε το χάρισμα, λέω».

«Από μένα...»

Του φάνηκε βολικό να κληροδοτεί χαρίσματα σ' ένα γιο που απασχολούσε μια κυρία Ζάννου Ριζούδη.

«Από σένα;»

Άρχισε να γελά. Πρώτη φορά την έβλεπε έτσι. Γελούσε με ορθάνοιχτο στόμα, αποκαλύπτοντας ό,τι είχε και δεν είχε στη στοματική της κοιλότητα. Έβλεπε τον ουρανίσκο της, τις χρυσές γέφυρες, τις οδοντοστοιχίες και τα βάθη της, απ' όπου έβγαιναν οι διαταγές και οι επιθυμίες. Γελούσε σαν τρελή, εύηχα, καθαρά, κρυστάλλινα, το γέλιο των τρελών αγγέλων... Ένιωσε άσχημα, χαμογέλασε κι εκείνος κι ύστερα απελευθέρωσε ένα πιο θεατρινίστικο χάχανο.

Πόση ώρα πέρασε έτσι; Ούτε αργότερα, όταν συμμάζεψε το μυαλό του να βγάλει μια άκρη, δεν μπόρεσε να χρονομετρήσει την κατάσταση.

«Ώστε από σένα...»

Αναστέναξε και, σκουπίζοντας τη μύτη της, με φωνή ταλαιπωρημένη μετά από τόσο γέλιο, του πέταξε κατάμουτρα το λόγο για τον οποίο είχε χρειαστεί τόσο επειγόντως τα λεμόνια. Τα ήθελε, είπε, για να συνέλθει.

«Έχουμε πένθος... Μόλις έρθει η Βάσω, στείλε τη να μου βρει τα μαύρα μου...»

«Τι πένθος;»

«Πριν λίγο μου τηλεφώνησαν. Συνέβη κάτι φριχτό. Ο αρραβωνιαστικός της ανιψιάς μου, της Μαρίας, σκοτώθηκε με το αυτοκίνητο. Η βροχή... Κάτι με τη βροχή».

Ο Ηρακλής τα 'χε χαμένα. Και βέβαια θυμόταν το λεβέντη που θα γινόταν αεροπόρος. Τον είχε δει και με τη στολή και με πολιτικά. Αλλά τι σχέση είχε ο γιος του με χαρίσματα; Του ήρθε κεφαλόπονος απότομα. Η ημικρανία που τον έπιανε μια στις τόσες, απ' τη δεξιά μεριά.

«Υποθέτω ότι η κηδεία θα έχει την επισημότητα των στρατιωτικών», είπε η Ράνα λάμποντας ήδη απ' τις αντανακλάσεις των πνευστών της μπάντας.

«Και η δεσποινίς Μαρία;» βρήκε τη φωνή του ο Ηρακλής.

«Θα επιζήσει, όπως όλοι μας...» τον αποστόμωσε.
«Στείλε μου τη Βάσω, όταν γυρίσουν...»

«Θέλετε να κάνω τίποτα, κυρία;» Μιλούσε και έτριβε
τους κροτάφους του. Δε θυμόταν αν του απάντησε, πόσες
φορές ρεύτηκε μπροστά του εξαιτίας της λεμονάδας, πώς
κατέβηκε τη σκάλα, ούτε το παράταιρο θρόισμα στις ντο-
ματιές εκείνο το ειρηνικό, ήσυχο δειλινό μετά τη βροχή.

Κατάπιε δύο ασπιρίνες και σφήνωσε το κεφάλι του στα
μαξιλάρια. Κάποια στιγμή άκουσε ένα τραγούδι να 'ρχε-
ται απ' τον κήπο ή από κάπου πιο μακριά –άντε να το
προσδιορίσει στην κατάστασή του– σε γλώσσα ακατάλη-
πτη αλλά γλυκιά, με παραπονεμένη μελωδία. Πάνω που
αναρωτιόταν τι και πώς, βυθίστηκε στον ύπνο και τυλί-
χτηκε με χιλιόμετρα λευκής φουστανέλας με υφή γάζας.
Τον ξύπνησε η Βάσω κατά τις οχτώ, χώνοντάς του έναν
εργολάβο ολόφρεσκο απ' το «Πικαντίλι» στο στόμα.

«Σκοτώθηκε ο Ίκαρος της Μαρίας... με κούρσα», της
είπε.

«Κρίμα το παιδί. Αυτή θα βρει καλύτερον...» αποφάν-
θηκε η Βάσω κι έσπευσε να κρύψει στη σιφονιέρα, ανά-
μεσα στα εσώρουχα, τα λαχεία.

Ο Ηλίας κάθισε στη βεράντα αμίλητος, ν' ακούσει τα
βατράχια που το γλεντούσαν. Είχε πάρει να σκοτεινιάζει
κι ο κήπος, φρεσκοπλυμένος, βαφόταν μπλε. Η τελευταία
απόχρωση προτού σκεπαστούν όλα απ' τη νύχτα. Τα νέα
ήταν το πένθος για τον ωραίο νεαρό Ίκαρο. Όλα είχαν
συμβεί την ώρα που έτρωγε το παγωτό στο μακάβριο ε-
κείνο ζαχαροπλαστείο με τους γέροντες σερβιτόρους. Η

213

βροχή και όχι ο ήλιος είχε αυτή τη φορά σκοτώσει τον Ίκαρο. Σκεφτόταν τη Στέλα, που ερωτευόταν τους έρωτες και τα πένθη των άλλων. Την αισθανόταν να απολαμβάνει την τραγωδία και να κλαίει, όπως έκλαιγαν οι γυναίκες στις ταινίες με τα ιταλικά μελό, γεμάτη υπερδιέγερση για το ακίνητο μελαχρινό κορμί του Δήμου. Παρέμεινε σιωπηλός, με το βλέμμα χαμένο και την καρδιά να χτυπά γρήγορα λυπημένη. Κουβαλούσε φόβους εκείνη η μικρή καρδιά και πολλή σιωπή.

«Έλα να πάμε ως το σπίτι, να δούμε τι κάνει».

Η Βάσω είχε φορέσει πάλι τα καθημερινά της. Σκούπισε το κραγιόν απ' τα χείλη, ξανάγινε η Βάσω.

«Να της πεις "συλλυπητήρια". Τα υπολογίζει αυτά», τον συμβούλεψε.

Την ακολούθησε σαν υπνωτισμένος. Μπροστά η Βάσω, πίσω ο Ηλίας, διέσχισαν τον κεντρικό διάδρομο.

«Δεν καταλαβαίνω γιατί τόσα χρόνια δε βάλαμε ένα φως...» μονολόγησε. «Σαν να το κάνουμε επίτηδες, ώσπου στο τέλος θα φάμε τα μούτρα μας. Αμάν αυτές οι ντοματιές με την πικρίλα!»

Όταν άγγιζαν τις ντοματιές, αναδύονταν οι γνώριμες μυρωδιές. Δεν ήταν πικρές. Ξινές ήταν κι ευχάριστες. Ένιωσε μια παγωμάρα στα πόδια, σαν να φυσούσε κρύος αέρας μέσα απ' τα κλαδιά, αλλά είχαν πλησιάσει πια στο σπίτι, που ήταν ζωσμένο χλομά φώτα. Πάνω τους αυτοκτονούσαν έντομα παραζαλισμένα απ' τη χαρά.

Τη βρήκαν όρθια, στητή κι ανήσυχη. Και επιθετική. Πρώτα τους έβγαλε ένα λογύδριο για την τρέλα με τα αυτοκίνητα, για την περιφρόνηση της νεολαίας στις παλιές αξίες και κατέληξε ότι, γενικώς, η επιπολαιότητα πληρώνεται σκληρά. Έριξε μερικές φαρμακερές ματιές στο παιδί και διέταξε τσάι. Η Βάσω θα έπρεπε να σκάψει κυριολεκτικά στην ντουλάπα του διπλανού δωματίου, για ν' ανασύρει ένα μαύρο κρεπ ταγιέρ, μαύρα καπέλα, μαύρα πέπλα, γάντια και μια τσάντα –αν υπήρχε, γιατί δε θυμόταν– από μαύρο φίδι.

«Θα έλεγα ν' αποφύγετε την κηδεία. Για τους στρατιωτικούς κάνουν πολλά συγκινητικά. Μουσικές, πυροβολισμοί, λόγοι... Και τόσο νέος...» παρενέβη η Βάσω, για να εισπράξει ένα απότομο: «Δε σε ρώτησα. Πήγαινε να βρεις τα ρούχα και κάνε μου ένα τσάι. Έτσι κι αλλιώς, ποιος λογαριάζει απόψε τον ύπνο...»

Όταν έμειναν οι δυο τους, τον κοίταξε χαμογελαστή και κούνησε το κεφάλι με σημασία:

«Το ήξερες. Άρα έχει δίκιο, νεαρέ...»

«Τι δίκιο;» Ο Ηλίας ξεροκατάπιε.

«Δεν ήταν ο Τουρχάν αυτός που... Ξέρεις. Πες μου... Μη φοβάσαι. Ξέρνα το. Όχι μόνο να ξερνάς κουκούτσια από βρομο-βύσσινα. Πες μου! Πες μου... Ποιος είναι; Ποιος ήρθε...»

«Δεν ξέρω, κυρία».

«Δεν ξέρω, κυρία...» τον μιμήθηκε, κάνοντας μια φριχτή κοροϊδευτική γκριμάτσα.

«Αν ήξερα...» δικαιολογήθηκε μη βρίσκοντας τις λέξεις.

«Ξέρεις!» του φώναξε.

«Δεν ξέρω!» ύψωσε τη φωνή του.

«Ξέρεις και δε χρειάζεται να βάλεις τα κλάματα».

«Όχι, κυρία. Δεν είναι κανένας Τουρχάν, εκτός...»

«Εκτός...» άστραψε το μάτι της γριάς. «Εκτός τι;»

«Εκτός και λέγεται Τουρχάν...»

«Ξέχνα τον Τουρχάν», αγρίεψε η Ράνα.

«Δεν ξέρω τίποτα!» πείσμωσε. «Τίποτα. Δεν ξέρω τίποτα!»

«Φοβάσαι. Αυτό είναι. Φοβάσαι, μικρέ χέστη...» Πολύ της άρεσε που ξεστόμισε το «χέστη», μια απ' τις αγαπημένες λέξεις του μακαρίτη του Ζάννου, που συνήθως την κολλούσε πλάι σε ονόματα πολιτικών του καιρού του.

«Εσείς πρέπει να ξέρετε. Δικός σας είναι... Τούρκος...»

«Οι δικοί μου ήταν Οθωμανοί, μικρέ κύριε!»

«Τέτοιος, τότε... Ουζουλούγιορουμ, κυρία...» κλαψούρισε το παιδί.

«Ουζουλούγιορσουν; Αααχ, τι χαριτωμένο τέρας που είσαι!» κάγχασε η Ράνα. «Ώστε λυπάσαι κιόλας... Καλά, λοιπόν. Αφού λυπάσαι, θα παραμείνουμε φίλοι. Θα μας συνδέει μια απέραντη σιχαμένη λάσπη από λύπη».

«Δε θέλω να ξανάρθω εδώ, κυρία».

«Είδες που είσαι χέστης;»

«Δε θα ξανάρθω», της είπε απολύτως σοβαρά.

«Και η Στέλα;» Η γριά πήρε το πονηρό της ύφος.

«Η Στέλα δεν αγαπάει κανέναν...» ψιθύρισε το παιδί θλιμμένα.

«Κι ο άλλος ο μικρός, ο Μεχμέτ;»

«Τον φαντάστηκα».

«Α, μπα;»

«Όλα τα φαντάζομαι... Δε θα ξανάρθω, κυρία...»

«Το ακούσαμε αυτό».

Η Ράνα άνοιξε τη βεντάλια και την ξανάκλεισε νευρικά. Διψούσε για τσάι. Μια κατσαρόλα τσάι αν είχε, θα την έπινε.

«Βάσω, το τσάι!» φώναξε.

Η Βάσω μπήκε στο δωμάτιο μ' ένα σωρό μαύρα ρούχα. Μαύρισε ο τόπος. Μέχρι και η τσάντα από φίδι βρέθηκε. Όμως ο Ηλίας χρειαζόταν κατεπειγόντως οξυγόνο. Άφησε σύξυλες τις δύο γυναίκες, χωρίς να πει λέξη, κι έφυγε σαν κυνηγημένος.

Είχαν πολύ καιρό να γοητευτούν στο σόι τους από το θάνατο. Σε τέτοιο βαθμό και με τέτοια ζέστη, ώστε να ανεβαίνουν οι μετοχές του πένθους. Ακόμα και η Ράνα εκείνο το απόγευμα, που από βροχή και δροσιά το ξαναγύρισε σε κουφόβραση με υγρασία θερμοκηπίου, ένιωσε την ανάγκη να αφεθεί στα ερωτικά ενδεχόμενα της συμφοράς. Πέρα από τα απανωτά τηλεφωνήματα και την πιθανότητα να παραστεί την επομένη του συμβάντος στην κηδεία, που προβλεπόταν μεγαλοπρεπής —δηλαδή μια κηδεία συμβατή με τα στρατιωτικά δεδομένα— αυτό καθαυτό το γεγονός τής έφτιαξε το κέφι.

Το σόι του Ζάννου, απ' την άλλη, ανακάλεσε μνήμες αριστοκρατικές και θεώρησε πρέπον, φυσικά, να ανασύρει απ' τα μπαούλα κάποια μαύρα ρούχα, τα οποία ζήτημα ήταν αν, λόγω της υγρασίας, προλάβαιναν ως αύριο να είναι πλυμένα και στεγνά.

Η Στέλα έκλαιγε, γιατί έκλαιγε και η Μαρία. Αλλά κι όταν σταμάτησε η Μαρία εκείνη συνέχισε, γιατί αυθόρμητα υιοθέτησε τη δυστυχία της αδελφής της, μέσα σε μια έκρηξη γενναιοδωρίας – που, τελικά, κατέληξε σε έκρηξη του ξεχωριστού ταμπεραμέντου της. Κι έτσι της ήρθε απρόσμενα περίοδος, οπότε της επιβλήθηκε να πιει δύο ποτηράκια μαυροδάφνη, για το αίμα που έχασε.

Η Ράνα φωταγώγησε ακόμα περισσότερο το σπίτι το βράδυ του δυστυχήματος. Βρήκε ένα παλιό ειρωνικό χαμόγελο, πιθανότατα το ίδιο που χρησιμοποιούσε για να απειλήσει τον αδελφό της πριν από μισό και πλέον αιώνα. Δηλαδή να αποκαλύψει όλα τα περί των ερώτων του. Εκείνος γελούσε, απολαμβάνοντας τη ζήλια της. Και τώρα επαληθεύονταν ξανά οι ελπίδες της. Το παιδί, που προέβλεπε συμφορές και ξερνούσε βύσσινα, μπορούσε να τη φέρει κοντά στον αγαπημένο της. Μαλακά. Χωρίς ζόρια, γιατί ήταν παιδί κι αγριευόταν. Η Ράνα θα έβρισκε τον τρόπο. Για την ώρα απολάμβανε το ενδεχόμενο να αφουγκραστεί τη σκιά του Τουρχάν.

Μπήκε απότομα σ' ένα τρελό πένθιμο καλειδοσκόπιο, γεμάτο γεωμετρικούς φόβους. Μα δε φοβόταν. Κοίταζε το σωρό τα μαύρα ρούχα στο κρεβάτι της και ζύγιαζε τη διάθεσή της. Δεν ήξερε αν έπρεπε ν' αφήσει το σπίτι για μια κηδεία. Δεν ήξερε πότε θα ερχόταν ο αδελφός της, ποια ώρα ήταν θεμιτή για τον Τουρχάν, που αποκεφάλιζε τις ίδιες του τις φωτογραφίες.

Έδιωξε τη Βάσω κι έμεινε μόνη, να βάλει σε τάξη το μυαλό της. Πανικοβλήθηκε μη και δεν μπορούσε να συνεννοηθεί μαζί του την κορυφαία στιγμή της συνάντησης. Ρεύτηκε τα λεμόνια, αλλά ο ξινός φαρμακευτικός αέρας του στομαχιού δεν τη βοήθησε και τόσο.

«Με άδειασαν τα γεράματα...» ψιθύρισε με τη σιγουριά της απώλειας. Της έλειπαν λέξεις, της έλειπαν ζωτικά ρήματα. Πάνω που ανακάλυπτε κάτι, έρχονταν οι αναθεματισμένες δασείες και οι περισπωμένες των ελληνικών κι έδιωχναν τα κλειστά σαν άγουρες τουλίπες φωνήεντα των τουρκικών της. Πάλεψε να θυμηθεί ποιοι ήταν οι σωστοί χρόνοι των νεκρών. Ποιος είναι ο χρόνος τους. Πιο εύκολα της ερχόταν ο «σιμντικί ζαμανού», ο ενεστώτας, και λιγότερο ο «γκετσμίς», ο αόριστος.

«Ποιος είναι ο χρόνος των αναμνήσεων, ηλίθια;» φώναξε με απελπισία. «Ποιος;»

Μόνο ο γιος του κηπουρού μπορούσε να τη βγάλει από την αγωνία, αλλά για την ώρα τον άφηνε ν' απολαύσει τους θυμούς του. Δεν την ενδιέφερε κανένας πια εκτός απ' αυτό το παιδί. Και σε γάμο να τη ζητούσε, θα έλεγε αμέσως «έβετ» –ένα στέρεο τούρκικο «ναι»– και θα πήγαινε μαζί του στην πρώτη εκκλησία. Ρεύτηκε λεμόνια και γέλασε. Φαντάστηκε τον Ηλία ντυμένο γαμπρό, στα μαύρα, με γραβάτα ή κάτι χειρότερο στο λαιμό, να την υποδέχεται νύφη στα ολόλευκα, με τους αποσβολωμένους συγγενείς ολόγυρα, με λιπαρά μαλλιά απ' την μπριγιαντίνη και κραγιόν παγωμένο στα σάπια απ' το μίσος χείλη. Κι εκείνη, ιδιοτελής, τρελή, καραμπογιατισμένη, μάγισσα-νύφη, να ανεβαίνει ασθμαίνοντας τα σκαλιά του ναού, κρατώντας ένα στεφάνι καμωμένο από παντζάρια, που θα έσταζαν τα κόκκινα ζουμιά τους παντού. Μια νύφη αιμάσσουσα, τρομακτική και αποφασισμένη ν' αδράξει το παιδί-γαμπρό για έναν και μοναδικό σκοπό, που κανείς δε θα τον ήξερε.

«Φαίνεται πως τρελάθηκα!» φώναξε δυνατά κι αναζήτησε το τηλέφωνο για να φρεσκάρει το εξαίσιο πένθος της οικογένειας, που της τέντωνε τα νεύρα. Μίλησε με τα κορίτσια. Με τη Μαρία και τη Στέλα. Η μικρή έκλαιγε απαρηγόρητη. Η Μαρία φαινόταν να το χώνεψε. Οι γονείς τους αγωνίζονταν να κρατηθούν, όσο το δυνατόν, στο περιθώριο του αναπάντεχου πένθους. Όχι πολλά μαύρα. Αρκούν τα μπλε. Έστω τα μπλε νουάρ. Όλοι, πάντως, τη συμβούλευαν να μην παραστεί σε μια κηδεία που θα επιδείνωνε την κατάστασή της. Κηδεία μεγάλης διάρκειας: λόγοι, μπάντες, ομοβροντίες όπλων, περίεργοι τύποι στη δεξίωση που θα ακολουθούσε, απρόβλεπτα ξεσπάσματα νεύρων...

«Θα το σκεφτώ. Έχω μια νύχτα μπροστά μου... Πάντως στεφάνι θα στείλω. Άσπρα γαρίφαλα και υάκινθους... Ή κόκκινα τριαντάφυλλα – μπορεί και λευκά. Θα το σκεφτώ....»

Η νύχτα έφερε τη ζέστη και το θρήνο των βατράχων. Τραγούδι ήταν, αλλά μια τέτοια βραδιά προτιμούσε να το αποκαλεί θρήνο. Εξάλλου τραγούδι ήταν εκείνο το άλλο, που έφτανε τώρα στ' αυτιά της μασημένο. Ένας άντρας, κάπου εκεί έξω, σιγοψιθύριζε ένα παραπονεμένο τραγούδι με λόγια παλιά. Για την ακρίβεια, με παλιά τουρκικά. Στίχοι υφασμένοι σαν κιλίμι με περσικούς και μογγολικούς κόμπους. Είδε ξαφνικά μέχρι και τους ρόμβους του κιλιμιού σχεδιασμένους με πράσινη κλωστή, μάλλινη. Και πλάι, μελιτζανιά κλαδιά ακακίας με ωχρά λουλούδια, σαν φρούτα του αργαλειού. Σκίρτησε απ' τη μελαγχολία των αγαπησιάρικων στίχων, που μιλούσαν για το θάνατο μ' ένα απερίγραπτα ψυχρό ασημένιο χρώμα, σαν το φεγγάρι του Μάρτη στις στέπες της Ανατολίας. Και για την αγάπη, που ταξιδεύει σαν σκοτωμένο χελιδόνι στα μεγάλα σκοτεινά ποτάμια. Κι όλα τυλιγμένα σ' ένα βασανισμένο αντρικό «αμάν», αρωματισμένο από τη μοσκοβολιά ξανθού καπνού.

Η Ράνα έσφιξε τα χέρια της όσο την έπαιρνε. Μέχρι να πονέσουν οι παθημένες αρθρώσεις. Σηκώθηκε με στητό το κεφάλι, περήφανα, και στάθηκε για μια στιγμή μπροστά στη μισάνοιχτη μπαλκονόπορτα. Έπειτα, με όση δύναμη είχε, έδωσε μια στα παντζούρια που, τρίζοντας, άνοιξαν διάπλατα, αφήνοντας να εισβάλουν σμήνη παραζαλισμένων εντόμων στο δωμάτιο.

«Τουρχάν...»

Η φωνή της θρυμματίστηκε στη νύχτα. Έγινε ένα με την υγρασία, φώναζε το όνομα του αδελφού κλαίγοντας, παρακλητική κραυγή, που την επαναλάμβαναν κοροϊδευτικά τα βατράχια, σαν χορωδία από μάινες και παπαγάλους.

Το τραγούδι σταμάτησε. Κι όταν ξαναφώναξε «Τουρχάν», πήρε πίσω τον αντίλαλό της, σαν ύβρη. Έμεινε πάνω από δέκα λεπτά γερμένη στα κάγκελα του μπαλκονιού, μουσκεμένη από τα δάκρυα και την ψυχρή λευκή ομίχλη που σερνόταν βιαστική ανάμεσα στα πόδια της, νοτίζοντας τις διογκωμένες φλέβες και τον ποδόγυρο της ρόμπας. Μόνο που η Ράνα δεν την πρόσεξε, έτσι που τυλίχτηκε στην επιθυμία και τη νοσταλγία των πειρασμών της. Ψαχουλευτά έκλεισε με το μάνταλο τα παντζούρια, αφηρημένα έσυρε τις κουρτίνες, ξανάπεσε στην πολυθρόνα με αδύναμα πνευμόνια και δε σταμάτησε να κλαίει ως το πρωί, που αποκοιμήθηκε με το όνειρο του Ηλία-γαμπρού να την ταριχεύει με ρύζι, μαϊντανό, κουκουνάρι και σταφίδα, μετά να τη ράβει κι έπειτα εκείνη να αισθάνεται σαν ένας γελοίος νυφικός ντολμάς, έτοιμος να σκάσει στα γέλια. Μόνο όταν ένιωσε πως δεν είχε καρδιά, μήτρα, τζιγέρια, νεφρά και το περίφημο πάγκρεας, που τόσο φοβόταν η Βάσω, ένιωσε ότι πέθανε. Όμως το όνειρο καταλύθηκε από τη δίψα κι από μια σουβλιά στην κύστη, προς μεγάλη της ανακούφιση.

Το ίδιο βράδυ ο Ηλίας τυλίχτηκε με το σεντόνι ως τ' αυτιά, αν κι έκανε ζέστη υγρή. Αλλά και κάτω από το σεντόνι άκουγε τη Βάσω να ουρλιάζει ψιθυριστά: «Άφησέ με, σου λέω! Απόψε δεν έχω όρεξη, είμαι και στις μέρες μου». Ο Ηρακλής γελούσε και την πείραζε, λέγοντας ότι «η Μπέλα τελικά θα γαμηθεί απ' τα ίδια της τα ξαδέλφια, με τις κάψες που την τρέλαναν». Η Βάσω δεν απάντησε στο επίμαχο θέμα. Μόνο κάτι «αφ» και «ουφ», αλλά στο τέλος έβαλε τα κλάματα. Κι όταν ο πατέρας του ρώτησε

«Σοβαρά κλαις, βρε χαζή;» εκείνη αγρίεψε και του είπε να μαζέψει τις μαλλιαρές ποδάρες του απ' το στομάχι της.

Τα άκουγε όλα νυσταγμένος, με ανοιχτά όμως μάτια, γνωρίζοντας καλά πως η κυρία Μερόπη βασανιζόταν από ψε απ' τις εμμονές της. Μπορεί να 'νιωθε και τύψεις που τον έπνιγε με ερωτήσεις, πεπεισμένη πως εκείνος θα της έλυνε προβλήματα δεκαετιών. Προσπάθησε να θυμηθεί το άρρωστο πρόσωπο της μητέρας του, μα δεν τα κατάφερε. Δάκρυα κυλούσαν απ' τα μάτια του, χωρίς να πιστεύει ότι έκλαιγε πραγματικά. Δάκρυα, που ξέπλεναν εικόνες του μυαλού και τον ανάγκαζαν να φανταστεί το νεκρό αεροπόρο μέσα στη στολή, ωραίο κι ακίνητο, με χείλη κέρινα και κλειστά βλέφαρα, ανάμεσα σε κεριά και σε μαραμένα λουλούδια του καλοκαιριού. Η τελευταία νύχτα στο σπίτι. Όπως και η μαμά του, που εκείνο το τελευταίο βράδυ, πεθαμένη και ήρεμη, την καλοτύχιζαν που γλίστρησε απ' την αρρώστια, νικώντας την επιστήμη, που τη βασάνιζε μήνες και μήνες. Δεν καταλάβαινε την ευτυχία των πεθαμένων ο Ηλίας, ούτε τις ανήσυχες ψυχές που αρνούνται να υποταχθούν στους πολύχρωμους παραδείσους των ουρανών και αποτυπώνουν την παρουσία τους με επιμονή στα όνειρα και στα σκοτάδια της νύχτας.

«Δεν είναι ο Τουρχάν. Δεν είναι ο αδελφός της...»

Άκουσε τη φωνή του φιλτραρισμένη απ' το σεντόνι και λυπήθηκε ξανά την παραπλανημένη απ' τις ελπίδες της κυρία Ράνα-Μερόπη-Ιουστίνη. Αγωνίστηκε να θυμηθεί έστω και μία τούρκικη λέξη από εκείνες που του κατέβαιναν σαν σωστός χείμαρρος από το στόμα, αλλά δεν μπόρεσε. Έπειτα, άρχισε να μετρά τις εκφράσεις της Στέλας, που απόψε την ένιωθε να κολυμπά σε μια πηχτή, κολλώδη λύπη, γεμάτη αυταρέσκεια και θαυμασμό για τις προοπτικές που της άνοιγε η τραγωδία του αεροπόρου. Θα αγκιστρωνόταν σ' αυτήν και θα γινόταν ακόμα πιο ακατάδεχτη και σκληρή. Την είχε κιόλας συγχωρήσει που έσκισε τη φωτογραφία με την αφιέρωση της Αλίκης Βουγιουκλάκη. Όλα θα της τα συγχωρούσε εξαιτίας της αγάπης. Ερεθίστηκε από την πλημμυρίδα της αγάπης εκεί κάτω απ' το σεντόνι. Κι αυτή τη φορά θέλησε να κλάψει πραγματικά. Η Βάσω κι ο πατέρας του είχαν αποκοιμηθεί. Ονειρευόταν το στόμα της Στέλας και το απαλό χνούδι στα πόδια της, ντρεπόταν που εισχωρούσε δυναμικά κάτω απ' τα μαλακά υφάσματα των φορεμάτων της, που έμπαινε ανάμεσα στα δόντια της σαν μασημένο κεράσι, που έφτανε κάτω απ' τα απαλά βαμβακερά εσώρουχά της διακινδυνεύοντας τα πάντα. Κι ύστερα άρπαζε λαίμαργα στο στόμα του τα μικροσκοπικά σκουλαρίκια, περασμένα ποιος ξέρει με πόση κοκέτικη οδύνη στα αυτιά, και τα κατάπινε αιμορραγώντας.

«Τουρχάν...» Μισοσηκώθηκε ν' ακούσει εκείνη τη φωνή, που επαναλήφθηκε τσαλακωμένη μέσα στην εκκωφαντική σιωπή. Νόμισε ότι έφτασε στ' αυτιά του κι ένα τραγούδι, ειπωμένο από άντρα, μη κατανοητό από τον πόθο, σε γλώσσα άγνωστη. Έπειτα, γρήγορα, όλα σκεπάστηκαν απ' τη μαύρη ακινησία του κήπου. Σταυροκοπήθηκε και ξανάπεσε βαρύς στο στρώμα, παρακαλώντας τον ύπνο να 'ρθει όσο πιο γρήγορα γινόταν.

Δεν ήρθε γρήγορα. Αλλά, όταν ήρθε, του φόρεσε γαμπριάτικο κοστούμι, λες και θα πήγαινε σε πάρτι αποκριάτικο. Τον έσυρε σε μια εκκλησία με γοτθικές αιχμές, γεμάτη αγάλματα παραστρατημένων αγγέλων, που τώρα σάπιζαν χωρίς φτερά στην Κόλαση. Κι εκεί του ανέθεσε να παντρευτεί μια γριά νύφη, όπως η Μις Χάβισαμ στις *Μεγάλες Προσδοκίες* του Ντίκενς, στα «Κλασικά εικονογραφημένα» που τον ξετρέλαιναν. Η Μις Χάβισαμ ήταν φτυστή η κυρία Μερόπη, μπογιατισμένη με κοκκινάδια, που πιο πολύ έμοιαζαν με ιώδιο πάνω σε χρόνια εκζέματα – τέτοιες διαβαθμίσεις του κόκκινου. Κι έπειτα, μ' ένα σουγιά, δώρο της νύφης που γλένταγε τον τρόμο του, της έκανε μια πελώρια ευθεία τομή από το λαιμό ως κάτω. Έχωσε τα χέρια στο σώμα και το άδειασε. Όλα τα όργανα εκεί μέσα ήταν διπλά και τριπλά: τρεις καρδιές, δύο συκώτια, χολές δύο, νεφρά τέσσερα, πνευμόνια πόσα;

Με γρηγοράδα ταχυδακτυλουργού γέμισε το σώμα της με ρύζι και μυρωδικά και το 'ραψε με βυζαντινή βελονιά. Κι εκείνη να γελά ραμμένη... Μέσα στο ρύζι. Στο τέλος έβαλε κι εκείνος τα γέλια και γελούσαν μαζί, σαν σκίτσα από τα «Κλασικά Εικονογραφημένα».

«Θα κατουρηθείς απ' τα γέλια και δε θέλω τσίκνες...»

Η Βάσω, όρθια, με το κομπινεζόν κι ένα ποτήρι νερό, τον σκούντηξε να ξυπνήσει:

«Καλέ, ξύπνα. Έλα... Γύρνα στο πλάι. Το ανάσκελο είναι επικίνδυνο...»

Απορημένος, άνοιξε τα μάτια με αφρισμένο στόμα από το γέλιο. Είδε τη Βάσω και τρόμαξε να καταλάβει πού βρισκόταν. Ήπιε το νερό μονορούφι. Νύχτα, πίσσα ακόμη.

«Εντάξει; Γύρνα στο πλάι... Γιατί σε πήρε η χαρά και το γέλιο; Άντε, κοιμήσου...»

Δεν της είπε τίποτα. Τι να έλεγε; Κλείστηκε στο σεντόνι, απαγγέλλοντας προσευχές που δεν οδηγούσαν στον ύπνο. Ευχόταν ν' ακούσει τα πρωινά κοκόρια να λαλούν, το παρήγορο μαρσάρισμα κάποιου φορτηγού. Καλοτύχισε όσους ζουν κοντά σε τρένα. Είχε μια κουμπάρα η γιαγιά του, που έμενε πίσω απ' το Σταθμό Λαρίσης. Πάνω απ' τις γραμμές. Ήξερε τις ώρες απ' τα τρένα. Όλα ήταν εύκολα με τα δρομολόγιά τους. Παρηγοριά τα σφυρίγματα. Ακόμα κι απ' τα τυφλά εμπορικά καταλάβαινε τις ώρες.

Κράτησε την ανάσα του, προσποιούμενος το σφουγγαρά που ψάχνει για σφουγγάρια στους βυθούς τους άγριους. Κάποιος έξω στην αυλή βάδιζε αργά, με ανάπηρο τενεκεδένιο βήμα. Λούστηκε στον ιδρώτα το παιδί και είπε: «Ας σκεφτώ τον Μεχμέτ». Ήταν η πιο ήπια απ' τις σκιές που τον στοίχειωναν. Σκέφτηκε, σκέφτηκε, σκέφτηκε, αλλά δεν του 'βγαινε. Έτρεχε μέσα σε μια παλιά λιθόστρωτη λεωφόρο, περνούσε γέφυρες ποταμών με ονόματα όπως Μέριτς και Τούντζα, δεξιά κι αριστερά του απλώνονταν δάση πυκνά, γεμάτα από γέλια στρατιωτών σκοτωμένων στα είκοσι και στα είκοσι τρία τους. Έτρεχε και συναντούσε αραμπάδες γεμάτους κουνουπίδια τεράστια σαν ανοιγμένες ομπρέλες, λάχανα σαν κεφάλια μωρών σιωπηλών και άνηθους μπουκέτα μπουκέτα, που στην άγνωστη γλώσσα ονομάζονταν «ντερέ οτού». Κι ύστερα, ξαφνικά, πίσω απ' τα σύννεφα πρόβαλε η Αδριανούπολη και οι μιναρέδες του τζαμιού του Σουλτάνου Σελίμ. Σαν καλοξυσμένα μολύβια μάρκας «Φάμπερ» άγγιζαν ένα μεγάλο φωτεινό ουρανό, ντυμένο πορσελάνινα γαλάζια πλακάκια απ' το Ιζνίκ. Και παντού η μυρωδιά του κάρβουνου, ζυμωμένη με τους ιδρώτες των ποταμών – ή μήπως του δικού του ιδρώτα, που μούσκευε τώρα τα δάχτυλα των ποδιών του;

Κοιμήθηκε μέχρι αργά και θα κοιμόταν ως το μεσημέρι, αν δεν τον ξυπνούσαν οι φωνές του Ηρακλή στο τηλέφωνο, που διεκδικούσε κάποια «δεδουλευμένα» ως κομπάρσος στην *Αστέρω*.

«Σήκω, τεμπέλαρε, να βάλουμε λίγη κοπριά στις όψιμες ντομάτες... Άντε, παλικάρι μου! Κυριακή σήμερα... Έλα, προτού βρέξει. Πάλι μαζεύει ο καιρός...»

«Μπαμπά, θέλω καφέ...»

«Καφέ; Τι λες, ρε θεριακλή! Έλα να πιούμε μαζί τώρα, που δε μας βλέπει η κυρα-Βάσω».

Ο Ηρακλής χαμογέλασε πλατιά, που το αγοράκι του μεγάλωσε κι έπινε καφέ. Ανακάτεψε τα κατσαρολικά, άνοιξε το καφεκούτι, μοσκοβόλησε καφέ η κουζίνα, τραγούδησαν τα κουταλάκια. Κάθισαν στη βεράντα, κάτω απ' την γκρίζα αντηλιά, πατέρας και γιος. Τα νέα ήταν περίεργα κι ο Ηρακλής τα μετέδιδε ακόμα πιο δραματικά, ως «περίπου ηθοποιός». Τα δύο σκυλιά του διπλανού σπιτιού κάποιος τα 'χε στραγγαλίσει χτες το βράδυ. Η μαντάμ είχε πάθει κρίση, η υπηρέτρια ορκιζόταν πως δεν έφταιγε, ο κύριος κατέθεσε μήνυση κατ' αγνώστων στην Αστυνομία.

«Δε σου κάνει εντύπωση ή ακόμα κοιμάσαι;»

Ο Ηλίας τον άκουγε χωρίς σχόλια. Δεν είχε δει ποτέ αυτά τα δύο σκυλιά, που πρέπει να ήταν αρκετά μεγαλόσωμα, κρίνοντας απ' το βαρύ τους γάβγισμα.

«Τι κόσμος υπάρχει!» αναστέναξε ο Ηρακλής, που ήταν ήδη φορτισμένος απ' το πένθος του αεροπόρου. Είχε πάει πρωί πρωί στο ανθοπωλείο να παραγγείλει ένα στεφάνι με άσπρα τριαντάφυλλα εκ μέρους της κυρίας Μερόπης. Ένα κάρο λεφτά για μόστρα... Κρίμα το παιδί, γιατί «...η χαμούρα η Μαρία θα βολευτεί με κανέναν καλύτερο». Κρίμα!

Δεν του άρεσε που μιλούσε ο πατέρας του έτσι. Ξαφνικά, μπορεί και λόγω του καφέ, είχε ξεχάσει ότι απευθυνόταν σ' ένα παιδί.

«Τι έγραψε στο στεφάνι;» θέλησε να μάθει ο Ηλίας.

«"Αναπαύσου εν ειρήνη. Μερόπη-Ιουστίνη Ζάννου Ριζούδη". Άκου "αναπαύσου"! Σιγά την κούραση, νέος και κατάγερος. Πότε πρόλαβε να κουραστεί; Καβαλώντας μήπως την ανιψιά της;» Γέλασε. Είχε και τους λόγους του. Τόσο η Μαρία όσο και η Στέλα ποτέ δεν του απηύθυναν το λόγο, εκτός από ένα ξερό «Χαίρετε». Άκου «Χαίρετε», οι παλιο-ψηλομύτες!

«Δεν πήγε στην κηδεία...»

«Πού να πάει το χούφταλο... Κρεβατώθηκε. Αρρώστησε, λέει».

«Τι αρρώστια;»

«Πάνε ρώτα την. Σ' έχει πάρει με το καλό εσένα...»

Το παιδί έκανε πως δεν άκουσε. Μάζεψε τα φλιτζάνια προσεχτικά και τα ακούμπησε στο νεροχύτη με μαύρη

228

καρδιά. Έπειτα πήραν το καροτσάκι και το γέμισαν κοπριά, να τη ρίξουν στις ντομάτες, που ποτέ δεν ήταν πιο μεγάλες και πιο κόκκινες.

Τίποτα, όμως, δεν του έκανε πια εντύπωση του Ηλία. Είχε αφεθεί στο πλαδαρό καλοκαίρι, γνωρίζοντας πως καμιά δύναμη δε θα μπορούσε να αναστρέψει τα γεγονότα. Οι ντομάτες κόντευαν το μέγεθος καρπουζιού. Θαύμα ήταν που ο λιγνός κορμός άντεχε τόσο βάρος. Ο πατέρας του καλοτύχιζε τα φυτά, ευχαριστημένος απ' την αποδοτικότητα του χώματος. Δε θυμόταν άλλη χρονιά τις ντομάτες του σε τέτοια κατάσταση. Τις έφτυνε κάθε τόσο για να μη ματιαστούν, «...γιατί, όπως σου έχω πει, το μάτι το κατανοεί και η θρησκεία μας». Τέτοια μονολογούσε ο Ηρακλής σκορπίζοντας την κοπριά με προσοχή, αλλά ακούστηκε το τηλέφωνο από το σπίτι κι έφυγε τρέχοντας.

«Τίποτα για την ταινία θα είναι...»

Έμεινε το παιδί μόνο ανάμεσα στις θηριώδεις εξαγριωμένες ντομάτες με τις γυαλιστερές επιδερμίδες, σκυμμένος στις ρίζες τους. Μερικές ρίζες είχαν χοντρύνει αφύσικα, σαν μεγάλα αρπακτικά δάχτυλα δράκου, και σέρνονταν στο χώμα ανεξέλεγκτες. «Με την κοπριά θα γίνουν δέντρα», σκέφτηκε. Ξάφνου σταμάτησε. Μια πατημασιά ανθρώπινη. Πατημασιά που ίσα ίσα θα χωρούσε σε σαράντα πέντε νούμερο παπούτσι. Ένα πεντακάθαρο χνάρι, που ανήκε σε άντρα. Μονάχα ένα. Το άλλο θα 'χε σβηστεί απ' τα νερά, γιατί από το πρωί το λάστιχο πότιζε. Σηκώθηκε μουδιασμένος, κοιτάζοντας φοβισμένος ένα γύρο. Απόλυτη ησυχία, κυριακάτικη, γεμάτη απ' το ζουζούνισμα των εντόμων.

«Ώστε εδώ είσαι...» ακούστηκε η φωνή της.

Παραλίγο να πέσει πάνω στις ντοματιές. Η Στέλα στεκόταν στην άκρη του διαδρόμου, μέσα στα άσπρα. Τίναξε τα χώματα από τα χέρια του και την πλησίασε διστακτικός. Είχε μισόκλειστα τα μάτια λόγω της αντηλιάς και τον παρατηρούσε με το μόνιμο ειρωνικό της χαμόγελο. Τα μάτια της είχαν μαύρους κύκλους.

«Δε μου επέτρεψαν να πάω στην κηδεία. Ήρθα να κάνω παρέα στη θεία, αλλά η θεία κοιμάται. Τι κάνεις εδώ;»

«Βοηθώ τον πατέρα μου...» Έπρεπε ίσως να πει κάτι σχετικά με τον αεροπόρο, αλλά η Στέλα μιλούσε γρήγορα για το θάνατο, για τη μοίρα, για το βαρύ πένθος που από 'δώ και πέρα θα απλωνόταν πάνω απ' το σπίτι τους. Αφηγήθηκε όσο πιο σπαραξικάρδια γινόταν πώς έμαθαν την είδηση του θανάτου, τη λιποθυμία της μητέρας της, τον καταρράκτη με τα μαύρα ρούχα που προέκυψε αναπάντεχα στο δωμάτιο της αδελφής της...

Έλεγε πολλά κι εκείνος αφέθηκε ευγενικά στη διάθεσή της. Ήταν τελικά περήφανη για τη γενναιοδωρία των αισθημάτων της, για τη θλίψη και την απόφασή της να κρατήσει σε μια μεριά της καρδιάς της ισόβιο πένθος για τον ωραίο Δήμο. Όσο για το λευκό της φόρεμα, ίσως ένα λαϊκό αγόρι σαν κι αυτόν να μην το 'ξερε, όμως το λευκό είναι εξίσου πένθιμο με το μαύρο...

«Το ήξερες;»

«Όχι».

«Φυσικά δε θα το ήξερες», κάγχασε μ' ένα αντιπαθητικό κοκοράκι στη φωνή της η Στέλα.

Ο Ηλίας ένιωσε κάτι σαν ζάλη, κάτι που, όσο κι αν προσπαθούσε αργότερα να το εξηγήσει, θα ήταν αδύνατον. Κατάλαβε πως δεν ήταν μόνοι. Κάτι άλλο υπήρχε κοντά τους κι ο νους του κόλλησε στην πατούσα. Κοίταξε πίσω, αλλά δεν είδε τίποτα. Η Στέλα συνέχισε να διαλαλεί το πένθος για τον αεροπόρο με ακόμα μεγαλύτερη έμφαση. Και δε θα σταματούσε, αν μια ώριμη γιγαντιαία ντομάτα δεν έσκαγε μ' ένα μαλακό, σιχαμένο «πλαφ», ρίχνοντας με δύναμη τα ζουμιά και τα σπόρια της πάνω της.

Το κορίτσι τα 'χασε. Κόπηκε η φράση στη μέση, έκλεισε τα μάτια, τρεμόπαιξαν τα ρουθούνια της και ούρλιαξε με φωνή ζώου. Ο Ηλίας μπερδεύτηκε. Στηρίχτηκε στο καλάμι της εκρηκτικής ντοματιάς, νομίζοντας πως η Στέλα αιμορραγεί, τρομοκρατημένος απ' το ουρλιαχτό, που έγινε αυτόματα κλάμα υστερικό.

«Τι μου έκανες; Τι...» τσίριξε η Στέλα, πασχίζοντας να ελευθερώσει τα μάτια της απ' τα ζουμιά της ντομάτας.

«Μην πλησιάζεις... Τι μου έκανες, βλάκα; Βλάκα...»

«Εγώ... εγώ...» Κόλλησε σ' ένα ανόητο απολογητικό «εγώ», τρέμοντας σαν το φύλλο. Ήθελε να φύγει από 'κεί το γρηγορότερο, αλλά τα πόδια του δεν υπάκουαν.

«Βλάκα... Πώς τόλμησες, βλάκα;»

Ο Ηρακλής έφτασε σαν τρελός, φορώντας τα γυαλιά ηλίου. Έμεινε άναυδος από το θέαμα.

«Τι της έκανες, ρε; Ησύχασε, δεσποινίς...»

Η Στέλα, όμως, δεν καταλάβαινε τίποτα. Συνέχιζε να εκτοξεύει απειλές και προσβολές, στάζοντας ντοματόζουμα.

«Δεν έκανα τίποτα. Το ξέρεις!» ύψωσε ο Ηλίας τη φωνή του αδικημένου. «Δεν της έκανα τίποτα...»

«Το ξέρεις ότι η ντομάτα στύβει...» Τι να πει και ο Ηρακλής;

«Βλάκα... ε, βλάκα!» Η Στέλα χτυπιόταν χωρίς δάκρυα.

«Δεν το 'κανα εγώ...»

«Ποιος γαμημένος το 'κανε, τότε; Συγγνώμη, δεσποινίς...»

Πλάκωσε το παιδί στις σφαλιάρες, για να δικαιώσει τη μικρή που άφριζε. Έμειναν τα δάχτυλά του στα μάγουλα του γιου.

«Μια στιγμή έλειψα μόνο, δεσποινίς...»

«Θα πω στη θεία μου να σας διώξει...» ωρυόταν εκείνη.

«Δεν το 'κανα εγώ, πατέρα...» Οι φλέβες του λαιμού του πρήστηκαν απ' την αγανάκτηση, αλλά δε θα 'κλαιγε μπροστά τους.

«Ποιος τότε; Κοίτα χάλια. Και με ντομάτα που στύβει... Ποιος;»

«Άλλος...» μουρμούρισε ο Ηλίας πνιγμένος απ' το παράπονο.

«Ποιος άλλος;» Ο Ηρακλής είχε βγάλει τώρα τα μαύρα γυαλιά, νευριασμένος πιο πολύ απ' τη μικρή έχιδνα, που τους απειλούσε με εκδίωξη. Ακούς εκεί!

«Κάποιος...» Ο γιος έσκυψε το κεφάλι από ντροπή.

«Κοίτα σύγχυση... Κοίτα, στα καλά καθούμενα! Και

συγγνώμη, δεσποινίς Στέλα... Συλλυπητήρια κιόλας...»

Η Στέλα, μέσα στη θολούρα της, συνέχιζε να βλαστημά, με τον ιδιαίτερο «αριστοκρατικό» της τρόπο, όπως ε-ξήγησε ο Ηρακλής δυο μέρες μετά στην Ευζωνία. Στο τέλος, τους γύρισε την πλάτη κι έτρεξε στο σπίτι, να τα προλάβει στη θεία της.

Αλλά η κυρία Μερόπη κοιμόταν και έμαθε τα καθέκαστα το απογευματάκι, όταν ξύπνησε ζητώντας μια παγωμένη κομπρέσα και το γαλλικό λεξικό, που ζύγιζε τρεις ο-κάδες. Είχε ονειρευτεί μια ξαδέλφη της, τη Σούνα, που ζούσε στη Νέα Υόρκη και αντάλλασσαν αραιά και πού κάρτες τις Πρωτοχρονιές. Η Σούνα είχε πεθάνει σ' ένα περίεργο ταξίδι στην Αργεντινή μαζί με τις δύο κόρες της. Αυτά πριν απ' τον τελευταίο πόλεμο. Απ' ό,τι έμαθε, δη-λητηριάστηκαν από αναθυμιάσεις ή κάτι ανάλογο. Κι αυ-τή η Σούνα εμφανίστηκε ντυμένη σαν νοσοκόμα κι άρχι-σε να της εξηγεί στα γαλλικά –γαλλικά μιλούσαν πάντα οι δυο τους, απ' την Κωνσταντινούπολη ακόμα– κάτι για την οικογένειά τους. Για κάποιον προπροπρόγονο πρίγκι-πα, που ποτέ δεν πρόφτασε να γίνει Σουλτάνος, ο οποίος στραγγαλίστηκε κατά το έθιμο της αδελφοκτονίας. Ήταν μόνο είκοσι πέντε χρόνων και δολοφονήθηκε με διαταγή του αδελφού του, του Σουλτάνου, όπως και τόσοι άλλοι σε ανάλογη θέση.

Η Σούνα, που, απ' όσο θυμόταν η Ράνα, είχε εξασκηθεί στο Αυτοκρατορικό Νοσοκομείο από Γερμανίδες νοσοκό-μες στο χειρουργείο, της μετέφερε τόσους αιώνες μετά το συμβάν, σε άπταιστα πάντα γαλλικά, ότι ο νεαρός πρίγκιπας πέθανε από ασφυξία, όπως διεπιστώθη... Κάτι σαν στραγγαλισμός.

Πάνω στις διαπιστώσεις βάρεσε ο αέρας τα παντζούρια και ξύπνησε απ' το λήθαργο. Αυτό που της έμεινε απ' το δαιδαλώδες όνειρο ήταν πως ο τάφος του βρέθηκε στην Εντίρνε, στην Αδριανούπολη, ενώ σκάβονταν τα θεμέλια για να χτιστεί ένα ελληνικό Παρθεναγωγείο, επί Αμπντούλ Μετζίτ. Τότε ανακάλυψαν ότι ο πρίγκιπας είχε ταφεί εκεί και αναγνωρίστηκε από ένα κόσμημα.

Η Ράνα είχε ακούσει πολλές φρικαλεότητες των Οσμανλήδων διεκδικητών του θρόνου σαν παιδί από την αδελφή της γιαγιάς, που είχε πάθος με τα οικογενειακά κουσούρια. Οι γνώσεις αυτής της πολύξερης θείας έφταναν ως τους πρώτους πρώτους Σουλτάνους, όταν η Εντίρνε ήταν ακόμα πρωτεύουσα των Οθωμανών. Οι αδελφοκτονίες νομιμοποιήθηκαν στην Ισταμπούλ μετά τον Πορθητή. Ο πατέρας της, που ήταν άνθρωπος με ανοιχτό μυαλό, όλα αυτά τα αποκαλούσε «μασαλάρ», παραμύθια, αλλά παραμύθια ολωσδιόλου ακατάλληλα για το κορίτσι του. Και τώρα η Σούνα της αναθέρμαινε εκείνα τα παλιά και λησμονημένα...

Η Στέλα φορούσε ένα λεκιασμένο βαμβακερό φόρεμα, που το πρωί πρέπει να ήταν άσπρο, αλλά δεν έδωσε σημασία.

«Πήγαινε, χρυσό μου, να μουσκέψει η Βάσω το πανί με παγωμένο νερό. Ακούς;»

Η Στέλα πήρε μουτρωμένη το στραγγισμένο πανί —η κομπρέσα με το κρύο τής τραβούσε την κεφαλαλγία— κι έ-

234

τρεξε κάτω στην κουζίνα. Με το γαλλικό λεξικό ξέχασε ε-
ντελώς τον αεροπόρο. Ξεφύλλιζε βιαστικά τις σελίδες, που
ήταν έτοιμες να θρυμματιστούν. Την έκοβαν και τα μάτια
της, έχανε τις αράδες. Στο τέλος, εξουθενωμένη, παραιτή-
θηκε. Βρήκε μόνο δύο ρήματα, που δεν της ήταν και ά-
γνωστα: «ενταφιάζω» και «επανέρχομαι».

Η Στέλα άπλωσε την παγωμένη κομπρέσα στο μέτω-
πο της θείας της.

«Ο γιος του κηπουρού έκανε βρομιές...» κλαψούρισε.

«Τι βρομιές;»

«Μου βρόμισε το φόρεμα με ντομάτα... Καταστράφηκε!»

«Ποιο, παιδί μου, καταστράφηκε;» Η Ράνα δεν κατα-
λάβαινε.

«Το φόρεμα. Το έκανε επίτηδες».

«Είμαι σίγουρη», αναστέναξε η γριά. «Όλα γίνονται ε-
πίτηδες, καλή μου». Και πάτησε κάτι άγρια γέλια, που
μέχρι και στη Βάσω, κάτω στην κουζίνα, ακούστηκαν.

«Νιώθετε καλύτερα, θεία;» Η Στέλα ξεθαρρεύτηκε με
τα γέλια της Ράνας.

«Χειρότερα. Γι' αυτό γελάω».

«Πονάτε;»

«Τρελαίνομαι. Αυτή είναι η αλήθεια...»

«Αυτό το αγόρι είναι τέρας».

«Α, λες για τον μικρό του Ηρακλή... Ναι, είναι τέρας»,

«Μέρα που βρήκε... Ξέρετε, έγινε η κηδεία και ήταν υ-
πέροχη. Θα σας τα πει και η μαμά... Ωραία και θλιβερά».
Η Στέλα βρήκε ευκαιρία να φλυαρήσει για την κηδεία, για

τα συναισθήματά της, για όσα θα σημείωνε το βράδυ στο ημερολόγιό της.

«Γεροντοκόριασε προτού πετάξει στήθος...» σκέφτηκε η Ράνα κάτω απ' τη δροσερή επήρεια της κομπρέσας και τη λυπήθηκε. Ήταν τόσο όμορφη και φρέσκια, που σου ερχόταν να τη μισήσεις. Όμως την άκουγε να φλυαρεί για την ασυνάρτητη ερωτική λύπη, που τη συνέπαιρνε αυτό το ήσυχο καλοκαιρινό απόγευμα, πετώντας ενδιάμεσα στο μονόλογο και τις σχετικές μπηχτές για τον κακόμοιρο τον Ηλία.

«Τελικά, δε μου είπες. Τι δουλειά είχες εσύ μες στις ντομάτες;» διέκοψε τη Στέλα απ' το μελοδραματικό της παραλήρημα.

Πρόθυμα η Στέλα επανέλαβε την ιστορία, τονίζοντας πως το επεισόδιο έγινε σε ελάχιστα λεπτά. Είπε και για τα χαστούκια που άρπαξε ο νεαρός δράστης απ' τον πατέρα του. Τότε ακούστηκε το αυτοκίνητο που είχαν στείλει οι γονείς της να τη γυρίσει πίσω.

«Αύριο πάλι...»

Φίλησε τη θεία της και έφυγε τρέχοντας.

Η Ράνα έμεινε μόνη στο μισοσκότεινο δωμάτιο με τους φόβους της. Ένιωθε αδύναμη, την τριγυρνούσε ο ύπνος σαν αρρώστια, με το ζόρι θα κρατούσε ανοιχτά τα μάτια της, έπρεπε να σκεφτεί, να βάλει σε τάξη κάποια πράγματα, την έπιασε μια βιασύνη κι ένα άγχος σαν να επρόκειτο να ταξιδέψει απόψε. Η Βάσω της ανέβασε λίγη κοτόσουπα.

«Κάτι πρέπει να φάτε...»

«Πες του μικρού να 'ρθει, σε παρακαλώ...»

«Δεν έρχεται. Μουλάρωσε και δε μιλά σε κανέναν».

«Μου τα 'πε η Στέλα, μα δεν έβγαλα άκρη».

«Παιδιαρίσματα... Θα του περάσει». Η Βάσω πάντα διπλωμάτισσα.

«Κάτι ντομάτες και κουραφέξαλα μου είπε...»

«Δεν το 'κανε ο μικρός. Από μόνη της μια ώριμη ντομάτα έσκασε σαν βόμβα, κυρία. Ο άντρας μου νευρίασε άδικα και την πλήρωσε ο Ηλίας...» Δε θέλησε ν' ανοίξει θέμα για τις απειλές της Στέλας.

«Πες του ν' ανεβεί. Είναι ανάγκη...»

«Δε θα 'ρθει. Ούτε τρώει, ούτε πίνει. Εκατό συγγνώμες του ζήτησε ο Ηρακλής, αλλά ο μικρός μουλάρωσε...»

«Ντράπηκε τη Στέλα. Τα αγόρια είναι ευαίσθητα...»

Πάλι ο Τουρχάν πλημμύρισε το μυαλό της, αλλά το σταμάτησε εκεί. Η Βάσω τη βοήθησε να καθίσει για τη σούπα. Σήμερα της φαινόταν πολύ πιο γριά από χθες κι από προχθές. Μίλησαν για την κηδεία του αεροπόρου, για το στεφάνι που έστειλε πρωί πρωί ο Ηρακλής, για τα παιχνίδια της μοίρας και για τη ζωή που μοιάζει με μυθιστόρημα. Μίλησαν και για την παρηγοριά που δίνει η Εκκλησία μας με ωραίες ομιλίες, με την προσευχή, την πίστη, τις συναθροίσεις των κυριών και άλλες σχετικές ενασχολήσεις. Η Βάσω είχε άποψη για όλ' αυτά και, από λιγομίλητη, άνοιξε μια γλωσσάρα να, με επιχειρήματα ιεροκήρυκα, τόσο που η Ράνα αναγούλιασε.

«Μήπως πρέπει να φωνάξουμε γιατρό, καλού κακού;»

«Όταν φτάσουμε στο γιατρό, θα θέλω και παπά και ανθοπώλη», την έκοψε η κυρά της. «Φώναξε τον Ηλία. Πρέπει. Θα καταλάβει εκείνος...»

Η Βάσω στο τσακ κρατήθηκε να ρωτήσει γιατί «πρέπει» και τι θα «καταλάβει» ο πείσμων προγονός της, που το βούλωσε και κόντευε να σκάσει τον έρμο τον Ηρακλή. Στο τρίτο πακέτο τσιγάρα βρισκόταν. Βρε καλέ μου, βρε χρυσέ μου! Τίποτα το παιδί. Άπιωτο κι ακατούρητο απ' το πρωί. Και η Βάσω, μέσα σ' όλα, να ανησυχεί μήπως όλα αυτά τα περίεργα ξεκινούν απ' το πάγκρεας.

Ο Ηλίας πείνασε. Κι ο Ηρακλής πείνασε κι έβγαλε το βραστό κοτόπουλο, που έφερε η Βάσω απ' της κυράς. Κράτησε τη σούπα μοναχά, γιατί η γριά με την ξαφνική ανημπόρια δεν ήταν για τίποτ' άλλο. Μόνο υγρά. Το κοτόπουλο, για την ακρίβεια, ήταν μια κοτάρα φερμένη από ένα αγρόκτημα λίγο πιο κάτω. Έβγαλε μια παχιά σούπα και το κρέας γέμισε τη μεγάλη πιατέλα.

«Θα φας;» Ο Ηρακλής είχε κουραστεί απ' το πρωί, που έγινε η φασαρία, να επινοεί κόλπα για να ζεστάνει την ατμόσφαιρα. Μετάνιωνε ως Ιούδας Ισκαριώτης για το ξύλο – ολόκληρο παιδάκι, να το χτυπά μπροστά στο κακομαθημένο πουτάνι, δήθεν αποδίδοντας δικαιοσύνη... Είχε δίκιο ο μικρός. Δεν παραπονέθηκε. Πικράθηκε. Ντράπηκε και μουλάρωσε μ' έναν τρόπο βουβό. Σαν τα ζώα που σε αφήνουν να υποθέτεις τα χειρότερα με τη σιωπή τους. Βουβός απ' το πρωί, σεργιάνιζε στον μπαξέ και στις ντοματιές. Μετάνιωνε τώρα φριχτά για τα χαστούκια.

«Θα φας;» Είχε βραδιάσει πια. Σουρούπωνε. Τα τζιτζίκια και οι βάτραχοι αθέατοι τραγουδιστές της γλυκιάς νύχτας. Και το νερό στις ντομάτες να ζυμώνει την κοπριά, κι εκείνες να ρουφούν αχόρταγα χιλιάδες βρομερά συστατικά.

«Ναι».

«Κοτόπουλο έχουμε».

«Ό,τι να 'ναι...»

«Φτερούγα, στήθος ή μπούτι;»

«Ό,τι να 'ναι...»

«Πιπέρι;»

«Ναι».

«Έχει και σαλάτα και τυρί...»

Το παιδί κάθισε στο τραπέζι. Έφαγαν αμίλητοι, αν κι ο Ηρακλής ήθελε να βρει αφορμή για κουβέντα. Έδιωχνε τα κουνούπια, που είχαν ξυπνήσει αιμοβόρικα, διψασμένα, να πιουν απ' τα μπράτσα τους.

«Παλιά πάθαιναν ελονοσία απ' τα καταραμένα... Κόσμος και κοσμάκης έσβηνε απ' τους πυρετούς. Πάρε και το άλλο μπούτι».

Δύο μπούτια και λίγο στήθος. Χόρτασε ο Ηλίας. Μετά βγήκε έξω, να ρυθμίσει το πότισμα. Ο Ηρακλής έπιασε το τηλέφωνο. «Δουλειές...» Τον άκουγε να μιλά στην κουζίνα. Χαχάνιζε ευχαριστημένος. Μέσα στο σκοτάδι οι ντομάτες έτριζαν σαν καινούρια παπούτσια. Προχώρησε το λάστιχο σε άλλο αυλάκι. Μύριζαν ωραία οι ντομάτες, η κοπριά και η γη. Προχώρησε κι άλλο ανάμεσα στα φυτά, βγαίνοντας σ' έναν ενδιάμεσο διάδρομο. Το φεγγάρι ανέτειλε πίσω απ' τους φράχτες, πήδηξαν οι βάτραχοι στη λάσπη, σκέφτηκε τους πεθαμένους σκύλους και την κυρία Μερόπη να ενισχύει το άγχος της με κοτόσουπα.

239

«Είσαι ο γιος του κηπουρού;»

Η φωνή τού ήρθε από πίσω και τινάχτηκε πέφτοντας στα φυτά. Πιάστηκε απ' τα καλάμια που τα στήριζαν.

«Ο γιος του πρέπει να είσαι...»

Ένας άντρας που σε λίγο θα γερνούσε, έτσι τον υπολόγισε με την πρώτη ματιά, στεκόταν ανάμεσα στις ντοματιές κρατώντας μια τσάντα δερμάτινη.

«Ωραία είστε εδώ... Σε τρόμαξα, ε;» Ο άντρας γέλασε, αλλά επέμενε να μάθει αν ήταν ο γιος του κηπουρού.

«Κι αν είμαι, τι;»

«Κι αν είσαι... καλά θα κάνεις να συνεχίσεις να είσαι». Ξαναγέλασε και του είπε ότι ερχόταν από την κυρία Ριζούδη. Ήταν ο δικηγόρος Τάκης Σαρίπολος. Τώρα έφευγε, αλλά του έκανε εντύπωση η ευρωστία του κήπου και έριχνε μια ματιά. Έλεγε ψέματα. Ο Ηλίας το ήξερε. Δεν τον αφορούσαν οι ντομάτες αυτό τον τύπο, που κοίταζε εξεταστικά το παιδί. Τον ρώτησε για την ηλικία του, για τον πατέρα του, που ήταν «σχεδόν παιδί κι αυτός», όπως είπε.

«Ο πατέρας μου δεν είναι παιδί, κύριε. Είναι στο σπίτι, αν θέλετε κάτι...»

«Όχι, δε θέλω τίποτα... Έτσι κοίταζα...» Έλεγε ψέματα.

Του μίλησε για τον πατέρα του. Τον είχε δει την ώρα που ήρθε να συναντήσει την κυρία Μερόπη.

«Δεν του αρέσουν και πολύ τα λόγια, ε;»

Ο Ηλίας δεν καταλάβαινε τι σόι λόγια περίμενε.

«Είναι στο σπίτι, ελάτε...»

Ο Ηλίας κι ο δικηγόρος προχώρησαν στο διάδρομο. Το

παιδί φοβόταν πολύ μη και ξαναγίνει καμιά έκρηξη. Οι ντομάτες απόψε έτριζαν επικίνδυνα, αλλά δε συνέβη τίποτα.

«Τι έγινε;»

«Τίποτα δεν έγινε, νεαρέ. Κάποια στιγμή, όμως, θα πρέπει να μιλήσω με τον πατέρα σου, που δεν είναι και τόσο κοινωνικός. Ξέρεις τι σημαίνει κοινωνικός;»

«Όχι, κύριε».

«Δεν φάνηκε να κατανοεί απολύτως την σημασία ενός ραντεβού...»

Ο δικηγόρος πέρασε γρήγορα σε μια περίεργη καθαρεύουσα με αρχαία γνωμικά.

«Προσέξτε τις λάσπες, γλιστρούν...» είπε ο Ηλίας.

Αλλά ο άλλος δεν πρόσεξε και βούλιαξε ελαφρά σ' ένα παρτέρι.

Ο Ηρακλής απόρησε που είδε το γιο του με τον κύριο Σαρίπολο. Μεσήλιξ με μπεζ κοστούμι και τη ζώνη του παντελονιού ανεβασμένη στο στήθος.

Οι δύο άντρες συστήθηκαν. Ο Ηρακλής ζήτησε συγγνώμη για τα κοντοβράκια και τη γύμνια του. Από πάνω ήταν, ως συνήθως, γυμνός. Ο δικηγόρος ρώτησε εφτά φορές αν ήταν όντως ο πατέρας. Ο Ηλίας κατάλαβε πως το σάστισμά του ήταν αληθινό.

«Και ο άλλος κύριος, που του μίλησα...» Φαινόταν γελοίος με τα απορημένα γουρλωτά μάτια πίσω απ' τα μυωπικά γυαλιά. «Του εξήγησα για ένα ραντεβού, αλλά δεν έδειχνε να καταλαβαίνει. Χαμογέλασε και χάθηκε ανάμεσα στις ντοματιές... Παράξενο φέρσιμο!»

«Εγώ είμαι ο πατέρας του Ηλία, κύριε. Τι συμβαίνει;»

«Θα ήθελα ένα ραντεβού, μία από τις επόμενες μέρες... Θα σας ειδοποιήσω. Αφορά την κυρία Μερόπη Ριζούδη...»

Δεν ξαναμίλησε για τον «άλλο κύριο» μπροστά στον Ηρακλή, που του πρότεινε καφέ, πορτοκαλάδα, νερό...

«Έχω αργήσει. Κατεβαίνω στην Αθήνα. Στη Σόλωνος είναι το γραφείο. Θα τα ξαναπούμε...»

Βιαζόταν να φύγει. Ως την εξώπορτα του κήπου, τη δεύτερη πόρτα, που έβγαζε στο σπιτάκι του κηπουρού, τον ξεπροβόδισε ο Ηλίας ανήσυχος.

«Πώς ήταν ο άλλος άντρας;»

«Ξέρω κι εγώ; Είχε... ειλικρινά δε θυμάμαι. Ήταν γυμνός. Δούλευε στις ντομάτες... Ένας εργάτης που...»

«Τι δουλειά;» τον διέκοψε το παιδί. «Τι δουλειά έκανε;»

«Με κοίταζε χαμογελώντας. Δε θυμάμαι... Σαν να μην καταλάβαινε...»

Δε θυμόταν τίποτ' άλλο. Προτού καθίσει στη θέση του οδηγού –μαύρο, σκονισμένο και βαρύ ήταν το αυτοκίνητό του– χαμογέλασε περίεργα.

«Πρέπει να είσαι πολύ σπέσιαλ αγόρι... Ξέρεις τι είναι σπέσιαλ;»

Ο Ηλίας παραλίγο να του πει: «Παγωτό». Όμως δε μίλησε. Δεν ήξερε τι είναι «σπέσιαλ».

Ούτε γραφείο ειδικό στο να προμηθεύει κομπάρσους, ούτε γραφείο παραγωγής ταινιών είχε δει ποτέ του. Τα φανταζόταν αρκετά μυθικά, σαν απαστράπτουσες αίθουσες με βαλσαμωμένους Ταρζάν, σαν σκηνικά με φολιδωτούς τοίχους, όπως το δέρμα των φιδιών, με πολυελαίους σαν από εκκλησίες αιρετικές, με ζωντανούς νάνους να κρέμονται σαν τα κοτόπουλα σε χασάπικο κρατώντας κρυστάλλινους πυρσούς, σαν οτιδήποτε, εκτός από αυτά τα βρομερά, μίζερα γραφεία που είδε. Στο μεν γραφείο των κομπάρσων του ήρθε ευκοιλιότητα απ' τη σύγχυση και στριμώχτηκε κακήν κακώς σ' έναν καμπινέ τρισάθλιο, στο δε γραφείο παραγωγής βρέθηκε πρόσωπο με πρόσωπο μ' έναν Ελληνοαμερικανό χορογράφο ονόματι Πωλ Γούρμας.

Ο κύριος Πωλ Γούρμας βοηθούσε ένα δυσκίνητο Αμερικανό παραγωγό, μελαχρινό σαν γύφτο, να επιλέξει το λαό της αρχαίας Κορίνθου. Αυτό και μόνο έφτασε για να ξελασκάρει το μυαλό του απ' τη βαριά ατμόσφαιρα της Κηφισιάς, γιατί στο γραφείο παραγωγής, που ήταν μεγάλο σαν αποθήκη, με ζωντανό όμως, ιδρωμένο εμπόρευμα, ο Ηρακλής διεκδικούσε μια θέση ως Κορίνθιος.

Η ταινία, που θα γυριζόταν τον Σεπτέμβριο, αφορούσε την επίσκεψη του Αποστόλου Παύλου στην Κόρινθο, με πολλές βέβαια σκαμπρόζικες προσθήκες. Θα πρωταγωνιστούσε η σεξοβόμβα Μπελίντα Λη και ο Ολυμπιονίκης στην Ελληνορωμαϊκή πάλη Τζιανκάρλο Καντιλέρι, που θα έπαιζε τον Απόστολο Παύλο. Η σεξοβόμβα ηθοποιός θα παρουσιαζόταν στο αμαρτωλό παρελθόν του Αποστόλου των Εθνών, γιατί μετά, ως κήρυκας του χριστιανισμού, ο Παύλος είχε κόψει με το μαχαίρι οποιαδήποτε σαρκική συνήθεια.

Ο Ηλίας κάθισε σε μια γωνιά εξουθενωμένος ήδη από τα έντερά του, που ακόμα γουργούριζαν. Άντρες του εμβαδού του Ηρακλή έβαζαν κι έβγαζαν τα παντελόνια τους και τα πουκάμισά τους, επιδεικνύοντας τα μούσκουλα και τα δυνατά τους μπούτια, που έκαναν τον Πωλ Γούρμας να πηγαινοφέρνει πέρα δώθε μια βεντάλια με φτερά, διαστέλλοντας δύο γαλάζια μάτια χωρίς τσίνορα. Ο Ηρακλής ήταν αναμφισβήτητα εντυπωσιακός άντρας, πλήρης μεσογειακών προσόντων, ενώ εξέπεμπε και την απαραίτητη ζωώδη γοητεία, αλλά είχε το ελάττωμα, για τη συγκεκριμένη περίπτωση, της έντονης τριχοφυΐας.

«Θα πρέπει να αποτριχωθείτε σ' ένα μεγάλο μέρος...» εξήγησε ο Πωλ Γούρμας. «Γιατί το φιλμ είναι χριστιανικό και, όσο να 'ναι...».

Κατά το χορογράφο, οι άντρες της αρχαίας Κορίνθου έπρεπε να συμμεριστούν ταυτόχρονα τη χαλάουα με το χριστιανισμό. Τα λεφτά ήταν καλύτερα από τις ελληνικές ταινίες, οπότε ο Ηρακλής είπε το «ναι», κλείνοντας συνωμοτικά το μάτι στο γιο του. Το παιδί χαμογέλασε αχνά, άσπρο σαν πανί. Το μεσημέρι εκείνης της Δευτέρας είχε ορμήσει ανελέητο στο γραφείο παραγωγής, προξενώντας λιποθυμικές κρίσεις στον Πωλ Γούρμας.

«Τι είναι αυτό το παιντί;» κραύγασε ο Πωλ, δείχνοντας με τη βεντάλια τον Ηλία, που θαύμαζε ανέκφραστος τις κομψές κινήσεις του Ελληνοαμερικανού χορογράφου.

«Γιος μου, κύριε...» παρενέβη ο Ηρακλής, φορώντας μόνο το σώβρακο και το πουκάμισο.

«Έχει κάτι μάτια... κάτι...» Έριξε μια φοβισμένη ματιά στον Ηλία, που στριμώχτηκε στον τοίχο, και σωριάστηκε στο πάτωμα.

Οι άντρες που θα υποδύονταν τους Κορίνθιους έτρεξαν να συνεφέρουν τον κύριο Πωλ, έφεραν νερά, ο παραγωγός άρχισε να βλαστημάει στα ισπανικά και να φτύνει στο ταβάνι, ο Ηρακλής πήγε κοντά στο παιδί.

«Τι έγινε;»

«Ξέρω κι εγώ; Πάμε να φύγουμε, μπαμπά...»

Ο Ηλίας βγήκε στο διάδρομο του παλιού κτηρίου με τα σφραγισμένα λόγω του καλοκαιριού δικηγορικά γραφεία και τις «Ενώσεις Φίλων της Χωροφυλακής» και άλλα τέτοια. Σε λίγο ήρθε κι ο Ηρακλής. Είχε συνέλθει ο κύριος Πωλ κι όλα τακτοποιήθηκαν. Θα έπαιζε τον Κορίνθιο Βαρδάλα, που γίνεται υπερασπιστής του Αποστόλου Παύλου, ό-ταν του επιτίθεται μια περίπολος φανατικών ειδωλολατρών στρατιωτών. Θα είχε και λόγια στα εγγλέζικα και μια βδομάδα «γύρισμα» γύρω απ' τον Ισθμό της Κορίνθου, για-τί έτσι ήθελε ο γύφτος παραγωγός.

«Πάμε για καμιά πορτοκαλάδα ή καλύτερα για φαΐ; Έ-χει ένα ωραίο εστιατόριο στην οδό Λυκούργου. Έλα...» Προ-τίμησαν να φάνε, είχε περάσει και η ώρα. Δε βαριέσαι...

«Τσαγκαροδευτέρα σήμερα», γέλασε ο Ηρακλής.

Το παιδί αμίλητο. Έφαγαν λαδερά και πιλάφι. Και μπίρα. Καλά ήταν.

«Γιατί τρόμαξες τον κύριο πούστη;»

«Δεν ξέρω».

«Πώς δεν ξέρεις; Πάλι δεν ξέρεις;»

«Δεν ξέρω... Λιποθύμησε απ' τη ζέστη».

«Από την αρχιδίλα λιποθύμησε. Βρομούσε βαρβατίλα ε-κεί μέσα και τα 'ριξε και σε σένα. Σου λέει, ποιος μάγκας είναι αυτός που μου ξέφυγε, και μάλιστα αποτριχωμένος...» Ξέσπασε σε γέλια. Μόνος του κι ευχαριστημένος. «Αααχ... Έπρεπε να είχα τελειώσει Δραματική, Ηλία!»

«Έπρεπε να είχες τελειώσει και το Γυμνάσιο», είπε το παιδί.

«Ναι, το γαμημένο. Όμως θα δώσω ως εξαιρετικό ταλέντο κάποια μέρα... Έχω, γαμώτο, και το σαράκι του ηθοποιού».

«Αυτό το 'λεγε και η μαμά...»

«Ναι, η συχωρεμένη με πίστευε ως καλλιτέχνη», σήκωσε το μισογεμάτο με μπίρα ποτήρι. «Θεός σχωρές' την».

Ο Ηλίας έσκυψε το κεφάλι συγκινημένος για την αναφορά στη μάνα του. Τα πόδια του μολύβι σήμερα. Και η ψυχή του μαύρη, να μυρίζεται καταιγίδα. Ήρθαν οι γάτες του εστιατορίου να τριφτούν στα πόδια του, λες και κατάλαβαν τους καημούς του. Τους έδωσε ό,τι περίσσεψε απ' τη φέτα. Έπειτα μια ξανθιά, κατάξανθη, παχουλή με ψηλοτάκουνα παπούτσια και βυζιά από ζελέ, τόσο τρεμουλιαστά, έπεσε καταπάνω τους ουρλιάζοντας:

«Βρε, άι στο διάολο, μικρός που είναι ο κόσμος!»

Φιλήθηκε με τον Ηρακλή στο στόμα, πασαλείφτηκαν κι οι δυο απ' το κραγιόν της, όρμησε να φιλήσει και τον Ηλία, αλλά πάτησε πάνω στον ενθουσιασμό της τη γάτα κι άρχισε να τσιρίζει:

«Ρεστοράν είναι εδώ ή κήπος ζωολογικός; Ορίστε κατάσταση! Δε θα γίνουμε ποτέ άνθρωποι...»

Ο Ηρακλής το γλένταγε. «Η δεσποινίς από 'δώ είναι η σπουδαία μας ηθοποιός του μουσικού θεάτρου Μαρσελίνα

Κροκάν. Και ο γιος μου. Παίδαρος, όπως ο μπαμπάς του»».

Η Κροκάν παρήγγειλε μισή μερίδα γιουβέτσι «χωρίς πάχητα», γιατί είχε βάλει δυο τρεις οκάδες στην Κωνσταντινούπολη. Ήπιε μια κανάτα παγωμένο νερό και διηγήθηκε άκρες μέσες ότι πήγαν «τουρνέ» στην Πόλη και παρά τρίχα ν' αρραβωνιαστεί τον ανιψιό του Πατριάρχη. Δεν ήθελε όμως να μιλήσει γι' αυτό, γιατί την πλήγωνε. Κατά τα άλλα αποθεώθηκε, αν και σιχαινόταν τους Τούρκους, εξαιτίας των προπέρσινων γεγονότων με τις καταστροφές. Παρ' όλα αυτά γνώρισε έναν Τούρκο ηθοποιό του σινεμά, εξαίρετο τζέντλεμαν, που της πρότεινε συνεργασία και, τελικά...

Δεν έβαλε γλώσσα μέσα η Μαρσελίνα επί μία ώρα. Ο Ηλίας την παρακολουθούσε με βλέμμα τυφλό, ώσπου κάποια στιγμή ένιωσε τη δροσιά των παλιών πλατανιών, τη μυστηριακή μουχλιασμένη υγρασία της Αγια-Σοφιάς, τις βυσσινάδες, τους μποζάδες και τα αϊράνια να κελαρύζουν στη γεμάτη σφραγίσματα οδοντοστοιχία της, τον Βόσπορο να γεννά για μια ολόκληρη μέρα, απ' το πρωί ίσαμε το βράδυ, αφρόψαρα και παλαμίδες για τη Μαρσελίνα Κροκάν... Όλα για χάρη της!

«Αν με ρωτήσεις για χρήματα, Ηρακλή μου, τζίφος! Τι να κάνω; Η Μαρσελίνα Κροκάν έχει μοίρα με τρύπιες τσέπες... Άντε, στην υγειά μας και καλή πρόοδο στο γιο σου...»

Τσούγκρισαν τα ποτήρια μες στο χάχανο και την ευχαρίστηση που ξαναβρέθηκαν. Είχαν γνωριστεί στην ταινία Φτωχαδάκια με χρυσή καρδιά και δώστου γέλια με τις αναμνήσεις απ' τις πλάκες.

«Σε καλό μας... Τι γέλιο!»

Δεν ήταν βέβαια μόνο οι πλάκες και τα γέλια. Ήταν κι άλλα πολλά, που ο Ηλίας τα μυρίστηκε αμέσως, γιατί το μεσημέρι τους είχε και συνέχεια. Δεν έφταναν όλες οι πρωινές περιπέτειες και η μοιραία συνάντηση με τη Μαρσελίνα, χώθηκαν και στον κινηματογράφο «Σταρ» της Αγίου Κωνσταντίνου, για να δουν ένα καουμπόικο κι ένα τρομαχτικό ασπρόμαυρο με λυκανθρώπους.

Τα έργα ήταν ακατάλληλα για ανηλίκους, αλλά, μες στη ζέστη και στο κάμα, ο ίδιος ο Βασιλεύς Παύλος να πήγαινε, δε θα 'τρεχε τίποτα.

Το παιδί, ενθουσιασμένο που έμπαινε στον απαγορευμένο κόσμο των «Ακατάλληλων», φέρθηκε υποδειγματικά. Περισσότερη φασαρία έκανε η Κροκάν, κάθε φορά που ο πρωταγωνιστής γινόταν λυκάνθρωπος κι έτρεχε στο πάρκο υπό την πανσέληνο, να κομματιάσει όποιον του τύχαινε στο δρόμο. Έσκυβε το κεφάλι στα πόδια του Ηρακλή, τον περιβουτούσε και σηκωνόταν ύστερα από ένα τέταρτο αναμαλλιασμένη.

Όταν άναψαν τα φώτα, το παντελόνι του πατέρα του, μπροστά, ήταν γεμάτο κοκκινάδια. Σκέφτηκε αμέσως τη Βάσω, αλλά την προσοχή του απέσπασε μια έξαλλη χοντρή, που προσπαθούσε να βγει απ' την αίθουσα κλοτσώντας ένα γραβατωμένο γερόντιο.

«Εσύ φταις που μου κόπηκαν τα ήπατα, παλιάνθρωπε!» φώναζε στο γέροντα.

«Δεν κατάλαβες, γιατί είσαι αγράμματη...» απαντούσε κόσμια ο συνοδός της.

«Εγώ είμαι αγράμματη, παλιόγερε; Εγώ;»

«Εσύ, που τον "λυκάνθρωπο" τον κατάλαβες για "γλυ-κάνθρωπο" και νόμισες ότι θα σε κεράσουν ραβανί, λαί-μαργη γυναίκα...»

«Εγώ είμαι λαίμαργη, προστυχόγερε; Εγώ;»

Με τσαντιές και κλοτσιές το ζεύγος χοντρή–γέρος βγή-καν στο φουαγιέ, μέσα σε σφυρίγματα και χάχανα.

Δεν είχε πολύ κόσμο ο κινηματογράφος. «Καλοκαίρι, βλέπεις...» εξήγησε ο Ηρακλής, που, βλέποντας τα σημά-δια του κραγιόν στο παντελόνι, ανέθεσε στη Μαρσελίνα να του τα καθαρίσει με το μαντιλάκι της πάραυτα. Μόλις έ-σβησαν τα φώτα, η ηθοποιός έπιασε δουλειά μετά μεγίστου ζήλου και ο λυκάνθρωπος συνέχισε τη φρικώδη συνήθεια, μέχρις ότου ο νεαρός μνηστήρ της πρωταγωνίστριας, που ήταν και ανιψιά του κυρίου που μεταμορφωνόταν σε λύκο, τον πυροβόλησε με τρεις ασημένιες σφαίρες στην καρδιά.

«Πού πουλάνε ασημένιες σφαίρες, μπαμπά;»

«Στο Χόλιγουντ. Έλα, τώρα. Παραμύθια είναι αυτά...»

Ο Ηλίας κομπόδεσε τις ασημένιες σφαίρες σκεφτικός.

Το καουμπόικο ήταν «έγχρωμο-παναβίζιον», ο Ηρα-κλής κάτι ψιθύρισε στην Κροκάν κι άρχισαν τα γελάκια, τα ψου-ψου και τα «έλα, τώρα». Αλλά, πριν απ' το διά-λειμμα, σηκώθηκαν κι έφυγαν.

Έξω ο ήλιος έψηνε τα πεζοδρόμια. Στην Ομόνοια απο-χαιρέτισαν τη «δόξα του μουσικού θεάτρου» και μετά, με τον Ηλεκτρικό, ανέβηκαν στην Κηφισιά.

249

«Τι γίνατε τόσες ώρες; Έφερα τον Καραποστόλου. Με το ζόρι ανοίγει τα μάτια της. Αμφιβάλλω αν με γνωρίζει...»

Η κατάσταση της κυρίας Μερόπης είχε επιδεινωθεί ραγδαία, γι' αυτό η Βάσω κάλεσε το γιατρό, τον Καραποστόλου. Καθηγητής Πανεπιστημίου ήταν ο άνθρωπος, αλλά η Βάσω, παραδόξως, του 'χε πάρει τον αέρα. Τη βρήκε εξασθενημένη. Θα επαναλάμβαναν τις ενέσεις –«καλτσομπρομίνες» τις άκουσε ο Ηλίας– έγραψε και κάτι σταγόνες για την καρδιά και κάποια χάπια. Θα πήγαινε ο Ηρακλής στο φαρμακείο.

«Πού χαθήκατε; Ανησύχησα...»

«Δουλειές. Θα κάνω αμερικάνικη ταινία, τον Απόστολο Παύλο».

Ο Ηρακλής γδυνόταν κι εξηγούσε τα περί Παύλου με μπόλικη μαρμελάδα. Η Βάσω είπε ένα ξερό «καλά» κι έκανε το σταυρό της, που ο άντρας της θα 'παιζε και σε ταινία της προκοπής, θρησκευτική.

Το παιδί πήρε λίγο πεπόνι και κάθισε στο βεραντάκι με τα μάτια στυλωμένα στις ντοματιές. Ακόμα πιο ψηλές σήμερα, με τους γιγάντιους καρπούς να στενάζουν στους μίσχους τους. Όλα ήταν ακίνητα, όπως στις φωτογραφίες. Μόνο ο ήλιος άλλαζε γρήγορα θέσεις. Και σιωπηλά. Πλην των εντόμων, που ετοιμάζονταν να σωπάσουν για χάρη των βατράχων. Όπως πάντα. Το πεπόνι άνοστο αλλά δροσερό.

«Ν' αφήσεις τα πείσματα και να πας να τη δεις. Σε ξαναζήτησε». Η Βάσω ήρθε και κάθισε δίπλα του με μια μπουκιά ψωμί.

«Είναι περίεργη γυναίκα, αλλά δε θυμάμαι να χνοτιά-

στηκε άλλη φορά έτσι με ξένο άνθρωπο. Μόνο μ' εσένα...
Τόσο πείσμα, πού το βάζεις μια σταλιά παιδί; Μου λες;»

Δεν της είπε. Η Βάσω φοβόταν πως η κυρά θα πέθαινε και τι θα γίνονταν από 'κεί και πέρα...

«Δε θα πεθάνει έτσι...»

Του βγήκε ένα μετέωρο «έτσι».

«Πώς "έτσι", δηλαδή;» Η Βάσω ανατρίχιασε με το «έτσι».

«Γιατί να πεθάνει; Τι αρρώστια έχει;»

«Οι γέροι δε χρειάζονται σπουδαίες αιτίες. Να πας, α-φού σε ζητά... Τώρα είναι πάνω οι συγγενείς. Η μάνα της Στέλας και μια ξαδέλφη του μακαρίτη του κυρίου...»

«Και η Στέλα;»

«Η Στέλα ήταν εδώ όλη μέρα. Εκείνη, όμως, εσένα ή-θελε... Κι ο Καραποστόλου, ο γιατρός, με ρώτησε για πάρτη σου. Φαίνεται πως του μίλησε...»

«Τι του 'πε;» Ο Ηλίας κοιτούσε μαγνητισμένος τα κόκκινα της δύσης πάνω στις ντοματιές.

«Ξέρω κι εγώ τι του 'πε; Καφέ του έψησα και με ρώ-τησε τι μέρος του λόγου είσαι». Γέλασε μ' εκείνο το άκε-φο γέλιο, που ήταν το καλύτερό της.

«Θα πάω...»

«Άλλαξε πουκαμισάκι και πήγαινε. Βρέξε και τα μαλ-λιά, γιατί μυρίζουν τσιγαρίλα, να μη λέν' αυτές οι αριστο-κράτισσες...»

Η Βάσω τράβηξε πάλι για την άρρωστη κυρά της. Εί-χε και το βάσανο της Μπέλας, αν και η Ευζωνία τους τη-λεφώνησε ότι η Σαλαμίνα απέδωσε. Μέχρι και σε κουρείο *πήγαν, θεία κι ανιψιά, και κουρεύτηκαν αλά γκαρσόν. Μια Μπέλα αγνώριστη. Το πρωί θάλασσα και το βράδυ γαμπρίσματα με τα ξαδέλφια. Να μην ανησυχούν...* «*Ευλογημένη αδελφή μου Ευζωνία. Να 'σαι καλά...*» Χίλιες ευχές της έδινε η Βάσω, που είχε μπουχτίσει απ' τα τόσα. Της έτυχε τώρα και η γριά του θανατά. Και ο Ηρακλής, τέρας ψυχραιμίας. Καλλιτεχνίες και σεξ. Σταμάτησε λίγο ν' ανασάνει. Γιατί τόση βιασύνη; Το ίδιο συναίσθημα πάλι, όπως και κάποιες άλλες φορές. Σαν να βάδιζε προς το σπίτι και το σπίτι τραβιόταν και ξεμάκραινε. Έβαλε το χέρι στη μέση ανήσυχη, να εντοπίσει το πάγκρεας. Δεν του είχε καμιά απολύτως εμπιστοσύνη του «παγκρέατος», πανάθεμά τη για γενική. Έδινε βάση στις γενικές απ' τον καιρό που διάβαζε την Μπέλα αδίκως. Τουλάχιστον βελτίωσε τα δικά της ελληνικά, αν και με την καθαρεύουσα τα έβρισκε μπαστούνια. Δεν πονούσε πουθενά κι αυτό ήταν ενθαρρυντικό. Μπορεί να έμπαινε πρόωρα στο κεφάλαιο πρεσβυωπία, μπορεί να ήταν η υπόταση, μπορεί και η κούραση με τη ζέστη και τα πάνω κάτω.

Κάτι σύρθηκε πίσω της και την απέσπασε απ' τις σκέψεις.

«Ηρακλή, ε... Είναι κανείς εκεί;» Σιγή. Τα βατράχια και οι τζίτζικες μοναχά. Και η ξινίλα απ' τις ντομάτες που μεγάλωναν ανεξέλεγκτα.

Πάλι το σύρσιμο, πιο γρήγορο. Νευρίασε, γύρισε να δει. Και θα 'βαζε τις φωνές, αν τελικά δεν ήταν τόσο αστείο και τόσο παράξενο. Το λάστιχο του ποτίσματος τραβιόταν σαν μαύρο τεράστιο φίδι προς τις ντοματιές.

«Να τις μουλιάσετε, να γίνουν πιο τέρατα!» φώναξε και συνέχισε το δρόμο της. Ο Ηρακλής ή μάλλον ο μικρός είχαν ανοίξει τη βρύση και πότιζαν, σηκώνοντας μια πηχτή λευκή ομίχλη πάνω απ' τον κήπο. Όμως η Βάσω κοίταζε κάτω, από συνήθεια, μην πατήσει λάσπες.

Στο τσακ πέτυχε τις κυρίες. Πάνω που κατέβαιναν τη σκάλα, απογοητευμένες με την κατάσταση.

«Πώς είναι;»

«Αν, ο μη γένοιτο, συμβεί κάτι, όποια ώρα και να 'ναι, τηλεφωνήστε μας...» είπε η μητέρα της Στέλας.

«Φυσικά...» Η Βάσω δε θα έκλεινε μάτι απόψε.

«Από πότε έχει να βαφτεί το σπίτι...» σχολίασε η άλλη χωρίς να περιμένει απάντηση. «Και οι σοβάδες, βέβαια, έχουν τα χάλια τους».

«Μα δε θα 'πρεπε ο γιατρός να είναι εδώ;»

«Θα ξαναπεράσει».

«Κοιμάται συνέχεια και, όταν ανοίγει τα μάτια, δυστυχώς ανοίγει και το στόμα και λέει ασυναρτησίες... Τι είναι το Τουρχάν; Κάνα δυο φορές το ξεστόμισε...»

«Μήπως ήθελε να πει τουρμπάν; Μα δε θυμάσαι τι κοκέτα γυναίκα ήταν η Μερόπη;»

Η μητέρα της Στέλας δεν ήθελε να μιλήσει μπροστά στη Βάσω. Σήκωσε με νόημα τα φρύδια και βγήκαν στην αυλή. Είχαν έρθει με το αυτοκίνητο της άλλης κυρίας. Με τυπικούς χαιρετισμούς αποχώρησαν, αφήνοντας τη Βάσω μόνη στο σπίτι.

Τα κουνούπια σφύριζαν. Πήρε την τρόμπα και φλίταρε, κλείνοντας τις πόρτες. Σε λίγο θα ακούγονταν τα ξεψυχίσματα των εντόμων. Αυτές που αρνιόνταν να πεθάνουν κι έκαναν την περισσότερη φασαρία ήταν οι πράσινες μύγες, που είχαν αδυναμία στα σκατά. Μετά οι πεταλούδες, που ήταν κρίμα, αλλά τις έπαιρνε κι αυτές το σχέδιο. Τα κουνούπια αμέσως.

«Κεντινιζί νάσιλ χισετίγιορσουνούζ;»

«Μπερμπάτ... Ηλία, γκελντίν μι; Εδώ είσαι;»

«Για όνομα του Θεού, πόσα χρόνια έχουμε να τα πούμε!»

«Νε ιστιγιόρσουνουζ;» Τι τον ήθελε;

«Παράτα αυτό το ύφος του θιγμένου. Είσαι πολύ νέος, έχεις πολύ χρόνο για να θυμώσεις», ψευτογέλασε η γριά.

«Μπουγκιούν γιορουλντούμ. Τσοκ γιορουλντούμ...» είπε το παιδί.

«Μπεν ντε... Κι εγώ επίσης είμαι κουρασμένη. Όλος αυτός ο καιρός μου έφερε αναστάτωση. Όλα αυτά που είχα θάψει, που νόμιζα... Έλα πιο κοντά...»

Το παιδί πλησίασε, εισπράττοντας και μια μεγάλη δόση από την ξινίλα της αρρώστιας, πανομοιότυπη μ' εκείνην απ' τις ντοματιές.

«Μεγάλωσες από προχθές... Θεέ μου, πότε ήταν προχθές; Δεν είναι αυτή η ζωή που σου ανήκει, αγόρι μου. Ο Τουρχάν δε θα μπορούσε να ζει έτσι...»

Η Ράνα έκανε μεγάλη προσπάθεια να πει αυτά που ήθελε. Από τους πόρους της χυνόταν ιδρώτας με φόβο. Κι ύστερα, ξαφνικά, χαλάρωνε και στο βλέμμα της τρεμόπαιζε μια πονηρή λάμψη, σχεδόν ερωτική:

«Ανλαμίγιορουμ... Μπαγιάν Ράνα ανλμαμίγιορουμ...»

Ο Ηλίας δεν καταλάβαινε τι του έλεγε, ενώ ήταν αδύνατον να πειθαρχήσει τη γλώσσα του, που ξέρναγε συνέχεια τούρκικα.

«Προσπάθησε, σε παρακαλώ, να καταπιείς αυτή την υστερία με τα τούρκικα».

Δεν άντεχε ν' ακούει τη γλώσσα της μάνας της και του αδελφού της. Δεν άντεχε να αισθάνεται ανήμπορη, κομματιασμένη στα δύο. Ζήτησε τα χέρια του. Τα πήρε και τα 'καψε μες στην έξαψή της. Τα φίλησε. Τα ξανάκαψε. Έκαιγε ολόκληρη και, όταν το παιδί πήγε να τραβηχτεί, του τα 'σφιξε ακόμα πιο πολύ.

«Θα με ξεχάσουν... Θα με ξεχάσουν... Δεν αφήνω ίχνη πίσω...»

«Ιζ...» ψιθύρισε εκείνος. Πιο εύκολα μιλούσε στη γλώσσα της Ράνας.

«Ναι, ίχνη. Δεν αφήνουμε. Εσύ είσαι το μοναδικό μου ίχνος, ψυχή μου. Μόνο εσύ, τζάνιμ...»

Δάκρυα διαιρούσαν το μαραμένο της πρόσωπο σε πολλά κλασματικά συναισθήματα. Μόνο στα χείλη της, πότε πότε, χαραζόταν η ειρωνεία ενός παλιού μεγαλείου.

«Θα πρέπει να φύγεις. Εγώ μπορώ να σε αναγκάσω να φύγεις... Πρέπει!»

Έπεσε στο μαξιλάρι στάζοντας.

«Τερλεμισίν, μπαγιάν Ράνα».

«Το ξέρω ότι ίδρωσα. Καλοκαίρι είναι. Τι θες;»

Γέλασε με βήχα σκληρό, τραντάζοντας το αδύναμο στήθος της.

«Πού θα πάω;» Ο Ηλίας είχε τρομοκρατηθεί με την ιδέα μιας αναγκαστικής απόδρασης.

«Εκεί που σου αξίζει!»

Διστακτικά σκούπισε το μέτωπό της, άγγιξε τα βλέφαρά της που τρεμόπαιζαν ανήσυχα.

«Τώρα αρχίζει το ταξίδι για σένα...» Ενθουσιαζόταν όταν μιλούσε για μια προοπτική που το παιδί, κρίνοντας απ' το ύφος της, υπολόγιζε να 'ναι ασύλληπτα πιο φοβερή απ' όσο νόμιζε. Είχε κιόλας μετανιώσει που ήρθε βραδιάτικα στην κυρά. Από την εμπειρία της μητέρας του γνώριζε πως οι άρρωστοι τα βράδια βαραίνουν.

«Άνοιξε το παράθυρο... Έλα, δε φοβάμαι τα κουνούπια».

Φύσηξε μια σταλίτσα αέρας με μυρωδιά σάπιου χόρτου.

«Πεθύμησα το χειμώνα. Εσύ;» Τον ρωτούσε ασυνάρτητα πράγματα αλλά ήρεμη.

Το ανοιχτό παράθυρο μαλάκωσε την αγωνία της κι άρχισε να μιλά για χιόνια, για ένα χιονισμένο τζαμί, όπου οι πιστοί γλιστρούσαν και τσακίζονταν στο προαύλιο, μιλούσε για το Τζιχάν Χαρμπί, τον Πρώτο Πόλεμο, αν και δεν ήταν απόλυτα σίγουρη για την προτεραιότητα των πολέμων, για το 1908 –αυτό με περισσότερη βεβαιότητα–, τότε που οι Νεότουρκοι έθεσαν τέλος στο θεοκρατικό καθεστώς του Σουλτάνου, θεσπίζοντας το Σύνταγμα. Για την οικογένειά της όλα είχαν τελειώσει...

«Αυτά τα έμαθα αργότερα, από τον Ζάννο. Όταν αποφάσισα να ξεχάσω για πάντα τον Τουρχάν... η ανόητη!»

Ένας λυγμός-αναστεναγμός φούσκωσε σαν πανί βάρκας την υγρή βατιστένια νυχτικιά της γυναίκας.

«Ήμασταν καταραμένοι και συναισθηματικά παράλυτοι...»

«Είναι αργά πια...» Τα μάτια του παιδιού έδυαν.

«Είναι αργά πια», επανέλαβε κι εκείνη με την τραγουδιστή λύπη της, χωρίς να δείχνει ότι καταλάβαινε τη σημασία του «αργά» για τον Ηλία. Μιλούσε ασταμάτητα, αναμειγνύοντας σε μια εκπληκτικά γρήγορη, όσο και ασθματική συχνότητα, παλιά ζαχαροπλαστεία της πολίτικης συνοικίας του Μπεμπέκ, με σπεσιαλιτέ τα «μπαντέμ εζμεσί», τολμηρές αταξίες του Τουρχάν με επιμύθιο τα μαύρα μάτια των νεαρών αξιωματικών, το όνομα Ερόι Γιαπιτζί, κάποιου κοινού τους έρωτα, αρμένικα κι ελληνικά επίθετα υπηρετριών και ειρωνικά παρατσούκλια για το Σουλτάνο Αμπντούλ Χαμίτ, γερμανικούς στίχους εμβατηρίων που υμνούσαν τον Κάιζερ, λεπτομέρειες για το μη περιτμημένο όργανο του Ζάννου Ριζούδη – κι όλα μέσα σ' ένα υγρό «ααας, πώς αποθύμησα το χειμώνα και τα Χριστούγεννα στη Ρουμανία...».

Ο Ηλίας τα άκουγε σαν σε όνειρο, αλλά συνήλθε μόλις ένιωσε στο αυτί του το τσίμπημα ενός κουνουπιού. Η νύχτα στην Κηφισιά ήταν πάντα γεμάτη κουνούπια.

«Κοιμάσαι, αγόρι μου;»

«Ακούω...»

«Τότε άκου πώς θέλω μετά από χρόνια, δε λέω αιώνες, να θυμούνται κάποιους απαίσιους ανθρώπους σαν κι εμένα. Το αναθέτω σε σένα. Κατάλαβες;»

«Κατάλαβα...»

«Πρέπει, κι ας μην καταλαβαίνεις».

«Καταλαβαίνω, κυρία...»

Η Ράνα γέλασε, που πετούσε έτσι ξεκάρφωτα τους γρίφους της στο παιδί του κηπουρού.

«Είναι βάρος. Μ' ακούς;»

«Σας ακούω. Είναι βάρος...»

«Ελπίζω ότι δεν είσαι ένας παπαγάλος».

«Δεν είμαι παπαγάλος, κυρία».

«Τότε θα συναντηθούμε όλοι κάποτε στην Ιστανμπούλ – στην Κωνσταντινούπολη, αν προτιμάς... Δεν ξέρω καν αν έφυγα ποτέ από 'κεί. Κι ο Τουρχάν στην Εντίρνε. Άκου πράγματα! Εμπιστευτήκαμε τους Έλληνες και οι δυο μας και χαθήκαμε...» Γέλασε.

«Να πω στη Βάσω να φέρει λίγο τσάι;»

«Να μην της πεις τίποτα. Πιστεύεις πως θα πεθάνω. Έτσι;»

«Δεν πιστεύω τίποτα, κυρία...»

«Φοβάσαι, όμως...»

«Ναι».

«Τι φοβάσαι; Έλα, μεταξύ μας τα λέμε όλα, αγόρι μου...»

«Τους πεθαμένους που επιστρέφουν...»

«Να δεις τι έχει να γίνει με τους ζωντανούς...» Γέλασε δυνατά κι ύστερα πνίγηκε πάλι στο βήχα, με μάτια γεμάτα ενθουσιώδεις λάμψεις.

Το παιδί έπνιξε ένα χασμουρητό.

«Νύσταξες κιόλας;»

«Περπατούσαμε όλη μέρα με τον μπαμπά».

«Τι κάνει ο έξω κόσμος;»

Σήκωσε τους ώμους του, όχι όμως όσο ψηλά θα ήθελε. Τον βάραιναν. Ήθελε να της πει για ένα φόβο σε μέγεθος ντομάτας. Δηλαδή σχεδόν καρπουζιού. Αλλά το βούλωσε.

«Φοβάσαι τον Τουρχάν;»

Ξαναεπέστρεψε στο αγαπημένο της θέμα, ζωηρότερη από πριν.

«Όχι, κυρία».

Τον μιμήθηκε ενοχλημένη: «Όχι, κυρία...»

«Δεν ξέρω...» Θεώρησε πιο διπλωματικό ένα ξερό, κουρασμένο «δεν ξέρω».

«Όλα τα ξέρεις εσύ. Πήγαινε, λοιπόν, για ύπνο, μόνο κάνε μου μια μικρή χάρη».

Μεγάλη χάρη ήταν. Ζήτησε να τη φιλήσει στο στόμα, όπως αυτοί που δίνουν τα φιλιά της ζωής, σύμφωνα με τις οδηγίες των Πρώτων Βοηθειών.

«Σιχαίνεσαι...»

«Όχι, δε σιχαίνομαι...»

«Σιχαίνεσαι, καλό μου παιδί, αλλά είναι το λιγότερο που μπορείς να προσφέρεις στην καημένη τη φίλη σου... Έλα...»

Τη φίλησε όσο πιο φιλότιμα γινόταν, εισπράττοντας τη γλοιώδη θέρμη δύο χειλιών με γεύση πορτοκαλάδας ανάκατης με το διαπεραστικό άρωμά της. Θα πρέπει να κράτησε αρκετά το φιλί τους, αλλά, σαν πραγματικός ήρωας, άφησε σ' εκείνην την πρωτοβουλία να τραβηχτεί, όποτε ήθελε. Έκλεισε τα μάτια και, όταν είδε πως το φιλί τραβούσε σε μάκρος, άρχισε να μετρά: «Μπιρ, ικί, ουτς, ντορτ, μπες, αλτί, γεντί...

Τον εγκατέλειψε κατάκοπη. Ντράπηκε να σκουπίσει το στόμα του, αν και ήταν το πρώτο πράγμα που σκέφτηκε, ερεθισμένος απ' την ιδέα πως του άρεσε. «Τεσεκιούρ εντέριμ...» άκουσε τη φωνή της ασθενική, καθώς χανόταν στους ύπνους της, να τον ευχαριστεί.

Στην κουζίνα η Βάσω έβραζε κοτόπουλο. Είχε σκοτεινιάσει πια για τα καλά, τα φώτα είχαν ανάψει, τα σαμιαμίδια είχαν γλιστρήσει στις λάμπες να γευτούν τρελαμένα έντομα, ο κήπος μαύρος σαν ανάγλυφη νυχτερινή θάλασσα.

«Απόψε θα μείνω εδώ. Αν τηλεφωνήσει η Μπέλα, πες της ότι μίλησα με τη μοδίστρα και της στέλνει χαιρετισμούς. Να μη στενοχωριέται... Θέλεις κάτι;» Η Βάσω είχε τις δικές της έγνοιες συν το κοτόπουλο.

«Καλά...» Ένα σκέτο «καλά» και κίνησε για το σπίτι θυμωμένος, που του είχε σηκωθεί μ' εκείνο το ασφυκτικό, σαλιωμένο φιλί της Ράνας.

«Με φίλησε όπως τον παλιο-Τουρχάν», μουρμούρισε ανακουφισμένος που απομακρυνόταν από το σπίτι. «Σαν τον Τουρχάν, σαν τον Τουρχάν... Τι έχω πάθει; Σαν τον Τουρχάν, ένα, δύο, τρία, τέσσερα, πέντε...»

Μέτρησε φωναχτά ως τα σαράντα, όσο γινόταν πιο ορθοφωνικά, σε ωραία εύηχα ελληνικά, γεμάτα ευάερα φωνήεντα, γέμισε τα πνευμόνια του με τον αέρα της νύχτας και συνέχισε. Στα σκοτάδια, κοντά στις ντοματιές, κοντοστάθηκε, γιατί του φάνηκε πως άκουσε δυο ανάσες.

«Ηλίας... Ηλίας... Ηλίας...»

Είχε δίκιο. Καδραρισμένος σ' ένα ελάχιστα φωτισμένο πλαίσιο, ο Μεχμέτ του έγνεφε να φύγει από εκεί όσο γινόταν πιο γρήγορα. Τα μάτια του παιδιού ήταν και πάλι λυπημένα, τα μαλλιά κοντοκουρεμένα, άσχημα, λες και κάποιος του τα ξήλωσε με δαγκωνιές, ενώ στα χείλη του δε χάραζε κανένα χαμόγελο. Ο λαιμός του έβγαινε από μια φωτεινή γκρίζα πουκαμίσα αδύνατος, γεμάτος αδένες. Και τα χείλη του έσταζαν μεγάλα δάκρυα στο χρώμα του αίματος, ανάκατο με σκουριά..

«Ηλίας... Ηλίας... Ηλίας...» πρόφερε ο Μεχμέτ ανοιγοκλείνοντας τα τεράστια μάτια, βαθουλωμένα σε μενεξεδιές κόχες. Δεν ήταν σίγουρος, όμως άκουσε το ανεπαίσθητο θρόισμα των φύλλων να παρηχούν μια πανάγνωστη λέξη: «Μπιτί... μπιτί... μπιτί...» που μέσα του ένα κοράκι –πού στο διάολο βρέθηκε μες στη νύχτα κοράκι;– μετέφρασε: «Τέλειωσε... τέλειωσε... τέλειωσε...»

Ήθελε να ρωτήσει τι τέλειωσε ή τι θ' άρχιζε, όμως δε βρήκε το κουράγιο. Έτρεξε όσο πιο γρήγορα μπορούσε προς τη φωτισμένη κουζίνα, έβλεπε κιόλας από μακριά –πόσο μακριά ή πόσο κοντά, αδιευκρίνιστο την ώρα εκείνη– έβλεπε τον πατέρα του γυμνό, μόνο με το σώβρακο, όρθιο στο νεροχύτη να πίνει νερό, λαχτάρισε να τυλιχτεί στα φώτα του σπιτιού, να διπλοκλειδώσει την πόρτα με τη σήτα για τα κουνούπια, να μπει στην εντομοκτόνα σιωπή του δωματίου και να μασήσει το σεντόνι, ώσπου να 'ρθει ο ύπνος συντροφικός. Έτρεχε να φτάσει.

Η Βάσω χασμουριόταν μέσα σ' ένα ζεστό πολτό από τυχερούς «λήγοντες». Ονειρευόταν λαχεία με τα μάτια ορθάνοιχτα, ξεκοκαλίζοντας μια μεγάλη ζουμερή κότα. Λαχεία σε βεραμάν, σε σιελ και ροζ χρώμα, γεμάτα νούμερα σαν μαυρομάτικα φασόλια – πού τα θυμήθηκε τέτοια ώρα τα μαυρομάτικα, κοντά μεσάνυχτα; Είχε περάσει η ώρα με σκέψεις, διάβασε κι απ' το περιοδικό *Ρομάντζο* μια συνέχεια αισθηματική για ένα Γάλλο αριστοκράτη που είχε έρωτα με μια γκουβερνάντα κρεολή από την Αϊτή, αλλά δεν ευτύχησε γιατί... Δε θυμόταν το γιατί, αφού τον ψιλοπήρε για πάνω από ένα μισάωρο. Αύριο πάλι...

Κουρασμένα χέρια και μάτια. Σιχάθηκε ν' ακούει αλουμινένιους ήχους από κατσαρολικά, ζεστό το αποψινό βράδυ πάνω από την κότα να βράζει και να παραμορφώνεται μες στον τέντζερη. Η κυρά της κοιμόταν με το στόμα ανοιχτό και την κοιλιά ν' ανεβοκατεβαίνει, λες και τα πνευμόνια με τα σπλάχνα και το σιχαμένο το πάγκρεας έγιναν ένα. Έπεφτε η σκέψη της στους λήγοντες του Λαϊκού, άπληστη, και τους σάρωνε. Πετιόταν στο πεντάλεπτο και γινόταν έξω φρενών με το χούι της να βολιδοσκοπεί τα ασήμαντα, ενώ από το Σάββατο είχε ξεκινήσει μια εκστρατεία για τα ανώτερα.

Το παιδί-μέντιουμ της υπέδειξε ό,τι καλύτερο διέθετε η Ομόνοια σε λαχεία. Ποιος ξέρει τι προβλέψεις έκανε ο πρόγονός της και στην κυρά... Αλλά για πότε; Εδώ μιλούσαν για θάνατο και «παραληρητικό κώμα». Δε βαριέσαι... Θα έπαιρνε τον Ηρακλή και θα γύρναγαν όλο τον κόσμο, έτσι και ξεγελιόταν η μοίρα τους η φριχτή. Θα άρχιζαν από Θεσσαλονίκη και θα κατέληγαν στην πατρίδα των Τρίο Λος Παραγουάιος, όποια κι αν ήταν αυτή. Και στην Τήνο. Για το τάμα. Να ευτυχήσει η Μπέλα και να χέσει τα κουμπιά που κατάπιε πάνω στην κρίση, γιατί ο διάολος έχει πολλά ποδάρια. Ατέλειωτη η κότα και παχιά. Πιάστηκαν τα δάχτυλά της να μαδάει το ψαχνό...

Η άσπρη ομίχλη τυλιγόταν σαν αγιόκλημα και σαν γλυσίνα γύρω από το σπίτι, κάνοντας τις τσίγκινες υδρορρόες να στενάζουν. Μα στο μυαλό της ο ουρανός ήταν καθαρός σαν καρτ ποστάλ. Διαφανής και λαμπικαρισμένος από έ- να πεντακάθαρο φθινοπωρινό μεσημέρι, φορτωμένο άγιο ιώδιο του Βοσπόρου, στρωμένο φιλντισένια λέπια παλαμίδας και βράγχια ξιφία.

Νερό, λοιπόν, και ψάρι. Και μια μαύρη νεκρική μαούνα με λευκές ομπρέλες να σκιάζουν το πρόσωπό της και του Τουρχάν. Δε μιλούσαν. Αντάλλασσαν ειρωνικές ματιές, ξέροντας πως από 'κεί και πέρα θ' ανταγωνίζονταν σε ε- πίλεκτες μοναξιές. Είχαν μεγαλώσει αρκετά μέσα στο ζύ- μωμα των άγριων καιρών. Αποχωρίζονταν την κοινή τους ζωή, για να υποδυθούν τους ασφαλείς αστούς πλάι στους Έλληνες, που έδειχναν συνεπαρμένοι με τα ερωτικά τους λάφυρα.

Δύο Οθωμανοί αφημένοι στο έλεος των συμφερόντων. Από τη στιγμή που αποφάσισαν το τέλος της τάξης τους, μπορούσαν να υιοθετήσουν όποιο μοντέλο ζωής τούς ήταν πιο βολικό. Οι Οσμανλήδες βυθίζονταν συστηματικά στη στενόχωρη θάλασσα της ιστορίας. Σε λίγο και τα ελάχιστα φέσια θα καταβροχθίζονταν από κοπάδια πεινασμένων ψαριών – κι ύστερα, μια αποστειρωμένη σιωπή. Η Τουρκία θα αποκήρυσσε την αμαρτία του αναχρονιστικού της μπαρόκ. Ο εξάδελφος Αμπντούλ Χαμίτ θα ήταν το έσχατο απολίθωμα μιας γενιάς, αποδιοπομπαίος και προσδιοριζόμενος πια με κατακόκκινα διακριτικά σαν «κόκκινος σουλτάνος» παραμυθιού, που αναμένει τον κύριο Μότσαρτ του μέλλοντος για να μελοποιήσει δραματικά τη βιογραφία του. Και κοντά του η παραπλανημένη ταυτότητα ενός Έθνους, γεμάτη παθητικούς φόβους και βάσανα.

Πότε θα τέλειωναν όλα αυτά; Ποιος ξέρει; Ίσως με τους θανάτους των τελευταίων μαύρων ευνούχων των παλιών σαραγιών. Ίσως με τους θανάτους όλων των μελών της οικογένειας, που η ρίζα της έφτανε μακριά, στις βυζαντινές μέρες με τους ψηφιδωτούς πόθους μιας Άλωσης.

Αααχ, ήταν τόσο δροσερή απόψε η κάμαρα! Είχαν κοπάσει και οι ιδρώτες και οι αγωνίες. Μπόρεσε ακόμα και να σηκωθεί η Ράνα και να σιάξει με το χέρι το βαθούλωμα απ' τη κατάκλιση τόσων ωρών στο κρεβάτι. Μοσκοβολούσε κότα ο διάδρομος, η Βάσω θα την είχε ξεκοκαλίσει και θα κρατούσε βέβαια το ζωμό για σούπα. Θα δυνάμωνε αύριο και μεθαύριο, οπότε θα άρχιζε η εντατική διαπαιδαγώγηση αυτού του σπάνιου αγοριού, που την έκανε να ντρέπεται, που ξαναεφεύρισκε την ντροπή. Αυτό της έδωσε κέφι κι έψαξε με γυμνά πόδια τις παντόφλες, κάτω απ' το κρεβάτι. Της φάνηκε εξαιρετικά διασκεδαστικό, αφού εκεί κάτω τα πράγματα ήταν σοβαρά δροσερά.

«Ο χειμώνας φέτος ήρθε νωρίς κάτω απ' το κρεβάτι», ψευτοτραγούδησε.

Ένα παγωμένο ρεύμα ξεπήδησε μέσα απ' το παρκέ, πίσω απ' το πόδι της πολυθρόνας, την άγγιξε στις φτέρνες, στα δάχτυλα, της έγλειψε το πέλμα με γλώσσα από γυαλόχαρτο, σαν παγωμένο πιστό σκυλί. Έβαλε τα γέλια απ' το γαργαλητό, όσο συνεχιζόταν αυτό. Είχε παγώσει τώρα και το δωμάτιο, που, απ' όσο μπορούσε να διακρίνει μες στη θολούρα της, τυλιγόταν σε μια πυκνή ομίχλη που κατακαθόταν σαν πάχνη πάνω στους τοίχους, στα έπιπλα και στα υφάσματα. Φώναξε τη Βάσω, η οποία έφτασε αμέσως ζέχνοντας κότα.

«Θα κλείσω το παράθυρο. Θα πουντιάσετε...»

«Να μην κλείσεις τίποτα. Άλλαξε ο καιρός;»

Η Βάσω πάνω απ' τις κατσαρόλες, νυσταγμένη, δεν είχε καταλάβει την αλλαγή.

«Κρύωσε απότομα και τα σεντόνια μούσκεψαν...»

«Να τ' αλλάξουμε».

«Δε σε φώναξα για τα σεντόνια. Εσύ κρυώνεις; Το νιώθεις ότι εδώ μέσα κάνει παγωνιά;»

«Δροσιά. Στην κουζίνα βράζει ο τόπος... Ναι, έχει μια ψύχρα. Κηφισιά είμαστε, κυρία...»

«Τι ώρα είπε ότι θα περνούσε ο γιατρός;»

«Αργά... Να τηλεφωνήσω;»

«Παραείναι αργά. Το ξέχασε».

«Μια χαρά φαίνεστε...» Η Βάσω τη βρήκε θαύμα.

«Ναι, μια χαρά».

Μίλησαν για τη σούπα, αν θα 'πρεπε να βάλει ρύζι ή

ζυμαρικό. Κατέληξαν στο ρύζι. Το κοτόπουλο θέλει ρύζι.

«Θα κοιμηθώ στο κάτω δωμάτιο μ' ανοιχτή την πόρτα».

Η Βάσω είχε κουβαλήσει νυχτικιά, παντόφλες και το βίο μιας Οσίας. Μια εξωτική Οσία, που δίχαζε τους ιεράρχες εδώ και αιώνες, με πατέρα ιθαγενή φύλαρχο κι επιπλέον κανίβαλο. Το ίδιο και τα αδέλφια της, κανίβαλοι κι αυτοί, έφαγαν την παράλυτη αδελφή τους. Άκρες μέσες, η Βάσω διηγήθηκε την ιστορία στην κυρά της.

«Αν έπρεπε...»

«Τι; Να φάνε την παράλυτη;» Η Βάσω σταυροκοπήθηκε με τη λογική της γριάς.

«Τουλάχιστον φαγώθηκε απ' τους δικούς της», σχολίασε η κυρά μελαγχολική. «Τέλειωνε και κοιμήσου. Ευχαριστώ».

Η Βάσω κατέβηκε στην κουζίνα μουδιασμένη. Δεν το χωρούσε το μυαλό της. Άκου «αν έπρεπε...». Ξανάχωσε τα χέρια της στη λεκάνη με τη λιανισμένη κότα, με το στομάχι της χάλια. Έριξε μια ματιά στο παράθυρο που έβλεπε στη βεράντα, γιατί της φάνηκε πως άκουσε βήματα. Ένα αργό, τενεκεδένιο βήμα... Ή σαν βήμα. Ο γιατρός θα ερχόταν από την μπροστινή πόρτα. Νύσταζε αφόρητα, αλλά ήθελε να τελειώνει με τις δουλειές της. Αύριο θα είχε να ψάχνει στις εφημερίδες τους τυχερούς του λαχείου. Κάπου άκουγαν ραδιόφωνο ή κάποιος έψελνε με αργόσυρτη φωνή, όπως οι ψαλτάδες. «Τα αυτιά μου ακούν πουλάκια...» Καπάκωσε τη λεκάνη μ' ένα εμαγιέ σκεύος, ασφάλισε και την κατσαρόλα με το ζωμό, σφουγγάρισε τα πλακάκια, έσκυψε απότομα και ένιωσε ίλιγγο. Τα καλά της κούρασης... Αλλά έφυγε γρήγορα κι όλα ξαναγύρισαν στη θέση τους. Χασμουριόταν ασταμάτητα. Είκοσι πέντε χασμουρητά μπορεί να σου διαλύσουν τη σιαγόνα. Θα κοιμόταν προτού διαβάσει το κανιβαλικό φινάλε της Οσίας...

Μέχρι το τέλος της ζωής της, η Βάσω θα διηγιόταν πώς εκείνη τη νύχτα τα κουνούπια, που οργίαζαν στη βεράντα, είχαν ψοφήσει μαζί με τις πεταλούδες και τα σαμιαμίδια. Και πώς η ψαλμωδία, όπως πρόσεχε εξ ενστίκτου, δεν ήταν ψαλμωδία, αλλά ένα τραγούδι ερμηνευμένο καθ' ολοκληρία στις αμυγδαλές κάποιου άντρα, στα τούρκικα. Σαν επιδέξια γαργάρα. Θα διηγιόταν και για το βαρύ ύπνο που την τριγύρναγε από ώρα και της χαμήλωνε τα βλέφαρα με το έτσι θέλω. Κι ότι, χωρίς να φυσά βοριάς, ο καιρός κρύωσε. Καλοκαιριάτικα.

Η Ράνα-Μερόπη-Ιουστίνη —τα ονόματά της το βράδυ ε-κείνο είχαν γίνει μια συμπαγής μάζα από ψυχρό μέταλλο-έκανε βόλτες στο δωμάτιο, σέρνοντας τα γυμνά πόδια της στο πάτωμα αργά αλλά ρυθμικά, ισορροπώντας με δυσκολία κι ωστόσο ενθουσιασμένη που κινιόταν λες κι έκανε πατινάζ σε παγοδρόμιο. Ουδέποτε είχε κάνει πατινάζ, αν και στη Ρουμανία η οικογένεια Ριζούδη διέθετε και παγοπέδιλα και πίστες ειδικές για το ευγενές σπορ.

Σερνόταν σαν να γλιστρούσε, κι όλο και πιο πολύ προσπαθούσε ν' αναπτύξει ταχύτητα μέσα σ' εκείνη την πρωτόγνωρη λαχτάρα. Το «πιο πολύ» σήμαινε και αύξηση των παλμών και λαχάνιασμα, όμως ένιωθε όμορφα ν' α-

ψηφά την παγωνιά και να παραδίνεται στον κίνδυνο, α-
διαφορώντας για τα έπιπλα, για τις αιχμηρές γωνίες τους,
για τα ποτήρια με το νερό και τα μικρά αντικείμενα που
τρεμόπαιζαν με τα τραντάγματα.

«Ουτσατζάιμ... Σουκριγιέ χαλά... Θα πετάξω!» φώνα-
ξε με φωνή δυνατή, πραγματική.

Ανάσαινε σφυριχτά, βάζοντας σε έξτρα δοκιμασία τα
πνευμόνια της, αυτά τα κουρασμένα πνευμόνια που ξαφνι-
κά αναστήλωναν το κύρος τους, ανοίγοντας διάπλατα τις
γέρικες κυψελίδες τους. Δεν είχε σημασία πια τι παρά-
σερνε στο πέρασμά της. Της αρκούσε που αισθανόταν α-
νάλαφρη, καταπλήσσοντας τις αρθρώσεις της. Της αρκού-
σε που τυλιγόταν μες στην πυκνή ομίχλη, την τόσο όμορ-
φη ομίχλη που επικαθόταν παντού, ώσπου τελικά κάλυψε
όλο το δωμάτιο, κατεβάζοντας τη θερμοκρασία. Κι όσο
πάγωνε το δωμάτιο, τόσο πιο πολύ ξανοιγόταν σε νέες τα-
λαντεύσεις, που έφτασαν να γίνουν καθαρά χορευτικές κι-
νήσεις, ξυπνώντας αισθήσεις νεκρωμένες από χρόνια.

Μισού αιώνα αδρανείς αισθήσεις ξύπνησαν στο σώμα
της, ζεστάθηκε απ' τα ούρα της που σε κάποια φάση ξέ-
φυγαν ελεύθερα, χωρίς τύψεις, χωρίς να χρειαστεί καν η
κομψή ντροπαλή έκφραση «κουσουρά μπακμαγίν», δηλα-
δή «μην κοιτάτε το κουσούρι μου». Η «χασρέτ», η νο-
σταλγία της μητρικής γλώσσας, ξεπήδησε απ' το στομά-
χι της. Οι δακρυγόνοι αδένες, ορθάνοιχτοι, άφησαν να χυ-
θούν καυτά δάκρυα στα γέρικα μάγουλα, ξαναμμένα κι
αυτά. Τεντώθηκαν οι αδένες πίσω απ' τα αυτιά, λυτρώ-
νοντας τις φωνές τόσων και τόσων βουβών σκιών, άκουσε

τη φωνή του Τουρχάν να την καλεί επίμονα – νεανική φω-
νή ανάμεσα σε μπάντες που παιάνιζαν οπερετικά μαρσά-
κια. «Ουτσούγιορουμ... Πετώ, Τουρχάν! Πετώ, ανέτζιμ,
μανούλα! Πετώ, χαλά Σουκριγιέ...» Ναι, και η θεία Σου-
κριγιέ ακουγόταν να τη χαιρετά πάνω απ' το τελευταίο
νυχτερινό καράβι για το Καντίκιοϊ. «Ουτσούγιορουμ, Ισ-
τανμπούλ αγαπημένη...»

Πετούσε αδιάκοπα, αφημένη πια στο ανάπηρο γέρικο
γλίστρημά της πάνω στην κρυστάλλινη διαφάνεια του πά-
γου. «Αααχ, αν μ' έβλεπες, Ηλία, αγόρι μου... Αν έβλε-
πες τη φιλενάδα σου να πετά...» Μια σκέψη απ' την
πραγματικότητα που θρυμματιζόταν. Δεν έβλεπε τίποτα
πια μπροστά της, κι ας συνέχιζε ν' αποκαλύπτει τις δυ-
νατότητες των αισθήσεων. Δεν ήταν εύκολο να προσδιο-
ρίσει τις αποστάσεις, αλλά είχε τη σιγουριά πως ταξίδευε
μέσα από μια σήραγγα φωτεινή, γεμάτη από θαύματα εν-
θουσιώδους τρόμου.

Έπεσε με δύναμη πάνω στο σώμα. Ανήκε σε σώμα το
μεταξωτό ρούχο με τα χρυσά κεντίδια. Χρυσές κλωστές
που ξέφυγαν απ' το σχέδιο, σκληρές και πολυκαιρισμένες,
όρθιες, σε μέγεθος βελόνας. Κλωστές-δραπέτες από τα
χρυσαφένια μπουκέτα της τουλίπας και των χρυσανθέμων
της ξέσκισαν το πρόσωπο χωρίς πόνο. Πρόλαβε να κλείσει
τα βλέφαρα. Μάτωσαν τα χείλη και η μύτη. Το μέτωπο.
Έψαξε με τα χέρια το σώμα με το πολυτελές ρούχο. Μύρι-
σε τη στάχτη. Αναγνώρισε το κάρβουνο, που μέρες τώρα
μπαινόβγαινε στα ρουθούνια της. Είδε το πάλλευκο πρό-
σωπο ενός νέου άντρα και τα σχιστά μάτια, τα τραβηγμέ-

να στους κροτάφους, γυάλινα κι άδεια, να την κοιτούν με μίσος. Μόνο στο στόμα του –κόκκινο, κατακόκκινο– διέκρινε το κοροϊδευτικό χαμόγελο ενός παιδιού. Ο λαιμός του ήταν σημαδεμένος από τριχιά. Της μίλησε στο αυτί, σε γλώσσα γνώριμη και ξένη ταυτόχρονα. Είχε λησμονήσει τα εκλεπτυσμένα οθωμανικά, που μόνο καλλιγράφοι μπορούσαν να τα αποτυπώσουν σε όλο τους το εύρος. Περσικές ως επί το πλείστον λέξεις υποκαθιστούσαν τα τουρκικά, ποιητικές εκφράσεις με λαβύρινθους λεκτικών αραβουργημάτων. Καταλάβαινε ότι μιλούσε για θάνατο, για δολοφονίες, παραπονιόταν για την οικογένεια που τον εγκατέλειψε αβοήθητο στο έθιμο της αδελφοκτονίας, ένα παιδί που πάσχιζε να γεράσει μέσα στο μύθο του και δεν τα κατάφερνε. Σφύριζε σαν φίδι μέσα στο αυτί της, ένιωσε τη διχαλωτή γλώσσα του να της τρυπά το τύμπανο μέσα σε αφόρητο πόνο, βόγκηξε παντελώς απροστάτευτη, σωριασμένη στα πόδια ενός τέρατος με επιδερμίδα μπροκάρ, δάγκωσε όσο πιο δυνατά μπορούσε το χέρι της να ξυπνήσει, να ξεφύγει απ' το κατηγορώ του φιδιού-άντρα-παιδιού. Ξέχασε πώς είναι η «βοήθεια» στα ελληνικά. «Ιμντάατ...» ψιθύρισε. Ο μακρύς πληγωμένος λαιμός του άντρα –πρίγκιπας είσαι, χαρτί είσαι, μια βρομο-μινιατούρα είσαι, χρυσόμυγα είσαι και όνειρο, Χριστέ μου, Παναγιά μου– κατέβηκε εύκολα στον δικό της. Την έγλειψε στην πλάτη μέσα από το νυχτικό, έγλειφε λαίμαργα τα γέρικα κόκαλά της.

«Μη...» Με δυσκολία βρήκε τον τέταρτο στίχο μιας προσευχής. Βρήκε και πέμπτο και όγδοο. Ο ασυνάρτητος φόβος. Κι έπειτα, μέσα απ' το παθημένο λαρύγγι του τέρατος, άκουσε τη φωνή του Τουρχάν να την καλεί ερωτικά. «Μη...» Μόνο «μη» της έβγαινε.

Την ξελόγιαζε ο παλιο-Τουρχάν με λόγια πρόστυχα, καμωμένα από σάλιο. Έμπαινε στο αυτί της με εκατό παρηχήσεις πόθου, κόλαση η κοιλιά της απ' τη στέρηση· και στο υπογάστριο, το βάρος μιας μοναξιάς σαν έρημος αλμυρή, με αγκάθια και σκορπιούς.

«Όλοι σας... Όλοι σας...» Τώρα η φωνή του άντρα της, του Ζάννου, την απειλούσε. Κι ο θανατερός μακρινός συγγενής της ν' ανοιγοκλείνει ασταμάτητα τα μάτια που σκοτείνιαζαν. Η μια φωνή διαδεχόταν την άλλη, στο ίδιο στόμα.

«Όλοι σας... Κι εσύ, όπως όλοι οι άλλοι!» επαναλάμβανε.

«Γιατί ήρθες; Γιατί;» Αρπάχτηκε απ' το αρχοντικό του καφτάνι, πληγιάζοντας τα δάχτυλα.

«Το παιδί με οδήγησε...» αποκρίθηκε εκείνος με τη φωνή του Ζάννου.

«Φτου σου!» Ούρλιαξε φτύνοντας τον πρίγκιπα, που την αγκάλιασε βίαια, στερώντας της το οξυγόνο. Την ανάγκασε να ανασάνει για δευτερόλεπτα τη στάχτη του ρούχου. Της έστριψε απότομα το κεφάλι προς την Ανατολή, μ' ένα υπόκωφο «κρακ». Μετά, πήρε την ομίχλη κι έφυγε απ' την μπαλκονόπορτα κουτσαίνοντας, με τενεκεδένια βήματα κουρασμένου αγγέλου.

Η Ράνα-Ιουστίνη-Μερόπη πάγωσε στα πόδια του κρεβατιού μ' ένα τρουακάρ χαμόγελο απορίας. Κι έτσι ακριβώς τη βρήκε η Βάσω το ξημέρωμα, όταν μπήκε με μια φλιτζάνα γάλα στο δωμάτιο.

Η Τρίτη εκείνη ξημέρωνε χωρίς πουλιά. Χωρίς τα πουλιά του κήπου. Αυτό κατάλαβε ο Ηλίας, που έκανε ανήσυχο ύπνο. Όλο τη μάνα του έβλεπε να φυτεύει γλαδιόλες. Φύτευε και φύτευε και σωσμό δεν είχε. Ξυπνούσε ιδρωμένος, αφουγκραζόταν την ησυχία του σπιτιού, έλειπε και η Βάσω, και τον ξανάπαιρνε.

Τα πουλιά όμως δεν τα άκουγε, αν και ήξερε από διαίσθηση ότι δε θ' αργούσε να χαράξει. Κάποια στιγμή του φάνηκε πως άκουσε άλλα πουλιά. Πουλιά πιο φλύαρα απ' τα δικά τους. Με άλλες φωνές. Αυτά δεν κελαηδούσαν, δεν προανήγγελλαν καμιά καινούρια μέρα. Ήταν πουλιά βιαστικά, με τσιριχτές κραυγές, που μες στην αγωνία των ονείρων με τα φυτέματα και τη μητέρα να σκάβει με κινήσεις τρωκτικού, μέσα σ' εκείνη λοιπόν τη μέθη των ονείρων, κατάλαβε πως ήταν γλάροι.

Μάλιστα τους σκέφτηκε στα τούρκικα: «Μαρτιλάρ». Κι αυτή ακριβώς η λέξη θα ήταν και η τελευταία που θα του 'ρχόταν σ' εκείνη τη γλώσσα. Τι παράξενο! Μια ολόκληρη –«κος κοτζαμάν»– γλώσσα, να την πάρουν οι γλάροι το χάραμα εκείνης της Τρίτης και να φύγει από πάνω του...

Ξύπνησε κατά τις δέκα νιώθοντας αδύναμος, σαν να συνερχόταν από αρρώστια σοβαρή. Ο πατέρας του, με μαύρο κοστούμι και μαύρη γραβάτα, χτένιζε στον καθρέφτη του μπάνιου τα φρύδια του. Ο Ηλίας νόμισε πως τα χτένιζε έτσι, προς τα κάτω, επίτηδες, για να δείχνει ακόμα πιο λυπημένος.

«Περιμένω τη θεία Ευζωνία. Ντύσου γρήγορα!»

Για να 'ρχόταν η Ευζωνία στην Κηφισιά, σίγουρα συνέτρεχε λόγος σοβαρός. Έβρασε τσάι μόνος του και βγήκε να το πιει στο βεραντάκι. Ποτέ το σπίτι της κυράς δεν του είχε φανεί πιο κοντινό. Το χέρι ν' άπλωνε, θα το έπιανε. Κι ανάμεσα τους δε μεσολαβούσαν παρά λίγοι ανθισμένοι θάμνοι. Άγνωστοι άντρες κάπνιζαν στη σκιά της κληματαριάς. Ανοιχτός ορίζοντας... και οι ντοματιές άφαντες.

«Μπαμπά...» Ένιωσε την ανάγκη να φωνάξει.

«Τις ρήμαξαν κάτι πουλιά. Ένα σμήνος, δεν ξέρω τι σκατά πουλιά ήταν, αλλά τις ισοπέδωσαν...»

Όλα τα φυτά, κομματιασμένα, βρίσκονταν σωριασμένα στο χώμα. Κι ανάμεσά τους, ξεκοιλιασμένες, οι ντομάτες. Οι πιο πολλές είχαν φαγωθεί απ' τα πουλιά. Απ' τους γλάρους. Μόνο που ο Ηλίας δεν είπε σε κανέναν ποτέ ότι ήταν γλάροι, γιατί δε θα τον πίστευαν.

«Καλύτερα...» είπε ο Ηρακλής. «Οι ντομάτες είχαν κάτι σκουλήκια μεγάλα σαν μεταξοσκώληκες. Άσπρα... Άχρηστες! Κρίμα το νερό και τον κόπο μας...»

273

Ύστερα, χαμογελώντας αμήχανα, ήρθε και κάθισε δίπλα στο γιο του. Άναψε τσιγάρο με αργές κινήσεις και του χάιδεψε τα μαλλιά. Ο Ηλίας τον λυπήθηκε, που δεν έβρισκε τρόπο να του πει αυτό που ήθελε.

«Πέθανε η κυρία Μερόπη χθες το βράδυ. Αυτό είναι... Τα χρόνια της να πάρουμε!» συμπλήρωσε ο Ηρακλής, θέλοντας να προσθέσει: «...και τώρα θα πάρουμε δρόμο».

«Πώς πέθανε;»

«Η Βάσω τη βρήκε στο πάτωμα. Απ' το πρωί την εξέταζαν οι γιατροί. Μου φαίνεται ότι έσπασε το σβέρκο της. Η κακομοίρα η Βάσω έμεινε στήλη άλατος για μια ώρα. Ούτε τα πουλιά που έτρωγαν τις ντομάτες κατάλαβε...»

«Τι είπαν οι γιατροί;»

«Ξέρω κι εγώ; Ήρθαν γιατροί, ήρθαν δικηγόροι, οι συγγενείς της... Θα 'ρθει και η Ευζωνία, να βοηθήσει στο συγύρισμα του σπιτιού. Εσένα σ' αγαπούσε η συχωρεμένη...»

«Θα φύγουμε απ' την Κηφισιά, μπαμπά;»

«Ό,τι μας πουν...»

«Ποιος;»

«Οι κληρονόμοι...» Ο Ηρακλής άναψε και δεύτερο απανωτό τσιγάρο, αφήνοντας το βλέμμα του ν' απολαύσει το πράσινο στρώμα της καταστροφής. Όσο ωραίες ήταν οι ντοματιές όρθιες, τόσο σιχαμένες ήταν τσακισμένες. Δεν είχε όμως κουράγια να συμμαζέψει εκείνο το χάλι. Μετά την κηδεία... «Έχω να συνεννοηθώ ένα σωρό πράγματα...»

Ο Ηλίας κάτι θέλησε να πει, αλλά δε θα μιλούσε πια. Θα άφηνε τον καιρό να φανερώνει μόνος του, καταπώς νόμιζε, τα πράγματα.

«Έχε το νου σου στο σπίτι. Ως το μεσημέρι θα 'ρθει η Ευζωνία.

«Πού την έχουν;»

«Στο δωμάτιό της. Κοψομεσιαστήκαμε με τη Βάσω να την τακτοποιήσουμε. Οι συγγενείς, με το που ήρθαν, πρόσταξαν "καφέ". Πολύ που τους ένοιαξε! Άι σικτίρ...»

Ο Ηλίας χαμογέλασε. Όσο φούντωνε η ζέστη, τόσο πιο πολύ ξεθώριαζαν οι εντυπώσεις όλων αυτών των άγριων η-μερών του καλοκαιριού μέσα του. Έχανε τους αρμούς του φόβου, άδειαζε από τις περιέργειές του, το σπίτι απέναντι ξανάβρισκε τις σωστές του, εντυπωσιακές έτσι κι αλλιώς, διαστάσεις. Σχεδόν άρχισε να ξεχνά την αλληλουχία των γεγονότων ίσαμε τούτο το χλιαρό πρωινό.

Προσπάθησε να απομονώσει τη Ράνα-Μερόπη-Ιουστί-νη με την απελπισμένη της ελπίδα πως θα την οδηγούσε, άγνωστο πώς, στο χαμένο της αδελφό. Δεν τα κατάφερε. Πέθανε μια γυναίκα μεγάλης ηλικίας, μια γιαγιά νομιμό-φρων στα περιθώριά της, όπως όλες οι γιαγιάδες που φεύ-γουν αφήνοντας πίσω τους ένα απαλό συννεφάκι λύπης και πολλές φιλοσοφημένες κοινοτοπίες. Του ήρθε ξανά ύ-πνος, έτσι όπως καιγόταν κάτω απ' το δυνατό ήλιο, αλλά ακούστηκαν τα άλογα του λαντό που έφερε τη θεία Ευζω-νία απ' το Σταθμό του Ηλεκτρικού και ξύπνησε.

«Ζωή και σε σας και σε μας!» φώναξε η Ευζωνία μου-σκεμένη στον ιδρώτα, γιατί είχε θεωρήσει πρέπον να ντυ-θεί με πένθος και με μακρυμάνικη μπλούζα. Φίλησε τον Ηλία, μπήκε φουριόζα στην κουζίνα να φτιάξει καφέ να στυλωθεί και, κυρίως, να επιδιορθώσει τα μαλλιά της,

275

«...γιατί οι αριστοκράτισσες τον κόσμο του λαού τον έχουν για παντελώς μπας κλας. Εξού και ο κομμουνισμός φυτρώνει εκεί όπου δεν τον σπέρνουν».

Η Ευζωνία, εύγλωττη σε αποφθέγματα, έκοβε κι έραβε. Συλλογιζόταν το μέλλον της αδελφής της, αλλά, ευτυχώς, το μέλλον της Μπέλας είχε αναπάντεχα διαγραφεί στη Σαλαμίνα! Η Μπέλα έμαθε μέσα σε λίγες μέρες να βάζει ενέσεις «...με μια έφεση άνω ποταμών». Οπότε, δόξα σοι ο Θεός, θα την έστελναν για νοσοκόμα στον Ερυθρό Σταυρό. Τέρμα η μοδιστρική. Άλλο νοσοκόμα με στολή, σαν εκείνη την κυρία στην ταινία *Αποχαιρετισμός στα όπλα*, με τον Ροκ Χάτσον, κι άλλο μοδίστρα.

Μετά, ρούφηξε τον καφέ με ηδονή κι ύστερα ούρλιαξε: «Οι ντομάτες!»

Ο Ηλίας απολάμβανε το σοκ της παντογνώστριας Ευζωνίας. Της χύθηκε ο μισός καφές απ' τη σαστιμάρα.

«Λεφτά θα πάρω. Από πού καλέ; Μη χειρότερα! Πού είναι οι ντοματάρες σας; Κοίτα θρύψαλα... κοίτα θεομηνία...»

Σταυροκοπήθηκε άπειρες φορές, ήπιε μονορούφι τον υπόλοιπο καφέ, ίσιωσε το κορμί της δίνοντας έμφαση στον πισινό της –που, εκ φύσεως, ήταν πεταχτός– κι έφυγε για το σπίτι της κυράς, να βρει τη Βάσω.

Λίγο αργότερα εμφανίστηκε ο Ηρακλής «κινηματογραφικά» νεκρώσιμος, με τα μαύρα του γυαλιά, αναζητώντας το γιο του. Είχαν έρθει κάποιοι δικηγόροι –πρώτη φορά τους έβλεπε– και αναρωτιόνταν «πού είναι το παιδί». Η μεταστάσα είχε σίγουρα μιλήσει με συμπάθεια για τον Ηλία. Τον έπλυνε, τον έντυσε, τον κούμπωσε ως το λαιμό, αλλά του ερχόταν υπερβολικό να του κοτσάρει κι ένα πένθος στο μανίκι, και τον πήρε μαζί του.

Ο Ηλίας ήταν παθημένος με κηδείες λόγω της μάνας του. Τον αγρίευαν τα φέρετρα, τα θυμιάματα και τα κεριά και λιγότερο οι νεκροί. Ίσα ίσα που τον γοήτευε η κίτρινη ακινησία τους μες στα λουλούδια, αλλά δεν τρελαινόταν κιόλας. Με την έγνοια της Στέλας μπήκε απ' την πόρτα της κουζίνας, όπου τα μάτια του πετρογκάζ δούλευαν ασταμάτητα. Πήγαιναν κι έρχονταν οι καφέδες. Η Βάσω, άσπρη απ' την αϋπνία, σαν αλευρωμένη, έδινε εντολές στην Ευζωνία και σε δύο άλλες άγνωστες γυναίκες, που υπηρετούσαν σε σπίτια συγγενών κι ήρθαν να βοηθήσουν.

Ετοίμαζαν ψαρόσουπα και ρυζόγαλο, χώρια απ' τους καφέδες και τα αναψυκτικά. Το νερό δεν προλάβαινε να παγώσει. Όλοι έσφιγγαν ποτήρια με νερό στα χέρια τους όσο προχωρούσε για μεσημέρι. Ο Ηλίας δεν κατάλαβε καμιά ιδιαίτερα θλιβερή ατμόσφαιρα. Θλιβερή ήταν η μυρωδιά των λουλουδιών, που θύμιζε παραλλαγμένο το γνώριμο άρωμα της Ράνας. Σοβαροί κύριοι και όμορφες κυρίες, που έκαναν αέρα με μαύρες βεντάλιες, στέκονταν γύρω απ' το φέρετρο. Εκείνη κοιμόταν αδιάφορη για την εξέλιξη του καλοκαιριού, για τις μύγες που έδειχναν προτίμηση στη μύτη της, για τους ψιθύρους, για κείνον που δάγκωνε τα χείλη του, αναποφάσιστος ακόμη αν θα φιλούσε το μέτωπό της, παρά τις υποδείξεις του πατέρα του να το κάνει οπωσδήποτε.

Μες στο μεγάλο σαλόνι που, αν και με ορθάνοιχτες τις πόρτες, μύριζε κλεισούρα, άκουσε για πρώτη του φορά το όνομα της Χαρίκλειας Κρουπ και του Εφραίμ Δολόγγου. Ήρθαν και του συστήθηκαν μόνοι τους, σαν να 'ταν κανένας σπουδαίος. Η Χαρίκλεια Κρουπ ήταν δικηγόρος και κάτι άλλο, που δεν το κατάλαβε. Ο Εφραίμ Δολόγγου ήταν μόνο δικηγόρος. Έπιναν καφέδες συνέχεια και κάπνιζαν με κομψές κινήσεις. Τον ρώτησαν όλα αυτά που ρωτούν συνήθως στα παιδιά.

«Με ψαρεύουν», σκέφτηκε ο Ηλίας, αλλά δεν τους αντιπάθησε. Απαντούσε κοφτά, ακριβολογώντας, χωρίς δισταγμό. Ο Ηρακλής εξήγησε πως το παιδί θα έπρεπε να προσαρμοστεί σ' ένα καινούριο σχολικό περιβάλλον, αλλά δεν του έδωσαν σημασία. Συνέχισαν να «ψάχνουν» τον Ηλία, να του θυμίζουν πως η εκλιπούσα –έτσι την αποκάλεσε η κυρία Κρουπ– έτρεφε για κείνον ιδιαίτερα αισθήματα.

«Με ψάχνουν, αλλά...» Ήταν τελικά κουρασμένος για να διαβάσει τις προθέσεις τους. Πήρε βαθιά ανάσα, πλησίασε το φέρετρο και έσκασε ένα φιλί στο μέτωπο της «εκλιπούσας». Μετά, στάθηκε παράμερα, απορώντας που δεν ένιωθε την αρμόζουσα θλίψη.

Οι ωραίες κυρίες αναφέρονταν χαμηλόφωνα στο πνεύμα, στη μεγαλοψυχία, στον πατριωτισμό, στην περιουσία και στο κύρος του Ζάννου Ριζούδη, λες και η πεθαμένη κυρά διεκδικούσε μόνο ελάχιστα κλάσματα της ξεχωριστής ακτινοβολίας του συζύγου. Που μπορεί και να ήταν έτσι.

«Δε μιλούσαν ποτέ για το παρελθόν, όμως κατά καιρούς είχαν διαρρεύσει πληροφορίες πως η θεία ανήκε στο

σόι των τελευταίων Σουλτάνων... Απ' το στόμα της, ό-
μως, δεν ακούσαμε ούτε μια φορά τη λέξη "Τουρκία"», ε-
ξηγούσε στο γιατρό Καραποστόλου η μητέρα της Στέλας,
εξαίροντας τα ελληνοχριστιανικά ιδεώδη του ζεύγους, όσο
και την κλειστή κοινωνική ζωή τους.

«Δε θα με πιστέψετε, αλλά απ' όλους μας προτιμούσε
την μικρή μου κόρη, τη Στέλα. Καταλαβαίνετε πόσο τα-
ράχτηκε το παιδί... Μέσα σε λίγες μέρες χάσαμε δύο δι-
κούς μας ανθρώπους...»

Ο Καραποστόλου, ως γιατρός και ως άνθρωπος, συνέ-
στησε για τη Στέλα, χαμηλόφωνα πάντα, πολλά θαλάσ-
σια μπάνια και, αν είναι δυνατόν, σε συνδυασμό με βουνό.
«Το τέλειο για τις νέες κοπέλες».

«Ποια είναι η Χαρίκλεια Κρουπ;» ρωτούσαν οι συγγε-
νείς.

«Μια απ' τους εκτελεστές της διαθήκης».

«Με τους Κρουπ της Γερμανίας τι σχέση έχει;»

«Μάλλον καμία. Οι Κρουπ, φύσει και θέσει, δεν θα ε-
πέτρεπαν μέλος της οικογένειάς τους να βαφτιστεί Χαρί-
κλεια...»

«Ελάτε, τώρα. Μη γίνεστε κακοί! Οι Γερμανοί ήταν
πάντα ελληνολάτρες». Τους έπιασε νευρικό γέλιο.

Ο Ηλίας κατέβηκε στην κουζίνα, για να εισπράξει τις
άγριες ματιές της Ευζωνίας. Δεν κατάλαβε γιατί. Έξω,
στη βεράντα, η Βάσω σωριασμένη σε μια ψάθινη πολυ-
θρόνα έκλαιγε με αναφιλητά. Έκλαιγε στραγγίζοντας την
πίστη της, άδειαζε απ' όλο το φως, ιλαρό και λιγότερο ι-
λαρό, των θαυμάτων της Γέννησης, την Ανάστασης και

279

της Ανάληψης του Χριστού. Αμάρταινε συνειδητά, καταγγέλλοντας με σκέψεις που δε θα αργούσαν να βγουν και παραπέρα τη συνηγορία του Θεού στο δόλο. Έσφιγγε στα χέρια της μια εφημερίδα – έναν πολτό, πες καλύτερα, απ' τα δάκρυα. Η γλυκιά δύναμη του ονείρου είχε χαθεί, γι' αυτό, μόλις είδε τον Ηλία να την πλησιάζει, έτοιμος να νοιαστεί για την κατάστασή της, γούρλωσε τα κόκκινα μάτια της και, με φωνή Αγγέλου δέκα λεπτά πριν την Α- ποκάλυψη, έβγαλε με βίαιες κινήσεις απ' το σουτιέν της ένα σωρό λαχεία και του τα πέταξε στα μούτρα:

«Πάρ' τα να τα φας και να τα ξεράσεις, εσύ που ξέρεις από ξερατά. Φά' τα».

Δεν κρατιόταν πια και δεν την ένοιαζε τίποτα. Ούτε τα προσχήματα μπορούσε να κρατήσει, ας ήταν κι ο Ηρα- κλής πατέρας του κι ο βασιλιάς ο ίδιος. Δε θα τη σταμα- τούσε το απορημένο βλέμμα του παιδιού, ούτε η τσιριχτή επίπληξη της Ευζωνίας απ' την κουζίνα: «Βάσω, σύνελ- θε...» Επέμενε να κροταλίζει με έμφαση τις λέξεις:

«Φά' τα να φχαριστηθείς και ξέρνα τα...»

Ο Ηλίας κατάλαβε ότι τα λαχεία της Ομόνοιας ήταν μια σκέτη αποτυχία, που ήρθε κι έδεσε με το θάνατο της Μερόπης-Ιουστίνης, οπότε η Βάσω απορρυθμίστηκε πα- ντελώς.

«Καλά σ' έλεγε τέρας η μακαρίτισσα... Τέρας! Αυτό είσαι. Ένα τέρας αναίσθητο και άκαρδο. Κι εγώ η ανόη- τη κάκιζα την καημένη την Μπέλα για την αντιπάθεια...»

«Βάσω, πάψε... Δεν ξέρεις τι λες...»

Η Ευζωνία είχε κορώσει απ' τη σύγχυση και τη φλόγα του πετρογκάζ. Η αδελφή της είχε ξεπεράσει τα όρια.

«Ούτε στους λήγοντες...» συνέχισε η Βάσω. «Ούτε καν έπιασε λήγοντα. Ούτε έναν! Αν εσύ, παιδί μου, είσαι μέντιουμ, εγώ τότε είμαι...» Δε βρήκε τι θα ήταν απ' την ταραχή, που της γύρισε σε τρεμούλα.

Ο Ηλίας την κοίταζε με ενδιαφέρον να ολοφύρεται, σαν να 'βλεπε ταινία. Χτυπιόταν, έκλαιγε, έτρεμε και φώναζε: «Φά' τα». Δε φανταζόταν ποτέ ότι η μητριά του έκρυβε τόσο μίσος εναντίον του εξαιτίας των λαχείων.

«Τι μέρα μας ξημέρωσε; Από τότε που μας ήρθε... από τότε...»

Ήταν έτοιμη η Βάσω να εξιστορήσει με θρήνους την άφιξή του και τις κακοτυχίες που έπεσαν στο κεφάλι τους σαν κεραυνοί εξαιτίας του. Η Ευζωνία, όμως, που δεν είχε καθόλου τυχαία αποκτήσει τη φήμη της πρακτικής και αποτελεσματικής, έτρεξε να φέρει απ' το σαλόνι το γιατρό Καραποστόλου, προτού τους πάρουν χαμπάρι οι άλλοι –και, κυρίως, ο Ηρακλής– εξηγώντας δραματικά, αλλά με ωραιότατες γενικές, κλητικές και απαρέμφατα, την κατάρρευση της πιστής Βάσως:

«Η αδελφή μου της έκλεισε τα μάτια και την έκλαψε σαν μάνα. Και πιο πολύ. Ιδού το αποτέλεσμα...»

Ο Καραποστόλου διέγνωσε ως έμπειρος γιατρός υστερία, αλλά έδειξε πως συμμεριζόταν το δράμα. Της έβρεξε το κεφάλι, της έβαλε αμμωνία κάτω από τη μύτη, της έκανε μασάζ με κολόνια στους καρπούς των χεριών, διέταξε να της κατεβάσουν τις καλτσοδέτες για την κυκλοφορία του αίματος.

«Δε θέλω τη ζωή μου, γιατρέ... Δεν τη θέλω...» χτυπιόταν η Βάσω, στριφογυρίζοντας τα μάτια της.

Ο γιατρός έκανε τον αυστηρό:

«Έλα τώρα, Βάσω. Έχεις και υποχρεώσεις. Πρέπει να φανείς γενναία!»

«Θα με πεθάνουν, γιατρέ... Θα με σκοτώσουν...»

«Ηρέμησε, μέρα που είναι...»

Και, πράγματι, η Βάσω πείστηκε να περιοριστεί σε κάτι ξεθυμασμένα βογκητά. Ο Ηλίας τόλμησε να την πλησιάσει σε λιγότερο από ένα μέτρο.

«Καμάρωνε τα χάλια μου, αγόρι μου. Μπράβο σου, μπράβο!»

Τον συνέχαιρε με μεγαλοπρεπή απογοήτευση και αηδία.

«Δεν το 'κανα επίτηδες...» είπε το παιδί φοβισμένο.

«Δε με νοιάζει, αγόρι μου, πια. Δε με νοιάζει».

Σε μια σκιερή γωνιά της βεράντας, η Χαρίκλεια Κρουπ κάπνιζε αδιάφορη για το δράμα της Βάσως, κρατώντας σφιχτά στη μασχάλη της ένα μαύρο δερμάτινο φάκελο. Όταν η ματιά της συνάντησε εκείνην του Ηλία, κάτι αναπάντεχα σκληρό άστραψε, που μπορεί να ήταν κι απ' το παιχνίδισμα του ήλιου ανάμεσα στις φυλλωσιές.

«Γιατί κλαίει;» ρώτησε το παιδί με την μπάσα απ' το τσιγάρο φωνή της.

«Για τα λαχεία. Νόμιζε πως θα κέρδιζε...» απολογήθηκε ο Ηλίας.

Η Κρουπ δεν πολυκατάλαβε τη σχέση μεταξύ λαχείων και μακαρίτισσας.

«Την αγαπούσες την κυρία Μερόπη Ριζούδη. Έτσι δεν είναι;»

«Έτσι...»

«Τότε θα ξέρεις καλύτερα από μένα τι σημαίνουν αυτά τα λογάκια σε τούτη την καρτ βιζίτ».

Ο Ηλίας, μπερδεμένος απ' τις υστερίες της Βάσως και την υποβλητική παρουσία της Χαρίκλειας Κρουπ, πήρε στα χέρια του μια καρτούλα με το όνομα της κυράς τυπωμένο περίτεχνα με πλάγια καλλιγραφικά γράμματα.

«Λοιπόν;» Η Χαρίκλεια Κρουπ βιαζόταν να μάθει τι σήμαινε εκείνη η φράση, που ήταν γραμμένη με λατινικά στοιχεία: «*Senin için ne yapsam azdır*».

«Δεν καταλαβαίνω, κυρία...»

«Η καρτούλα, όμως, είναι για σένα. Είδες;»

Είδε. Πάνω πάνω το 'γραφε ξεκάθαρα και ελληνικότατα: «Για τον Ηλία».

Η Χαρίκλεια Κρουπ, απορημένη και η ίδια απ' την περίπτωση που αναλάμβανε, προσπαθούσε να βγάλει άκρη και δεν έβγαζε. Μέσα της την έτρωγε η απορία: «Γιατί αυτό το συγκεκριμένο, άχρωμο και άοσμο παιδί;» που καμιά σχέση δεν είχε με τα παιδικά πρότυπα ομορφιάς, όπως τα ήξερε όλος ο κόσμος από τις διαφημίσεις.

«Μπορείς να την κρατήσεις την κάρτα...» του είπε, δυσαρεστημένη που τα μυστήρια δεν είχαν λυθεί εκειδά αμέσως, κάτω απ' το καλοκαιριάτικο φως του μεσημεριού.

Τον άφησε μόνο με την κάρτα στα χέρια, απ' όπου αναδυόταν το άρωμα της Ράνας ξεθυμασμένο. Την έφερε στα ρουθούνια του με μια νοσταλγία ανερμάτιστη. Κάποιο λιγωμένο παράπονο του παίδευε τα πνευμόνια, ξεσηκώνοντας απαλά κύματα λύπης. Κι έτσι όπως στεκόταν κάτω απ' τη λευκή ζέστη ένιωσε το θρόισμα εκείνων των λέξεων, σαν παρτιτούρα πρόχειρη μα πλούσια σε αισθήματα, απ' τον παράδοξο κόσμο της νεκρής. Μια μελωδία φιλική και υπερβολικά πρόσφορη σε αγάπη για να την αντέξει ένα μικρό αγόρι. Γι' αυτό και ποτέ του δεν την αποχωρίστηκε ο Ηλίας. Και πάντα την είχε τοποθετημένη στα πορτοφόλια με τα ακριβά δέρματα, που μοσκομύριζαν καπνό, εξουσία και ενδεχόμενο ταξιδιού.

«Ο,τι και να κάνω για σένα είναι λίγο». Αυτό είχε γράψει η Μερόπη-Ιουστίνη-Ράνα Ριζούδη στα τούρκικα, την τελευταία εβδομάδα της ζωής της, το καλοκαίρι του 1958.

«Ο,ΤΙ ΚΑΙ ΝΑ ΚΑΝΩ ΓΙΑ ΣΕΝΑ ΕΙΝΑΙ ΛΙΓΟ». Η Χαρί-κλεια Κρουπ δεν υπήρξε ποτέ ρομαντική. Την είχε καθο-ρίσει ο Δεύτερος Παγκόσμιος Πόλεμος, η Δίκη της Νυ-ρεμβέργης, οι Διεθνείς Οργανισμοί που περιφρουρούσαν την Ειρήνη, οι Διεθνείς Συμφωνίες με επίκεντρο τον «Άνθρω-πο», οι αναφορές γύρω απ' την εκμετάλλευση και τη βία σχετικά με τις γυναίκες και τα παιδιά. Κι αν ανέλαβε –σε συνεργασία με το δικηγόρο Εφραίμ Δολόγγου– την υπό-θεση της χήρας Ζάννου Ριζούδη, αυτό οφειλόταν αποκλει-στικά στο ότι αποδέκτης όλου αυτού του μπελά ήταν ένα παιδί.

Μισο-αστεία το ανέφερε ως «παιδί απ' το πουθενά», που, μέσα σε ελάχιστο διάστημα, ενέπνευσε σε μια τέτοια κυρία «προφανώς κάποιο είδος παιδοφιλίας ή κάποια μορ-φή έρωτος», ώστε να παρακαμφθούν συγγενείς εξ αίματος από την πλευρά του συζύγου και να πριμοδοτηθεί το αγο-ράκι του κηπουρού και κομπάρσου, με την υστερική μη-τριά. Ούτε η ίδια είχε αποκτήσει παιδιά, ανύπαντρη ήταν εξάλλου εκ πεποιθήσεως, οπότε στα τυφλά προσπαθούσε να εξηγήσει το ενδιαφέρον της γηραιάς κυρίας. Δε βρήκε επαρκείς εξηγήσεις και αρκέστηκε στα δεδομένα που συντάραξαν την κοινωνία της Κηφισιάς και ακόμα περισσότερο το συγγενικό περιβάλλον. Μόνο που οι δικηγόροι και οι σύμβουλοι της μακαρίτισσας είχαν συνεργαστεί εξαίρετα, ώστε να μην είναι εύκολη η προσβολή της διαθήκης. Μιας διαθήκης που σαφέστατα ευνοούσε το παιδί-σκάνδαλο, αλλά δεν παραμελούσε και κάποιους συγγενείς, όπως τις αδελφές Κοβατζή, δηλαδή τη Στέλα και τη Μαρία.

Οτιδήποτε ανήκε πάππου προς πάππο στην οικογένεια Ριζούδη έμενε στην οικογένεια. Στη Στέλα άφησε ένα κτήμα πενήντα στρεμμάτων στα Σπάτα κι ένα περιβόλι δέκα στρεμμάτων στη Βούλα. Οι άμεσα ενδιαφερόμενοι ανέκραξαν: «Μες στις ερημιές, τι να τα κάνουμε;». Στη Μαρία άφησε ένα μαγαζί στο κέντρο της Αθήνας. Τα αποδέχθηκαν, πάντως, αν και βαθιά πειραγμένοι που το σπίτι με τη μεγάλη αυλή στην Κηφισιά πήγαινε σ' ένα ξένο παιδί, αφήνοντας αιχμές κατά του κηπουρού και της «πιστής» Βάσως.

Ούτε όμως ο Ηρακλής ούτε η Βάσω ωφελούνταν ιδιαίτερα από τη διαθήκη. Θα έμεναν στο σπιτάκι του κήπου ως την ενηλικίωση του Ηλία. Τότε θα αποφάσιζε αυτός για την τύχη τους. Μέχρι να ενηλικιωθεί το παιδί, «ουδείς» θα έμενε στο σπίτι της Κηφισιάς. Θα το συντηρούσαν, αλλά δε θα κατοικείτο. Οι μισθοί της Βάσως και του άντρα της κόπηκαν, εκτός από ένα μετριότατο ετήσιο εισόδημα για τη συντήρηση του σπιτιού.

Οτιδήποτε υπήρχε στο σπίτι θα παρέμενε εκεί, ώσπου

να αποφασίσει ο ιδιοκτήτης, όταν ερχόταν «το πλήρωμα του χρόνου» – μια έκφραση που, για χρόνια, απήγγελλε συνεπαρμένη απ' την επισημότητά της η Ευζωνία. Άλλωστε η Ευζωνία ήταν και η μόνη που πίστευε πως το παιδί-μέντιουμ είχε καταστρώσει ένα δαιμονικό σχέδιο εκπαραθύρωσης όλων των συγγενών απ' τη διαθήκη, απ' την ώρα που πάτησε το πόδι του στην Κηφισιά.

Χειρότερα όλων έπαθε η Λαμπρινή Καρποζήλου, συγγένισσα κι αυτή του Ζάννου, στην οποία η Μερόπη-Ιουστίνη άφησε το μεγάλο πιάνο με την ουρά. «Μόνο που οι ουρές ήταν πολύ περισσότερες από μία», διηγιόταν με α-ποτυπωμένη τη φρίκη στο πρόσωπό της η Ευζωνία. «Γιατί, όταν η δύστυχη κυρία Καρποζήλου, που ήταν πιανίστα σπουδαγμένη στη Λειψία με διπλώματα και περγαμηνές, έσπευσε να ελέγξει το πιάνο και άνοιξε εκείνο το καπάκι, το όμοιο με φέρετρο –μακριά από 'δώ– πετάχτηκαν εφτά αρουραίοι σε μέγεθος κουνελιού, με μισό μέτρο ουρές. Ακόμα στον "Ερυθρό" βρίσκεται, με καρδιά και ι-λίγγους... Τέτοια κληρονομιά. Ο θάνατος αυτοπροσώπως!»

Ο σπουδαιότερος όρος της διαθήκης, όμως, αφορούσε τη ζωή του Ηλία. Προϋπόθεση να πήγαινε «εσωτερικός» σ' ένα από τα καλά σχολεία της Αθήνας, υπό την αυστηρή επίβλεψη της Χαρίκλειας Κρουπ. Στο σημείο αυτό η μεταστάσα τόνιζε πως η προσφορά της ήταν μια μορφή υ-ποτροφίας σ' ένα φτωχό πλην χαρισματικό παιδί. Στο Ταχυδρομικό Ταμιευτήριο υπήρχε ένα ικανοποιητικό ποσόν για την εκπαίδευσή του και σε μια θυρίδα λίγα τιμαλφή, που «ελπίζω να εκτιμήσει δεόντως», έγραφε στη διαθήκη.

Τα τιμαλφή ήταν ένα μενταγιόν χρυσό με μικρά σμαράγδια, που στο εσωτερικό του απεικόνιζε τον Τουρχάν –τον αναγνώρισε ο Ηλίας, αλλά δεν είπε σε κανέναν τίποτα–, δύο ζεύγη άσπρα μεταξωτά γάντια, ένα άλμπουμ γεμάτο ωραίες κυρίες και άντρες αγέλαστους, γενειοφόρους, που φορούσαν φέσια, μια αλατιέρα από κόκκινο κρύσταλλο και ασήμι, ένα μικρό πορσελάνινο κουτί για χάπια κι ένα ολόχρυσο ψαλιδάκι τουαλέτας. Καταγράφηκαν όλα με περιγραφή λεπτομερή και κλειδώθηκαν, περιμένοντας τον ενήλικα κληρονόμο τους.

Ο Ηλίας καταλάβαινε πως κάτι σημαντικό μαγειρευόταν στα ατέλειωτα διαβούλια μεταξύ μπαμπά, Βάσως και Ευζωνίας. Η Μπέλα, τέρμα η μοδίστρα, θα έβγαζε όλο το καλοκαίρι στη Σαλαμίνα, ακολουθώντας την έφεσή της για νοσοκόμα και παραθερίστρια. Η Ευζωνία, τακτική πλέον τα απογεύματα στην Κηφισιά, παρίστατο ως πιο κοσμοπολίτισσα και ως ειδική να κουμαντάρει την καταραμένη καθαρεύουσα των δικηγόρων. Όχι τόσο του Σαριπόλου, που τον γνώριζε η Βάσω από παλιά, όσο του Εφραίμ Δολόγγου και των βοηθών του, κάτι κωλοπετσωμένων νεαρών με πρόωρες φαλάκρες και γυαλιά.

Αυτή, όμως, που τους φόβιζε –ή, μάλλον, τους πάγωνε– περισσότερο ήταν η Χαρίκλεια Κρουπ, που μιλούσε στρωτά ελληνικά με ξενική προφορά όταν θύμωνε. Αλλά ποτέ δε θύμωνε. Πήγαινε να θυμώσει, αλλά έτσι ήταν το φυσικό της ομιλίας της. «Γι' αυτό κι έμεινε στο ράφι», αποφάνθηκε η Ευζωνία ως πιο έμπειρη και στα ανθρώπινα.

Η Κρουπ μπήκε ορμητικά στη ζωή τους και τη διέλυσε. Τους ανέφερε άρθρα, εκδοχές, τους καταλόγιζε «αντιπαιδαγωγικές μεθόδους για τον εκλεκτό κληρονόμο της Μερόπης-Ιουστίνης Ριζούδη», τους απειλούσε με αόριστες απειλές σε περίπτωση που δεν τηρούνταν επακριβώς οι όροι της διαθήκης κι ένα σωρό άλλα πολύπλοκα και φρικιαστικά «για το καλό του κληρονόμου», που, για την ώρα, λασπωνόταν στην αυλή, καθαρίζοντάς την απ' τα πτώματα των ντοματιών κι από τα άγρια χόρτα που φύτρωναν επίμονα ανάμεσα στα ζαρζαβατικά.

Πότιζε και σκεφτόταν το κίτρινο του θανάτου, θαύμαζε το μικρό εαυτό του που βρήκε το θάρρος να φιλήσει το μέτωπο της νεκρής, έριχνε φοβισμένες ματιές κατά το σπίτι που του ανήκε, αν και το αίσθημα ιδιοκτησίας στην ηλικία του ήταν ανώριμο και ασαφές. Τις μέρες μετά την κηδεία θα θυμόταν για πάντα τα άγρια βλέμματα των συγγενών, με τα κλειδωμένα στόματα και τους ιδρώτες να σχηματίζουν με άλατα στα μαύρα φορέματα χάρτες αγνώστων αισθημάτων. Τους παρακολουθούσε, ενώ πότιζε ώρες τα αγγούρια, τα κολοκύθια και τις πιπεριές, να μπαινοβγαίνουν, πότε με έκφραση αγανάκτησης και πότε με βλέμματα νοσταλγίας για τους πεθαμένους, που, όσο ζούσαν, τους εκτιμούσαν και τους συμμερίζονταν ως απολιθώματα οικογενειακά, τυλιγμένα στα μυστήρια του οθωμανικού Βοσπόρου και της παλιάς κραταιάς Μαύρης Θάλασσας. Και πάντα οι δικηγόροι και πάντα η Χαρίκλεια Κρουπ με το τσιγάρο στο στόμα, χωρίς μισή σταγόνα ιδρώτα, ατσαλάκωτη κι ανυποχώρητη στις θέσεις της, απ' ό,τι άκουγε ο Ηλίας. Τη συμπαθούσε την κυρία Κρουπ, γι' αυτό δεν του άρεσε το «ανυποχώρητη» σαν χαρακτηρισμός – η θεία Ευζωνία τα 'λεγε αυτά, θυμίζοντάς του κάτι ανάλογο του «αποχωρητηρίου».

Πότιζε, λοιπόν, κι ένιωθε ανάλαφρος τώρα που είχαν φύγει από μέσα του όλες εκείνες οι δυσκολοπρόφερτες τούρκικες λέξεις. Μα να μη θυμάται ούτε μία; Μόνο τα βράδια, καμιά φορά, που ξυπνούσε για νερό ή για να τυλιχτεί καλά στο σεντόνι του, άκουγε τους γλάρους να περιπλανιούνται πανικόβλητοι στην αυλή κι ύστερα να ξεμακραίνουν προς τη μεριά του σπιτιού. Ήξερε όμως πως δεν μπορούσαν να τον πειράξουν. Μάλλον θαύμαζαν την ερημιά της αυλής, το ξυρισμένο παρτέρι με τις ντομάτες, αυτές τους ένοιαζαν κι όχι τα κολοκυθάκια και οι πιπεριές, που λούφαζαν κάτω απ' τα δροσερά φύλλα τους. Τέτοια σκεφτόταν κι ερχόταν ο ύπνος γλυκός, καλοκαιρινός, με λίγη ψύχρα απ' τη νύχτα της Κηφισιάς.

Το μεσημέρι, που είδε τον πατέρα του να βγαίνει απ' το σπίτι κατακόκκινος απ' το θυμό, προσβεβλημένος –δεν ήταν σε θέση να ξέρει τι είχε ειπωθεί με τους συγγενείς– συνάντησε και τη Στέλα. Στα άσπρα.

«Η αριστοκρατική εκδοχή του πένθους», είπε. Και τον κάλεσε να καθίσουν κάτω απ' τη σκιά μιας πέργκολας, να μιλήσουν για το σχολείο.

Ο Ηλίας δεν είχε ιδέα σε ποιο σχολείο θα πήγαινε. Ήξερε μόνο πως το μέλλον του το χειριζόταν η επιδέξια Χαρίκλεια Κρουπ.

«Α, ναι, αυτή η κυρία...» Η Στέλα κακάρισε.

«Γιατί γελάς;»

290

«Γιατί νομίζει ότι είναι η μαμά σου. Παντού διαδίδει πως ο δείκτης νοημοσύνης σου είναι πολύ υψηλός...» Ξαναγέλασε βράζοντας από θυμό.

«Γιατί θυμώνεις;» τη ρώτησε.

«Γιατί είσαι βλάκας. Γι' αυτό. Κι εσύ κι ο κηπουρός ο πατέρας σου, που τρελάνατε τη θεία Μερόπη και...» Δε συνέχισε. Ξαναπήρε το μειλίχιο ύφος της, αυτό που είχε γοητεύσει τον Ηλία όταν την πρωτοείδε.

«Θα σε στείλουν οικότροφο», του είπε.

«Πού το ξέρεις;»

«Ρώτα τη Χαρίκλεια Κρουπ. Αυτή θα σου δίνει λεφτά ώσπου να πας φαντάρος...»

«Κι εσύ;»

«Εγώ θα περνώ έξω από το σπίτι και θα λέω στις φίλες μου πώς ήρθε ένα αλητάκι και μ' έδιωξε...»

«Εγώ είμαι το αλητάκι;»

«Ναι, που ο δείκτης νοημοσύνης σου είναι ψηλός, πιο ψηλός απ' το μπόι σου...»

«Εγώ είμαι το αλητάκι; Κι αφού είμαι αλητάκι, θέλεις να μου πιάσεις λίγο το καυλάκι; Ε, θέλεις;»

Η Στέλα μισάνοιξε το στόμα κάνοντας την έκπληκτη, μα δεν κούνησε απ' τη θέση της.

«Είσαι αλήτης όσο κι ο πατέρας σου, ο κομπάρσος. Άκου κομπάρσος!» Η Στέλα ξέσπασε σε γέλια.

«Από τη μέση και πάνω είναι κηπουρός κι απ' τη μέση και κάτω κομπάρσος. Έχεις δει πούτσα κομπάρσου; Αν έχεις κι εσύ υψηλό δείκτη νοημοσύνης, ζωγράφισε στο χώμα μια πούτσα κομπάρσου. Μια χοντρή, μεγάλη πούτσα κομπάρσου... Έλα να δω τι ξέρεις! Έλα...»

Η Στέλα συνέχισε να γελά, σαν να μην πίστευε στ' αυτιά της για όσα ξεστόμιζε εκείνο το βρομόπαιδο.

Πίσω απ' τα κουφωμένα παντζούρια, η Χαρίκλεια Κρουπ, καπνίζοντας, παρακολουθούσε τη Στέλα με τον μικρό. Κι άκουγε. Το παιδί έπρεπε ν' απομακρυνθεί το γρηγορότερο από το περιβάλλον αυτό και να προετοιμαστεί για τη νέα ζωή, που του χάρισε η μακαρίτισσα Μερόπη Ριζούδη.

Η Κρουπ ήταν ευχαριστημένη απολύτως. Είχε καταφέρει να σπάσει τα νεύρα των επίδοξων κληρονόμων, υπερασπιζόμενη τη θέληση της νεκρής. Απολάμβανε το ρόλο της και θα έκανε τα πάντα γι' αυτό το παιδί – ένα μεγάλο στοίχημα με το βαρετό εαυτό της. Θα φρόντιζε να κατανεμηθεί όσο γινόταν πιο σωστά το σοβαρό χρηματικό ποσό που άφησε η Ριζούδη στο Ταμιευτήριο για τον Ηλία Καπνά του Ηρακλέους. Κάπνιζε κι άκουγε τα δύο παιδιά να προσπαθούν να αλληλοπληγωθούν με λόγια.

«Ώσπου να μεγαλώσεις, το σπίτι της θείας μου θα 'χει ρημάξει. Θα είσαι ο κληρονόμος ενός ερειπίου...»

Η Στέλα ζύγιαζε τις λέξεις σωστά. Ο μικρός προσπαθούσε να την αποδιοργανώσει βγάζοντας έναν οχετό λέξεων, που πίσω απ' τα παντζούρια η Κρουπ τον βρήκε σοκαριστικό αλλά κι ενδιαφέροντα. Είχε χρόνια ν' ακούσει τέτοια πεολογία.

«Θα είσαι το κορίτσι μου, η γκόμενα... Ξέρεις τι είναι γκόμενα;»

«Θα πέσουν οι σοβάδες...» συνέχισε η Στέλα με ρεμβαστικό ύφος. «Θα βουλιάξει η στέγη...»

«Θα έρχεσαι όποτε θέλεις και θα βάζω το χέρι μου στο βρακάκι σου. Ξέρεις τι έχεις εκεί μέσα;» Ο μικρός, με θαμπή φωνή, εξαπέλυε την άμυνά του.

«Παντού σκουριά... Έτσι κι αλλιώς το σπίτι είναι σάπιο. Μια σκουριά θα βρεις...»

«Έχεις δει ποτέ το γατάκι της μαμάς σου;»

«Άσε που το σπίτι είναι μολυσμένο...»

«Έτσι λες; Από τι είναι μολυσμένο, κορίτσι μου;»

«Απ' τα αίματα και τα κατρουλιά των Τούρκων...» Η Στέλα, με ύφος θριάμβου, σηκώθηκε απότομα και πάτησε δυνατά με τα πέδιλά της το χέρι του Ηλία.

«Και τι ξέρεις εσύ για τα κατρουλιά των Τούρκων, παλιομουνίτσα;»

«Ξέρω... Χάρισμά σου, κύριε, γιε του κηπουρού και κομπάρσου...» Συνέχισε να του πατάει το χέρι κι ο μικρός να χαμογελά κατακόκκινος απ' τον πόνο.

«Με τη μεγάλη χοντρή πούτσα, όμως...»

«Δε με τρομάζεις εμένα...»

«Έχω αν θες να σου δείξω κάτι για να τρομάξεις...»

«Δε τρομάζω, αλήτη, με τίποτα!»

Η Χαρίκλεια Κρουπ κάηκε απ' την καύτρα του τσιγάρου της πίσω απ' τα παντζούρια, αλλά δεν κουνήθηκε. Με κομμένη την ανάσα έβλεπε απ' τις γρίλιες τον κληρονόμο να απολαμβάνει το λιώσιμο της μικρής του παλάμης από εκείνο το σκατοκόριτσο.

«Θα τρομάξεις... Βάζουμε στοίχημα;»

«Δε τρομάζω, αλήτη, που θα κληρονομήσεις τα κατρουλιά των Τούρκων...» Απολάμβανε ήδη περιχαρής τις αναθυμιάσεις της αμμωνίας η Στέλα.

«Τράβα το ποδαράκι σου, μουνίτσα, και θα δεις».

«Τι θα μου κάνεις;» τον προκαλούσε.

Η Χαρίκλεια Κρουπ άναψε δεύτερο τσιγάρο, κολλώντας το μάτι της στο κούφωμα. Είδε τη Στέλα να τραβιέται, επιτέλους, και τον μικρό να πετιέται σαν σαΐτα ως τους παραδίπλα θάμνους, για να ανασύρει δύο τεράστια ψόφια πουλιά, με ματωμένες τις άσπρες τους κοιλιές.

Η Χαρίκλεια Κρουπ πνίγηκε με τον καπνό αλλά πρόλαβε και ανέπνευσε, όπως είχε εκπαιδευτεί ν' ανασαίνει σε τέτοιες περιπτώσεις. Δεν μπορούσε με την πρώτη ματιά να αποφασίσει τι σόι πουλιά ήταν εκείνα τα φτερωτά πτώματα που, όσο τα καλοκοίταζε έτοιμη να ξεράσει, έβλεπε ότι τους έλειπαν τα εντόσθια. Ήταν κενά από μέσα...

Η Στέλα, κατακίτρινη, θαύμαζε τα πουλιά, πασχίζοντας να φερθεί όπως έπρεπε μπροστά στον μικρό που επιδείκνυε την πραμάτεια του.

«Εγώ έφαγα τα συκώτια τους, μουνίτσα...» συνέχισε με το γνώριμο ύφος του.

Η Κρουπ ίσως για πρώτη φορά κατά τη διάρκεια τούτου του καλοκαιριού ένιωσε τόσο αφόρητα ιδρωμένη. Δηλαδή μια ελαφριά, αρωματισμένη υγρασία στις μασχάλες και στο λαιμό. «Τι κάνουν;» σκέφτηκε. «Παίζουν ή ετοιμάζονται να κομματιαστούν;» Παρατηρούσε γεμάτη ενοχές και φόβο, μη και την πάρει το μάτι κανενός απ' τους συναδέλφους δικηγόρους που τριγυρνούσαν στα επάνω δωμάτια, συζητώντας για κάποια υπολείμματα της κληρονομιάς. Άκουγε τα ποτήρια και τα κουταλάκια του καφέ στην κουζίνα ανήσυχη, χωρίς να τολμά να κουνηθεί απ' το πόστο της.

«Χαρά στο πράγμα!» βρήκε γρήγορα η Στέλα τον εαυτό της και το χρώμα της. «Εσύ θα καθαρίσεις τα κατρουλιά των Τούρκων...» Της άρεσε αυτό. Και το επαναλάμβανε κάθε φορά με ανανεωμένο κι ανεβασμένο στόμφο.

«Τι στο καλό θέλουν οι Τούρκοι μέσα σ' αυτή την τρέλα;» απορούσε η Χαρίκλεια. Ακόμα πιο απορημένη όμως ήταν με τη στάση του μικρού, που δεν αντέκρουε το «αλά τούρκα» επιχείρημα του κοριτσιού.

«Ξέρεις τι θα σου κάνω όταν παντρευτούμε;»

«Δε θα παντρευτώ ποτέ κανένα βλάκα», τον έκοψε η Στέλα στη μέση της ερωτικής απειλής του. Κι ήταν τόσο σίγουρη, γρήγορη και απόλυτη, που ο Ηλίας κοκάλωσε, κρατώντας πάντα τα δύο μεγάλα πουλιά με τα κόκκινα γυάλινα μάτια. Θυμωμένος και με μια δύναμη που ξάφνιασε τη δεσποινίδα Κρουπ, τα πέταξε μακριά, πίσω απ' τους κισσούς που είχαν ξεφύγει απ' τους φράχτες και σέρνονταν ανεξέλεγκτοι.

Ο Ηρακλής πολλές φορές είχε ξεκινήσει να τους κόψει, αλλά η κυρά τούς αγαπούσε.

«Είναι άτιμα φυτά, κυρία Μερόπη... Γκρεμίζουν σπίτια!» επέμενε ο κηπουρός.

«Ας το γκρεμίσουν...» Τη μάγευε η πρωτοβουλία των κλαδιών να σέρνονται όσο γινόταν πιο μακριά.

Το αγόρι είχε θυμώσει πραγματικά. Μια θυμωμένη λύπη τρεμόπαιζε στα βλέφαρά του, το ίδιο και στα πανιασμένα του χείλη. Αδένες-κάκτοι πετάχτηκαν στον παιδικό λαιμό και οι γροθιές του, ματωμένες ήδη απ' τα πουλιά, σφίχτηκαν σαν άγουρα κουκουνάρια.

Η Στέλα, ψύχραιμη μέσα στο λευκό της φόρεμα –«...είχα κι εγώ κάποτε μια τέτοια βατίστα», θυμήθηκε η Κρουπ πίσω απ' τις γρίλιες– παρατηρούσε την αξιοθέατη οργή του μικρού, περιμένοντας την επόμενή του κίνηση. Μα δεν της έκανε τη χάρη. Της γύρισε την πλάτη και, με μια τελευταία ματιά μπλοκαρισμένη από δάκρυα που δεν κύλησαν, απομακρύνθηκε σοβαρός.

Η Χαρίκλεια Κρουπ άναψε μηχανικά και τρίτο τσιγάρο, εισπνέοντας με ανακούφιση τον καπνό. Η Στέλα, σαν να είδε ξαφνικά όλη της τη ζωή να καταρρέει εκεί μπροστά στη σκιερή βεράντα της θείας της, συρρικνώθηκε σ' ένα σιωπηλό κοριτσάκι, που εισχωρούσε στις βελουδένιες απελπισίες της εφηβείας γεμάτη αναίτια πένθη.

«Τι διάολο παιχνίδια γίνονται εδώ μέσα;» Είχε απεριόριστη εκτίμηση στην ακινησία των νεκρών, αλλά το μεσημέρι εκείνο ένιωσε τα βρύα της αιωνιότητας να σκαρφαλώνουν στις γάμπες της. Προβληματισμένη με το μικρό της πελάτη, ανέβηκε επάνω, όπου παιζόταν η τελευταία πράξη του δράματος. Ευτυχώς που ο κύριος Εφραίμ Δολόγγου ήταν συστηματικός και οργανωμένος, χωρίς ν' αφήνει περιθώρια για εκκρεμότητες και αμφιβολίες.

Οι κυρίες συγγένισσες της μακαρίτισσας –που ο νους τους είχε σαστίσει με τη διαθήκη– ξαναβρήκαν εγκαίρως την αξιοπρέπειά τους και κατέληξαν στο λογικό συμπέρασμα ότι η γηραιά θεία στο παρά πέντε του θανάτου ανέπτυξε μητρικά ένστικτα. Φυσικά ο Εφραίμ Δολόγγου εισέπραξε σε μεγάλες δόσεις τη σχετική κόσμια δυσαρέσκειά τους, αλλά αυτή ήταν η ιερή θέληση της νεκρής... Πώς να το κάνουμε;

«Τα τηγάνια και οι κατσαρόλες φαντάζομαι θα περιέλθουν στη Βάσω...» ειρωνεύτηκε η μητέρα της Στέλας, που, απ' τη μέρα της κηδείας και μετά, είχε ξεπενθήσει, φορώντας ένα ανοιχτόχρωμο μπεζ λινό ταγιέρ.

Η Βάσω δαγκώθηκε, γιατί και οι τοίχοι έχουν αυτιά – και πίσω απ' τους τοίχους, συμπτωματικά, βρισκόταν και η Βάσω με την Ευζωνία– αλλά δε μίλησε. Μια βδομάδα τώρα προσβλητικές μπηχτές δέχονταν απ' τις αριστοκράτισσες ανιψιές της συχωρεμένης. Γιατί, μέσω της Βάσως και του Ηρακλή, είχε προκύψει εκείνο το ορφανό που έξυσε «ποιος ξέρει ποια νεύρωση της Οθωμανίδας».

Ήταν οικογενειακό μυστικό ότι η Κωνσταντινουπολίτισσα θεία Μερόπη κρατούσε απ' τη γενιά των Σουλτάνων, αλλά ποιος να τολμήσει να μπει σε λεπτομέρειες... «Η εκδίκηση της Οθωμανικής αυτοκρατορίας, λοιπόν...» μουρμούριζαν πίσω απ' τα δόντια τους οι πιο καλά πληροφορημένες και άμεσα θιγόμενες.

«Να, λοιπόν, τα κατρουλιά των Τούρκων!» Η Χαρίκλεια Κρουπ διασκέδαζε με τα μούτρα των κυριών, που για τελευταία πλέον φορά έμπαιναν σ' εκείνο το σπίτι.

Οι συγγενείς αποχωρούσαν σιγά σιγά, το μεσημέρι προχωρούσε βαρύ και ζεστό και η Χαρίκλεια με τον Εφραίμ Δολόγγου και τους συνεργάτες τριγυρνούσαν ευχαριστημένοι στο σπίτι, που κρατούσε στοιχεία δροσιάς. Η δροσιά της αβάσταχτης μοναξιάς.

Οι νεαροί δικηγόροι είχαν χαλαρώσει τις γραβάτες τους, έπιναν ήδη τον όγδοο καφέ τους, η Βάσω και η Ευζωνία τους συμπαραστέκονταν όσο γινόταν, «αρκεί που ξεφορτωθήκαμε τις Πομπαντούρ», έλεγε η Ευζωνία με αέρα ιδιοκτήτριας. Η Βάσω αμίλητη, με δαγκωμένα χείλη. Έτοιμη να κλάψει. Ούτε ένα «αντίο» δεν της είπαν. Μετά από τόσα χρόνια... Λες κι αυτή κέρδιζε τίποτα. Πλήρης περιφρόνηση!

«Δε λες που δε θα ξανάρθει αυτό το σίχαμα, η Στέλα, το μικρομέγαλο...» την παρηγορούσε η Ευζωνία.

«Τι έφταιξα, βρε Ευζωνία;» την έπιασε το παράπονο.

«Έφταιξες που δεν είσαι μέντιουμ», απάντησε η σοφή Ευζωνία, ψήνοντας τον εκατοστό καφέ. «Αυτό έφταιξες!»

Η Χαρίκλεια Κρουπ κάπνιζε ασταμάτητα, ανοίγοντας και κλείνοντας πόρτες. Θαύμασε τις ντουλάπες με τα παλτά, τα πιο πολλά γαρνιρισμένα με αστραχάν, τα καπέλα, τα μαύρα κρεπ φορέματα με τα άψογα πλισέ και τις περίτεχνες νερβίρ, όλα βαλμένα με τάξη. Και παντού εκείνο το άρωμα, γλυκερό και κοκέτικο.

Οι πίνακες στους τοίχους απεικόνιζαν μορφές νεαρών γυναικών με πλούσια ντεκολτέ και εξαίσια κοσμήματα, όλες τους καστανές, με έντονα φρύδια και ελληνική κατατομή, κατά τα πρότυπα του τέλους του δέκατου ένατου αιώνα. Υπήρχαν και μερικά τοπία νυχτερινά, με ποταμόπλοια φωτισμένα με κεριά σαν περιοδεύουσες Αναστάσεις, προστατευμένα σε βαριές κορνίζες.

«Μαυσωλείο, ε;» Ένας απ' τους δικηγόρους την είχε πάρει από πίσω.

«Εξαρτάται...» απάντησε άχρωμα η Κρουπ.

«Τελικά, δική σας ήταν η ιδέα οι συζητήσεις να γίνουν εδώ κι όχι στο γραφείο μας στην Αθήνα;»

«Δική μου. Δε σας άρεσε;»

«Όλα αυτά έμοιαζαν με παράσταση...»

«Ναι, ήταν. Για να το πάρουν απόφαση μια και καλή».

«Η γριά τούς την έφερε...»

«Όχι τόσο, όσο αν ήμουν εγώ στη θέση της...»

«Τι θα κάνατε;» Ο νεαρός γέλασε.

«Θα έψαχνα να βρω έναν ελεύθερο σκοπευτή. Και θ' άρχιζα απ' την κοπελίτσα».

«Μα αυτή είναι παιδί...» Ο δικηγόρος απόρησε.

Η Χαρίκλεια Κρουπ προτίμησε να χαμογελάσει και να πάει να βρει τους άλλους. Το μεγάλο ρολόι του σαλονιού χτύπησε νυσταγμένα τρεις.

«Το σπίτι μάς διώχνει, κύριοι... Αρκετά!» Ο Εφραίμ Δολόγγου έδωσε το σύνθημα. Ώρα ήταν να πηγαίνουν.

«Δεσποινίς Κρουπ, αυτά είναι τα κλειδιά του σπιτιού. Μόνο εσείς και οι επιστάτες δικαιούνται...»

«Και ο κληρονόμος. Ο νόμιμος...» Η Χαρίκλεια Κρουπ, με επίσημο ύφος, διέκοψε το δικηγόρο Τάκη Σαρίπολο, που παρίστατο κι αυτός στην τελική διαδικασία.

«Φυσικά... Και ο κληρονόμος».

Η Βάσω και η Ευζωνία κοιτάχτηκαν με νόημα, προτού σφαλίσουν τα παράθυρα και τραβήξουν τις κουρτίνες.

Τελευταία, με τον Εφραίμ Δολόγγου, έφυγε η Χαρίκλεια Κρουπ.

«Από 'δώ και πέρα μαζί θα μιλάμε, κυρία Καπνά», είπε στη Βάσω με την ξενική προφορά της.

«Να φωνάξουμε τον Ηλία να σας χαιρετίσει», πετάχτηκε η Ευζωνία.

«Δε χρειάζεται. Πέρασε η ώρα...»

«Να φωνάξω τον Ηρακλή, σαν άντρα, να πει κάτι...»

«Ώσπου να σας πάρω το παιδί, έχουμε καιρό. Θα μιλήσουμε ξανά... Καλό σας απόγευμα».

Η Βάσω σωριάστηκε στην καρέκλα κατάκοπη.

«Πάμε να φύγουμε, αδελφή», είπε στην Ευζωνία. «Και να σου πω κάτι; Και τώρα να μ' έδιωχναν απ' το σπίτι της σκατόψυχης, ούτε που θα μ' ένοιαζε. Μα το Θεό...»

Καλοκαίρι του 1958
Αδριανούπολη – *Edirne*

Π

«ΩΣ ΕΙΝΑΙ Ο ΓΙΟΣ ΣΟΥ, ΑΣΛΑΝ;»
Σήκωσε τους ώμους και βιάστηκε να μπει στο δωμάτιο ν' αλλάξει. Δωμάτιο σαν καμπίνα. Με γυαλί και ξύλο κι ένα καναπεδάκι για ανάπαυση. Καθρεφτάκι, τασάκι καθαρό και κάτω στο πάτωμα μουσαμάς. Είχε καιρό να 'ρθει στο Σοκουλού Χαμαμί, το καλύτερο χαμάμ της Εντίρνε. Πήγαινε, όποτε πήγαινε, σ' ένα άλλο, πιο φτηνό και πιο παλιό. Στο Ταχτάκαλε. Του δέκατου πέμπτου αιώνα, αλλά ο Ασλάν δε νοιαζόταν για τους αιώνες. Τελευταία ούτε οι μέρες τον ένοιαζαν. Μονάχα οι νύχτες, που δεν του κολλούσε ύπνος, έτσι που ήρθαν τα πράγματα.

Από τη μέρα που τον κουβάλησαν μαζί με τη Νουρ στη Χωροφυλακή, για να τους ομολογήσει τα περί θανάτου της μπαγιάν Ζεϊνέπ, η ζωή του θρυμματίστηκε σαν παξιμάδι. Δύο μερόνυχτα βασανιστικά κράτησε η ανάκριση, ώσπου να πεισθούν –που δεν πείσθηκαν και απόλυτα– για την α-θωότητά του... Ας είναι καλά ο γιατρός Ζεμπέτογλου, που επιβεβαίωσε τελικά ότι η θανούσα πήγε από θάνατο φυσικό. Χτύπημα, τρόμος, μοναξιά, βεβαρημένο παρελθόν.

Αράδιασε ο γιατρός ένα σωρό καλά επιχειρήματα. Τι συμφέρον είχαν, φτωχοί άνθρωποι, να σκοτώσουν μια γριά; Δύο μερόνυχτα, κάτω απ' το γκρίζο βλέμμα του Κεμάλ Ατατούρκ, ορκίζονταν σε προφήτες και πεθαμένους γονιούς και προγόνους, στα κόκαλά τους –πού βρέθηκαν τόσα κόκαλα, για το όνομα του Αλλάχ– μόνο με λίγο ζεστό νερό. Νηστικοί και παραδομένοι στη θλίψη.

Τον Μεχμέτ, κατακίτρινο κι αμίλητο, τον άφησαν στην αδελφή της Νουρ, τη Σεχζαντέ. Συντρέχτρα. Ας είναι καλά! Δεν της έφταναν τα βάσανα με τον άντρα της, τον Ισμαήλ, τσιράκι κι αγαπητικό του τραγουδιστή Σερτσέ, φορτώθηκε και τα δικά τους. Διπλασίασε τα ναμάζια στο τζαμί η συνετή Σεχζαντέ κι έβαλε μέσον και τον αγαπητικό του άντρα της, που ήταν «δημοφιλής», αν ήξερε τίποτε ανωτέρους της Ασφάλειας. Ο Σερτσέ σ' αυτά ήταν καρδιά μάλαμα. Έτσι κι έβγαζες το κουσούρι –σάμπως έφταιγε κι αυτός που ο Αλλάχ του έδωσε τον έρωτα σε λάθος σημείο;– ήταν καρδούλα. Μόνο που δε χρειάστηκε. Τα πράγματα ήταν απλά. Απλά για το ποινικό μητρώο τους και δύσκολα για τον Μεχμέτ. Χώρια που ο μικρός συνέχιζε το κατούρημα κάθε βράδυ, ανέβαζε τώρα και πυρετούς, έγινε ακόμα πιο μονόχνοτος, φοβόταν και να βγει έξω. Κι έτσι κι ερχόταν το βράδυ, άναβε όλα τα φώτα. Ο γιατρός είπε ότι είναι «σοκ», αλλά ο γιατρός δε θα πλήρωνε τους λογαριασμούς του ηλεκτρικού ούτε θα 'βαζε μπουγάδα τα κατουρημένα. Το σοκ του Μεχμέτ το πολεμούσαν με τριών ειδών φάρμακα και η θεραπεία θα 'παιρνε καιρό. Ως το Ραμαζάνι, δηλαδή Δεκέμβρη και βλέπουμε...

Η Νουρ –όνομα και πράγμα νουρ, γιατί «νουρ» ίσον φως– ήρθε κι έφεξε. Στράγγιξε απ' τη στενοχώρια. Πέθανε η μπαγιάν Ζεϊνέπ, χάθηκε ο μισθός, χάθηκε το τζάμπα σπίτι, αρρώστησε το παιδί, μελαγχόλησε κι ο Ασλάν. Βούλιαξε στον καπνό του τσιγάρου και στις σκέψεις. Τον πείραζαν και τα βλέμματα των συμπολιτών. Δεν ήταν Ιστανμπούλ η Εντίρνε, να χαθεί στο πλήθος, να μην τον ξέρουν. Στα καφενεία, στους δρόμους, στις δουλειές, όλοι είχαν ακούσει τα περί δολοφονίας. Πληροφορήθηκαν και την αθώωση, αλλά πάλι ως δολοφονία τους άρεσε να το διηγούνται. Ειδικά οι κουρείς βρήκαν για κείνο το καλοκαίρι θέμα. Ξύριζαν και αράδιαζαν εκδοχές και τις συνέδεαν με το αιματηρό συμβάν του Τουρχάν μπέη, προπολεμικά. Αυτό, εξάλλου, ήταν ό,τι πιο συνταρακτικό είχε συμβεί στην Εντίρνε, μαζί με το πέσιμο του ιμάμη απ' το μιναρέ του Σελιμιγιέ, βέβαια.

Ο Ασλάν προτιμούσε τώρα το Σοκουλού Χαμάμ. Πιο μεγάλο, πιο αρχοντικό, πιο ψηλοί οι θόλοι. Όλα τον στένευαν πια και προτιμούσε τα ευρύχωρα. Έπεσε πάνω στα μάρμαρα ανάσκελα, τυλιγμένος στο λινό ασπροκόκκινο ριγέ πανί. Αργότερα θα τον έτριβαν με κετσέ, να βγει η αποφορά της κούρασης και της δυστυχίας. Περιχύθηκε τα καυτά νερά, μυρμηγκιάζοντας από ευχαρίστηση. Σ' ένα από τα τέσσερα διαμερίσματα, που υπήρχαν ακτινωτά του μεγάλου κεντρικού θαλάμου, ένας γέροντας μονολογούσε τραγουδιστά τα βάσανα της νιότης.

Δεν τον πείραξε τίποτα τόσο, όσο το παιδί. Πού θα πήγαινε η κατάσταση; Άσε το κατούρημα, άσε το φόβο – που

305

ποιος ξέρει τι γνώριζε και δε μιλούσε, το χαζό. Μπορεί και να είδε. Κι άλλες φορές έλεγε ότι έβλεπε πράγματα αφύσικα, μα ποιος έδινε σημασία; Το τρόμαζε και η γριά, μπλέκοντας Χριστούς, Παναγίες και Τούρκους αγίους μαζί σ' ένα κουρκούτι, αλλά και η πόλη αυτή κάπως έτσι δεν ήταν; Η μισή χτίστηκε πάνω σε μνήματα... Όλων των ειδών οι άπιστοι και οι πιστοί την είχαν κατοικήσει.

Η μπαγιάν Ζεϊνέπ φοβέριζε τον Μεχμέτ ότι κάτω απ' τις πιπεριές κοιμούνται Ρωμαίοι της Ρώμης και χριστιανοί της Ελλάδας, που μπορεί να 'ταν κι έτσι. Παράξενη γυναίκα! Δικαίως ο Ασλάν, ώρες ώρες, την πέρναγε για τρελή. Ντελί Ζεϊνέπ.

Σφράγισαν το σπίτι και την αυλή, με μάρτυρες και δικηγόρους. Το κληρονομούσαν κάποιοι άγνωστοι αριστοκράτες Οσμανλήδες, όπως εξήγησε ο γιατρός Ζεμπέτογλου. Απ' τα σόγια των Σουλτάνων. Κι αν αυτοί δεν εμφανίζονταν στην τακτή προθεσμία, θα 'μενε η κληρονομιά στο κράτος. Το πιθανότερο.

Χαλάρωσε μέσα στον απαλό, θερμό ατμό. Άνοιξε τα πόδια να εισχωρήσει ανάμεσα στους μηρούς του η ζέστη, να του ξαναζωντανέψει ο αντρισμός, που τόσο καιρό, με τις φούριες, πού να βρει κι αυτός σειρά... Όπως κι έγινε. Μες στο άδειο χαμάμ –έξω ήταν ζεστό απόγευμα κι ο κόσμος προτίμησε να βγει στα εξοχικά, κατά μήκος των ποταμών Τούντζα και Μέριτς, για μπίρες και ντοντουρμάδες– απολάμβανε τις φλέβες του να φουσκώνουν απ' το ξαναμμένο αίμα, χωρίς σκέψεις, χωρίς τα βάσανα τούτου του καταραμένου καλοκαιριού.

Ο γέρος παραμιλούσε τα δικά του. Κι έξω απ' την ευρύχωρη σάλα υποδοχής, το ραδιόφωνο έπαιζε ένα απ' τα σουξέ του Σερτσέ. Θυμήθηκε τον μπατζανάκη του, τον Ισμαήλ, λιμοκοντόρο και μπάνικο, δίπλα στο θηλυπρεπή τραγουδιστή, με ολοκαίνουργο κοστούμι από εγγλέζικο ύφασμα και γραβάτα μεταξωτή, αγκυλωμένη με μια χρυσή καρφίτσα κι ένα τουρκουάζ τοσοδά ματάκι στην άκρη, για το κακό το μάτι. Είχε καλοβολευτεί και μακάρι να κρατούσε τη θέση του στην ευαίσθητη, όπως διαλαλούσαν, καρδιά του Σερτσέ, ώσπου να πάρουν τη μεγάλη απόφαση για την Ιστανμπούλ, γιατί προκοπή στην Εντίρνε δε θα έβλεπε ο Ασλάν. Κάπου θα τους βόλευε ο Ισμαήλ στην αρχή. Να εξετάσουν και πιο ειδικοί γιατροί το παιδί. Μπορεί να έμενε έγκυος και η Νουρ – νέοι άνθρωποι ήταν ακόμα. Να την έπειθε μονάχα ότι στην Εντίρνε τούτο το καλοκαίρι τους κυνηγούσε ο Αζραέλ, ο θάνατος των παλιών τραγουδιών.

Άνοιξε περισσότερο τα πόδια του ν' αχνιστούν τα αχαμνά του, να βολευτεί η μεγαλειώδης στύση του με το κρομμυδοκέφαλο ολάνθιστο ξανά κάτω απ' το μουσκεμένο λινό. Άδειαζε το ένα κεφάλι απ' το αίμα και πήγαινε πρόθυμα στο άλλο. Έσταζαν οι ιδρώτες απ' το κορμί, άνοιγαν οι πόροι μπουχτισμένοι απ' τους καημούς, κοκκίνισε το κρέας στα νύχια, ρόδισε ολόκληρος απ' τη θέρμη και την ευχαρίστηση, αλάφρυναν τα βαριά πόδια πάνω στο καυτό μάρμαρο, το στολισμένο με ρόμβους και αραβουργήματα από μαύρα και βυσσινιά μωσαϊκά. Κι απ' τους θόλους να πέφτουν αραιά και πού χοντρές σταγόνες αποσταγμένης ηδονής.

Είχε ακουστά πως ο Μιμάρ Σινάν, ο αρχιτέκτονας που έφτιαξε το χαμάμ για λογαριασμό του Σοκουλού Πασά, είχε φτιάξει κι άλλα, ωραιότερα, στην Πόλη. Μα σαν το Τζαμί του Σουλτάνου Σελίμ δεν υπήρχε όμοιο σε ολόκληρη την Τουρκία. Έτυχε να το χτίσει στην Εντίρνε, που δε λυπόταν να την αφήσει τώρα ο Ασλάν, έστω κι αν θα του έλειπε η υγρή ζέστη των καλοκαιριών και ο βαρύς χειμώνας της. Όλα τα θυσίαζε για να φύγουν μια ώρα αρχύτερα. Έσφιξε τα βλέφαρα για να φανταστεί τα πουλιά πάνω απ' τον Βόσπορο, όπως τα ήξερε απ' το σινεμά και τις καρτ ποστάλ του Ισμαήλ...

Πήρε να νυχτώνει το ράθυμο καλοκαιρινό βράδυ στη μικρή αυλή του σπιτιού της θείας Σεχζαντέ. Τα παιδιά στα νερά και οι γυναίκες στην αυλή καθάριζαν φασολάκια με τους σουγιάδες, μα ο Μεχμέτ προτιμούσε να κάθεται μέσα, κάτω απ' το ηλεκτρικό με τα κουνούπια. Όλοι πια το 'χαν πάρει απόφαση και δεν τον μάλωναν. Αφού έτσι παρηγοριέται, αφήστε τον να καβουρντίζεται στη ζέστη...

Απόψε το παιδί, παράδοξο για τη θεραπεία που έκανε, ήταν ανήσυχο. Δεν έπαιρνε τα μάτια του απ' την ώρα, ίδρωνε, άφηνε τα κουνούπια να του πίνουν το αίμα στα πόδια αδιαμαρτύρητα, αρπαζόταν ξαφνικά απ' το τραπέζι, του 'ρχόταν μα δεν του 'βγαινε μια κραυγή, κάτι σαν «ξου»», έστηνε αυτί ν' ακούσει, σαν να ήθελε να μαντέψει τη διαδρομή κάποιου αναπάντεχου ταξιδιώτη.

«Έλα έξω, βρε αγόρι μου, να δροσιστείς...» παρακαλούσε μάταια η Νουρ, με την ποδιά γεμάτη φασολάκια.

«Έχει και Πανσέληνο, το τελευταίο μεγάλο φεγγάρι του καλοκαιριού...» είπε η θεία Σεχζαντέ με το μόνιμα δραματικό ύφος της, απ' τον καιρό που της έφυγε ο θείος Ισμαήλ.

Τα παιδιά έπλεναν για έβδομη φορά τη γάτα και, οπωσδήποτε, σε λίγο θα 'πεφτε ξύλο άγριο. Η Σεχζαντέ μάζευε υπομονή σαν ουρανός που αποθηκεύει σύννεφα για την καταιγίδα και, όσο περνούσε η ώρα, τόσο πιο βίαια χωνόταν η λεπίδα στα φασολάκια. Η γάτα ούρλιαζε τσιτώνοντας τα πόδια της, με τα νύχια σε θέση μάχης.

«Μπαμπά...» Ο Μεχμέτ δάγκωσε τα χείλη του ώσπου τα μάτωσε. Έκλεισε με τα χέρια όσο πιο καλά γινόταν το στόμα για να μην ουρλιάξει, σφάλισε και τα μάτια και ξάπλωσε ανάσκελα στον καναπέ. Μόνο άκουγε κι ανάσαινε την αλατισμένη αύρα του φόβου. Άκουγε τον καβγά που, επιτέλους, ξέσπασε στην αυλή. Η Σεχζαντέ κοπανούσε όποιον έβρισκε, βρίζοντας τη φύτρα του Ισμαήλ. Η Νουρ γελούσε για να ελαφρύνει η κατάσταση, τα παιδιά έτρεχαν σαν δαιμονισμένα και η γάτα είχε ήδη σκαρφαλώσει στο φεγγάρι, μέσα απ' τη λεύκα, νιαουρίζοντας πένθιμα.

«Μπαμπά...» Δάκρυα ανάβλυσαν και η καρδιά ξετρελαμένη πίσω από τη ρώγα. Να μην μπορεί να πει ένα δυνατό «ξου!».

«Μεχμέτ, έλα να δεις τι ξύλο τους δίνει η θεία...» φώναξε σκασμένη στα γέλια η Νουρ.

Να μην μπορεί να πει ένα «ξου!». Να μην μπορεί να της πει: «Μάνα, μη γελάς. Μη γελάς απόψε... Δεν κάνει!» ή:

«Γέλα κι άλλο, ακόμα πιο πολύ, να το φχαριστηθείς, για-
τί δε θα ξαναγελάσεις έτσι...» Τίποτα δεν μπορούσε ν' αρ-
θρώσει ο Μεχμέτ, βυθισμένος στο βούρκο που μύριζε τσί-
κνα, αφού τα αμόλησε πάλι και μάλιστα ξύπνιος. Δεν κα-
τάλαβε τίποτα. Έκλαιγε μόνο βουβά, κατουρημένος πάνω
στο ντιβάνι, με τα κουνούπια θρεμμένα απ' την υγρασία
της νύχτας, να ξεδιψούν απ' το αίμα των ποδιών του...

Φτερούγιζε πετώντας αθέατος στους θόλους του χαμάμ, ί-
σως γιατί ήταν γκρίζος, με λευκό στην κοιλιά και στο μέ-
σα των φτερών, όμοιος με το χρώμα του ατμού που είχε
στερεοποιηθεί εκεί ψηλά, σαν μια ανάλαφρη κρέμα.

Ο Ασλάν, μέσα σε τρία λεπτά, είχε ονειρευτεί κιόλας ό-
λο τον Βόσπορο σαν λαδερή επιφάνεια ασημένιου ταψιού
γεμάτη τεράστιους γλάρους, που βουτούσαν για σαφρίδια
και σαρδέλες. Είδε και τον εαυτό του να ψαρεύει παρέα με
τον Μεχμέτ σκουμπριά και ζαργάνες. Πολλά ψάρια με
κόκκινα βράγχια σαν το λειρί του κόκορα και σαν τα κόκ-
κινα βελούδινα τραπεζομάντιλα της μακαρίτισσας. Τρία
λεπτά κράτησε ο ύπνος. Και το ραδιόφωνο, έξω στη σά-
λα, έπαιζε ακόμα το τραγούδι του Σερτσέ.

Κρύωσε από ένα ξαφνικό ρεύμα και μετακινήθηκε μια
ιδέα στο μάρμαρο. Οι βρύσες στα γύρω διαμερίσματα έ-
τρεχαν όλες μαζί, αν και το χαμάμ συνέχιζε να 'ναι άδειο.
Θα 'χε φύγει κι ο γέρος, γιατί ούτε τραγουδιστά μισόλο-
γα άκουγε ούτε τον ξύλινο ήχο απ' τα τσόκαρα. Ούτε το
τάσι. Μόνο το νερό και το λυπητερό χαιρετισμό των γλά-

ρων στην Πανσέληνο που αναδύθηκε χαλκοπράσινη μέσα απ' τον Βόσπορο...

«Πού βρίσκομαι;» αναρωτήθηκε ψιθυριστά κι άνοιξε τα μάτια, έτοιμος να θαμπωθεί απ' το φεγγάρι του Αυγούστου. Μα μόνο τον ασθενικό ηλεκτρικό γλόμπο να κρέμεται απ' τον κεντρικό θόλο αντίκρισε και τους ατμούς ν' ανεβαίνουν κουρασμένοι προς τα πάνω. Κι όμως, άκουγε τους γλάρους και τον παφλασμό των κυμάτων, όπως όταν τα ανακατεύουν τα κουπιά της βάρκας. Κι εκείνο το ψυχρό ρεύμα να του ανατριχιάζει το κορμί.

Μόλις που πρόλαβε να δει ένα φτερωτό κάθετο σύννεφο με μαύρο ράμφος να κατεβαίνει στο πρόσωπό του, σκοπεύοντας με ακρίβεια. Παραδόθηκε αμέσως στο θάνατο, κατάπληκτος για το πουλί, που έφαγε λαίμαργα τους βολβούς των ματιών του, καταπίνοντας γρήγορα ό,τι είχαν δει κι αποτυπώσει σε τόσα χρόνια ζωής. Τελευταία τελευταία αίσθηση προτού ξεψυχήσει ήταν πως λύθηκε ο αφαλός του κι ο γλάρος έχωσε το ράμφος του στην κοιλιά, ψάχνοντας το τζιγέρι του. Το βρήκε; Δεν το 'μαθε ποτέ.

«Αυτό είναι το πουκάμισο, τα παπούτσια, το σώβρακο και το παντελόνι του. Φουκαράς άνθρωπος ήταν... Πορτοφόλι φουσκωμένο με φωτογραφίες είχε».

Ο υπεύθυνος του χαμάμ γέλασε μόνος του, παραδίνοντας τα πράγματα του Ασλάν στους αστυνομικούς, που ήρθαν να βγάλουν συμπέρασμα. Ανέκριναν τους υπαλλήλους, δυο τρεις όλους κι όλους, και τον υπεύθυνο που επιτηρούσε τα δωμάτια. Ως τα μεσάνυχτα ρωτούσαν και ξανα-ρωτούσαν ποιος μπήκε και ποιος βγήκε. Ο γέρος ήταν πε-λάτης και γνωστός στην αγορά της Αδριανούπολης.

«Σφάχτηκε γιατί είχε βάρος στην ψυχή», ξεστόμισε έ-νας απ' τους τρίφτες, μισόγυμνος, μουσκεμένος στον ι-δρώτα, γιατί η άπνοια και η υγρασία έκαναν απόψε θραύ-ση. Όλοι ήξεραν πάνω κάτω για τον Ασλάν και τις υπο-ψίες ενοχής που τον βάραιναν. Οι αστυνομικοί ζεσταίνο-νταν και δεν είχαν όρεξη για χωρατά. Το πτώμα το πήρε ένα ασθενοφόρο χωρίς σειρήνα.

Ο υπεύθυνος του χαμάμ πασαλείφτηκε με κολόνια λε-μόνι προτού σβήσει τα φώτα. Έπειτα, ρίχνοντας ματιές για να βεβαιωθεί πως ήταν ολομόναχος, έβγαλε απ' την κωλότσεπη ένα μεγάλο κόσμημα σαν κουμπί, παρμένο α-πό κάποια επίσημη φορεσιά άλλων καιρών. Ένα στρογγυ-λό ασημένιο κόσμημα, όπως τα παλιά μετζίτια, στολι-σμένο με μαργαριτάρια μικρά και θαμπά ρουμπίνια, σαν μπαγιάτικη ψίχα ροδιού. Όταν έβρισκε την ευκαιρία, πά-ντοτε έψαχνε τις τσέπες των πελατών. Και σήμερα, σαν να του το σφύριξε ο διάβολος, πήγε καρφωτός στην τσέ-πη του Ασλάν, μόλις ανακαλύφθηκε το σώμα σε κατά-σταση εμετού. Ξέρασε επιτόπου ο τρίφτης που τον βρήκε αιμόφυρτο πάνω στο μάρμαρο. Κι εκείνος, μέσα στην α-ναμπουμπούλα, πρόφτασε κι έχωσε τη βρομοχερούκλα του στις τσέπες του σκοτωμένου. Πέτυχε το μεγάλο κουμπί – σίγουρα κλεμμένο απ' την τρελόγρια, που, ως τα πέρσι, τη θυμόταν να παρακολουθεί τους πεχλιβάνηδες στο Κιρκπι-νάρ να παλεύουν.

Κατέβασε το γενικό διακόπτη, κλείδωσε και ξεκίνησε με το ποδήλατο για το σπίτι. Περασμένες μία θα έφτανε – κι άντε πάλι πρωί πρωί για το Σοκουλού Χαμάμ. Είχε πλακώσει συννεφιά, μακάρι να έβρεχε, να λυτρωθεί η Εντίρνε απ' τη ζέστη, αλλά και πάλι η Πανσέληνος πού και πού ξεπρόβαλλε μεγάλη και λαμπερή, σαν το μάτι του Αλλάχ.

Ο δρόμος που ακολουθούσε ήταν κατηφορικός, με πολλές λακκούβες και κομμάτια εδώ κι εκεί από καλντερίμια, απομεινάρια της εποχής που όλη η πόλη ήταν στρωμένη με καλντερίμι. Πεινούσε, διψούσε και νύσταζε. Θα έτρωγε τυρί με καρπούζι και θα κοιμόταν, αφού ασφάλιζε το εύρημα. Μάλλον θα πήγαινε κατευθείαν για ύπνο. Έκλειναν τα μάτια του και τα αυτιά του τον κορόιδευαν. Το φεγγάρι είχε κρυφτεί, η νύχτα είχε ξαναγίνει σκοτεινή, όταν, περνώντας απ' το παλιό οθωμανικό νεκροταφείο –ήταν ο δρόμος του–, νεκροταφείο όπου τη μέρα οι νοικοκυρές του μαχαλά άπλωναν πετσέτες και σεντόνια πάνω στα τουρμπάνια των τάφων, άκουσε το ηχηρό φτερούγισμα ενός πουλιού.

Πάτησε τα πετάλια να ζωηρέψει το ποδήλατο, ν' αφήσει πίσω το χορταριασμένο, πήχτρα στις μολόχες και τις αγριοδαμασκηνιές νεκροταφείο. Έτρεχε τώρα χοροπηδώντας στις καμπούρες του δρόμου. Ξανάκουσε το στριγκό αναστεναγμό του πουλιού. Να κλαίει η αλυσίδα στο ποδήλατο και ν' απαντά σαν ηχώ ένα πουλί, κρίνοντας ότι για πουλί επρόκειτο, πρώτη φορά του συνέβαινε.

Σαν μαχαιριά ένα ράμφος μουλιασμένο σε κάτι βρομερά γλοιώδες του 'κοψε ένα κομμάτι από το αυτί. Όσο χρειαζόταν για να τρελαθεί και ν' αρχίσει να ψάχνει τη φω-

313

νή του, που, αντί να βγει από το στόμα, έγινε ένα μεγάλο αέριο που του διόγκωσε το έντερο.

«Θα φάω και καρπούζι και πεπόνι...» σκέφτηκε σε μια ύστατη προσπάθεια να κυριαρχήσει στον πανικό του, απογειώνοντας το ποδήλατο, κάνοντας όσο μπορούσε περισσότερα ζιγκ-ζαγκ για ν' αποφύγει το πουλί που του απογύμνωνε το λαιμό από τη σάρκα.

Έπεσε μέσα σε μια μάντρα με στοίβες κάρβουνο. Διακόσια μέτρα πριν από το σπίτι του. Το κάρβουνο απορρόφησε όλο του το αίμα. Γι' αυτό τον βρήκαν στεγνό την επομένη της Πανσελήνου.

1998, 21 Νοεμβρίου
Με βροχή

ΚΡΙΒΩΣ ΣΤΑ ΕΙΣΟΔΙΑ ΤΗΣ ΘΕΟΤΟΚΟΥ. ΚΑΙ ΘΥΜΟΤΑΝ ΚΑλά την ημερομηνία, γιατί μερικές Μαρίες προτιμούσαν, αντί του Δεκαπενταύγουστου, να γιορτάζουν στα Εισόδια. Κυρίως οι ανύπαντρες. Όπως η γραμματέας του, που, κηδεία ξεκηδεία, είχε ο ίδιος προνοήσει από χθες να της σταλούν κίτρινα τριαντάφυλλα κι ένα άρωμα. Αυτό που της είχε επιβάλει εκείνος.

Έβηξε να φύγει το γρέζι απ' το λαιμό – θες η αμυδρή άμπωτη της συγκίνησης, θες ο υγρός καιρός και η δυσοίωνη συννεφιά, τυπικό φόντο κηδείας. Κοιτούσε και δεν κοιτούσε τους άλλους. Οι άλλοι κοιτούσαν κυρίως αυτόν και λιγότερο το φέρετρο με τον Ηρακλή Καπνά, που σε λίγο θα κατέβαινε στο χώμα της Κηφισιάς, πλάι στη σύζυγό του Βάσω, μακαρίτισσα από δεκαετίας.

Πολλά χρόνια είχε να τους δει συγκεντρωμένους όλους μαζί. Από τότε. Την Μπέλα την είχε υποστεί άλλες τρεις φορές, για κάποιες εξυπηρετήσεις. Δυστυχώς είχε υποκύψει στις παρακλήσεις του πατέρα του να τη δεχτεί και, αφελώς, τη δέχτηκε. Εν γνώσει του αφελώς... Είχε συνταξιοδοτηθεί πρόωρα ως βοηθός προϊσταμένη, αλλά είχε βάσανα με την κόρη της που είχε πατήσει ένα βελόνι και, κατά την Μπέλλα, το βελόνι προχωρούσε προς άγνωστη κατεύθυνση. Τώρα την είχε απέναντί του μαυροφορεμένη, κακοβαμμένη ξανθιά, με κόκκινη μύτη απ' το κλάμα.

«Άρα το βελόνι δεν έθιξε κανένα ζωτικό όργανο της κόρης...» σκέφτηκε κι αναστέναξε, προσπαθώντας μάταια να συγκεντρωθεί. Έβρεχε κι ο παπάς αργούσε. Λιτή κηδεία. «Μακαρία η οδός ην πορεύεις σήμερον...» Του άρεσαν τα λόγια, αν και δε γούσταρε να φιλοσοφεί.

Η γηραιά κυρία που υποβασταζόταν από δύο μεσήλικες άντρες πρέπει να ήταν η αδελφή της Βάσως. Κάποτε την αποκαλούσε «θεία Ευζωνία». Του είχε ρίξει κάνα δυο ματιές θαυμασμού και μάλλον διέκρινε στο βλέμμα της, πίσω απ' τα χοντρά μυωπικά γυαλιά, τη λάμψη μιας πονηριάς. Η Ευζωνία είχε επιζήσει όλων μ' εκείνη τη λάμψη. Έτσι τη θυμόταν ως την τελευταία στιγμή που αφέθηκε στα σιδερένια χέρια της Χαρίκλειας Κρουπ, φεύγοντας οριστικά και αμετάκλητα από την πατρική εστία.

Χαμογέλασε που τοποθέτησε έτσι το ζήτημα: «πατρική εστία». Θυμόταν πως τον πατέρα του ουσιαστικά τον έζησε μόνο εκείνους τους ζεστούς μήνες του 1958, όταν ήρθαν τα πάνω κάτω. Μετά όλα αυτά ξεμάκρυναν με την αμέριστη φροντίδα της δεσποινίδος Κρουπ, βοηθούμενης και απ' τον ίδιο.

Στην προτροπή του ιερέα για τον «τελευταίο ασπασμό», η Μπέλα ξέσπασε σε δυνατούς λυγμούς, τους οποίους μετρίασε όταν έφαγε μια σκουντιά απ' την Ευζωνία, που έδειχνε να 'ναι ακόμα κυρίαρχος στα οικογενειακά τους. Κανένας δεν κινήθηκε προς το φέρετρο. Όλοι περίμεναν τη δική του κίνηση. Κάτι που δεν έπιασε αμέσως. Του το ψιθύρισε ο οδηγός του, που στεκόταν λίγο πιο πίσω. Είχε φτάσει η στιγμή. Πήρε βαθιά ανάσα και πλησίασε το ανοιχτό φέρετρο με το γερασμένο, κέρινο Ηρακλή, μια σταλιά συρρικνωμένο απ' την επάρατο, πλαισιωμένο με χρυσάνθεμα.

Έβγαλε το αμήχανο δεξί χέρι απ' την τσέπη του παλτού και χάιδεψε τα μαλλιά του πατέρα του. Ό,τι είχε μείνει αυθεντικό απ' τον Ηρακλή ήταν τα μαλλιά. Ούτε λίγα ούτε πολλά. Πιο γκρίζα, ναι. Άγγιξε κι άκουγε. Άγγιξε την παγωνιά του μετώπου του Ηρακλή κι άκουγε πεντακάθαρα τον κρυστάλλινο ήχο του μπαγλαμά του Παπαϊωάννου στα κλασικά του, ένα θερμό βράδυ του Σεπτέμβρη του 1958.

Παραμονή που θα πήγαινε εσωτερικός στο «σχολείο των επιφανών», όπως έλεγε και ξανάλεγε ο Ηρακλής, μεθυσμένος απ' τις μπίρες εκείνο το βράδυ. Τιμής ένεκεν της αναχώρησης του κληρονόμου γιου απ' το σπιτάκι του κηπουρού. Χωρίς τη Χαρίκλεια Κρουπ –ο Ηρακλής τη φοβόταν, τη σεβόταν και τη μισούσε ως αγάμητη– μόνοι, οικογενειακώς μεταξύ τους. Με τη Βάσω αμίλητη, να σιγομουρμουρίζει τα ρεφρέν των τραγουδιών. Μπορεί να ήταν «της εκκλησίας», αλλά τα γνώριζε κι αυτά. Δεν ενέκρινε το περιττό, όπως είπε, έξοδο των μπουζουκιών, και μάλιστα στο Νέο Φάληρο, με το φιρμάτο Γιάννη Παπαϊωάννου, αλλά ο Ηρακλής ένιωθε υποχρέωση να τιμήσει την αναχώρηση του γιου του.

Αρκετά είχαν ψυχοπλακωθεί το καλοκαίρι. Κι έτσι οι τρεις τους —η Μπέλα παρέτεινε επ' αόριστον τις διακοπές της στη Σαλαμίνα— βρέθηκαν στο κέντρο με τα λαμπιόνια κρεμασμένα χιαστί πάνω απ' τα τραπέζια μιας αυλής και τον αρχιμάστορα του ρεμπέτικου να ροκανίζει τα μεράκια του έρωτα με το αντριλίκι του ωραίου, παλιού μερακλή.

«Και να μη μας ξεχάσεις, παιδί μου...» είπε ο Ηρακλής μεθυσμένος, με τα δάκρυα να ξεχειλίζουν και τραγουδώντας τις κατ' επίφαση κεφάτες μελωδίες.

Ήξερε όμως πως το σχέδιο της Χαρίκλειας Κρουπ απέβλεπε στη λήθη. Ο Ηλίας ήταν μικρός τότε, μα καταλάβαινε τα δάκρυα του πατέρα του. Σήκωνε και η Βάσω το ποτήρι με την μπίρα ζεσταμένη από ώρα. Ένα ποτηράκι μετά βίας ήπιε. Πιο πολύ για να το σηκώνει στις ευχές που έδινε ο άντρας της. Στο κάτω κάτω γιος του ήταν και χάρη σ' αυτόν θα έμεναν δωρεάν στο σπιτάκι.

«Δεν ήμουν σπουδαίος, αλλά δεν έφταιξα εγώ», δικαιολογιόταν ο μεθυσμένος κλαίγοντας. «Κι όσο για τη συχωρεμένη τη μάνα σου —με συγχωρείς, Βάσω— την είχα αγαπήσει, αλλά αυτή δεν είχε υπομονή... δεν είχε...»

Έλεγε και τέτοια άβολα εκείνο το μακρινό βράδυ και ξανά: «Μη μας ξεχάσεις, ρε μάγκα...».

Δεν τους ξέχασε, αλλά τους ανάγκασε να ζουν πίσω απ' το γυάλινο τοίχο που χώριζε τη νέα του ζωή. Τους νοιαζόταν μ' ένα τυπικό ενδιαφέρον από μακριά. Ούτε στην κηδεία της Βάσως πήγε. Όχι μόνο γιατί εκείνο το διάστημα βρισκόταν στην Αμερική. Κι εδώ να ήταν, πάλι δε θα πήγαινε.

Ο γέρος δεν του το έθιξε ποτέ. Δεν έθιγε τέτοια ο Η-
ρακλής, καταχωνιασμένος στο γλυκερό πουρί της ευγνω-
μοσύνης για τα καλά που τους παρείχε ο γιος, έστω και
τηλεγραφικά. Τρεις μήνες στο ακριβό νοσοκομείο κι ύστε-
ρα ο αναμενόμενος θάνατος. Αυτό ήταν.

Τα τραγούδια και οι συρμάτινες φωνές υποχώρησαν κα-
θώς φιλούσε το μέτωπο του νεκρού. Βρεγμένο απ' τη
βροχή, όμως κατά έναν τρόπο που του 'φερε ελαφρά τάση
για εμετό. Θυμήθηκε ξαφνικά πως το βράδυ, στα μπου-
ζούκια, πάνω που όλοι τους ένιωθαν χαλαροί, ακόμα και η
σιωπηλή Βάσω με το ραμμένο στόμα, θυμήθηκε πως τον
έπιασε βήχας. Σαν να πνιγόταν. Ο Ηρακλής του χτύπησε
δυνατά την πλάτη και τότε κάτι ελευθέρωσε το λαρύγγι
του. Κάτι, που το επισήμανε αμέσως η γλώσσα, μα δεν το
φανέρωσε στους άλλους. Μια θαμπή πέτρα σαν σπυρί α-
πό ρόδι γινωμένο. Την έβγαλε με τρόπο και, προτού πά-
ρουν χαμπάρι τον πανικό του, την πέταξε κάτω απ' το
τραπέζι... Πώς το θυμήθηκε τώρα;

«Ελάτε...» άκουσε τη φωνή του οδηγού. Τον έπιασε
μαλακά απ' το μπράτσο και τον τράβηξε απ' το φέρετρο.
Πρώτη φορά η Ευζωνία, ογδόντα τόσο χρόνων γυναίκα,
είδε στεγνό, αδάκρυτο γιο, τόση ώρα πάνω από πεθαμέ-
νο γονιό. Σταυροκοπήθηκε, αλλά δεν έκανε σχόλιο. Ίσα ί-
σα που αργότερα, στον καφέ, τον χαιρέτισε με σέβας:
«Συλλυπητήρια, κύριε Καπνά».

Η Μπέλα θέλησε, προγραμματισμένα, να κάνει μια
απ' τις προσφιλείς της υστερίες, αλλά η ψυχρότητα του βα-
σικού πενθούντος της έκοψε πάσα διάθεση.

Ήπιαν τον καφέ και αποχώρησαν ήρεμα. Ο Ηλίας Καπνάς έμεινε τελευταίος.

Έδωσε κάποιες οδηγίες στον εργολάβο κηδειών και μπήκε στη μαύρη Μερσεντές. Κανένας πλην της εορτάζουσας γραμματέως Μαρίας και του οδηγού δεν έμαθε τίποτα για το πένθος.

Η βροχή είχε δυναμώσει πάλι κι έδερνε αλύπητα το αυτοκίνητο. Η λεωφόρος μονίμως κολλημένη. Σημειωτόν. Τα συνηθισμένα εκνευριστικά κορναρίσματα, όμως ο οδηγός είδε το μεσήλικα άντρα στο πίσω κάθισμα να κλαίει σιωπηλά, με το πρόσωπο κολλημένο στο τζάμι. Όταν τα βλέμματά τους διασταυρώθηκαν στον καθρέφτη, χωρίς να κάνει καμιά προσπάθεια να κρυφτεί, ο Ηλίας Καπνάς ρώτησε την ώρα.

«Έχουμε χρόνο ως τις τρεις...»

«Ευχαριστώ».

Ήθελε να πει κι άλλα πράγματα στον οδηγό – έξι χρόνια τώρα στη δούλεψή του, σοβαρός, μετρημένος και περίεργα στοργικός. Αν και δεν άφηνε πολλά περιθώρια οικειότητας ο Ηλίας, για τον οδηγό του ένιωθε, αν μη τι άλλο, συμπάθεια. Θυμόταν τα ραντεβού, ήταν συντηρητικός αλλά αποφασιστικός στην οδήγηση, ποτέ έξι χρόνια δεν τον απασχόλησε με κάτι προσωπικό. Δε φλυαρούσε, δε σχολίαζε, μπορεί να υπήρχε και μια άτυπη συνενοχή των δυο τους. Στον αέρα, όμως. Συνενοχή μετά απ' τις κουβέντες που συνήθως αντάλλασσε με εξέχοντες πολιτικούς, άντρες πρωτοφανούς βλακείας και απύθμενου αμοραλισμού. Και με δικηγόρους αμετροεπείς. Και γυναίκες εντυπωσιακά σφιγμένες στα ταγιέρ τους, με μυρωδιές που του ανακάτευαν το στομάχι. Μόνο που δε γινόταν να τους αλλάξει άποψη για τη σύνθεση των αρωμάτων. Οτιδήποτε του θύμιζε το παλιό άρωμα «Τζίκι» τον πέθαινε. Κι ας χρωστούσε σ' αυτό τα πάντα...

Είχαν καιρό ως τις τρεις το απόγευμα, που ήταν το ραντεβού με τον πρωθυπουργό για μια υπόθεση που εκκρεμούσε από το καλοκαίρι. Ο ίδιος την αποκαλούσε «Φάκελο Τουρκία». Ταξίδευε διαρκώς, είχε περάσει ξώφαλτσα ακόμα κι από τη Μαντζουρία –το ανέφερε σαν επίτευγμα– αλλά στην Τουρκία δεν πήγε ποτέ. Τόσο κοντά και τόσο μακριά μαζί. Δεν έτυχε ή το απέφευγε για λόγους που... δεν είχε λόγους.

Αναλογιζόταν πόσο καλά βολευόταν πίσω απ' τον ασαφή τίτλο «αρχιτέκτων της οικονομίας». Ένας οικονομολόγος, ένας θεωρητικός μάλλον του χρήματος, με ανεπιφύλακτα εξαίσιο ουμανιστικό αμπαλάζ. Μπορούσε να δώσει μια μίνι διάλεξη για τα χαλιά του Καυκάσου, να περάσει άνετα στον *Καλό άνθρωπο του Σετσουάν* του Μπρεχτ, σφυρίζοντας ακόμα και τη μουσική του Πάουλ Ντεσάου γι' αυτό το έργο, για να καταλήξει στα προσφιλή του οικονομικά, συνδυάζοντας αριθμούς με γεωγραφία και ιστορία και στατιστικές μακροβιότητας για Καυκάσιους που ομολογούσαν ότι κατανάλωναν απίθανες ποσότητες γιαουρτιού, χόρτων και ξινόγαλου, μ' ένα βακτηρίδιο συνήγορο της μακροζωίας.

«Πώς ήσουν παιδί, Ηλία;» τον ρωτούσαν οι γυναίκες που τιμούσαν το μεγάλο κρεβάτι του με τα μπεζ ή γκρενά σεντόνια τα φερμένα απ' το Μιλάνο κι αρωματισμένα με κάτι που θύμιζε χριστουγεννιάτικη δολοφονία. Ελκυστικό, πάντως.

Απέφευγε να δίνει απαντήσεις σε τέτοιου είδους ερωτήσεις. Προτιμούσε να δείχνει αυτά που διέθετε ως ενήλιξ. Ένα λεπτό, μελαχρινό σώμα, γυμνασμένο σωστά, πιο πολύ από ιδεοληψία για την αποθήκευση λίπους κάτω απ' το δέρμα. Κι ένα σημάδι κάτω απ' την αριστερή του μασχάλη, που δε θυμόταν πότε, πού και πώς προέκυψε. Δεν παρέλειπε όμως να ζητά από τις εκάστοτε παρτενέρ του να τον φιλούν στο σημείο αυτό, που, εξάλλου, στις εξαιρετικές ώρες του έρωτα, ερεθιζόταν περισσότερο απ' όλα τα μέρη του κορμιού του. Κοκκίνιζε έτοιμο λες να εκραγεί σαν ώριμη ντομάτα – άλλο ένα πράγμα που σιχαινόταν. Είχε, μάλιστα, απαγορεύσει παντελώς τη χρήση της στο μενού του σπιτιού.

Στο διαζύγιο, στο δεύτερο διαζύγιο, ασχέτως αν βγήκε «κοινή συναινέσει», η σύζυγός του επέμενε στην παράγραφο που περιλάμβανε την ιδιοτροπία του με τις ντομάτες. Έτσι και τις έβλεπε στην κουζίνα, μπορούσε να σκοτώσει άνθρωπο. Όσοι το διάβασαν, χαμογέλασαν, αποδίδοντας επιπλέον εύσημα παραξενιάς στη φήμη του ως «οικονομικού αρχιτέκτονα».

Προτού τον καλέσει για πρώτη φορά ο πρωθυπουργός σε μια «καθ' υπέρβασιν», κεκλεισμένων των θυρών, εξωκοινοβουλευτική συνεργασία, είχε μελετήσει σχολαστικά το φάκελο «Ηλίας Καπνάς». Όμως τη λεπτομέρεια της ντομάτας τού τη μετέφερε κάποιος «παρά τω Πρωθυπουργώ», σαν κουτσομπολιό. Ο πρωθυπουργός δε φημιζόταν για το χιούμορ του, αλλά, σ' ένα πολύ κλειστό γεύμα εργασίας, οι ντομάτες –κόκκινες, ώριμες σωστά κι ανοιγμένες σαν φαντασμαγορικές αλατισμένες πληγές– ήταν το πιο εντυπωσιακό στοιχείο του τραπεζιού. Λευκό κρασί, τυριά, πράσινη σαλάτα και οι ντομάτες ορθάνοιχτες σαν αιδοία απ' το υπερπέραν.

Φυσικά, όση αηδία κι αν του προκάλεσε η ιστορία, δεν έδειξε τίποτα, καταλαβαίνοντας την πρόκληση του πρωθυπουργού. Για την ακρίβεια τον «διάβασε», όπως μονάχα αυτός ήξερε να «διαβάζει» τις σκέψεις των άλλων. Ο μόνιμος και παντοτινός του τρόμος. Και, μαζί, η σταθερή ευλογία-κατάρα της ζωής του. Αν είχε ένα κενό στην ψυχή, αυτό οφειλόταν στην αμφιβολία της επιτυχίας του στους επικίνδυνους κύκλους που κινιόταν.

Πού άρχιζαν οι ικανότητές του οι «αρχιτεκτονικές» και πού η παραβίαση των σκέψεων των άλλων; Δεν ήθελε να το σκέφτεται ούτε τώρα, που είχε καβατζάρει το μισό αιώνα. Ίσα ίσα που τον παρηγορούσαν κάποιες τακτικές ημικρανίες, πόνοι αφόρητοι, που τους άφηνε ελεύθερα να τον ταλαιπωρούν, χωρίς να διανοείται να καταφύγει ακόμα και στο απλούστερο παυσίπονο. Μόνο έτσι καταλάγιαζαν οι τύψεις και μαλάκωναν οι φόβοι.

Κάποτε σκέφτηκε τι θα έκανε αν αναγκαζόταν να μπει σε κάποιο μηχάνημα ικανό να αποκαλύπτει δυσλειτουργίες του εγκεφάλου. Γι' αυτό, όταν άκουγε αξονικές και τα παρόμοια, κατέβαζε τα ρολά. Προτιμούσε έτσι τη θέση του ανθρώπου που ξεκλείδωνε τις ψυχές, αν και τις πιο πολλές φορές όλες αυτές οι διαδικασίες ήταν επώδυνες και κατέφευγε στο ελάττωμα-προτέρημα μόνο σε έκτακτες περιπτώσεις. Τον τρομοκρατούσε η ιδέα ότι κάποιος μπορούσε, αντίστοιχα, να αναγνώσει τα μυστικά του, αλλά με τον καιρό πείστηκε για τη σπανιότητα αυτών των πραγμάτων και παραιτήθηκε απ' το μεγαλύτερο μέρος της καχυποψίας του. Είχε τη γνώση, διέθετε το κύρος της πείρας του, ήταν εδώ και πολλά χρόνια ένας πολίτης του κόσμου. Όλα τα άλλα ήταν το επιπλέον ατού για τη διεκδίκηση της πρωτιάς, όπου χρειαζόταν μια τέτοια επίδειξη...

Η βροχή συνεχιζόταν το ίδιο εκνευριστική, όμως είχαν χρόνο, γι' αυτό συνέστησε στον οδηγό να περάσουν για έναν καφέ απ' το σπίτι της κυρίας Κρουπ. Η Χαρίκλεια Κρουπ παρέμενε σταθερά ο πιο δικός του άνθρωπος. Δικός του με πάσα έλλειψη συναισθηματισμού. Μια απολύτως σωστή επαγγελματική σχέση, στεγανή όπως ακριβώς και τον πρώτο καιρό που ανέλαβε την εκπαίδευσή του, ξεκινώντας απ' το «άλφα». Άλφα για τη Χαρίκλεια Κρουπ σήμαινε «Αναλογίσου τις ευθύνες σ' αυτό που σου προσφέρθηκε». Όσο για την προσφορά, κανένας δε γνώριζε πόσο μεγάλη και δυνατή ήταν. Μόνο η Χαρίκλεια Κρουπ και ο δικηγόρος Δολόγγου, που πέθανε. Και φυσικά ο Ηλίας Καπνάς, που φρόντισε να αξιοποιήσει «αρχιτεκτονικά» την κληρονομιά της Μερόπης-Ιουστίνης Ριζούδη. Το «Ράνα» είχε απωθηθεί διά παντός – ή έτσι νόμιζε. Και, πράγματι, δεν ξαναγύρισε ποτέ στην τουρκική απειλή του κήπου στα 1958.

Θυμόταν πάντως ότι πέρασε μια περίεργη ασθένεια στα όρθια, μια ασθένεια –έτσι χαρακτήριζε εκείνη την περίοδο– που είχε να κάνει με προβολές εικόνων και τα σχετικά, αλλά τα περισσότερα παιδιά μπορούν να αφηγηθούν εύκολα τερατώδεις ιστορίες ανάλογου μεγαλείου. Όλα αυτά αποτελούσαν ωραίο θέμα για ξενύχτι, εφόσον προέκυπτε ο σχετικός αποδέκτης, συνήθως φιλόδοξες ημιαυτιστικές γυναίκες, που προσποιούνταν ότι συμμερίζονταν τις αναμνήσεις του. Αφορμή, φυσικά, ήταν η γυαλιστερή ερώτηση «Πώς ξεκίνησες;».

Ηλίθιος δεν ήταν. Όταν καταλάγιαζε το ερωτικό μέρος και βεβαιωνόταν πως οι τέσσερις απ' τους πέντε απανωτούς οργασμούς ήταν ψεύτικοι, μετάνιωνε φριχτά που παρασύρθηκε και τριπλασίαζε τα πουσάπς στο γυμνό παρκέ. Για τιμωρία στη λεπτή φλούδα αθωότητας που του απέμενε.

Η Χαρίκλεια Κρουπ, στα ογδόντα δύο της, κάπνιζε με το αποφθεγματικό «Με σκοτώνει και το σκοτώνω...». Ο Ηλίας ήταν σίγουρος πως θα συνέχιζε να το «σκοτώνει» και μετά τα ενενήντα. Τον υποδέχθηκε με το παρανοϊκά ίδιο ταγιέρ, ατσαλάκωτη, με το τσιγάρο βυθισμένο στο στόμα. Έστειλε το σοφέρ στην κουζίνα να φάει, πάντα το 'κανε, για να μείνουν οι δυο τους.

«Κηδεύτηκε, λοιπόν...»

«Τον κήδεψα...» Ήλπιζε ν' ακούσει μια στοιχειώδη κουβέντα συμπάθειας για τον νεκρό.

«Να πιεις έναν καφέ. Με τούτη την υγρασία είναι ό,τι

πρέπει. Εξάλλου η βροχή σ' έφερε κι όχι η κηδεία... Καταλαβαινόμαστε». Γέλασε μόνη της, ξεφυσώντας ντουμάνια.

Ο καφές ήρθε κι ένιωσε ανακουφισμένος μακριά απ' την Κηφισιά, δίπλα στο τζάκι που ψευτόκαιγε ρίχνοντας πού και πού λάμψεις χλομές στα λουστραρισμένα, εγγλέζικης έμπνευσης, έπιπλα του σπιτιού. Στους τοίχους οι τρεις μητροπολίτες συγγενείς της Χαρίκλειας Κρουπ, μέσα στις βαριές κορνίζες τους, όπως τους θυμόταν από παιδί, καθώς και διάφοροι άλλοι συγγενείς, χαμένοι από ενδιαφέρουσες αιτίες. Μα πιο πολύ, τα πρώτα χρόνια της κηδεμονίας, τον εντυπωσίαζαν οι δίδυμοι αδελφοί Κροντηρά, σκοτωμένοι στο άνθος της νιότης τους απ' τον ίδιο κεραυνό. Δύο μελαγχολικοί πανόμοιοι νεαροί με ναυτικά παιδικά ρούχα, αν και έφηβοι, με φόντο κάποιο σκοτεινό χειμωνιάτικο δάσος. Ξαδέλφια της Χαρίκλειας Κρουπ, ζωγραφισμένα από κάποιο μαθητή του Ιακωβίδη. «Κροντηρά» ήταν το επίθετο της μητέρας της Χαρίκλειας, όσο απίθανο κι αν φαινόταν να υπήρξε μητέρα που κυοφόρησε αυτό το πλάσμα.

«Θα σου φανεί τρελό, αλλά η κόρη του δικηγόρου Τάκη Σαριπόλου μου έστειλε ένα μάτσο επιστολές συλλυπητήριες. Για σένα. Με καθυστέρηση σαράντα χρόνων. Τις βρήκε στην αποθήκη του πατέρα της».

«Από ποιον;»

«Από ποιους να λες. Διάφοροι συγγενείς ή φίλοι της Ριζούδη. Έμαθαν ότι πέθανε, δεν ξέρω πώς βρήκαν άκρη, και να τες. Θέλεις να δεις συλλυπητήριες κάρτες και επιστολές στη γλώσσα της Βαβέλ; Δεν έβγαλα άκρη, εξόν α-

πό κάτι αγγλικά. Δε φανταζόμουν πως η μακαρίτισσα ή-
ταν τόσο κοσμοπολίτισσα...»

Με σβελτάδα ασυνήθιστη για ογδοντάχρονη κυρία, του
πέταξε ένα φάκελο με ξεθωριασμένα σημειώματα. Έβα-
λε τα γυαλιά του, εξετάζοντας παραξενεμένος τα «ειλικρι-
νή συλλυπητήρια» σε διάφορες γλώσσες. Μια απολύτως
κίτρινη κάρτα ήταν γραμμένη στα οθωμανικά, με τσι-
γκέλια. Συλλυπητήρια από τη Νέα Υόρκη, τη Βηρυτό, το
Παρίσι, το Κάιρο και την Κωνσταντινούπολη. Το αστείο ή-
ταν πως παραλήπτης ήταν η ίδια η νεκρή, η Μερόπη-Ιου-
στίνη Ριζούδη του Ζάννου.

«Βγάζεις άκρη;» Η Χαρίκλεια άναβε ήδη τσιγάρο με
το άλλο, το μισοτελειωμένο.

«Γνωριμίες του παλιού καιρού... Κάψ' τα...»

Κράτησε μόνο την κάρτα με τα οθωμανικά. Ο φάκελος
ζωντάνεψε τη φωτιά.

«Ελπίζω να μην επιχειρήσεις να ξαναπαντρευτείς. Ξέ-
ρω ότι πλήττεις με τις κουβέντες μου, αλλά οφείλω να σ'
το υπενθυμίζω, όσο ζω».

Γέλασαν δυνατά, κατάπληκτοι και οι δυο που παραβία-
ζαν το πρωτόκολλο των τυπικών συναντήσεών τους.

«Ο πρωθυπουργός θέλει να με στείλει στην Τουρκία...»
«Εσύ θέλεις;»

«Δεν ξέρω. Έχω απόψε μαζί του συνάντηση. Υπάρχει
ένας μεγαλοεπιχειρηματίας ονόματι Φερίκ Καπλαντζί. Α-
πό αυτούς τους παντοδύναμους, που ανακατεύουν συλλο-
γές από πρώιμα ισλαμικά κεραμικά –η Κρουπ το άκουσε
σαν πρώιμα κεράσια ή κάτι τέτοιο– με Τράπεζες, τηλεο-

πτικά κανάλια και ναυτιλιακές εταιρείες. Κάτι βολιδο-
σκοπούν...»

«Θα κατασκοπεύσεις, δηλαδή».

«Ακίνδυνες κοσμικότητες», τη διέκοψε, κοιτάζοντας α-
νήσυχος την ώρα.

«Και γιατί δε στέλνει κανέναν απ' αυτούς τους βλά-
κες;» Η Χαρίκλεια Κρουπ, μετά τη συνταξιοδότησή της,
μισούσε οποιαδήποτε μορφή εξουσίας.

«Δε στέλνει, γιατί ο Τούρκος είναι επικίνδυνος».

«Ακίνδυνες κοσμικότητες...» κάγχασε η Κρουπ. «Πρό-
σεχε! Δε με ανησυχεί ο Τούρκος. Ο πρωθυπουργός αυτός...»

Έπλεξε στα γρήγορα μια φαρμακερή φανέλα στα μέ-
τρα του πρωθυπουργού. Ο Ηλίας Καπνάς είχε ακούσει και
χειρότερα, όμως ήξερε πως η Χαρίκλεια, στο βάθος, πε-
ρηφανευόταν για το «επίτευγμά της». Τον θεωρούσε έτσι,
κι εκείνος της το επέτρεπε. Έσφιξαν τα χέρια και, για
πρώτη φορά, έσκυψε και τον φίλησε στο μάγουλο. Δε θυ-
μόταν άλλοτε να 'γινε κάτι τέτοιο. Απέφυγε να συναντή-
σει το βλέμμα της.

«Άκου να σου πω, νεαρέ. Εφόσον πας στην Πόλη, θυ-
μήσου τη γριά φίλη σου και φέρε μου δύο κουτιά αμυγδα-
λωτά απ' το Μπεμπέκ. Τα καλύτερα. Τα ξέρουν όλοι...» Ε-
πανέλαβε την παραγγελία με αγωνία, λες κι ολόκληρη η
ζωή της ξαφνικά εξαρτιόταν απ' τις τούρκικες σπεσιαλιτέ.

«Τίποτ' άλλο;»

«Μερικά χαλιά σε παστέλ χρώματα». Τον κοίταξε πονη-
ρά. «Τουλάχιστον, έτσι και γλιστρήσω και πέσω, να προ-
σγειωθώ σε κάτι μαλακό. Όπως ξέρεις, οι γέροι πηγαί-

νουν είτε από πέσιμο ή...» Του 'κλεισε το μάτι με τσαχ-πινιά και σφάλισε την πόρτα με δύναμη, αφήνοντας πίσω της καπνό.

«Ζωήρεψε περίεργα η κυρία Κρουπ», σχολίασε ο οδηγός.

«Ναι. Ζωήρεψε για να με διασκεδάσει».

Το βαρύ μαύρο αυτοκίνητο κύλησε προς τη λεωφόρο. Οι δύο άντρες παρέμειναν σιωπηλοί. Ο Ηλίας κοίταζε και ξανακοίταζε τα οθωμανικά συλλυπητήρια που αφορούσαν το καλοκαίρι του 1958. Η κάρτα μύριζε κάρβουνο και καμφορά. Υπερτερούσε το κάρβουνο...

Το ταξίδι οργανώθηκε μέσα σ' ένα μισάωρο. Ο πρωθυπουργός ήταν φιλικά ουδέτερος, αλλά μεταξύ τους υπήρχε συμπάθεια και μια αμοιβαία εκτίμηση, ύστερα από κάποιες εκτός πολιτικής συζητήσεις. Για οικονομικά, φυσικά, όμως σ' έναν πιο προσωπικό τόνο. Σημασία είχε ότι κανείς δεν του επέβαλλε αυτό το ταξίδι. Ήταν μια εκκρεμότητα, βέβαια, που έπρεπε να διευθετηθεί. Ταξίδι αναγνώρισης.

Ο Φερίκ Καπλαντζί, ένας από τους αστέρες της οξύμωρης ανάπτυξης της Τουρκίας, ενδιαφερόταν να συμπράξει με ελληνικές επιχειρήσεις. Ήταν ένας άνθρωπος που νοιαζόταν για το επίπεδο του συνομιλητή του, μιλούσε σωστά αγγλικά και γαλλικά, ίσως και γερμανικά. Ανήκε στη «διεθνή των επιχειρηματιών» και έπαιζε σε πολλά ταμπλό. Έμενε στην Κωνσταντινούπολη, κάπου στον Βόσπορο, και το σπίτι του, όπως του εξήγησε μια κυρία απ' το γραφείο του πρωθυπουργού, ενήμερη για την αναγνωριστική πτήση του Ηλία Καπνά, φωτογραφιζόταν στο τελευταίο τεύχος του αγγλόφωνου *Κορνουκόπια*, ενός εξαιρετικού προπαγανδιστικού περιοδικού υψηλής αισθητικής, που παρουσίαζε την Τουρκία τουλάχιστον σαν τον τελευταίο επίγειο παράδεισο.

Σ' ένα ντοσιέ υπήρχαν τα εισιτήρια, η κράτηση του ξενοδοχείου –απέφυγαν το ιστορικό «Πέρα Παλάς» για την παρακμιακή του γραφικότητα– κάποιες σελίδες με τις προτάσεις και τις θέσεις του Τούρκου και, φυσικά, το τεύχος του *Κορνουκόπια*, μ' ένα ζαλιστικά φωτογραφημένο σπίτι μεταξύ καταπράσινων λόφων και θάλασσας, με δύο σελίδες αφιερωμένες στις σπάνιες μινιατούρες της συλλογής του Καπλαντζί και το απαραίτητο, ιδιωτικής χρήσης, χαμάμ από λευκό και γκρίζο μάρμαρο, μια μικρογραφία του περίφημου χαμάμ Τζαάλογλου στην παλιά Πόλη, έργο του Σινάν στο σημαδιακό δέκατο έκτο αιώνα.

Είχε βραδιάσει όταν ξεκίνησε για το σπίτι του. Οι μέρες είχαν μικρύνει απελπιστικά. Και η βροχή, βροχή.

«Θα πάτε...»

Ο οδηγός προέβλεψε αργία, αν και δεν ήταν απ' τους τύπους που προσπαθούν να ξετρυπώσουν αργίες.

«Ναι, θα πάω».

«Για πρώτη φορά στην Πόλη, λοιπόν».

Δικαίως είχε εμπιστοσύνη στη μνήμη του οδηγού. Μερικές φορές του εμπιστευόταν και την κουζίνα του. Τις τέλειες υπερσύγχρονες συσκευές, που ο ίδιος δεν ήξερε να χρησιμοποιεί. Τότε ο οδηγός αναλάμβανε ευσυνείδητα το ρόλο του μάγειρα κι έκανε μικρά θαύματα. Και μάλιστα θαύματα χωρίς να χρειαστεί ντομάτα.

«Τι θα φάτε;»

«Θα βγω το βράδυ. Ίσως...»

«Με χρειάζεστε;»

Δεν τον χρειαζόταν. Θα 'φευγε μεθαύριο, οπότε είχαν χρόνο για να συνεννοηθούν.

«Αν πεινάσετε...»

«Ξέρω, ξέρω...» Δεν ήξερε τίποτα, παρά μόνο ότι ένας πονοκέφαλος από την ύποπτη περιοχή του αυχένα μπορούσε να του σκοτώσει τη βραδιά. Μια βραδιά μοναξιάς, όπως λαχταρούσε, σ' ένα μεγάλο λευκό διαμέρισμα χωρίς αναμνήσεις. Και χωρίς έπιπλα. Σχεδόν. Τα στοιχειώδη μόνο υπήρχαν, και μάλιστα με τρόπο κατηγορηματικό. Κρεβάτι, καναπές, κουζίνα με άχρηστη τελειότητα, υπολογιστές δύο –ο ένας φορητός–, ένα στέρεο που εδώ και μια βδομάδα μοίραζε τη φωνή της Μπάρμπαρα Χέντριξ με τραγούδια του Μότσαρτ και του Σούμπερτ σε όλους τους χώρους με ισότιμη απόδοση, λίγα απαραίτητα βιβλία στο υπνοδωμάτιο. Και κάτω μόνο το παρκέ. Ούτε χαλιά ούτε τίποτα. Ούτε φωτογραφίες που να μαρτυρούν κάτι. Δύο μεγάλες μαυρόασπρες, καλλιτεχνικές, κάποιου Αμερικανού στον έναν τοίχο έδειχναν το μετρό της Νέας Υόρκης ένα ζεστό απόγευμα Αυγούστου. Τα σίδερα και οι άνθρωποι γυάλιζαν το ίδιο. Μαύροι επιβάτες με τρομαγμένα μάτια απ' το φλας. Που μπορεί και να μην άναψε κανένα φλας...

Υπήρχε κι ένα τραπέζι μεγάλο, παλιό, με μαρκετερί στην επιφάνειά του. Ρόμβοι και αστέρια. Το μοναδικό έπιπλο απ' την κληρονομιά της Κηφισιάς. Όλα τα άλλα πουλήθηκαν, απ' τη στιγμή που τα χάρισε στη Στέλα κι εκείνη δεν τα δέχτηκε. Όπως δε δέχτηκε και να τον δει.

Είχαν περάσει πολλά χρόνια από την ενηλικίωσή του. Τώρα γερνούσε, δείχνοντας ακόμα νέος. Και θυμόταν τη Στέλα, που κι εκείνη γερνούσε κάπου με πείσμα. Υπέθετε ότι κάπως έτσι...

Η Ρουθ Άντερσον, το βροχερό απόγευμα της 21ης Νοεμβρίου, κάθισε επιτέλους να γράψει στην αδελφή της, στο Σικάγο. Καταρχάς είχε ξυπνήσει μέσα της μια νοσταλγία, που θύμιζε τις λιγούρες της όταν έμενε έγκυος. Πλησίαζε η Ημέρα των Ευχαριστιών, η κατ' εξοχήν αμερικανική γιορτή, και για πέμπτη χρονιά εκείνη βρισκόταν στην Ελλάδα. Για δέκατη, όμως, στα Βαλκάνια. Αιτία, βέβαια, ο Ρόμπερτ, που ήταν ιστορικός και, κατά προέκταση, μελετητής των βαλκανικών γλωσσών, σε σημείο μάλιστα που σήμερα, δέκα χρόνια αφότου είχαν πατήσει το πόδι τους στην «Ευρώπη των πληβείων», όπως αστειεύονταν μεταξύ τους, να μιλά και η ίδια αρκετά υποφερτά τα ελληνικά, πρωτίστως, και μετά τα τουρκικά, λίγο τα αλβανικά και ακόμα λιγότερο τα σλαβικά, με τις επιμέρους αποχρώσεις τους.

Τα τελευταία πέντε χρόνια η Ρουθ ευχαριστούσε το Θεό που στέριωσαν στην Αθήνα, την οποία θεωρούσε πιο ενδιαφέρουσα απ' τις περισσότερες πληκτικές κεντροευρωπαϊκές πόλεις που ήξερε. Και βέβαια χρωστούσε πολλά σε τούτο το σπίτι, που το 'χε περιγράψει άπειρες φορές στα γράμματά της σε φίλους καθηγητές του Πανεπιστημίου του Έβανστον, τους οποίους προέτρεπε πάντα να έρθουν, κλείνοντας μονίμως με την επωδό: «Ελλάδα δεν είναι μόνο τα νησιά». Ένα σπίτι στα μέτρα τους, παλιό αλλά προσαρμοσμένο στις ανάγκες του Μπομπ και των παιδιών. Είχε μεγάλο κήπο, ένα παράσπιτο που τους χρησίμευε για αποθήκη, ησυχία –το κυριότερο– και ψηλή πέτρινη μάντρα γύρω γύρω, για να μη χάνονται τα σκυλιά. Δύο λαμπραντόρ και μία κεραμιδόγατα.

«Αγαπημένη μου Κέιτ», έγραφε η Ρουθ Άντερσον, «είμαι ενθουσιασμένη γιατί, στην κυριολεξία, από τον ουρανό μού έπεσε το δώρο του Μπομπ για το "θενκσγκίβινγκ". Προχθές η σκύλα μας ξετρύπωσε, προφανώς σκάβοντας ή ένας Θεός ξέρει πώς, έναν τενεκέ που αποδείχθηκε θησαυρός. Πιθανόν ο Μπομπ να τον αξιολογήσει σαν κάτι ευτελές, όμως αυτός ο βρομερός τενεκές, όταν τον έπλυνα και τον γυάλισα, είδα πως ήταν στολισμένος με ωραία ανάγλυφα σχέδια, λουλούδια και φύλλα κισσού. Απ' όσο κατάλαβα, πρέπει να χρησίμευε κάποτε σαν περικνημίδα ή να κάλυπτε κάποιο πόδι ανάπηρο, γιατί είχε κάτι ελάσματα δερμάτινα στα πλάγια. Ελπίζω να μην τον αναζητήσει κανείς για τα επόμενα εξήντα χρόνια. Επειδή μονίμως ανησυχείς για μας, σε πληροφορώ πως όλη η οικογένεια έχει κάνει αντιτετανικό εμβόλιο...»

Προτού προλάβει να κλείσει το φάκελο, χτύπησε το τηλέφωνο. Ο Μπομπ έλειπε, είχε κατεβεί με τα παιδιά στο βιντεοκλάμπ να διαλέξουν ταινίες για το Σαββατοκύ-

336

ριακο. Θυμήθηκε με δυσκολία το όνομα του άντρα στην άλλη άκρη του ακουστικού, γιατί μόνο δύο φορές μέσα στα πέντε χρόνια τον είχε συναντήσει, και ντράπηκε.

Έριξε πολλά «σόρι» η Ρουθ Άντερσον, φέρνοντας στο νου της τον άψογα ντυμένο κύριο Καπνά, ιδιοκτήτη του σπιτιού, με τον οποίο, μέσω μιας ψυχρής γραμματέως, ε- πικοινωνούσαν κατά διαστήματα. Ήθελε τον Μπομπ και, αν ήταν δυνατόν, να περνούσε κάποια στιγμή αύριο... Την καθησύχασε πως δεν επρόκειτο για το σπίτι. Κάτι προ- σωπικό. Θα ξανάπαιρνε αργότερα.

Ο Ηλίας Καπνάς δε φαντάστηκε πως την επομένη της κηδείας του πατέρα του θα ήταν αναγκασμένος να επι- στρέψει στην Κηφισιά. Ο Ρόμπερτ Άντερσον είχε προθυ- μοποιηθεί να τον εξυπηρετήσει, αν και δεν είχε καταλάβει πολύ καλά τι ακριβώς ζητούσε ο κύριος Καπνάς. Πάντως ο καφές, στις έντεκα το πρωί, ήταν έτοιμος. Και το κέικ και μια γυάλινη γαβάθα με γιαούρτι, ξερά βερίκοκα και καρύδια. Διέκοψε τη μελέτη των αλβανικών, επαναλαμ- βάνοντας «μπίε σι βαζντιμίστ», δηλαδή «βρέχει συνέ- χεια», και το πιο περίπλοκο «σοτ κόχα άστε σουμ εκέκε», που πάει να πει «ο καιρός είναι βροχερός». Ήρθε κι ο κύ- ριος Καπνάς με μια μπεζ ομπρέλα και μια λαδοπράσινη, φαρδιά καμπαρντίνα. Τα σκυλιά γάβγισαν, η γάτα ανοιγό- κλεισε τα κίτρινα μάτια της συνεχίζοντας να ονειρεύεται.

«Τα ελληνικά σας καλπάζουν, κύριε Άντερσον...»

«Γιου λούτεμ ούλουνι... Παρακαλώ, καθίστε! Σας το

'πα αλβανικά, γιατί θα 'πρεπε να μιλώ καλύτερα ελληνικά, αν δεν... πώς το λένε, αν δεν ανακάτευα –δύσκολη λέξη!– κι άλλες γλώσσες...»

«Όπως τουρκικά...»

«Και αλβανικά. Αυτά με παιδεύουν τώρα... Καφέ;» Και καφέ και λίγο κέικ.

Ο Μπομπ Άντερσον πρόσεξε πως δεν τον ενδιέφερε το σπίτι, αλλά του πρότεινε, αν ήθελε, να το δει. Δεν ήθελε. Άλλο ήθελε. Του έδειξε μια πολυκαιρισμένη κάρτα, γραμμένη σε παλιά τουρκικά.

«Δεν αφορά εμένα. Πρόκειται μάλλον για συλλυπητήρια, όταν πέθανε μια ηλικιωμένη κυρία πριν από σαράντα χρόνια. Είχε διασυνδέσεις με τη σουλτανική οικογένεια της Τουρκίας. Αν βγάζετε άκρη...»

Ο Αμερικανός νοικάρης πήρε ένα μεγεθυντικό φακό απ' το γραφείο, παρατηρώντας προσεχτικά την κάρτα.

«Οι γνώσεις μου στην οθωμανική είναι λίγες, αλλά...» Σώπασε σκεφτικός, κοιτάζοντας πάντα το συνονθύλευμα των σκουληκιών που του έξυναν τη μόνιμη πληγή της ανεπάρκειάς του σ' αυτή τη φίνα γραφή.

«Σας είπαν ότι είναι συλλυπητήρια...»

«Υποθέτω. Δε μου είπαν. Βρέθηκε με άλλα...»

«Κύριε Καπνά, δεν ξέρει... Αυτός που έγραψε το σημείωμα δεν ήξερε ότι πέθανε η φίλη σας. Δεν τα καταλαβαίνω όλα, όμως... ποιος είναι...» Συλλάβισε: «Ρά-να».

«Η νεκρή», είπε ο Ηλίας.

Ο τόνος του ανησύχησε προς στιγμή τη γάτα, που άνοιξε τα μάτια της περίεργη.

«Φοβάται. Ένας... –νομίζω πως άντρας έγραψε την κάρτα– ένας άντρας φοβάται "που γύρισε". Ποιος μπορεί να γύρισε, κύριε Καπνά;» ρώτησε μειδιώντας ελαφρά ο Ρόμπερτ Άντερσον.

«Δεν έχω ιδέα». Ο Ηλίας ζήτησε και δεύτερο φλιτζάνι καφέ, ενώ η γάτα, που αισθάνθηκε μια ασυνήθιστη ένταση στο γραφείο του αφεντικού της, προτίμησε να συνεχίσει τον ύπνο της στα δωμάτια των παιδιών. Επάνω.

Ο Ηλίας Καπνάς άνοιξε συζήτηση για την πολυπλοκότητα της παλιάς τουρκικής γραφής, ο Ρόμπερτ νοιάστηκε για την περαιτέρω αποκρυπτογράφηση της κάρτας:

«Μπορώ να κάνω μια φωτοτυπία αμέσως».

Μπλόκαρε την άρνηση του Ηλία – «Μη σας βάλω σε κόπο για πράγματα που δεν είναι επείγοντα».

Ο πολύγλωσσος κύριος Άντερσον θα ξαναδιάβαζε το κείμενο: «Ευκαιρία να φουντώσουν οι τύψεις μου που είμαι αμελής μαθητής στα οσμανλίδικα».

Γέλασαν. Τελικά, ο ιδιοκτήτης του σπιτιού της Κηφισιάς δεν ήταν ο άκαμπτος μεσήλικας που φορά εσώρουχα καμωμένα απ' τους Φαϊνάνσιαλ Τάιμς... Μιλούσε πολύ και με έξαψη και, όσο περνούσε η ώρα, τόσο γρήγορα και με τέτοιους ιδιωματισμούς, που ο Ρόμπερτ Άντερσον ένιωσε την ανάγκη να καπνίσει. Ποτέ δεν κάπνιζε πρωινές ώρες, αλλά σήμερα θα έκανε κούρα με καπνό.

«Συγγνώμη, αλλά πήγα με την κοπέλα στα ψώνια...»
Η Ρουθ, αναψοκοκκινισμένη, μπήκε στο γραφείο να χαι-

ρετίσει τον επισκέπτη, που έμοιαζε λίγο ξαφνιασμένος όταν την άκουσε να μιλά με το αξάν του Ιλινόις. Αυτό σκέφτηκε η Ρουθ.

«Ο Μπομπ ελπίζω να ήταν καλός οικοδέσποινος...»

«Οικοδεσπότης...» τη διόρθωσε γελώντας ο Μπομπ.

«Όλα τέλεια... Και το σπίτι...» σαν να δικαιολογήθηκε ο Ηλίας Καπνάς.

Είχαν περάσει δύο ώρες αφότου είχε διαβεί το κατώφλι του σπιτιού. Τρομοκρατήθηκε.

«Δεν το κατάλαβα...»

«Και τι έγινε; Χάρηκα που μιλήσαμε και με στριμώξατε, κύριε Καπνά», γέλασε ανοιχτόκαρδα ο Ρόμπερτ Άντερσον.

Έξω έβρεχε. «Μπίε σι». Του είχε κολλήσει η αλβανική φράση του Ρόμπερτ.

«Αργήσατε λίγο... Μου φαίνεται πως τον πήρα εδωδά». Ο οδηγός τεντώθηκε να ξεμουδιάσει.

Ο Ηλίας Καπνάς, με ασυνήθιστο ύφος, στριμώχτηκε στο πίσω κάθισμα.

«Ωραίο σπίτι!» σχολίασε ο οδηγός βάζοντας μπρος.

«Φύγε...» ψιθύρισε.

«Τι είπατε;»

«Αύριο πετώ στις δέκα και μισή. Έλα στις εννιά να με πάρεις...»

Το αυτοκίνητο γλίστρησε απαλά στον έρημο δρόμο, το στρωμένο φύλλα συκιάς και ακακίας.

Η Ρουθ έβγαλε το τζάκετ κι ύστερα τράβηξε απαλά το τσιγάρο απ' τα δάχτυλα του άντρα της.

«Τι ήθελε;»

«Ανάθεμά με, αν κατάλαβα...»

«Αυτά είναι αραβικά;» ρώτησε κοιτάζοντας τη φωτοτυπία της κάρτας.

«Οθωμανικά. Μ' έπιασε αδιάβαστο. Λες και ήρθε επίτηδες για να μας κάνει επίδειξη...»

«Τον άκουσα μπαίνοντας. Δε μιλούσε, τραγουδούσε...»

«Δυσκολευόμουν να τον καταλάβω. Μιλούσε τουρκικά όπως δεν τα άκουσα ποτέ μου... Σαν να μην έλεγχε στιγμές στιγμές τον εαυτό του. Ξεχάστηκα κι εγώ μαζί του. Παράξενος άνθρωπος! Για να 'ρθει, όμως, ως εδώ με μια κάρτα χωρίς σημασία...»

Δεν ολοκλήρωσε τη φράση του. Έκρυψε τη φωτοτυπία στο συρτάρι του γραφείου κι ακολούθησε τη Ρουθ στην κουζίνα, όπου τα δύο λευκά λαμπραντόρ θαύμαζαν μια τεραστίων διαστάσεων γαλοπούλα, πανέτοιμη για την Ημέρα των Ευχαριστιών.

«Σου έχω και μια έκπληξη...» είπε η Ρουθ δήθεν αινιγματικά.

«Πες μου...» Ο Ρόμπερτ τσιμπολογούσε τη γωνιά ενός καρβελιού από σίκαλη.

«Υπομονή! Κάθε πράγμα στην ώρα του».

Η γάτα έδωσε ένα σάλτο απ' το μισάνοιχτο παράθυρο του γραφείου, σαν να την κυνηγούσαν, κι εξαφανίστηκε στον κήπο.

Κωνσταντινούπολη
(*Istanbul*)

ΠΕΤΟΥΣΕ ΚΑΙ ΣΚΕΦΤΟΤΑΝ ΤΗ ΣΤΕΛΑ ΝΑ ΠΕΝΘΕΙ ΤΟ ΣΚΟτωμένο αεροπόρο της αδελφής της. Πάντοτε φαντασιωνόταν τη Στέλα, προσκολλημένη σ' εκείνο το αρχαίο πένθος, με μια ζωή άχαρη μετά από σαράντα χρόνια. Φρόντιζε να μαθαίνει τα νέα της –κάθε φορά και πιο άχρωμα– ώσπου, στο τέλος, θα 'μενε ένα λευκό σεντόνι κουταμάρας. Άδεια ζωή χωρίς αποτύπωμα. Τον ανακούφιζε η ιδέα ότι τα μοναδικά της αισθήματα θα ήταν το μίσος που συντηρούσε για κείνον –το ευχόταν αυτό το υγιεινό μίσος– και το πένθος του αεροπόρου. Τότε, το 1958, είχε καταλάβει πως ήταν το σημαντικότερο πράγμα που της είχε ποτέ συμβεί εκείνος ο βίαιος θάνατος.

Την είχε συνθλίψει το γεγονός, αλλά η αστική κοκεταρία της υπερίσχυσε. Ήθελε με όλη της την ψυχή να τον πλησιάσει, αλλά δεν το κατόρθωσε. Ύστερα μεσολάβησε το σοκ της κληρονομιάς κι έλειψε και η τελευταία ελπίδα για κάτι τέτοιο. Πάντοτε τη σκεφτόταν να πενθεί τον ωραίο αεροπόρο μυστικά, κι ας είχαν προστεθεί κι άλλα πολλά πένθη κι άλλες ψευδείς λύπες, με αδιάφορα εμβα-

345

δά, στη ζωή της. Κι εκείνον, το γιο του κηπουρού της θείας της, δε θα τον λησμονούσε εύκολα. Κανείς τους δεν θα τον ξεχνούσε, κι ας ήταν απαγορευμένη η συζήτηση στον κύκλο της για τον Ηλία Καπνά. Μπορεί να απώθησε και το όνομά του. Όλα ήταν πιθανά μετά από τόσο καιρό, αλλά το σπίτι της Κηφισιάς βρισκόταν ακόμα στη θέση του, φρεσκαρισμένο με κρεμ και πράσινα χρώματα.

Η αεροσυνοδός ανακοίνωσε ότι πλησίαζαν στην Ιστανμπούλ. Η θερμοκρασία στο έδαφος ήταν χαμηλή. Έβρεχε και μάλλον θα το γυρνούσε σε χιονιά. Μπήκαν σε μαύρα σύννεφα με έντονες αναταράξεις, που συνεχίστηκαν μέχρι που το αεροσκάφος σταμάτησε. Από το παράθυρο παρατηρούσε όλο περιέργεια το τεράστιο αεροδρόμιο «Ατατούρκ», με παρατεταγμένα στη σειρά τα αεροπλάνα των τουρκικών αερογραμμών. Σχεδόν απογοητεύτηκε που, μέσα κι έξω, το αεροδρόμιο ήταν ένα ακόμα «υπερσύγχρονο» του είδους του. Δεν ήξερε τι περίμενε. Ίσως ένα πυκνό, αδιαπέραστο δάσος από μιναρέδες λεπτούς σαν βελόνες πλεξίματος, που ανάμεσά τους θα θρηνούσαν μαύροι ευνούχοι τον ανδρισμό τους. Ή μια κατακόκκινη θάλασσα από πανί σημαίας τούρκικης, απέραντη θάλασσα, και στη μέση η Αγια-Σοφιά, σαν τούρτα με ξερό βυζαντινό παντεσπάνι στη βάση της.

Έδωσε το διαβατήριό του στο νεαρό αστυνομικό. Κάτι του απηύθυνε στα τουρκικά. Σήκωσε ενοχλημένος τους ώμους, μιλώντας του γερμανικά και αγγλικά. Τον είχε περάσει για Τούρκο; Ο αστυνομικός, μ' ένα νεύμα που σήμαινε «εντάξει», προσηλώθηκε πάλι στη φωτεινή οθόνη του κομπιούτερ. Δεν είχε αποσκευές, άλλαξε αρκετά δολάρια σε τουρκικές λίρες, γέμισε πληθωριστικά εκατομμύρια τις τσέπες του και προχώρησε για την έξοδο.

Όπως σε όλες τις εξόδους των αεροδρομίων, ένα πολύχρωμο πλήθος συνωστιζόταν κι εδώ. Με την πρώτη ματιά είδε το όνομά του γραμμένο σ' ένα πλακάτ. Αυτός που το κρατούσε ήταν ένας ψηλός μελαχρινός νέος άντρας με σκούρο κοστούμι και μαύρη γραβάτα. Τον μυρίστηκε και ήρθε κοντά του. Είχε εντολή από τους κυρίους –ανέφερε κάποια τουρκικά ονόματα παντελώς άγνωστα στον Ηλία– να τον μεταφέρει στο ξενοδοχείο του. Θα ήταν στη διάθεσή του όσο ήθελε... Μιλούσε καλά αγγλικά και χαμογελούσε.

Ώσπου να φτάσουν στο ξενοδοχείο, ακολουθώντας την παραλιακή λεωφόρο μεταξύ θάλασσας και τειχών, ο Ηλίας Καπνάς θα έβλεπε κι άλλα τέτοια χαμόγελα σε άντρες αξύριστους, με μαύρα μάτια βουτηγμένα σ' ένα ήρεμο πένθος, με μπλαβά χείλη και γελαστούς κυνόδοντες. Ο οδηγός θεώρησε καθήκον του να διευκρινίσει αν... «τούρκτσε μπιλίορμουσουνούζ» – αν μιλούσε την τουρκική. Ο Ηλίας κούνησε αρνητικά το κεφάλι του.

Αναγκάστηκε να απαντά στις ερωτήσεις του οδηγού. Ναι, ήταν η πρώτη φορά που ερχόταν στην Κωνσταντινούπολη. Ο οδηγός γέλασε και τον διόρθωσε: τώρα αυτή η πόλη των δεκαπέντε εκατομμυρίων λεγόταν μόνο Ισταμπούλ. Του έδειξε το «Γεντί Κουλέ», το Επταπύργιο, τα τείχη των Βυζαντινών, τη διάσημη ψαραγορά του Κουμ Καπού, του συνέστησε να δοκιμάσει οπωσδήποτε παλαμίδα. Ήταν στον καιρό της. Μιλούσε επηρμένος από το προνόμιο της ξενάγησης αυτού του επιφανούς ξένου απ' το Γιουνανιστάν.

«Να η Ασία... Από 'δώ που είμαστε είναι Ευρώπη. Κι εκεί, στο Ουσκουντάρ και στο Καντίκιοϊ, είναι Ασία. Αυτά τα καράβια που διασχίζουν τον Μποάζιτσι, τον Βόσπορο, είναι ρωσικά».

Δεν τους πήγαινε τους Ρώσους που είχαν κατακλύσει την Ιστανμπούλ. Έδειξε λίγο αργότερα κάποιες εύσωμες ξανθές γυναίκες που πουλούσαν μέσα σε πανέρια φωσφορίζουσες μπλούζες:

«Αυτές είναι Ρωσίδες κι αυτός ο Χαλίτς, ο Κεράτιος. Κάποτε ήταν καθαρός...»

Ο Ηλίας διάβασε: «Εμίνονου». Καπνοί από ψάρια που ψήνονταν εκειδά έξω τύλιξαν το αυτοκίνητο, πλήθη έτρωγαν «χαμσί», αφρόψαρα, σε χωνάκια καμωμένα από λαδόκολλα, με μαϊντανό και κρεμμύδι. Τρομοκρατήθηκε μες στην κοσμοχαλασιά του Εμίνονου.

«Έτσι ήταν πάντα. Από παλιά. Εδώ χτυπά η καρδιά της Πόλης». Ήταν περήφανος για ό,τι του έδειχνε, για τη γέφυρα του Γαλατά, την πιο παλιά. Απέναντι ακριβώς ήταν το Καράκιοϊ, «...αλλά εμείς θα περάσουμε τώρα απ' την Ατατούρκ Κιοπρουσού, τη γέφυρα του Ατατούρκ. Εκεί, στο βάθος, είναι το καφενείο του Πιερ Λοτί. Στο Εγιούπ. Δε φαίνεται καλά, "τσουνκιού μπουγκιούν χαβά γιαγμουρλού". Φταίει ο καιρός σήμερα...»

Ανακάτευε με τα εγγλέζικα και λέξεις στη γλώσσα του, που αμέσως έσπευδε να τις εξηγήσει περιφραστικά. Μπήκαν στη γέφυρα του Ατατούρκ κορνάροντας, όπως κι όλοι οι οδηγοί, σαν να γιόρταζαν το πέρασμά τους απ' τον Κεράτιο. Αυτή η μολυβιά θάλασσα με τις μαούνες και τα καραβάκια, που έκαναν επιδέξια ζιγκ-ζαγκ για να αποφύγουν τα δυστυχήματα, ήταν η μυθική θάλασσα των Βυζαντινών. Και παντού τριγύρω ατμοί και υγρασία και η βοή του κόσμου, μα κυρίως οι ατμοί τού έκαναν εντύπωση, λες και στα έγκατα αυτής της πολύπαθης πολιτείας δούλευε ασταμάτητα ένα καταχθόνιο χαμάμ.

Ύστερα όλα έγιναν τόσο γρήγορα, που δεν κατάλαβε πότε καβαλίκεψαν το στενό πεζοδρόμιο της γέφυρας, κολλώντας μ' ένα απότομο φρενάρισμα στο προστατευτικό κιγκλίδωμα, κάτω από ένα φανάρι. Παρέσυραν μικρές λεκάνες με ψάρια, λεία των ερασιτεχνών ψαράδων που ξεροστάλιαζαν με τα καλάμια τους μες στη βροχή και στο κρύο. Τους χτύπησαν από πίσω άλλα αυτοκίνητα. Τα φανάρια, τα τρία τουλάχιστον βασικά, είχαν κομματιαστεί.

Ο Ηλίας, όταν ένιωσε το αυτοκίνητο να σταματά μετά από εκείνο το άγριο τράνταγμα, τρέμοντας, νοιάστηκε για τον οδηγό. Αλλά εκείνος, κρατώντας το στήθος του, βρισκόταν κιόλας έξω, ουρλιάζοντας δεξιά κι αριστερά. Στο παρμπρίζ –από 'κεί ξεκίνησαν όλα– ένα μεγάλο γκρίζο θαλασσοπούλι με κακά άσπρα μάτια πέθαινε αιμορραγώντας, κοιτάζοντάς τον κατάματα. Το τζάμι είχε ραγίσει. Μια μεγάλη αράχνη από ραγίσματα, με μια τρύπα απ' το ράμφος του πουλιού στο κέντρο, απλωνόταν απ' τη μεριά του οδηγού. Τριγύρω χαμίνια χαμογελαστά και αργόσχολοι, ένας έξαλλος τροχονόμος, οι κόρνες των περαστικών αυτοκινήτων πιο έντονες λόγω του συμβάντος και σμήνη γλάρων με ανατριχιαστικούς λυγμούς, που του γύρισαν το στομάχι.

Απτόητος ο οδηγός συνέχισε να βρίζει και να απειλεί τους μουσκεμένους ψαράδες της γέφυρας. Ο τροχονόμος έδειξε –ή έτσι, τουλάχιστον, του φάνηκε του Ηλία– σεβασμό στα χαρτιά που του παρουσίασε με απειλητικό ύφος ο μαινόμενος οδηγός. Πέταξε το πουλί οργισμένος στη θάλασσα και μ' ένα μαντίλι σκούπισε τα αίματα. Βοήθησε και η βροχή. Από 'κεί και πέρα όλο «σόρι» και «αφεντέρσινίζ» ήταν. Καταράστηκε στα τούρκικα τα πουλιά, αν και τέτοιο πράγμα δεν είχε ξανασυμβεί, όπως είπε, κι ανηφόρισαν προς το Τεπέμπασι για το Ταξίμ.

«Αυτό, δεξιά, είναι το "Πέρα Παλάς". Εδώ κρατούσε δωμάτιο ο Ατατούρκ...» Πάντα ο Ατατούρκ.

Ο Ηλίας, όσο μπορούσε, παρατηρούσε το κομψό παλιό κτήριο του ιστορικού ξενοδοχείου, σημείο αναφοράς αναπόφευκτο της κοσμοπολίτικης Τουρκίας του μεσοπολέμου. Πάνω απ' όλα, όμως, λαχταρούσε να βγει από το αυτοκίνητο που του έστειλε ο «επί των οικονομικών και άλλων» συνομιλητής του. Τώρα πια τον φαντάζόταν σαν ένα μυστικοπαθή ανατολίτη τυλιγμένο σε νομαδικά κιλίμια, χρωματισμένα στο αίμα των προβάτων.

Πίσω απ' τη βροχή, η Κωνσταντινούπολη ήταν μια γκρίζα, άσχημη πόλη, που γεννούσε απανωτές παραισθήσεις. Μια τέτοια παραίσθηση ήταν πως όλες αυτές οι μολυβένιες θάλασσες με τα καράβια, τα ψάρια, τα χημικά απόβλητα και τα πλήθη απορροφήθηκαν από ένα αχόρταγο σιφόνι. Κι ό,τι απέμεινε ήταν ο έρωτας με μορφή λάσπης και η νοσταλγία των σωμάτων. Φοβήθηκε πως ονειρευόταν σ' όλη τη διαδρομή και ρώτησε τον οδηγό τι ώρα ήταν, για να πει κάτι.

Προχωρημένο μεσημέρι πια, ο Ηλίας Καπνάς έφτασε στο δωμάτιό του. Αμέσως, τράβηξε τις κουρτίνες της μπαλκονόπορτας, για να του φανερωθεί ο Βόσπορος, οι πράσινοι λόφοι της ασιατικής πλευράς καλυμμένοι από σύννεφα, μία απ' τις δύο κρεμαστές γέφυρες που ένωναν τις αντίπαλες όχθες κι ένα μεγάλο, πένθιμο φορτηγό πλοίο, που επέπλεε μέσα στην απόλυτη σιωπή του δωματίου. Ξάπλωσε με τα ρούχα και κοιμήθηκε ως τις πέντε, που σκοτείνιαζε.

Στη ρεσεψιόν τον ειδοποίησαν πως ο κύριος Καπλαντζί θα 'στελνε άλλο αυτοκίνητο, στις οκτώ, να τον πάει στο σπίτι του. Ο πονοκέφαλος έκανε θαύματα, αλλά θα τον προσπερνούσε όπως τόσες φορές. Προτίμησε να περιπλανηθεί στο κέντρο –ή αυτό που κατανόησε σαν κέντρο με τη δυτική άποψη, δηλαδή γύρω απ' την Πλατεία Ταξίμ– και να μην απομακρυνθεί απ' το ξενοδοχείο.

Ακτίνες λέιζερ ή προβολείς, δεν κατάλαβε ακριβώς, διαπερνούσαν την πυκνή χαμηλή νέφωση. Μια ορχήστρα έπαιζε το θέμα της *Καζαμπλάνκα* –«επίδειξη μόδας στον τελευταίο όροφο», του εξήγησε ο θυρωρός– έξω υγρασία, χωρίς να βρέχει ευτυχώς. Όλα έδειχναν πως ο καιρός αγρίευε συμπαθητικά.

Είδε τους σταυρούς στο Ταξίμ. Ο σκοτεινός επιβλητικός όγκος της Αγίας Τριάδας μέσα σε σύννεφα τσίκνας απ' τα κεμπαπτζίδικα και παιδιά που έτρεχαν σαν κατσαρίδες, απειλώντας να του λουστράρουν τα παπούτσια. Προσπέρασε μερικά φωταγωγημένα πιλάφια που λαμποκοπούσαν μες στο αρνίσιο λίπος και βάδισε προς τον πεζόδρομο του πιο φημισμένου δρόμου του Πέρα, την Ιστικλάλ Τζαντεσί. Πέρασε βιαστικός ανάμεσα από μια μικρή αγέλη μεγαλόσωμων πορτοκαλιών σκύλων, προχώρησε βιαστικός, λες και γνώριζε πού πηγαίνει και γιατί. Αφομοίωνε την ιδιότυπη τουρκομπαρόκ αρχιτεκτονική των παλιών κτηρίων, το συνονθύλευμα χαρακτήρων από παραποιημένα αρ ντεκό μέχρι νεοκλασικά ελληνικής εμπνεύσεως μέγαρα με ιωνικούς κίονες, θεατρικά ενσωματωμένους σε πόρτες και μπαλκόνια. Τέλος, κόλλησε στη βιτρίνα του πιο γνωστού «μουχαλεμπιτζίδικου». Ίσως τον τράβηξε η ονομασία –«Σαράι»– ίσως η πολυτελής καθαριότητα που ανάδινε το παλιό αυτό μεγαλοπρεπές τέμενος των γαλακτοκομικών εδεσμάτων. Διάβασε με προσοχή όλη τη λίστα των προκλητικών σπεσιαλιτέ: «ταβούκιοκσου», «κεσκιούλ», «καζάν ντιμπί», «ασουρέ», «μουχαλεμπί», «μαλεμπί»... Έδυσαν στα μάτια του όλες οι αναστολές.

Μπήκε ακολουθούμενος από λευκές ζακέτες που επαναλάμβαναν «μπουγιουρούν» και «εφέντιμ» και δοκίμασε τέσσερα διαφορετικά πιάτα. Γέμισε το μαρμάρινο τραπέζι μισοτελειωμένα μπολ, κουταλάκια και νερά. Πλήρωσε έξι εκατομμύρια κι έφυγε.

Ο ουρανός είχε κατεβεί ακόμα περισσότερο, μπλέχτηκε με το πλήθος, ελέησε μερικούς αναξιοπαθούντες με τα ρέστα απ' το «Σαράι». Μαντιλοδεμένα κορίτσια του θύμισαν ένα άρθρο στον Εκόνομιστ που μιλούσε για την οικονομική συνεισφορά της Σαουδικής Αραβίας στο θέμα «μαντίλα». Πιο εύκολα του βγήκε απ' το μουδιασμένο απ' το γάλα και τη ζάχαρη στόμα η «μαντίλα» ως «μπας ορτουσού». Μάλιστα το είπε δυνατά. Το άκουσε. Δεν το σκέφτηκε. Με τη δική του φωνή: «Μπας ορτουσού». «Ανάθεμά με, τι είναι αυτό...» ψιθύρισε ταραγμένος, προσπαθώντας να το επαναλάβει. Στάθηκε αδύνατον. Ξαναπροσπάθησε. Τίποτα. Καθησυχασμένος τώρα, μπήκε σ' ένα βιβλιοπωλείο και αγόρασε ένα μεγάλο λεύκωμα αφιερωμένο στην αρχιτεκτονική του Μιμάρ Σινάν. Έσφιξε το πακέτο με το λεύκωμα κάτω απ' τη μασχάλη κι ένιωσε ασφάλεια.

Ήταν ακόμα νωρίς κι έτσι προχώρησε για το Ταξίμ, κόβοντας δεξιά σ' ένα μικρότερο δρόμο, γεμάτο απ' τις ίδιες μυρωδιές ψημένου κρέατος, αλλά λιγότερο φωτισμένο. Δε δυσκολεύτηκε να βρει την Αγία Τριάδα πίσω από μια κλειδωμένη αυλόπορτα, μέσα σε μια δική της παντελώς προσωπική νύχτα. Ο Ηλίας Καπνάς δεν πίστευε σε κανένα Θεό, αλλά ήταν πιστός της ιστορίας και της ανθρωπογεωγραφίας. Περισσότερο πίστευε στη διαίσθησή του, που, αυτή τη φορά, του 'δινε μια στενόχωρη πληροφορία μεγεθυμένη στο δεκαπλάσιο απ' ό,τι συνήθως. Την πληροφορία των σιωπών και των αλλοτινών μεγαλείων. Αισθανόταν τους μακάβριους τριγμούς των δαπέδων και των στασιδιών, τη λιπαρή υφή των εικόνων, τη μοναξιά των πολυελαίων, την απουσία ενός εκκλησιάσματος γεμάτου πολυτελείς ψευδαισθήσεις, πιο συντηρητικού απ' όσο θα φανταζόταν κανείς και, απ' την άλλη, κοινωνικού και

353

αφημένου στην ηδυπάθεια μιας νοητής βυζαντινής συνέχειας. Μόνο που οι Άννες Κομνηνές, ατάραχες ως τα γεγονότα του '55, κάπνιζαν βαριά τούρκικα τσιγάρα και μιλούσαν μια εσπεραντική διάλεκτο με κομψά γαλλικά και πολλά ελληνικά, ταξινομημένα συχνά με το συντακτικό των Οθωμανών, αγνοώντας τη φρεσκάδα των αιμάτων των Τούρκων, έτοιμων για όλα ανά πάσα στιγμή. Όσοι πόνταραν στην πιθανότητα της αφύπνισης κάποιων τουρκικών εθνικιστικών φαινομένων δικαιώθηκαν – και υπέστησαν τις συνέπειες. Λίγοι πια οι Έλληνες Κωνσταντινουπολίτες, οι Ρωμιοί της Πόλης, μηρύκαζαν γύρω απ' το Πατριαρχείο τις αναμνήσεις μιας κραταιάς άλλοτε ελληνικής κοινότητας.

Γέμισε ο σβέρκος του νιφάδες χιονιού. Χιόνιζε κανονικά. Μεγάλες ήρεμες νιφάδες που, αν συνέχιζαν έτσι, σε λίγο όλο αυτό το πηχτό σκοτάδι θα χανόταν κάτω απ' τη λευκότητα που θα αντανακλούσε όλα τα πρόστυχα φώτα των φαγάδικων και των πάγκων με τις πειρατικές κασέτες και τις μπανάνες, που οι Τούρκοι τις διαλαλούσαν ως «μουζ».

Ένας άλλος οδηγός, σοβαρός και πολύ ευγενικός, ήρθε να τον παραλάβει στις οκτώ και τέταρτο. «Αφεντέρσινίζ, φακάτ τσοκ τράφικ». Αμέσως, όμως, αντιλήφθηκε ότι ο ξένος κύριος δε γνώριζε τη γλώσσα του και άντε ξανά τα ιδιόρρυθμα εγγλέζικα. Ο ξένος δε μιλούσε. Ξερόβηχε. Αυτό ήταν όλο κι όλο το σχόλιό του στην προθυμία του οδηγού να εξηγεί βασικά μνημεία, όπως το παλάτι του Ντολ-

μά Μπαχτσέ, το Τσιραγκάν Πάλας, το στάδιο Ινονού, ό-
που προχθές έφαγε τα μούτρα της η «Μπεσίκτας».

Οδηγούσε προσεχτικά, γιατί είχε αρχίσει να το στρώ-
νει κι ο δρόμος ήταν διπλής κατεύθυνσης. Χιόνιζε συνέ-
χεια και στο ράδιο μια Τουρκάλα υψίφωνος ερμήνευε ένα
απ' τα *Τραγούδια για τα νεκρά παιδιά* του Μάλερ, με την
Ορχήστρα της Κρατικής Ραδιοφωνίας. Ο οδηγός δεν τολ-
μούσε να μετακινήσει τη βελόνα. Ο σταθμός θα είχε επι-
λεγεί από τον ίδιο τον Καπλαντζί.

Ο Ηλίας Καπνάς απολάμβανε τη διαδρομή, το χορό
των νιφάδων, τον Βόσπορο νυχτωμένο να αστράφτει ξαφ-
νικά από κάποιο μαύρο καράβι που τον διέσχιζε ολόφωτο,
την τρυφερότητα του δέρματος των καθισμάτων που μύ-
ριζαν ακριβό καπνό.

«Τούτο είναι το Μπεμπέκ...»

Θυμήθηκε τα γλυκά της Χαρίκλειας Κρουπ, αλλά ο ο-
δηγός βρήκε ανοιχτό το φανάρι και πέρασε γρήγορα. Βια-
ζόταν να φτάσει. Έκαναν αριστερά σ' έναν ανηφορικό δρό-
μο με καλοβαλμένα σπίτια, που, όσο ανέβαιναν, τα διαδέ-
χονταν φράχτες με πυκνά αειθαλή φυτά.

Πέρασαν μια σιδερένια πύλη, σταμάτησαν μπροστά σ'
ένα φυλάκιο όπου δύο ένστολοι σημείωσαν την ώρα άφι-
ξης του αυτοκινήτου και συνέχισαν μέσα απ' το χιόνι που
ακόμα ήταν μαλακό. Το 'χε στρώσει εδώ πάνω. Ύστερα
φανερώθηκε ένα φωταγωγημένο ανάκτορο με κολόνες λευ-
κές, με κομψά μπαλκόνια, άπειρα παράθυρα που θύμιζαν
«Μέιφερ» στο Λονδίνο, πόρτες, σκάλες μαρμάρινες και
την τουρκική σημαία να κυματίζει ελαφρά στο κοντάρι

της, πάνω ακριβώς από την κεντρική είσοδο, σαν να 'ταν κυβερνητικό κτήριο. Εκτός και ήταν. Που δεν ήταν.

Τον υποδέχθηκε ο ίδιος ο Καπλαντζί, πάνω κάτω στην ίδια ηλικία με τον Ηλία, καλοστεκούμενος, λεπτός, με μαύρα μάτια εκ φύσεως λυπημένα, αλλά με γρήγορους ρυθμούς. Το χιόνι σκέπαζε τον κήπο.

«Να η πραγματική ομορφιά, λοιπόν...» αναφώνησε. Κι αμέσως άρχισαν να ανακατεύουν γαλλικά, αγγλικά και γερμανικά.

«Ξέρω ότι υπάρχει γενικώς μια δυσπιστία για τους Τούρκους, κύριε Καπνά... Μη φοβάστε, το σπίτι αυτό είναι βαμμένο με κανονικά χρώματα. Το "ρουζ αγγλαί" στη βιβλιοθήκη δεν είναι από αίμα...» Διασκέδαζε να ξαφνιάζει με κάτι τέτοια τον επισκέπτη του, που δεχόταν ευχάριστα, ανέλπιστα ευχάριστα, τα παιχνιδάκια του Τούρκου επιχειρηματία.

Το σπίτι ήταν πιο εντυπωσιακό απ' ό,τι έδειχνε το περιοδικό. Του το 'πε σαν φιλοφρόνηση. Ο Καπλαντζί του έδειξε τη θέα απ' το μεγάλο μπαλκόνι του σαλονιού:

«Θα κρυώσουμε, αλλά νομίζω ότι αξίζει τον κόπο».

Άξιζε. Και το κρύο, κρύο. Και το χιόνι πιο πυκνό. Μέσα από τη διαφάνεια των νιφάδων, ο Βόσπορος· και απέναντι η Ασία, ν' απλώσεις το χέρι να την αγγίξεις.

«Έχει κάτι το διεγερτικό...» είπε ο Καπνάς.

«Έτσι θαρρώ. Κι απ' την άλλη, κάτι που σε κάνει να θες να κλειστείς για πάντα εδώ μέσα, παραιτημένος απ' όλα... Έχετε παιδιά;»

«Δεν έχω. Δυστυχώς, πίσω μου σέρνω δύο αποτυχη-

μένους γάμους. Είστε πολυγαμικός, κύριε Καπλαντζί;»
πέρασε στην αντεπίθεση, κατάπληκτος κι ο ίδιος από την
αγένειά του.

«Εννοείτε αν διατηρώ χαρέμι για να εξάπτω τη φαντασία των Δυτικών; Όχι. Η σύζυγός μου είναι Καναδέζα
και εξάπτει, αντιθέτως, τη φαντασία των ομοθρήσκων
μου. Τώρα λείπει στο Τορόντο και είναι κρίμα, γιατί και
η Ιστανμπούλ απόψε έχει κάτι το καναδέζικο». Το ξανασκέφτηκε. «Δεν έχει καμιά δουλειά ο Καναδάς μ' αυτήν
εδώ την ιεροτελεστία...» αναστέναξε λίγο μελαγχολικός
και άναψε ένα πούρο, σαν να 'θελε να ξορκίσει τη θλίψη
του. Που δεν ήταν θλίψη, αλλά μια πτυχή της ανατολίτικης διάθεσής του να παίξει τούτη τη βραδιά του χιονιού με
τον «γκιαούρη» απέναντί του.

«Δε ρωτώ καν αν σας ενοχλεί ο καπνός... Ακόμη αυτές
οι διακρίσεις εις βάρος των καπνιστών δεν έφτασαν ίσαμε
εδώ. Και μάλλον θ' αργήσουν, κύριε Καπνά. Το ξέρετε
πως έχω δημιουργήσει ένα μικρό μουσείο χρηστικών μαγειρικών εργαλείων της Οθωμανικής αυτοκρατορίας μέσα
σε μια εκκλησία; Μια εκκλησία χωρίς σκεπή, βυζαντινή –
ή, τουλάχιστον, έτσι μας βόλεψε να τη χαρακτηρίζουμε.
Δε σας σοκάρω;»

Ο Ηλίας Καπνάς δεν είχε όρεξη ν' ανοίξει συζητήσεις
για τον αθεϊσμό του, δεν ήταν και γνώστης των περιουσιακών στοιχείων του Πατριαρχείου, δεν ήξερε πολλά. Για
να κατασκοπεύσει, κατά κάποιο τρόπο, τον Τούρκο επιχειρηματία βρισκόταν εδώ. Για άλλα πράγματα, όμως.

Ένας ηλικιωμένος υπηρέτης ανήγγειλε πως «όλα ήταν

357

έτοιμα» και αποχώρησε αθόρυβα. Πέρασαν στην τραπεζαρία, αφού διέσχισαν το τεράστιο σαλόνι με τα δύο τζάκια που καταβρόχθιζαν κούτσουρα, κροταλίζοντας από ευχαρίστηση.

«Λατρεύω τη φωτιά... Και να σκεφθείτε πως η Ισταν-μπούλ έχει δεινοπαθήσει από πυρκαγιές...» σχολίασε ο Καπλαντζί.

«Ναι, το 'χω διαβάσει...»

«Φοβάμαι ότι οι Έλληνες φίλοι δεν ξέρουν τίποτα για μας, κύριε Καπνά, πέρα απ' τις "βαρβαρότητές μας", που κατά καιρούς ανησυχούν τους Ευρωπαίους φίλους μας. Είστε επηρμένος και φωνακλάς λαός, με μια αρρωστημένη εμμονή στα ιστορικά σας δίκαια. Έτσι δε λέτε; Και, απ' την άλλη, χρησιμοποιείτε το χριστιανισμό σαν χημειοθεραπεία. Σας φθείρει η αλόγιστη χρήση του, αλλά επιμένετε ότι καταπολεμάτε τον καρκίνο... Με συγχωρείτε. Γιατί σας τα λεω όλα αυτά, όταν υπάρχει ένα στρωμένο τραπέζι;»

Ο Ηλίας μπερδεύτηκε μπαίνοντας στην τραπεζαρία. Πάνω ακριβώς απ' το οβάλ τραπέζι, ένας πολυέλαιος με πραγματικά κεριά φώτιζε το χώρο μ' ένα θερμό, γλυκό φως ζωγραφιστού δειλινού. Μουσειακά κομμάτια, από Ιζνίκ καράφες και πορσελάνες ανόμοιες αλλά αρμονικά ταιριασμένες μεταξύ τους συνέθεταν μια ενδιαφέρουσα φαντασμαγορία. Κάποια στιγμή πίστεψε πως τα φαγητά περιέκλειαν τα σερβίτσια, έτσι πολύπλοκα όπως απλωνόταν μπροστά του εκείνη η πανδαισία, που διακοπτόταν από μεγάλα μπολ γεμάτα άσπρα και κίτρινα τριαντάφυλλα, ολόφρεσκα.

«Πιράσα τσορμπασί ιλά μπασλαγιατζάουζ. Αφιγιέτ ολσούν. Καλή όρεξη, με πρώτο πιάτο σούπα από ταπεινά πράσα. Είναι η αγαπημένη μου σούπα. Ας μαλακώσουμε λίγο το λαιμό και την καρδιά μας! Πιοτό μετά». Εννοείται πως ο Ηλίας Καπνάς δεν ανέφερε πως σιχαινόταν τα πράσα. Συμμερίστηκε την όρεξη του Καπλαντζί κι άδειασε γρήγορα όλο το πιάτο. Η σούπα ήταν εξαιρετική και το πράσο, επεξεργασμένο με μαστοριά, της είχε δανείσει ανάλαφρα μόνο το άρωμά του. Αμέσως μόλις τα ασημένια κουτάλια κουδούνισαν στη λεπτή πορσελάνη Σεβρών του πιάτου, ο ηλικιωμένος υπηρέτης έφερε μια μεγάλη κρυστάλλινη καράφα με μαύρο κρασί, ενώ, πίσω του, δύο ασπροντυμένοι νέοι άντρες, με ποδιές και μαγειρικούς σκούφους και χαμηλωμένο το βλέμμα, μετέφεραν ένα γιγαντιαίο δίσκο σκεπασμένο μ' ένα τετράγωνο μεταλλικό κάλυμμα.

«Τώρα θα βγει στην επιφάνεια η νομαδική μας καταγωγή», φώναξε ο Τούρκος. «Μη σας ξεγελά το σκεύος. Πρόκειται για φαγητό της Ανατολίας. Μια παμπάλαια σπεσιαλιτέ των προπαππούδων μου. Κομμάτια αρνιού με λίπος, ρύζι, χοντρό αλάτι, μαύρο πιπέρι και μοσχοκάρυδο, ψημένα σε πήλινα κιούπια μέσα στη χόβολη. Σε μια σκαμμένη γούβα μέσα στη γη».

Σήκωσε το βαρύ τετράγωνο καπάκι του δίσκου κι ευώδιασε το δωμάτιο απ' το φαγητό. Κάθε σπυρί απ' το ρύζι έμοιαζε σαν δοντάκι πεντάχρονου παιδιού. Τόσο καλά γκλασαρισμένο απ' το αρνίσιο πάχος. Και στο κέντρο της πιατέλας, ολόκληρο, το μυαλό του ζώου, σαν μακέτα σμπαραλιασμένου σκαραβαίου Φολκσβάγκεν και, εκατέρωθεν, οι βολβοί των ματιών του απορημένοι.

Ο Ηλίας έμεινε άφωνος. Αυτό, άλλωστε, επιζητούσε κι ο άλλος. Σέρβιρε μόνος του το κρασί και, σηκώνοντας πρώτος το ποτήρι, ευχήθηκε στα τουρκικά:

«Σερεφινιζέ... Χόσγκελντινίζ...» Και ξανά: «Αφιγιέτ ολσούν...» Καλή όρεξη!

Το κρασί ήταν βαρύ όσο έπρεπε για να συνοδεύσει το φαγητό-«χειροβομβίδα», όπως το κατάλαβε ο Ηλίας. Μόνο που η γεύση είχε περισσότερη σοφία από όσο υπέθεσε. Ήταν μια δοκιμασμένη, σοφή συνταγή, που το μαύρο κρασί την ανέβαζε στο κεφάλι τελετουργικά, ενώ ηχούσαν χιλιάδες τύμπανα πολεμικά που διέλυαν τις αισθήσεις σ' άλλες, ουσιαστικότερες και πιο θεαματικές απ' τις πέντε.

Έτρωγαν αμίλητοι. Μόνο όταν έφερναν τα ποτήρια στα χείλη, που έσταζαν λίπος, κοιτάζονταν στα μάτια μ' ένα θριαμβευτικά ερωτικό τρόπο.

«Μέσα στο ρύζι λιώνουμε τα αρχίδια του ζώου μαζί με αλάτι και πιπέρι», διέκοψε τη σιωπή ο Τούρκος.

«Μου αρέσει που επαναπροσδιορίζετε την ιστορία σας», γέλασε ο Ηλίας ελαφρά ζαλισμένος.

«Είναι απαραίτητο στους καιρούς μας. Δε νομίζετε;» απάντησε ο οικοδεσπότης, αποκαλύπτοντας μια βαθύτερη πιατέλα με δροσερές καρδιές μαρουλιών, κρεμμυδάκια φρέσκα και ραπανάκια. Για να φρεσκάρουν το στόμα, αν ήθελαν, προτού περάσουν στα γλυκά.

Ο Ηλίας δάγκωσε ένα σφιχτό, καυτερό ραπανάκι.

Κι έπειτα ήρθε ο μπακλαβάς, με φύλλα χρυσού λιωμένα πάνω από την κρουστή του επιφάνεια. Χρυσός αληθινός, ίσα ίσα να φωτιστεί σαν μια θεσπέσια σελήνη ταψιού ο μπακλαβάς εκείνος του Τούρκου μεγιστάνα της φαντασίας. Έτσι του καρφώθηκε του Ηλία τούτη η τρέλα. Και μαζί χαλβάς ξανθός, με φωλιές κανέλας και καβουρντισμένου φουντουκιού. Κι ένα βάζο ροδοζάχαρη. Βάζο σε μια αχνή, αχνότατη απόχρωση του σιελ, απ' τα εργαστήρια του Μουράνο. Και η ροδοζάχαρη, από τριαντάφυλλα μερακλίδικων μπαξέδων. Ίσως ένας μπαξές, απ' τους ελάχιστους με μποστανικά και τέτοιες ράτσες τριαντάφυλλων κατά μήκος του Βοσπόρου, να έδωσε το περίτεχνο αυτό γλυκό, που σερβιρίστηκε σε δαντελωτά ασημένια πιατάκια με το μονόγραμμα του σουλτάνου Αμπντούλ Χαμίτ του Δεύτερου.

Έφεραν κι άλλη καράφα μαύρο κρασί. Όμως αρκετά... Θα έπιναν καφέ στη βιβλιοθήκη με τους δύο αναπαυτικούς δερμάτινους καναπέδες και θα συζητούσαν. Ο Ηλίας φοβήθηκε πως είχε νικηθεί κατά κράτος απ' τον Τούρκο σε τέτοιο βαθμό, ώστε ο συνομιλητής του να απαξιοί να πιάσει μαζί του κουβέντα για το ενδεχόμενο συνεργασίας με την ελληνική πλευρά. Είχε ξεπεράσει κάθε τυπικότητα, γελούσε με τον απαράμιλλο τρόπο του οικοδεσπότη να εξιστορεί τις γεύσεις της τουρκικής κουζίνας, τα ελαττώματα ή τα προτερήματα της φυλής του, την πολιτική αστάθεια, που, ώρες ώρες, επαύξανε την προσήλωση του κόσμου στον τουρκουάζ μύθο του Ισλάμ, την ηδονιστική αντίληψη των πάντων, ισορροπημένη ωστόσο με αυτό που εκείνος αποτύπωνε σαν ασκητική πρόκληση, πάντα με μια διπλωματική ειρωνεία. Επικαλούνταν τους νομάδες Τούρκους προγόνους του συνεχώς, χωρίς να αποκλείει το ενδεχόμενο κάποιων κρυφοχριστιανών συγγενών ή μιας γιαγιάς Καππαδόκισσας, διχασμένης ανάμεσα στον έρωτα για το βάρβαρο κατακτητή και τη βλοσυρή ευσέβεια της οικογένειάς της.

«Κι εσείς, κύριε Καπλαντζί;»

«Ααα, εγώ.. Εγώ είμαι επιχειρηματίας που αρέσκεται και στον τίτλο του "Αζίζ", που θα πει στη γλώσσα μας "Άγιος". Μην απορείτε. Στην Τουρκία οι άγιοι δεν είναι απαραίτητο να διαφωνήσουν με τις αρχές για να αγιάσουν. Όχι όλοι. "Αζίζ" μπορεί να είναι κι ένας τραγουδιστής, ό-πως ο Ζεκί Μουρέν ή ο Σερτσέ, αν τους έχετε ακουστά. Και οι δύο έχουν νομιμοποιηθεί και αγιάσει απ' το λαό, αν και απροκάλυπτα θηλυπρεπείς...»

Ο Ηλίας είχε ακουστά το θρύλο της Τουρκίας Ζεκί Μουρέν, αλλά για τον Σερτσέ, τον «Αζίζ Σερτσέ», όπως τον ονόμαζαν λόγω των αγαθοεργιών του, δεν μπορούσε να θυμηθεί τίποτα.

«Η θηλυπρέπεια αυτού του είδους, κύριε Καπνά, περ-νούσε στο λαό σαν λανθάνουσα μητρότητα, όσο γελοίο κι αν ακούγεται. Και οι δύο ήταν ευαίσθητοι άνθρωποι, που τελικά ξεπέρασαν τα όριά τους κι έγιναν, ας πούμε, κάτι σαν πέμπτο φύλο».

Ο καφές ήταν βαρύς, μυρωδάτος και σαφώς «τούρκικος». Το πούρο του Καπλαντζί ενεργοποιούσε τις δερμάτινες ρά-χες των βιβλίων. Το ένιωσε αυτό κι ανησύχησε μήπως ξε-χυθούν ποιήματα ερωτικά κυρίως, συνονθύλευμα περσικών, αραβικών και παλιών τουρκικών λέξεων για τον πόθο. Μια ανόητη σκέψη... Ήταν βέβαιος πως στο δωμάτιο με τις βιβλιοθήκες που κάλυπταν απόλυτα τους τοίχους απ' άκρη σ' άκρη δεν υπήρχε ούτε ένα βιβλίο περί οικονομίας.

«Να, λοιπόν, μια σφηκοφωλιά του πάθους. Του ερωτικού πάθους...»

Τα μάτια του Τούρκου φωτίστηκαν. Του άρεσε ο Έλληνας που αφηνόταν να παρασυρθεί απ' τη φαντασία του.

«Έχετε δίκιο... Κι αν δεν σας ταλαιπωρώ, ελάτε μαζί μου να σας δείξω τις μινιατούρες μου. Ίσως να σόκαραν ένα μουσουλμάνο, αλλά εσείς, οι χριστιανοί Έλληνες, είστε πιο ανεκτικοί. Τι κρίμα που απαρνηθήκατε το Δωδεκάθεό σας, που φώτισε την καλύτερή σας περίοδο, την αρχαιότητα, για έναν άλλο Θεό, γεμάτο ενοχές για την ερωτική πράξη! Παρ' όλα αυτά, όταν παρατηρώ τις χωρίς προοπτικό βάθος βυζαντινές εικόνες, συναρπάζομαι απ' τους στρατιωτικούς αγίους σας...»

«Εννοείται τους Αγίους Θεοδώρους...»

«Και αυτούς. Τους θεωρώ κατ' εξοχήν πολεμιστές του έρωτα – και, σας παρακαλώ, μην αρχίσετε τα τετριμμένα ότι η πίστη είναι έρωτας και τα παρόμοια... Ο έρωτας είναι έρωτας σκέτος!» Το είπε με θυμωμένη φωνή, που γρήγορα μαλάκωσε. «Ελάτε, και σας ευχαριστώ που δε με διακόπτετε. Ίσως σας φαίνομαι απαίσιος...»

Δε συνέχισε. Προχώρησαν σ' ένα διάδρομο με χαμηλό φωτισμό, για να περάσουν σ' ένα μακρόστενο δωμάτιο ντυμένο με πράσινο βελούδο. Δεν υπήρχαν έπιπλα. Μόνο εκατόν πενήντα μινιατούρες της παλιάς οσμανλίδικης περιόδου. Οι πιο πρόσφατες ήταν από τα χρόνια του Σουλτάνου Μουράτ του Τρίτου, που κυβέρνησε την αυτοκρατορία απ' το 1574 ως το 1595, εξήγησε ο Καπλαντζί.

Σε όλες επικρατούσε το πορφυρό, το κίτρινο του κρόκου, το βιολετί και το μπλε. Με πολύ χρυσό. Όλες τους σχεδόν με παραστάσεις ερωτικές, εκτός από μερικές που είχαν θέμα την εθιμοτυπία του Τοπ Καπού και τους τεμενάδες των βεζίρηδων και των πασάδων μπροστά στον Παντισάχ, που διακρινόταν απ' το μεγάλο λευκό σαρίκι και την πολυτέλεια του καφτανιού του. Οι ερωτικές μινιατούρες, που είχαν φιλοτεχνηθεί κρυφά κατά παραγγελία των ίδιων των Σουλτάνων και κάποιων τολμηρών γυναικών του χαρεμιού, παρίσταναν εραστές κάτω από ανθισμένους ουρανούς, δίπλα σε καταρράκτες με χρυσά νερά και κόκκινα χελιδονόψαρα. Βρίσκονταν σε έκσταση ερωτική, αγκαλιασμένοι, συχνά ολόγυμνοι. Καμιά σχέση με την ξέφρενη ινδική απεικόνιση του τουριστικού Κάμα Σούτρα. Οι ερωτικές μινιατούρες του Καπλαντζί διατηρούσαν μια θλιμμένη νοσταλγία για την αγάπη, που ήταν ολοφάνερη στα σώματα των εραστών και στο γεωμετρικό τοπίο.

Τις παρατηρούσαν σιωπηλοί, με μάτια λαμπερά από δάκρυα θαυμασμού. Θαυμασμού για τον έρωτα που αποτυπώθηκε πριν από πεντακόσια περίπου χρόνια – ενός έρωτα γεμάτου αρετές, μελαγχολία και επίγνωση του φθαρτού. Ήταν, όμως, έρωτας. Και οι δύο μεσήλικοι άντρες καταλάβαιναν πολύ καλά τη συγκίνηση που νότιζε το ζωγραφισμένο χαρτί από το μοναδικό χνάρι της αγάπης.

«Αυτό τι είναι;» έσπασε τη σιωπή ο Ηλίας. Κάτω κάτω, σε μια μινιατούρα, ένας νέος άντρας με απελπισμένη έκφραση, πολύ σχηματική βέβαια, προσπαθούσε να απελευθερωθεί από το βρόχο που του είχε περάσει στο λαιμό ένας μαύρος πολεμιστής. Τα μάτια του ήταν καρφωμένα σ' ένα παράθυρο με ανοιχτογάλανο ορίζοντα. Εκεί στεκόταν μια γυναίκα μισόγυμνη, το ίδιο απελπισμένη.

«Τον στραγγαλίζουν...» είπε ο Καπλαντζί. «Τότε ίσχυε η αδελφοκτονία, την οποία μάλιστα θεωρούσαν απολύτως λογική και χρήσιμη. Τους πρίγκιπες αδελφούς του Σουλτάνου συνήθως τους περίμενε αυτή η μοίρα, αγαπητέ κύριε Καπνά. Υπερβολές της εξουσίας... Γιατί σας κάνει εντύπωση;»

«Η απελπισία του νέου άντρα...» ψέλλισε ο Ηλίας με στεγνό λαρύγγι.

«Ναι, αυτός συγκεκριμένα... Μια στιγμή...» Ο Καπλαντζί φόρεσε τα γυαλιά του κι έσκυψε πιο κοντά στη μινιατούρα. «Είναι ο Τοπάλ Γιλντίζ. Το Κουτσό Άστρο. Ο πρίγκιπας Τοπάλ, που θα πει κουτσός. Ανάπηρος από παιδί. Κι ενώ δεν είχε σπουδαίες ελπίδες να διεκδικήσει το θρόνο, δεν τον εξαίρεσε το τυπικό του σαραγιού. Ήταν συγγενής του Μουράτ του Τρίτου. Βλέπετε; Φορά κάποιο βοηθητικό μεταλλικό πόδι. Είναι όμως ερωτικό έργο, αφού ο θάνατος τον πέτυχε με την αγαπημένη του...»

Ο Ηλίας γονάτισε μπροστά στη μινιατούρα, για να παρατηρήσει καλύτερα το «Κουτσό Άστρο».

«Η ιστορία των Οσμανλήδων είναι γεμάτη από δολοφονίες αυστηρά οικογενειακού χαρακτήρα. Γιατί σας κάνει εντύπωση;»

«Το πόδι του... και η ομίχλη...»

«Εννοείτε αυτό το ελαφρύ λευκό πέπλο που πλανάται δίπλα στον Τοπάλ Γιλντίζ; Πρώτη φορά το παρατηρώ, έχετε δίκιο. Μοιάζει με ομίχλη, που μάλλον οφείλεται στον υπερβάλλοντα ζήλο του καλλιτέχνη».

«Όχι... Θέλω να πω ότι αυτός ο πρίγκιπας...»

«Αυτός ο πρίγκιπας είναι ένα από τα θύματα της εξουσίας. Μάλιστα ο θρύλος τον θέλει να μην αποδέχεται τη μοίρα του και να καταριέται όλους τους απογόνους του Οσμάν με φοβερές κατάρες και οργή. Ένας Εγγλέζος ιστορικός έχει γράψει ένα κεφάλαιο γι' αυτόν με τίτλο "Θα ξαναγυρίσω..." ή κάπως έτσι, σε μια μονογραφία της περιόδου του Μουράτ του Τρίτου.

«Για εκδίκηση...»

«Κι εγώ, στη θέση του, το ίδιο θα έκανα αν με διέκοπταν σε μια τόσο ενδιαφέρουσα ερωτική συνεύρεση...»

«Γύρισε ποτέ;»

Η ερώτηση ακούστηκε κούφια μέσα στο βελουδένιο δωμάτιο με τις μινιατούρες.

«Ελπίζω πως όχι. Ή, κι αν γύρισε, θα πρέπει να το ξέρουν μόνο όσοι ξέμειναν απ' τα σόγια των Σουλτάνων. Μάλλον όμως αυτή η επιστροφή του καημένου του Τοπάλ Γιλντίζ θα ήταν φοβερά δύσκολη, κύριε Καπνά. Είστε καλά;»

«Ναι, είμαι...»

«Ελάτε να δούμε το χιόνι. Το 'στρωσε... Πάμε να περπατήσουμε στον κήπο. Λίγο κρύο θα μας κάνει καλό. Τουλάχιστον οι δικοί μου πρόγονοι της στέπας θα το ενέκριναν...»

Ο Ηλίας Καπνάς, μη μπορώντας να τραβήξει τα μάτια του απ' τη φιγούρα του ετοιμοθάνατου Τούρκου πρίγκιπα, σηκώθηκε τρικλίζοντας.

«Ζαλιστήκατε; Ίσως το κρασί. Είναι δικής μου παραγωγής, από τα αμπέλια της Ανατολικής Θράκης», είπε ο Καπλαντζί ανήσυχος για τον Έλληνα καλεσμένο του που έδειχνε ξαφνικά να τα 'χει χαμένα.

«Το ξέρω πως η Ανατολική Θράκη ήταν μια ακόμα δυστυχισμένη στιγμή της ιστορίας σας, αλλά, αν πάμε έτσι, θα είμαι αναγκασμένος να απολογούμαι ακόμα και για τις αναπνοές μου...» γέλασε ο Τούρκος.

«Όχι, δεν είναι αυτό. Δε φταίει το κρασί... Φταίει που η μέρα μου ήταν φορτωμένη με τόσες εντυπώσεις...» Ο Ηλίας ξαναβρήκε το χρώμα του και την ισορροπία του: «Ας πάμε στον κήπο... Στην Αθήνα δε βλέπουμε τακτικά χιόνι. Ναι, θα είναι όμορφα εκεί έξω...»

Ήταν όμορφα. Ο κήπος φωτιζόταν από το χιόνι, που είχε προφτάσει να σκεπάσει τα δέντρα και τα καλοσχεδιασμένα παρτέρια με τα ανθισμένα χρυσάνθεμα. Τώρα όλα ήταν άσπρα. Μόνο άσπρα.

«Θα ήταν ωραία να ξεκινούσε η ζωή μας από απόψε», αναστέναξε ο Τούρκος επιχειρηματίας.

Ο Ηλίας δεν απάντησε. Κατάπινε μ' ευγνωμοσύνη μεγάλες μπουκιές απ' τον παγωμένο αέρα της πρώτης του νύχτας στην Ιστανμπούλ.

Το χιόνι σκέπασε τις γέφυρες, τους δρόμους, τα ψαράδικα που ξενυχτούσαν, τα αυτοκίνητα, τα καράβια. Χιόνιζε ασταμάτητα όλο το βράδυ. Ήρθε νωρίς το χιόνι φέτος στην

Πόλη κι έπεσε μπόλικο. Άσπρισαν τα απορημένα στόματα των ψαριών στο Καράκιοϊ. Το ίδιο και τα μουστάκια των πωλητών που έπιναν σαλέπι και τσάι, απτόητοι μπροστά στην πραμάτεια τους, περιμένοντας τους πρώτους πελάτες, που ωστόσο θα δυσκολεύονταν να αφήσουν τη ζεστασιά του κρεβατιού.

Του πρόσφεραν τσάι. Μπορεί να ήταν και ο πρώτος πρωινός πελάτης τους. Προτίμησε το σαλέπι, καυτό κι αρωματικό όσο πρέπει για το παγωμένο ξημέρωμα. Από τα μεσάνυχτα περιπλανιόταν. Δηλαδή αφότου έφυγε απ' το σπίτι του Καπλαντζί, χωρίς να ξέρει πού πάει και τι θέλει, πού θα τον βγάλουν οι δρόμοι, έρημοι τέτοια ώρα και λόγω του χιονιού, με τα παπούτσια υγραμένα χειρότερα απ' τα μάτια και τη μύτη. Δεν του πέρασε απ' το νου ο ύπνος. Ξέχασε και το ξενοδοχείο και το λόγο του ταξιδιού. Προτίμησε τους δρόμους, κι ας ήταν έτσι γλιστεροί κι απρόβλεπτοι.

Όταν τον βόλευε, έπαιρνε ταξί. Σιωπηλοί συνήθως οι ταξιτζήδες, υπάκουαν στα ασαφή νοήματα «συνέχισε», «σταμάτα». Ένας μόνο ενδιαφέρθηκε να ρωτήσει: «Μεμλεκέτ;» Ποια ήταν η πατρίδα του; Δεν κατάλαβε. Σήκωσε τους ώμους μ' ένα διφορούμενο χαμόγελο, που ο οδηγός το σεβάστηκε.

Συνέχισαν με χαμηλή ταχύτητα, παραλιακά, για να καταλήξουν στο Καράκιοϊ. Εκεί κατέβηκε ανασαίνοντας όσο μπορούσε πιο προσεχτικά το χιονιά. Ελάχιστοι οι διαβάτες, χωμένοι ως τ' αυτιά στους γιακάδες τους, τρύπωναν βιαστικά στα καφενεία και τα πατσατζίδικα. Είδε στις θολωμένες βιτρίνες να τεμαχίζουν μπουγάτσες και «σου» μπουρέκια, ένα είδος μπουρεκιού με γάλα, αυγά και τυρί, τυλιγμένου σε μαλακά φύλλα ζύμης, που ψηνόταν με μαεστρία στο νερό.

Τα φεριμπότ και τα καράβια, που πηγαινόφερναν τον κόσμο απ' την ασιατική μεριά στη δώθε, την ευρωπαϊκή, είχαν ξεκινήσει τις διαδρομές τους. Μέσα σε δευτερόλεπτα χάνονταν, σφυρίζοντας μέσα στην ομίχλη. Κι άλλα εμφανίζονταν απ' το πουθενά.

Αγόρασε δύο κιλά σαρδέλες, μόνο και μόνο για να ενθαρρύνει τον ψαρά που του πρόσφερε το σαλέπι. Ύστερα προχώρησε στο δεξί στενό πεζοδρόμιο της γέφυρας του Γαλατά, που θα είχε και είκοσι πόντους χιόνι. Το «χρυσούν κέρας» ήταν τυλιγμένο στην ίδια κρεμώδη ομίχλη με τον Βόσπορο κι ακόμα πιο πηχτή. Ωστόσο, κάποιοι είχαν στερεώσει στο κιγκλίδωμα τα καλάμια τους και ψάρευαν καπνίζοντας, σαν ένα οποιοδήποτε πρωινό. Φαντάστηκε πως αυτές τις ώρες, που ήταν προφυλαγμένοι απ' την αδιακρισία των πολλών, θα ανέσυραν απ' το βυθό του Κερατίου εγκόλπια, μήτρες και ποιμαντορικές ράβδους, όλα μετασχηματισμένα από αιώνες σε ψάρια με χρυσά λέπια και βράγχια από μεταξωτά, ασημοκεντημένα φελόνια. Μπορεί και αφρόψαρα με απαλό δέρμα γυναικών τιμωρημένων για λόγους ερωτικής πλήξης από Οθωμανούς άρχοντες. Όπως και να 'ταν, σκέφτηκε, τα ψάρια εδώ ήταν μολυσμένα από τους οχετούς της ιστορίας, που χύνονταν σ' αυτές τις θάλασσες, συντηρημένοι καλά σε ματωμένο αλάτι, ακριβώς σαν τα θαυμαστά παστά της περιοχής.

Στάθηκε κάπου στη μέση της γέφυρας και, χώνοντας το χέρι στη σακούλα με τις σαρδέλες, άρχισε να τις πετά λίγες λίγες στο νερό, «να ταϊστούν οι βυζαντινές ζαργάνες και τα αυτοκρατορικά σκουμπριά».

Τα είπε φωναχτά αυτά τα λόγια και σ' έναν τόνο που τον ανησύχησε με την επισημότητά του. Πάντως του άρεσε το ενδεχόμενο να κυκλοφορούν ψάρια με ιστορική συνείδηση κάτω απ' τα πόδια του, που θα έτρωγαν τις σαρδέλες του. Όμως τον πρόλαβε ένα σμήνος φρεσκοξυπνημένων γλάρων, με οιμωγές βουλιμίας. Βούτηξαν κάθετα στα μαύρα νερά κρώζοντας –θυμόταν από τους εφιάλτες του αυτές τις πολεμικές κραυγές– και μετά ανυψώθηκαν πάλι βιαστικά, κάνοντας γύρους απειλητικούς πάνω απ' τα φανάρια της γέφυρας.

Σήκωσε το γιακά του, λες και θα τον αναγνώριζαν ύστερα από τόσο καιρό εκείνοι οι γλάροι. Και, σκουπίζοντας όπως όπως το λερωμένο χέρι στη φόδρα της τσέπης, συνέχισε προσεχτικά την πορεία του προς την απέναντι μεριά του Εμίνονου, με την καρδιά να χτυπά σαν τρελή.

Λεωφορεία, μικρά φορτηγά και κυρίως ταξί «ντολμούς», δηλαδή ταξί με πολλούς επιβάτες που πλήρωναν φθηνότερα το αντίτιμο της διαδρομής, διέσχιζαν αργά τη γέφυρα, σχηματίζοντας στις άκρες της μικρές λίμνες από λιωμένο βρόμικο χιόνι. Ταξίδευαν στα τυφλά, μέσα στην πυκνή ομίχλη, υποταγμένα στο ένστικτο. Κι εκείνος άκουγε μια την καρδιά του κάτω απ' τη σκούρα γραβάτα να τρελαίνεται και μια το μεταλλικό κρότο ενός ανάπηρου βηματισμού να τον ακολουθεί, συντονισμένος στο δικό του ρυθμό.

Δεν έστρεψε το κεφάλι να δει. Συνέχισε να βαδίζει πατώντας όσο μπορούσε πιο σταθερά στο αφράτο χιόνι, βέβαιος πως σε λίγα δευτερόλεπτα θα αποκαλυπτόταν μπροστά του η υπέροχη τρέλα του Εμίνονου. Τον άκουγε να περπατά πίσω του, καταβάλλοντας προσπάθεια να τον φτάσει, μπορεί και να τον προσπεράσει. Μόνο που δεν ήταν τόσο σίγουρος αν ο κρότος ήταν ξύλινος ή μεταλλικός. Ο ιδρώτας ανάβλυζε κρύος στην πλάτη του, πιο κρύος απ᾽ τη σιδερένια κουπαστή της γέφυρας. Επιτάχυνε το βήμα, αλλά το δεξί του πόδι δεν υπολόγισε την κλίση του πεζοδρομίου και γλίστρησε. Έπεσε στα γόνατα. Τα χέρια του βυθίστηκαν στο χιόνι. Σαν παιδιάστικο πέσιμο. Κουτό. Έκλεισε σφιχτά τα μάτια, πνιγμένος στον ιδρώτα που ξεχείλιζε απ᾽ το πουκάμισο, με την κολόνια του ανάκατη με το αρωματικό λίπος των ανατολίτικων εδεσμάτων του Καπλαντζί.

Κάτι σαν βρισιά ή σαν προσταγή στα τούρκικα του πέταξε ένας μεσόκοπος που προχωρούσε στηριζόμενος σε μια πατερίτσα. Τον προσπέρασε και χάθηκε σαν φάντασμα στην γκριζάδα του πρωινού. Ούτε που σκέφτηκε να περισώσει κάτι από την αυτοεκτίμησή του. Δεν επιστράτευσε καμιά απ᾽ τις σιγουριές που πάντα, όσο θυμόταν, δούλευαν σωστά σε τέτοιες άβολες καταστάσεις. Αφέθηκε εκεί, στο χιόνι της γέφυρας, ν᾽ απολαμβάνει τον τρόμο που αποσυρόταν σιγά σιγά, διαλυμένος απ᾽ την έκπληξη περισσότερο και λιγότερο απ᾽ το ιδρωτάρι εκείνο που πρόλαβε, σ᾽ ελάχιστο χρόνο, να του μουσκέψει το πουκάμισο και τα εσώρουχα – το ᾽νιωθε ήδη το ρυάκι ανάμεσα στα σκέλια του.

Δυο μελαχρινοί νέοι άντρες, εργάτες προφανώς που πήγαιναν να πιάσουν δουλειά, τον βοήθησαν να σηκωθεί. Έπειτα άκουσε τον εαυτό του να μιλά ελληνικά και να τους ευχαριστεί, χώνοντας ενστικτωδώς τα χέρια στις τσέπες του παλτού, σαν να 'ψαχνε κάποιο νόμισμα για να τους ανταμείψει. Οι άντρες όμως είχαν ήδη απομακρυνθεί, μουρμουρίζοντας διάφορα – κι ανάμεσα στα λόγια τους, ο Ηλίας ξεχώρισε τη φράση «Ντικάτ ετ». Θα την είπαν και τέσσερις φορές... «Ντικάτ ετ!» Ήταν βέβαιος πως του συνιστούσαν να προσέχει...

Στην αρχή σκέφτηκε να χωθεί σ' ένα ταξί και να πάει για ύπνο. Μόνο που δε νύσταζε. Δεν αισθανόταν την κόπωση της ξαγρύπνιας, το βάρος που φέρνει στα βλέφαρα των ξενυχτισμένων το άγουρο πρωινό. Στυλώθηκε τινάζοντας το χιόνι απ' το παλτό και προχώρησε γενικώς υγρός και πείσμων. Το αυτί του ξαφνικά έπιανε περίεργους ήχους, διέκρινε με ευκολία βήματα και φωνές, ακόμα και τις φωνές των ναυτικών απ' τα πλεούμενα που περνούσαν κάτω απ' τη γέφυρα, ανάκατες με το θόρυβο των μηχανών και τα λυπητερά κρωξίματα των γλάρων.

Μέσ' απ' την ομίχλη τού φανερώθηκε το Εμίνονου γεμάτο σύννεφα από τσίκνα κρεάτων, το Γενί Τζαμί τυλιγμένο στα χιόνια και τα περιστέρια, το Μισίρ Τσαρσί, η αιγυπτιακή σκεπαστή αγορά των μπαχαρικών. Πρόσωπα αδιαπέραστα, βαριά μάτια, παιδιά με ταβάδες γεμάτους σιμίτια, δίσκοι με τσάγια που άχνιζαν, χανούμισσες φορτωμένες ζαρζαβατικά, άντρες διπλωμένοι στα δύο κάτω απ' το βάρος των εμπορευμάτων που κουβαλούσαν, ορδές υπνοβατών που έτρεχαν στις αποβάθρες, αυτοκίνητα και λεωφορεία πνιγμένα στα χνότα εκατοντάδων πληβείων – πρωινά λεωφορεία, πανομοιότυπα με ένα σωρό άλλα που συναντούσε σε όλες τις πολιτείες όπου μοίραζε τη ζωή του.

Αγόρασε δίνοντας ένα χαρτονόμισμα με πολλά μηδενικά δύο κουλούρια. Πίσω του οι ευχαριστίες του κουλουρτζή ξεψυχούσαν μες στην παγωνιά. «Τεσεκιουρλέρ, τεσεκιούρ εντέριμ. Σαόλ, σαόλ...» Πεινούσε. Έτσι νόμιζε. Τα έφαγε μόνο και μόνο για να βάλει σε κίνηση το μασητικό του σύστημα. Μασούσε ρυθμικά, ένα αδρό στρατιωτικό μάσημα, κάπως αστείο μέσα σ' εκείνο το χάος.

Ο Κεράτιος ξερνούσε κάθε τόσο άσπρη ομίχλη. Πού και πού, όμως, άφηνε διαστήματα κενά, για να ναρκισσεύονται τα ελαφρά λουστρινένια κύματα, που λαμποκοπούσαν απ' τα πορτοκαλιά φώτα της προκυμαίας. Ύστερα πάλι η ομίχλη και μαζί ο ανάπηρος βηματισμός. Μπορούσε να τον ακούει καθαρά, αν και του ήταν αδύνατον να προσδιορίσει επακριβώς από πού ερχόταν. Προτίμησε να προχωρήσει παράλληλα με τη θάλασσα. Είχε αρχίσει ήδη να σχηματίζει μια αμυδρή άποψη του χάρτη της παλιάς Βασιλεύουσας. Ήξερε πως, μετά τη γέφυρα του Γαλατά, θα συναντούσε τη γέφυρα του Ατατούρκ. Περπατούσε πάνω στο λασπωμένο χιόνι, τσαλαβουτώντας σε θολές λιμνούλες. Σταματούσε για να πάρει μια πιο βαθιά ανάσα, ν' ακούσει τους γλάρους και τις μπουρούδες των καραβιών, αλλά και τον τενεκεδένιο βηματισμό του ανάπηρου, μπερδεμένο στην κοσμοχαλασιά του Εμίνονου. Μέχρι και τα σφυρίγματα των τρένων άκουγε, απ' το Σταθμό Σιρκετζί.

Περπατούσε ξαλαφρωμένος από οποιαδήποτε ιδιότητα, απολάμβανε τη χειμωνιάτικη μελαγχολία της μισοκοιμισμένης ακόμα μεγαλούπολης, που σύντομα θα άγγιζε τα είκοσι εκατομμύρια ψυχές.

Οι σκοτεινές σιλουέτες των μεγάλων τζαμιών αποκτούσαν, όσο φώτιζε, σαφέστερο περίγραμμα. Τα ρουθούνια του έφραξαν από μια παλιά μυρωδιά, που αστραπιαία κυκλοφόρησε στον εγκέφαλο. Κάρβουνο. Θυμήθηκε το κάρβουνο που πρωτομύρισε στο σπίτι της Κηφισιάς πριν από σαράντα χρόνια.

Χαμογέλασε ανασαίνοντας τη γλυκερή μπόχα, γιατί η Πόλη είχε το προνόμιο να ανακατεύει απρόοπτα αρώματα ευγενικά και άλλα, πολύ πιο επιθετικά. Όπως το κάρβουνο. Ήταν ακριβώς το κάρβουνο που θυμόταν, ανάκατο ίσως με σαπίλα μήλων και ψαριών.

Το αόρατο ανάπηρο μεταλλικό βήμα τον πλησίαζε. Άλλαξε πορεία και ανηφόρισε γρήγορα προς τα στενά με τα μαγαζιά που πουλούσαν τσίγκινα. Πραμάτειες μεταλλικές, που συστέλλονταν απ' το χιονιά. Κι άλλα μαγαζιά, με ξύλινες κορνίζες, σοφράδες, ψάθινες καρέκλες, κόσκινα και πινακωτές για το ψωμί. Ανασήκωσε το γιακά του παλτού, μουσκεμένος έτσι κι αλλιώς, να προφυλαχτεί απ' το χιονόνερο που άρχισε να πέφτει ξαφνικά.

Προχωρούσε γρήγορα. Οι σόλες, υγρές, βιδώνονταν με μεγαλύτερη ασφάλεια στο χιόνι και στην ελαφριά μαύρη λάσπη που κάλυπτε όσα μέρη δεν είχαν προφτάσει ν' ασπρίσουν.

Δεν πίστεψε το ρολόι του που έδειχνε οκτώ παρά τέταρτο. Βάδιζε μέσα στο μουντό πρωινό χωρίς προορισμό, κυνηγημένος απ' τα φαντάσματα του χιονιού, παραδομένος στη γοητεία της Ιστανμπούλ, που ίσως του επιφύλασσε μια καραμπινάτη πνευμονία στο μητρώο της έκτης δεκαετίας του.

Ένα αυτοκίνητο στρίγκλισε μπροστά του, προτού καρφωθεί θαυμαστά στη λασπωμένη άσφαλτο. Ακολούθησε βροχή από κορναρίσματα. Πέρασε απ' τη διάβαση των πεζών σαν κυνηγημένος, για να τρυπώσει σε δρόμους ακόμα πιο στενούς. Πίσω από βρόμικα τζάμια καφενείων, αξύριστοι γέροντες με πλεκτά σκουφιά κάπνιζαν κι έπιναν τσάι, παγιδεύοντας το χρόνο με βλέμματα απλανή. Στάθηκε ν' ακούσει. Τραγούδια επιχρισμένα από βρύα οθωμανικών ε-ρώτων. Πολυάριθμες ορχήστρες συνόδευαν το θρήνο ενός άντρα. Τραγούδια που ξεχύνονταν από τα αναρίθμητα μικρά κουρεία με τη φωτογραφία του Κεμάλ στον έναν τοίχο και παραδίπλα μυστακοφόρα χαμόγελα παλιών ποδοσφαιριστών.

Η ομίχλη αραίωνε και, όπως στεκόταν στα σταυροδρόμια για να προσανατολιστεί, αλλά δεν του προέκυπτε, ε-κεί, μέσα σ' ένα μαχαλά ολότελα παραχωμένο στο μαύρο από το κάρβουνο χιόνι, αντίκρισε ψηλά στην κορυφή μιας ανηφοριάς ένα μεγάλο κατακόκκινο κτήριο, κόντρα στη θριαμβευτική λευκότητα της μέρας, εντελώς παράφωνο μέσα στο σανιδένιο δάσος των χαραπάταλων σπιτιών με τα μπουριά απ' τις σόμπες να διαλαλούν τη μιζέρια τους.

Ένας ηλικιωμένος με μια ομπρέλα ανοιχτή σταμάτησε δίπλα του. Του έδειξε τεντώνοντας ένα λιπόσαρκο δάχτυλο το κόκκινο κτήριο και του είπε σοβαρά: «Μπου μπινά κουρμουζού οκούλ. Αμέρικαν;»

Κατάλαβε πως ήταν η πάλαι ποτέ ένδοξη Μεγάλη του Γένους Σχολή. Είχε δει σε φωτογραφίες αυτό το εντυπωσιακό κόκκινο κτήριο, που χτίστηκε στα τέλη του δέκατου ένατου αιώνα. Υγραμένο, φαινόταν ακόμα πιο κόκκινο. Υπέθεσε πως βρισκόταν προς τη μεριά του Πατριαρχείου.

Αφουγκράστηκε, λες κι ως εκ θαύματος θα άκουγε να ηχούν πανηγυρικά τα καμπαναριά της Πόλης, για να υποδεχθούν την άφιξή του στο Φανάρι. Άκουσε μακριά, κουρασμένο τούτη τη φορά, το βήμα του ανθρώπου με το μεταλλικό –ή και ξύλινο– πόδι. Ξέφυγε προσωρινά απ' την τρέλα αυτή και χαμογέλασε στο γέρο Τούρκο, που, παίρνοντας θάρρος, του έδειξε μια ταλαιπωρημένη πόρτα με χρωματιστά τζαμάκια.

«Μπουραντά Κιουτσούκ Μουσταφά Πασά χαμαμί. Τσοκ μπουγιούκ, τσοκ ταριχί...» Ο γέρος τον χαιρέτισε μουρμουρίζοντας κάτι σαν ευχή και μπήκε σ' ένα φαρμακείο που μόλις άναβε τα φώτα του.

Ο Ηλίας Καπνάς για μια στιγμή ταλαντεύτηκε, σαν να είχε να επιλέξει ανάμεσα στο κόκκινο σχολείο της παρακμασμένης πια Κοινότητας και στο παμπάλαιο χαμάμ του Κιουτσούκ Μουσταφά Πασά. Και τα δύο του μετέδιδαν τη γοητεία ενός ενθουσιώδους κινδύνου.

Το χιονόνερο είχε προσθέσει κιλά στο παλτό του. Έσταζε ολόκληρος και, για πρώτη φορά, ένιωθε τόσο παγωμένο το σώμα του. Τα πόδια του πλατσούριζαν μέσα στα παπούτσια, οι τσέπες του μύριζαν ψάρι, ο ουρανός κατέβαινε γρήγορα, γεμάτος λερωμένα σύννεφα, πάνω στην υπερήφανη Μεγάλη του Γένους Σχολή.

Έτριξε η πόρτα του χαμάμ. Μπήκε σ' ένα μισοσκότεινο, χλιαρό σαλόνι. Σε μια μαυρόασπρη τηλεόραση, ο γάτος Τομ κυνηγούσε το έξυπνο ποντίκι αφρίζοντας. Ένας νέος με πιτζάμες στο κίτρινο του καλαμποκιού, καθισμένος σε αναπηρικό καροτσάκι, χτυπιόταν απ' τα γέλια. Ωστόσο τον καλοδέχτηκε:

«Μπουγιουρούν, εφέντιμ! Τσάι ιστερίγιορμουσούν; Ααα, γιαπαντζί. Τουρίστ...»

Ο Ηλίας του χαμογέλασε, τινάζοντας το παλτό. Ο νέος, με το μάτι καρφωμένο πάντα στην τηλεόραση, του υπέδειξε το δωμάτιο όπου θα γδυνόταν και την πόρτα που θα τον έμπαζε στον κολασμένο παράδεισο εκείνου του μαυσωλείου.

«Τσάι ιστέρμισινίζ;» τον ξαναρώτησε ζωηρά. Δεν περίμενε απάντηση. Του πρόσφερε σ' ένα γυάλινο ποτηράκι αχνιστό τσάι μ' έναν κύβο ζάχαρη.

Κρέμασε τα ρούχα του που έσταζαν. Γδυνόταν με βιασύνη. Ν' απαλλαγεί ήθελε όσο γινόταν πιο γρήγορα απ' τα βρεγμένα. Στράγγιζε και ξαναστράγγιζε το πουκάμισο, τη γραβάτα και τις κάλτσες, άδειασε το νερό απ' τα παπούτσια. Η εγγλέζικη ετικέτα της φίρμας τους έπεσε στο μουσαμά που κάλυπτε το δάπεδο του μικρού δωματίου με τους διάστικτους από την υγρασία τοίχους και το τζαμλίκι. Τα πόδια ξύλινα, τα δάχτυλα κοκαλιασμένα. Τα έχωσε χωρίς να το πολυσκεφτεί σ' ένα ζευγάρι πλαστικές παντόφλες και τράβηξε για την κόλαση, κοιτάζοντας φοβισμένος το αχνιστό σκοτάδι που ανοίχτηκε εμπρός του.

Ελάχιστο διαθλασμένο φως έμπαινε απ' τους μικρούς θόλους της οροφής μέσ' από γυάλινα τετράγωνα και τρίγωνα. Γύρω από την κεντρική αίθουσα με το μεγάλο μαρμάρινο βάθρο υπήρχαν τέσσερα ή έξι μικρότερα δωμάτια με διαβαθμισμένη θερμότητα. Χαλάρωσε μέσα στην ηρεμία του χαμάμ. Ένας γέρος πλενόταν στο σκοτάδι, καθισμένος σ' ένα μαρμάρινο πεζούλι. Κυρτή, ισχνή φιγούρα. Έριχνε με το τάσι νερό στο κεφάλι του. Το 'χωνε σε μια οβάλ γούρνα και ξανά και ξανά. Μια στιγμή σταμάτησε για να εντοπίσει τον νεοφερμένο και συνέχισε.

Ο Ηλίας προτίμησε το μεγάλο βάθρο με τα μωσαϊκά σχέδια. Έπεσε ανάσκελα, ξεδιπλώνοντας το κολλαρισμένο πανί που τύλιγε τη μέση του, απολαμβάνοντας τη γλυκιά κάψα στην πλάτη και στα μεριά του. Δεν ήθελε να τον πάρει ο ύπνος, έτσι όπως ήταν οι αισθήσεις αμβλυμένες και το σώμα βαρύ, κατάκοπο. Κάρφωσε τα μάτια στο φως που έμπαινε με φειδώ απ' την καμπυλωτή οροφή, φέρνοντας στο νου όλες τις διαδρομές από χθες μέχρι εκείνη την ώρα.

Ο Καπλαντζί θα τον περίμενε στο γραφείο του, μάλλον σ' ένα απ' τα πολλά στο Σισλί, την πιο ευρωπαϊκή γειτονιά της Κωνσταντινούπολης. Είχε ξεχάσει εντελώς τους λόγους αυτής της περιπέτειας. Ο πρωθυπουργός και το οικονομικό μέρος της ιστορίας είχαν εξαφανιστεί μέσα στους ατμούς του χαμάμ του Κιουτσούκ Μουσταφά Πασά. Προσπαθούσε να θυμηθεί πότε έπρεπε να επιστρέψει στην Αθήνα, τις εκκρεμότητες που είχε αφήσει πίσω του, τη Χαρίκλεια Κρουπ κάτω από μια παχιά κρούστα νικοτίνης, την κηδεία του πατέρα του λίγα μόλις εικοσιτετράωρα πριν, τον Μπομπ Άντερσον να αποπειράται να αποκρυπτογραφήσει την κάρτα του Οσμανλή αποστολέα, τη Μαίρη ν' απαντά σε εκατοντάδες τηλεφωνήματα, το σοφέρ του, τη βροχερή Αθήνα, τη Ράνα πεθαμένη εδώ και σαράντα χρόνια... Και τώρα εκείνος στην πόλη της. Στην πόλη που άφησε για πάντα για έναν άλλο Θεό, για άλλους τρούλους, για να γλιτώσει από τη φθορά μιας καταποντισμένης φάρας κι ενός ανομολόγητου έρωτα για τον αδελφό, που αγάπησε κι αυτός, από παραξενιά της μοίρας, μια ξένη.

Όλα τα ήξερε τότε ο Ηλίας, μια σταλιά παιδάκι στο σπίτι της Κηφισιάς. Όλα τα μάντευε με τον τρόπο της αρρώστιας, γιατί σαν αρρώστια αλλόκοτη πέρασε τα κατοπινά χρόνια στη μνήμη όλων το φέρσιμό του το καλοκαίρι του 1958.

Είχε κυλήσει μια ολόκληρη ζωή από τότε που ένιωσε τον Τούρκο στον κήπο – κι ας μην το είχε ομολογήσει ποτέ, ούτε καν στον εαυτό του. Τον βόλευε η «αλλόκοτη αρρώστια», το πένθος της μάνας που ήταν τότε πρόσφατο, της μάνας που θυμόταν ελάχιστα και που, όσο περνούσε ο χρόνος, ξεθώριαζε μέσα του. Και τώρα, στην Πόλη του 1998, στην Κωνσταντινούπολη, στην Ισταμπούλ όπου δίσταζες να ομολογήσεις ότι είσαι αποξενωμένος απ' τους θεούς, σ' αυτή την ασεβή πολιτεία της ευλάβειας με τα υπολείμματα του ελληνισμού, τη γιγαντούπολη της χλιδής και της μιζέριας, «κατασκόπευε» –βλακώδης λέξη για κάποιον σαν αυτόν– έναν Τούρκο που προτιμούσε το χιόνι από μια ψυχρή οικονομική συζήτηση. Δεν έβρισκε κανένα δίκιο σ' όλα αυτά ο Ηλίας Καπνάς και γύρισε μπρούμυτα, ζεματώνοντας τα στέρνο και τα αρχίδια του στα μωσαϊκά και τα μάρμαρα. Ξέσπασε σε γέλια ηχηρά, άγρια, που πολλαπλασιάστηκαν μέσα στο έρημο χαμάμ. Γελούσε σπαρταρώντας ολόγυμνος, εκειδά, με τους γλουτούς και την πλάτη ν' ανατινάζονται από μια υγρή αίσθηση ελευθερίας. Γελούσε και όταν κατάλαβε το γέροντα, ενοχλημένο, να συντομεύει τα λουτροκοπανήματα, να σαβανώνεται σε χνουδωτά πεσκίρια και λευκά σεντόνια και να φεύγει ψιθυρίζοντας προσευχές. Ήξερε πως προσευχόταν ο γέρος. Κι εκείνος γελούσε που γελούσε ελεύθερος, όπως τα μωρά που αντιλαμβάνονται τη γλώσσα των μεγάλων και περιμένουν την ώρα που το στόμα τους, το μοσκομυρισμένο από το γάλα, θα γεμίσει απ' τα καταραμένα σύμφωνα και τα φωνήεντα της ζωής. Γελούσε και τρόμαξε να σοβαρευτεί, όταν μπήκε κουτσαίνοντας ένας μισόγυμνος γεροδεμένος άντρας με διάφανο, ξυρισμένο κορμί.

«Κετσέ;» τον ρώτησε.

Ο Ηλίας έκλεισε τα μάτια αναστενάζοντας. Αυτή ήταν η απάντηση, αλλά ο άντρας ήξερε από ένστικτο αιώνων τι έπρεπε να κάνει. Πρώτα του έκρυψε τα απόκρυφα με το πανί, του τέντωσε τα πόδια, του μέτρησε τα πλευρά, του δίπλωσε την πλάτη ώσπου ν' ακουστεί το «κρακ» των σπονδύλων, γονάτισε από πάνω του κι άρχισε να του τρίβει δυνατά το δέρμα μ' ένα τραχύ γάντι.

«Κετσέ γκουτ! Βέρι γκουτ! Μεμλεκέτ;»

Τον ρωτούσε ποια ήταν η πατρίδα του. Απέφυγε ν' απαντήσει, πιστεύοντας πως εκείνος ο στοργικός τρίφτης μπορούσε απ' τη μια στιγμή στην άλλη να θυμηθεί πως ή- ταν απόγονος του Ταμερλάνου και του Πορθητή. Ο άντρας, όμως, επέμενε συνεχίζοντας το τρίψιμο – στα πόδια τώρα.

«Μεμλεκέτ;»

«Πορτεκίζ. Πορτεκίζλιγιμ...» Του ήρθε βολικά η Πορ- τογαλία.

«Τσοκ ουζάκ... Μπεν Κιουρτ. Κιουρντούμ... Βαντάν...»

Ήταν Κούρδος απ' την απομακρυσμένη περιοχή του Βαν κι έβρισκε την Πορτογαλία μακρινή.

Ο Ηλίας είχε ήδη μετανιώσει που πλάσαρε ψέματα αυ- τού του Κούρδου τρίφτη που τον περιέλουζε με ζεστή σα- πουνάδα κι έχωνε τα δάχτυλά του στα νεφρά, στις μασχά- λες, στο σβέρκο κι ανάμεσα στα παΐδια του, που τα με- τρούσε ένα ένα, λες και θα κατέγραφε τις ελλείψεις του.

«Καρ χαβασί...» Έπιασε να μονολογεί κοινοτοπίες για το χιονιά που πολιορκούσε την Ιστανμπούλ, για το χαμάμ που ήταν «...εσκί, τσοκ εσκί βε τσοκ ταριχί». Πολύ παλιό και ιστορικό.

Δεν απαντούσε. Το στομάχι του διαστελλόταν από μια ηδονική ευτυχία. Θυμήθηκε το καλοκαίρι που ξερνούσε κόκαλα κι έφτυνε κουκούτσια από βύσσινα.

Ο Κούρδος τον ρώτησε και τον ξαναρώτησε αν μιλούν τούρκικα στην Πορτογαλία και πώς καταδέχτηκε να μά- θει αυτή τη γλώσσα. «Τσοκ αζ τούρκτσε μπιλίορουμ... Τσοκ αζ...» Άκουσε επιτέλους τη φωνή του, απολογητι- κή, να λέει ότι μιλούσε λίγα τουρκικά.

Ο τρίφτης λες κι ανακουφίστηκε που στην Πορτογαλία

η τουρκική δεν ήταν υποχρεωτική. Έπιασε ένα τραγούδι χαμηλά, που, ό,τι και να 'λεγε, έκαιγε πιο πολύ απ' τη σαπουνάδα με το βάσανο των στίχων. Στα κούρδικα. Ο Ηλίας δεν καταλάβαινε τίποτα. Αποκοιμήθηκε κι ονειρεύτηκε πως έγινε άσπρο σαπουνάκι κι έλιωνε στα χέρια του Τοπάλ Γιλντίζ, του «Κουτσού Άστρου»...

Πλησίαζε πια μεσημέρι όταν, αποχαυνωμένος αλλά χωρίς ίχνος κούρασης, τυλιγμένος με τον πατροπαράδοτο τρόπο των χαμαμτζήδων, ζεσταμένος μ' ένα ακόμα τσάι, σχεδίαζε στο δωματιάκι το υπόλοιπο της μέρας του. Οι κάλτσες και το πουκάμισό του είχαν στεγνώσει, όπως και τα εσώρουχα. Και τα παπούτσια αρκετά. Μόνο το παλτό κρατούσε λίγη υγρασία και μύριζε βρεγμένο κάρβουνο. Του γέμισαν τις χούφτες φτηνή κολόνια λεμόνι και τον αποχαιρέτισαν: «Γκιουλέ, γκιουλέ...»

Βγήκε στον παγωμένο δρόμο. Αραιές νιφάδες και κρύο δυνατό. Κόσμος λαϊκός με ψωμιά στα χέρια, νεαροί που κουρεύονταν στα ταπεινά κουρεία, μεγάφωνα που καλούσαν τους πιστούς του Προφήτη στα τζαμιά, γάτες που ξεδιψούσαν με χιόνι. Έστριψε και βρέθηκε δίπλα στην ακτή του Κεράτιου. Κι από 'κεί με ταξί στο ξενοδοχείο, που είχε στολιστεί με χριστουγεννιάτικα δέντρα, με γιρλάντες χρυσές, με γκι και πινακίδες που προσκαλούσαν σε γεύμα Χριστουγέννων παραδοσιακό, με ανάλογο καλλιτεχνικό πρόγραμμα. Σε όλες τις αίθουσες η φωνή της Έλα Φιτζέραλντ, «Ο χόλι νάιτ». Δεν είχε μηνύματα. Βούρτσισε τα δόντια του, ξυρίστηκε, άλλαξε κι έφυγε για το Σισλί.

«Σισλί» θα πει ομιχλώδες, αλλά στα τουρκικά, πολλές φορές, οι λέξεις παίρνουν διαφορετικά νοήματα καθώς περνούν απ' τη μια εποχή στην άλλη. Εκείνο πάντως το απομεσήμερο, που ο Ηλίας Καπνάς ξεκίνησε για τα γραφεία του Φερίκ Καπλαντζί χαλαρός και πανέτοιμος ν' αντιμετωπίσει τα ένστικτα του «τίγρη» Τούρκου επιχειρηματία –αφού «Καπλάν» είναι η τίγρη– το Σισλί ήταν χιονισμένο. Ούτε ομιχλώδες ούτε πολύ τούρκικο – ή, τουλάχιστον, άσχετο με ό,τι είχε δει ίσαμε τότε από την Πόλη. Μια σύγχρονη γειτονιά μεγαλούπολης με κοσμοπολίτικο ύφος, με καλόγουστα καταστήματα κατά τα «ευρωπαϊκά» πρότυπα, που ως φαίνεται συνάρπαζαν ένα σημαντικό μέρος των κατοίκων.

Τα γραφεία του «Ομίλου Φερίκ Καπλαντζί» καταλάμβαναν τρεις ορόφους εξαιρετικά περιποιημένους. Ειδικά ο τελευταίος, όπου ήταν και το στρατηγείο του επιχειρηματία, θύμιζε πολύ το σπίτι στο Μπεμπέκ: ακριβά χαλιά, φωτιστικά με βάσεις μπρούντζινες και πορσελάνινες αντίκες, πίνακες με θέμα τον Βόσπορο, τα τζαμιά και το Σαράι Μπουρνού πίσω από γαλάζια πάχνη και μαύρους καπνούς πλοίων, ταπισερί που απεικόνιζαν τουλίπες και Οθωμανούς άλλων καιρών, ακινητοποιημένους σε ηδυπαθείς στάσεις ρέμβης και, φυσικά, ένα μεγάλο πορτρέτο του Κεμάλ Ατατούρκ με αυστηρό γκρίζο βλέμμα, χειμωνιάτικο, κάτω από ένα αστραχάν καλπάκι.

Τον υποδέχθηκαν δύο νεαρές όμορφες γραμματείς κι ένας άντρας με καλοραμμένο κοστούμι από εγγλέζικη φανέλα. Τον απάλλαξαν από το παλτό και του πρόσφεραν

καφέ εσπρέσο, που συνοδευόταν από ένα μπολ κουλουρά-
κια κανέλας και γλυκάνισου. Ο κύριος Καπλαντζί θα τον
δεχόταν σε πέντε ή δέκα λεπτά. Μια σύσκεψη με ανώτε-
ρα στελέχη του Ομίλου, που είχε παρατραβήξει, θα τελεί-
ωνε επιτέλους. Ο άντρας, που ήταν λαλίστατος, φαινόταν
απολύτως ενημερωμένος για την επίσκεψη του κυρίου
Καπνά. Ενδιαφέρθηκε να μάθει τις πρώτες εντυπώσεις
του από τη «χιλιοτραγουδισμένη πολύπαθη Ιστανμπούλ».
Μίλησαν για τον καιρό, που θα συνέχιζε στο ίδιο μοτίβο
και σήμερα και αύριο. «Πολλά μέρη της Τουρκίας έχουν
αποκλειστεί απ' τα χιόνια. Στο Ερζερούμ τα πράγματα
είναι δύσκολα... Λίγο καφέ ακόμη;»

Δεν ήθελε.

«Έχετε ξανασυναντηθεί με τον κύριο Καπλαντζί;» ρώ-
τησε ο αμερικανοθρεμμένος, καταπώς έδειχνε, άντρας.

«Χθες το βράδυ, στο σπίτι του...»

«Χθες;» απόρησε. «Πότε χθες;»

«Στο σπίτι του, στο Μπεμπέκ».

«Στο Μπεμπέκ; Πρόφτασε να ζεσταθεί όλο εκείνο το
σαράι;»

«Ναι, δεν υπήρχε κανένα πρόβλημα...»

Ο στενός συνεργάτης του Καπλαντζί τον παρατηρούσε
σαν να μην πίστευε στ' αυτιά του.

«Πολύ ωραίο σπίτι... και ο κήπος με το χιόνι. Γιατί α-
πορείτε;»

Ο Ηλίας θέλησε να τον βγάλει από τη δύσκολη θέση
και μίλησε για την Αθήνα. Για την αίσθηση του Νότου,
για την ακαταμάχητη ηλιοφάνειά της. Ο άλλος έδειχνε να

έχει χάσει το κέφι του. Ίσως η αγωνία γι' αυτή τη σύσκεψη, που από χθες βασάνιζε το μεγάλο αφεντικό.

«Άκουσα ότι είχατε ένα μικρό ατύχημα μ' ένα πουλί στη γέφυρα του Γαλατά».

«Ναι. Ο οδηγός, όμως, το ξεπέρασε γρηγορότερα από μένα...»

«Έμαθα πως το αυτοκίνητο έπαθε ζημιά».

«Πάντως φτάσαμε κανονικά στο ξενοδοχείο. Πρέπει να ομολογήσω πως ο βραδινός οδηγός που με πήγε στο σπίτι του κυρίου Καπλαντζή ήταν πιο έμπειρος με τα χιόνια...»

«Στο Μπεμπέκ;» ρώτησε ο άλλος άψυχα, μόνο και μόνο για να επαληθεύσει.

Αλλά, στο μεταξύ, οι πόρτες ενός τεράστιου γραφείου είχαν ανοίξει διάπλατα, οι γραβατωμένοι Τούρκοι που ήταν ώρες μέσα, όπως του εξήγησε ο συνομιλητής του, έβγαιναν βιαστικοί κι αμίλητοι.

«Στο στοιχείο μας...» σκέφτηκε ο Ηλίας Καπνάς, αφού όλα αυτά ήταν πανομοιότυπα στο νέο, γενναίο επιχειρηματικό κόσμο, σε όλα τα σημεία της γης.

«Καλώς ήρθατε!» απήγγειλε στα αγγλικά και στα ελληνικά μια συμπαθητική γραμματέας. «Σας περιμέναμε πιο νωρίς, μεσολάβησε και η σύσκεψη. Συγγνώμη...»

Τον πέρασε στο γραφείο-σαλόνι που θερμαινόταν σωστά, ενώ ένα μεγάλο τζάκι από μαύρο μάρμαρο πρόσφερε επιπλέον θαλπωρή.

«Χόσγκελντινίζ...» ακούστηκε η φωνή του Καπλαντζί.

«Χόσμπουλντούκ», ανταπέδωσε το καλωσόρισμα ο Ηλίας, που έμεινε με το στόμα ανοιχτό μπροστά στον άγνωστό με τα γυαλιά και το λιγνό παράστημα, που πιο πολύ έμοιαζε με Μιλανέζο παρά με Τούρκο. Έδωσαν τα χέρια, ο άγνωστος έριξε ένα διερευνητικό βλέμμα στον Έλληνα, για το άτομο του οποίου οι πληροφορίες ήταν ιδιαίτερα ενδιαφέρουσες. Του έδειξε μια αναπαυτική δερμάτινη πολυθρόνα.

«Λίγο ρακί, κύριε Καπνά; Είναι και η ώρα...»

Ο Ηλίας προσπάθησε να βολέψει την έκπληξή του.

«Είστε ο Φερίκ Καπλαντζί, αλλά...»

«Καταλαβαίνω...» γέλασε ο άλλος. «Θα με περιμένατε με τουρμπάνι ή με φέσι». Ξερόβηξε. «Έχω ακούσει πολλά καλά για σας...»

«Χθες το βράδυ...» Ο Ηλίας ξεροκατάπιε. Αγωνιζόταν να βρει τις λέξεις στα αγγλικά, στα γερμανικά, στα γαλλικά... Δεν του ερχόταν τίποτα.

«Σας περίμενα, αλλά έμαθα ότι είχατε μια περιπέτεια. Υπέθεσα ότι φοβηθήκατε τον καιρό μας. Εγώ όμως τον αγαπώ αυτό το χιονιά. Υπάρχει, όπως και να το κάνουμε, μια κυτταρική νοσταλγία για τον άγριο χιονιά...» Γέλασε μόνος του κι αμέσως έδωσε οδηγίες στη γραμματέα να φέρουν ρακί και μεζέδες.

«Υπάρχει κι άλλος Καπλαντζί...» ψιθύρισε ο Ηλίας έτοιμος να λιποθυμήσει. Τον έπνιγε η γραβάτα, το στομάχι του ανέβαινε γρήγορα προς τα πάνω, παρασύροντας και την καρδιά.

«Ο πατέρας μου πέθανε πριν από είκοσι χρόνια. Σκοτώθηκε σε ατύχημα. Εγώ και οι δύο αδελφές μου μείναμε. Ήταν σπουδαίος άνθρωπος. Διορατικός, σοφός...»

«Κι έμενε στο... στο...» Το είχε ξεχάσει.

«Στο Μπεμπέκ. Εκεί είναι το πατρικό μας. Ένα σπίτι μεγάλο και ενδιαφέρον. Μόνο οι φρουροί μένουν τώρα εκεί».

«Το ξέρω. Θέλω να πω...»

«Κατάλαβα. Το είδατε σε περιοδικά. Το φωτογραφίζουν συχνά, αν κι εγώ το βρίσκω έξω απ' τα νερά του Βοσπόρου. Θυμίζει λίγο το σπίτι μας στην περιοχή του Ρίτζεντ Παρκ, στο Λονδίνο. Ο πατέρας μου, όταν το έχτισε, περνούσε τη λονδρέζικη περίοδό του, αν και αντιπαθούσε τους Εγγλέζους για λόγους ιστορικούς. Εμμονές... Έχετε κάτι;»

«Η κούραση και η αϋπνία... Όμως δε νυστάζω».

«Αυτό φαίνεται, κύριε Καπνά. Χαλαρώστε. Το ρακί και ο μεζές δε θέλουν εντάσεις...» Ο Φερίκ Καπλαντζί γέλασε ευχαριστημένος. «Κάποιο διάστημα σκεφτόμασταν να το λειτουργήσουμε σαν μουσείο. Υπάρχει μια ενδιαφέρουσα βιβλιοθήκη και αντικείμενα της πρώιμης οσμανλίδικης περιόδου, όταν πρωτεύουσα των Οθωμανών ήταν η Εντίρνε, πριν από το 1453».

«Υπάρχει κι ένα άλλο μουσείο, μια παλιά Ορθόδοξη εκκλησία...» πρόφερε ο Ηλίας.

«Ναι, αυτό λειτουργεί κανονικά. Είχε χτιστεί με σχέδια του ίδιου του πατέρα μου».

«Και η συλλογή από μινιατούρες...»

«Ααα, βλέπω είστε ενήμερος. Αυτή βρίσκεται στο Μπεμπέκ. Μια συλλογή λίγο εξαντρίκ για τα ήθη μας... που θυμίζουν στρουθοκάμηλο, κύριε Καπνά». Ο Καπλαντζί αναστέναξε: «Η Τουρκία βρίσκεται ανάμεσα σε πολλά διλήμματα τούτο τον καιρό. Μην κοιτάτε τι ατμόσφαιρα επικρατεί εδώ, στο Σισλί...»

Δύο σερβιτόροι διέκοψαν την κουβέντα τους, φέρνοντας δίσκους με μεζέδες και μια μποτίλια «Γενί ρακί».

«Προτιμώ να δέχομαι εδώ τους φίλους», είπε ο Φερίκ Καπλαντζί. «Μπουγιουρούν...»

Σήκωσε πρώτος το ποτήρι με το ρακί κι ευχήθηκε «Στην ευτυχία των λαών μας», λες κι όλα εξαρτιόνταν από αυτό το παγωμένο απομεσήμερο στο Σισλί.

Ο Ηλίας ήπιε μονορούφι το δυνατό ποτό. Ζεματίστηκε.

«Είστε τολμηρός, αλλά ξέχασα ότι κι εσείς έχετε το ούζο...» σχολίασε ο επιχειρηματίας. «Το ρακί θέλει ρέγουλα!»

«Η μητέρα σας είναι Καναδέζα;» πήρε θάρρος ο Ηλίας, μπουκωμένος μ' ένα ενδιαφέρον κομμάτι λακέρδα.

«Η μητέρα μου; Όχι. Πέθανε όταν ακόμα ήμουν παιδί».

«Και η δική μου...» Πρώτη φορά ο Ηλίας μιλούσε δημόσια για τη μάνα του. Και το δεύτερο ρακί του κόντευε να τελειώσει.

«Καναδέζα ήταν η γυναίκα που παντρεύτηκε αργότερα ο πατέρας μου. Μετά το ατύχημα του πατέρα έφυγε για τον Καναδά. Πέθανε κι αυτή πέρσι.

«Και οι μινιατούρες με τα ερωτικά θέματα;»

«Σας ενδιαφέρουν οι μινιατούρες; Θα έπρεπε να επισκεφθείτε τη βιβλιοθήκη του Σαραγιού, στο Πάρκο του Γιλντίζ. Ξέρετε, ο Αμπντούλ Χαμίτ ζούσε εκεί. Δοκιμάστε λίγο παστουρμά, κύριε Καπνά. Ο συγκεκριμένος μάς έρχεται κατευθείαν από την Ανατολία. Μη φοβάστε τις έντονες γεύσεις!»

«Δε φοβάμαι». Με τα δάχτυλα βούτηξε δύο διάφανα κομμάτια παστουρμά.

«Άφερίν...» είπε ο Τούρκος γεμίζοντας τα ποτήρια με ρακί.

«Ναι, μ' ενδιαφέρουν οι μινιατούρες, κύριε Καπλαντζί. Είναι η τρέλα μου... Πρέπει οπωσδήποτε να τις δω».

«Αν δε σας τρομάζει το κρύο... Βέβαια οι επιστάτες ανοίγουν το καλοριφέρ τις μέρες της μεγάλης υγρασίας. Έχετε προτίμηση σε κάποια περίοδο;»

«Ας πούμε αυτές, επί Μουράτ του Τρίτου... Δέκατος έκτος αιώνας, νομίζω...»

«Ναι. Κατάλαβα. Σκοτεινή περίοδος. Στην Ευρώπη άρχιζε η Αναγέννηση, αλλά εδώ ήμασταν κολλημένοι σ' έναν ιδιότυπο μεσαίωνα. Έτσι νομίζουν κάποιοι ιστορικοί της Δύσης. Κύριε Καπνά, συνεχίζουμε να είμαστε το πιο παρεξηγημένο έθνος. Ακόμα και τώρα, που δύο θαυμάσιες κρεμαστές γέφυρες ενώνουν την ασιατική πλευρά με την ευρωπαϊκή... Δεν είναι λίγοι οι Τούρκοι που απελπίζονται για το μέλλον μας».

Ο Ηλίας Καπνάς σήκωσε το ποτήρι του αφηρημένα. Μια ευχή έμεινε μετέωρη. Έπειτα, με βεβαιότητα, είπε:

«Υπάρχουν είδη απελπισίας που δε φαίνονται».

Ο Τούρκος τον κοίταξε λυπημένος. Μπορεί και να μην κατάλαβε απόλυτα τι εννοούσε αυτός ο Έλληνας που καιγόταν απ' το ρακί κι απ' την επιθυμία να δει τις μινιατούρες του μακαρίτη Αντέλ Καπλαντζί.

«Ήθελα να σας πω... Μόνο που μου είναι δύσκολο...»

«Δε χρειάζεται να δυσκολεύουμε τα πράγματα. Ας συνεχίσουμε σε ανατολίτικους ρυθμούς», είπε ο Καπλαντζί χαμογελώντας.

«Όχι, δεν πρόκειται για θέματα οικονομικά και...»

«Καφέ; Συνήθως οι γραμματείς μου προσφέρουν εσπρέσο, αλλά εγώ επιμένω στον καθαυτό τούρκικο...»

Ο Ηλίας είπε ένα «έβετ», την πιο κοινότοπη κατάφαση, μ' ένα βαθύ αναστεναγμό, που ο άλλος το πήρε για φιλοφρόνηση.

«Λοιπόν, θα κανονίσω αύριο να σας συνοδέψουν στο Μπεμπέκ, να δείτε τις μινιατούρες του πατέρα. Πάλι χιονίζει...»

Οι νιφάδες, πιο πυκνές από ποτέ, χοροπηδούσαν στο μεγάλο παράθυρο με θέα στους χιονισμένους λόφους. Και στο βάθος, ένα περιφραγμένο πάρκο με ψηλά κυπαρίσσια.

«Δεν είναι πάρκο. Είναι ένα τεράστιο τετράγωνο με νεκροταφεία. Το ένα είναι δικό σας. Στο Σισλί, που θεωρείται νέα σχετικά γειτονιά της Ιστανμπούλ, κατοικούσαν πολλοί Έλληνες και, όσο κι αν σας φανεί απίστευτο, υπάρχει μια νοσταλγία για το παρελθόν. Τότε που η Πόλη ήταν κοσμοπολίτικη με την έγκριση της Ευρώπης και με την αίγλη του "Οριάν Εξπρές". Σήμερα θυμούνται πιο πολύ το φιλμ *Εξπρές του μεσονυκτίου* όταν θέλουν να μιλήσουν για τις μεθόδους της Αστυνομίας. Το έχετε δει;»

«Ναι, σε υπερατλαντική πτήση», είπε ο Ηλίας απολογητικά.

«Δηλαδή χωρίς τη θέλησή σας... Κάτι είναι κι αυτό!» φώναξε γελώντας ο Φερίκ Καπλαντζί και ρούφηξε μ' ευχαρίστηση μια γουλιά από τον καφέ του.

«Η φωτογραφία στο γραφείο σας;»

«Ο πατέρας, όταν ήταν στην ηλικία μου. Δε μοιάζουμε. Εγώ πήρα από τη μητέρα μου...»

«Ναι, δε μοιάζετε...» τον βεβαίωσε ο Ηλίας. «Δε μοιάζετε καθόλου...»

Δεν έμοιαζαν πατέρας και γιος. Μόνο που ο πατέρας ήταν πολύ πιο γοητευτικός στην πραγματικότητα απ' ό,τι στη φωτογραφία. Το χιόνι συνέχιζε να πέφτει...

Το χιόνι συνέχιζε να πέφτει, αλλά ήταν τέτοια η ώρα, που οι δρόμοι στο Σισλί ασφυκτιούσαν από κίνηση. Αρνήθηκε να τον μεταφέρουν στο ξενοδοχείο, έδωσαν ραντεβού για το άλλο πρωί με τον Φερίκ Καπλαντζί, ο οποίος θυμήθηκε στο μεταξύ κάποιους Έλληνες οικονομικούς κυβερνητικούς παράγοντες με τα ονόματά τους, σαφέστατη υπενθύμιση πως, μετά τις μινιατούρες, τους περίμεναν πιο σοβαρά θέματα. Ο Ηλίας ζήτησε τη συμβουλή του Τούρκου για κάποια αξιοθέατα, τον ευχαρίστησε για το «γεύμα γνωριμίας», παρέστησε τον αδιόρθωτα επιμελή τουρίστα, που θέλει να γνωρίσει περπατιστά την Κωνσταντινούπολη.

«Μη λησμονήσετε τα ψηφιδωτά στο Καριγιέ Τζαμί», του υπογράμμισε η ευγενική γραμματέας, που μπήκε κι αυτή στους αποχαιρετισμούς.

Καριγιέ Τζαμί εννοούσε τη Μονή της Χώρας. «Γκιουλέ, γκιουλέ...»

Ο Φερίκ Καπλαντζί στάθηκε αδύνατον να καταλάβει τις τόσες αρνήσεις του Έλληνα. Δικαίωμά του να προτιμά τη μοναξιά, αλλά κάτι δεν κόλλαγε στην ιστορία. Συνήθως όλοι οι ξένοι επιζητούσαν να απολαύσουν την τουρκική φιλοξενία. Να επωφεληθούν. Κι όλη αυτή η αγωνία για τις μινιατούρες! Πού να έβλεπε και τη συλλογή απ' τα κεραμικά του Τσανάκαλε... Τηλεφώνησε στο σπίτι, στο Μπεμπέκ, να το θερμάνουν, γιατί αύριο θα πήγαινε κάποιος.

«Πρέπει ν' ανοίξουμε από απόψε το καλοριφέρ. Κάνει παγωνιά, αφεντικό», ακούστηκε η φωνή του επιστάτη.

«Ανοίξτε το απόψε...»

Θα το άνοιγαν οπωσδήποτε. Να σπάσει το ψοφόκρυο.

Κάπου έπρεπε ν' ακουμπήσει εκείνη τη θύελλα. Σαν αντικείμενο από παγωμένο ατσάλι ήταν η θύελλα που μαινόταν μέσα του. Περπατούσε στο υγρό πεζοδρόμιο με κατεύθυνση προς το ελληνικό νεκροταφείο. Σε λίγο θα σκοτείνιαζε. Ήλπιζε μόνο να το βρει ανοιχτό.

Ένας γέρος Συρο-Ορθόδοξος στο θυρωρείο του νεκροταφείου τον κοίταξε περίεργα. Σε μισή ώρα θα έκλεινε.

«Προλαβαίνω...» του μίλησε ελληνικά.

«Τα λάδια και τα νερά στα καντήλια πάγωσαν...» Γέλασε ο γέρος, λες κι επρόκειτο γι' αστείο.

«Δε με νοιάζει...»

«Σε μισή ώρα θα κλείσω», μουρμούρισε ρουφώντας τη μύτη του.

«Πάρε για κεριά. Άναψε από ένα σε όλους τους τάφους...»

«Σε όλους;» απόρησε ο θυρωρός μετρώντας κάπου εκατό εκατομμύρια τούρκικες λίρες. Τις μέτρησε τρεις φορές για να βεβαιωθεί. Βεβαιώθηκε πως ο ξένος ήταν τρελός.

Μόνος, μέσα στην υποβλητική λευκότητα του νεκροταφείου, διέσχιζε αργά τα υποτυπώδη μονοπάτια. Βήματα ασήκωτα, προσεχτικά. Τριγύρω, τα μαυσωλεία των επιφανών, τάφοι ευεργετών και παλαιών ιστορικών οικογενειών. Αγάλματα, σταυροί μαστορεμένοι με μεράκι. Τα μεγαλεία της Πόλης ντυμένα στο λουλακί του δειλινού, που ήρθε πιο νωρίς απόψε. Παγωμένα κι αφημένα στη διακριτική ευγένεια της σιωπής.

«Τι έχω πάθει, Θεέ μου...» είπε φωναχτά.

Σχεδόν καλοτύχιζε τη μακαριότητα όσων κοιμούνταν «τον ανεξύπνητο» κάτω απ' την απαλότητα του χιονιού. Κι ύστερα τα μάτια του γέμισαν δάκρυα ζεστά, καυτά κι έκλαψε με λυγμούς ανάμεσα στην παρέα των προτομών και των αγαλμάτων για όλες τις απουσίες της ζωής του, για όσους αγάπησε, για τους ξεχασμένους ήρωες των παιδικών του αποδράσεων, για τους επιφανείς πεθαμένους Ρωμιούς, για τη Ράνα που έγινε Μερόπη-Ιουστίνη και που γέρασε ολομόναχη, κληροδοτώντας του τη δική της μοναξιά. Ένας άγγελος σε φυσικό μέγεθος, με άδεια μάτια, τον κοίταζε ανάμεσα απ' τα κυπαρίσσια. Τον κοίταζε με τον οίκτο των αγγέλων, παρόμοιο με αυτόν των νοσοκόμων, που κουβαλούσαν τον πατέρα του σε φορεία πριν λίγο καιρό, στην πολυτελή κλινική όπου ξεψύχησε, απαγγέλλοντας τους τίτλους των ταινιών που δόξασε ως κομπάρσος.

«Θα κλείσω», ακούστηκε η φωνή του θυρωρού. «Έλα, νύχτωσε! Θα θυμώσουν οι πεθαμένοι! Αλλά δεν πειράζει, αύριο που θα τους ανάψω τα κεριά θα ξεθυμώσουν...» Και γέλασε ευχαριστημένος που διηύθυνε τη σιωπή του έρημου νεκροταφείου.

Φωτεινή, παγωμένη νύχτα στην Πόλη, με Πανσέληνο που βγήκε απότομα πίσω απ' το πάρκινγκ του ξενοδοχείου. Ακόμα και σε τούτο το αμειγώς τουριστικό τμήμα της Τζουμχουριέτ Τζαντεσί μύριζε κάρβουνο. Το χιόνι απόψε θα πάγωνε υπό την αιγίδα του φεγγαριού. Εκείνος περπατούσε στα γλιστερά πεζοδρόμια φορτωμένος σκέψεις, υπνωτισμένος θαρρείς, καταστρέφοντας τα ακριβά παπούτσια που, απ' τις δοκιμασίες της μέρας, ξεχείλωναν όσο περνούσε η ώρα. Δεν ένιωθε πια το κρύο, δεν μπήκε καν στον κόπο να προστατέψει το στήθος του. Προχωρούσε με το παλτό ξεκούμπωτο, διάτρητος, με βήμα σταθερό και σίγουρο. Και μες στο αυτί του –αυτό άρχισε στα μισά της διαδρομής προς το ξενοδοχείο και τον ακολούθησε ίσαμε το πάρκινγκ– ο μεταλλικός ήχος απ' το ανάπηρο βάδισμα, ολόιδιος μ' εκείνον του πρωινού.

Δε γύρισε να δει ποιος τον ακολουθούσε σέρνοντας ένα ψεύτικο τενεκεδένιο ποδάρι. Τόσοι ανάπηροι, στο κάτω κάτω, υπήρχαν στην Κωνσταντινούπολη, που τη φανταζόταν μια ολόκληρη ζωή ολόχρυση, φτιαγμένη από ψηφίδες και χριστιανικά σύμβολα, γεμάτη περήφανους Βυζαντινούς αξιωματικούς και πάρκα πορφυρά, όπου παγόνια με μάτια μπακιρένια θα καμάρωναν στα κλαδιά. Και παντού, απ' τα τρανζίστορ, να ξεχύνονται τα μεγάλα σουξέ της Βασιλεύουσας, όλα με ελεγειακά ρεφρέν, που θα υμνούσαν τον έρωτα για την Πίστη και την ουράνια ζωή.

Όπως θα τα περιέγραφε, πιθανόν, η Πηνελόπη Δέλτα στον *Καιρό του Βουλγαροκτόνου*, που τον συνάρπαζε κάποτε.

Παραλίγο να τσακιστεί μπαίνοντας στο ξενοδοχείο. Ο πορτιέρης, ευτυχώς, τον συγκράτησε. Απόρησε για τη χριστουγεννιάτικη εμμονή στην ατμόσφαιρα, πάλι η Έλα Φιτζέραλντ, αυτή τη φορά στο «Ο λιτλ τάουν οφ Μπεθλιέμ». Πέρασε απ' τη ρεσεψιόν να ρωτήσει για το σιδέρωμα του κοστουμιού του, που δεν ήταν βέβαια στα καλύτερά του.

«Και τώρα, αν θέλετε, θα το στείλουμε για καθάρισμα και σίδερο. Αααα, έχετε κι ένα μήνυμα...»

Ο ρεσεψιονίστας του έδωσε ένα χαρτί, όπου, με πλαγιαστά γράμματα, στα αγγλικά, έγραφε: «Θα ξαναπεράσω αργότερα. Ο κύριος Καπλαντζί σας περιμένει για δείπνο στο Μπεμπέκ. Ο σοφέρ...»

«Είστε καλά, κύριε Καπνά;»

Είχε στηριχτεί στην κολόνα, ανίκανος να αρθρώσει λέξη.

«Φταίει που μπήκατε απ' το κρύο στη ζέστη, μάλλον...»

Ο ρεσεψιονίστ προθυμοποιήθηκε να του φέρει νερό, να τον βοηθήσει, «αν χρειάζεστε γιατρό...»

«Δε χρειάζομαι τίποτα. Ευχαριστώ. Ποιος σας έδωσε αυτό το...» ρώτησε ξέπνοα.

«Ο ίδιος σοφέρ που ήρθε και σας πήρε χθες. Σας είδα... Είχα βάρδια, ήταν λίγο πιο αργά από τώρα...»

«Με ζήτησε;»

«Ναι, αλλά μάλλον έδειξε να γνωρίζει πως λείπατε. Εγώ του το έγραψα στα αγγλικά. Δικά μου είναι τα γράμματα... ίσως έχω λάθη. Πάντως θα ξανάρθει να σας πάρει αργότερα».

Ό,τι ειπώθηκε, καταγράφηκε αμέσως με κόκκινα γράμματα στον εγκέφαλό του και σφραγίστηκε ερμητικά από ένα θρόμβο που του άλλαξε την έκφραση και τα σχέδια.

«Πώς πάει κανείς στη Σκεπαστή Αγορά;»

«Στο Καπαλού Τσαρσί; Να φτάσετε στην Πλατεία Μπαγεζίτ καλύτερα, όπου είναι το Πανεπιστήμιο, κι από 'κεί... Ελπίζω να μην πάτε με τα πόδια. Είναι αρκετά μακριά, είναι και το χιόνι... Μπορώ να καλέσω ένα ταξί».

«Ναι, ένα ταξί... Είμαι ανόητος», μουρμούρισε ο Ηλίας και πρόσθεσε: «Φυσικά θα πάω με ταξί».

«Το κοστούμι σας...»

«Μια χαρά είναι το κοστούμι μου».

«Όπως νομίζετε...»

Ο άντρας έτρεξε στο τηλέφωνο να καλέσει ένα από τα ταξί που ήταν αραγμένα έξω απ' το ξενοδοχείο, στον ειδικό χώρο.

Ο Ηλίας Καπνάς, με μάτια κυνηγημένου ζώου που ξεγλιστρά απ' τη θανάσιμη παγίδα, τράβηξε προς την έξοδο.

«Κι αν έρθει ο σοφέρ;» φώναξε πίσω του ο ρεσεψιονίστ.

Αλλά ο Ηλίας είχε βγει ήδη κι έτρεχε προς το ταξί που τον περίμενε με τη μηχανή αναμμένη. Είχε σκοτεινιάσει εντελώς, αν και ήταν μόλις έξι η ώρα.

Τους «οριανταλίστ» ζωγράφους δεν τους θεωρούσε καν ζωγράφους. Πιο πολύ τους θεωρούσε εικονογράφους μιας απειθάρχητης φαντασίας που έδινε προτεραιότητα σε πομπώδη θέματα με γυναίκες αφράτες, κακέκτυπα των μοντέλων του Ρούμπενς, ξαπλωμένες στα μαρμάρινα έδρανα των χαμάμ, όλες με χριστιανική εγκαρτέρηση στο βλέμμα και ορθωμένες θηλές στην ιδέα μιας συνεύρεσης με το Σουλτάνο-τέρας. Άλλοι προτιμούσαν να αποδίδουν την α-πλοϊκότητα των περιπλανώμενων σοφών και αστρολόγων μέσα σε σκιερές στοές, φορτωμένες αραβουργήματα και υγρασία, που υποδήλωνε μια ηθελημένη μάλλον αδιαφορία για οτιδήποτε είχε σχέση με συντήρηση. Πόδια μυώδη, μελαψά, απαραιτήτως γυμνά, σαρίκια, μανδύες, κότες, παπαγάλοι και παιδόπουλα άφυλα. Παραδίπλα, άλογα ιωβείου υπομονής και η απαραίτητη βρύση, δωρεά κάποιας βαρυπενθούσας «βαλιντέ» σουλτάνας. Και αγορές με το επίμονο χρίσμα του «ανατολίτικου», όπου έμποροι και μικροέμποροι άπλωναν μετάξια και ριγέ υφάσματα –βολικό το ριγέ πάντα στους «ορ", μπροστά σε χανούμισσες σκεπασμένες με γιασμάκια και τσαρτσάφια, τρομοκρατημένες και κολακευμένες απ' τις γαλιφιές των πωλητών.

Όλο τέτοια περνούσαν απ' τα μάτια του πηγαίνοντας για το Καπαλού Τσαρσί, την πιο διάσημη σκεπαστή αγορά της Τουρκίας ολόκληρης, αν και είχε ακουστά πως τα «σουκ» του Ισπαχάν και του Χαλεπιού ήταν απείρως πιο αυθεντικά απ' τα «τσαρσιά» της Ισταμπούλ και του Καΐρου... 𝒾

Δεν είχαν μαζέψει ακόμα τις πραμάτειες τους, ούτε είχαν σβήσει τις ισχυρές λάμπες που έκαναν το χρυσό να λάμπει σαν μεσημέρι καλοκαιριού και τα χαλιά να βγάζουν

397

προς τα έξω τα βαθυκόκκινα και βαθυγάλανα σωθικά τους. Δέρματα, παπούτσια, κιλίμια, υφάσματα, χρυσός και ασήμι, καφενεία και κεμπαπτζίδικα... Ό,τι άχρηστο για κείνον μπορούσε να φανταστεί βρισκόταν στο κλειστοφοβικό Τσαρσί. Ταβάνια με περίτεχνες τοιχογραφίες που πρόδιδαν την ηλικία τους, πλήθη ντόπιων και τουριστών, ένα συνονθύλευμα περίεργων που κατάπιναν οθωμανικό αέρα –ή έτσι, τουλάχιστον, νόμιζαν– και παλιατζίδικα αξιώσεων μέσα σ' όλα αυτά, και χαλιά με ευγενική καταγωγή, και μπακίρια μερακλίδικα δουλεμένα, και μαύρα λαμπερά, τούρκικα μάτια, υγραμένα απ' τα εμπορικά δαιμόνια της αγοράς. Και παντού μουσικές, η δόξα του λυγμού και του έρωτα, από ραδιόφωνα κι από κασετόφωνα κι από τηλεοράσεις, που ανακοίνωναν ασταμάτητα τα είκοσι πιο πετυχημένα τραγούδια του τούρκικου «μποξ όφις».

Ζαλισμένος και συνεπαρμένος κοίταζε τις καμάρες των στοών, ο πανικός του φωτισμένος απ' τους γυμνούς γλόμπους είχε εξατμιστεί, δέρμα και κιμάς αρωματισμένος με κόκκινο πιπέρι του πολιόρκησε τη μύτη, δέρμα και «λιμόν κολονιασί», δέρμα και φρεσκοψημένο σιμίτι, δέρμα κι απρόσμενα κρύα ρεύματα και σπάγκος εγκλωβισμένος σε χαλιά με γεωμετρικά σχέδια. Αλλά, προτού στρίψει σε μια στοά λιγότερο πολύβουη, με αλάβαστρα, όνυχες και κεραμικά, σταμάτησε στο μισοφωτισμένο παλαιοπωλείο του «Μετίν».

Βιτρίνα μικρή αλλά αξιοπρόσεχτη. Τέσσερα μεγάλα πορσελάνινα φαρμακευτικά βάζα με λατινικά στοιχεία, απέριττα αλλά επιβλητικά, με τα φίδια να περικυκλώνουν τη χρυσοπράσινη βάση. Παραδίπλα, σε άλλο ράφι, δύο ρώσικες εικόνες του Αϊ-Γιώργη με το δράκο. Ίδιο θέμα, όμως φτιαγμένες από διαφορετικούς αγιογράφους. Ο δεύτερος Αϊ-Γιώργης ήταν Μογγόλος και ο δαίμονας ένας κατάξανθος, πανέμορφος μαχητής. Γέλασε. Του φάνηκε αστείο τι θεωρούσε –και δικαίως– επικίνδυνο για τη λίμπιντο του Αϊ-Γιώργη ο καλλιτέχνης. Γέλασε δυνατά, ξεκαρδίστηκε. Μα ναι, ήταν πολύ αστείο και αληθινό. Γέλασε και ερέθισε το λαιμό του. Του 'ρθε βήχας. Έβηξε. Έβηξε δυνατά, όπως γέλαγε. Πιο δυνατά. Έβαλε το χέρι του στο στόμα, αλλά δεν πρόλαβε να συγκρατήσει δύο μικρά ματωμένα κόκαλα που ξεπήδησαν απ' το λαρύγγι του με τόση δύναμη, ώστε χτύπησαν τη βιτρίνα του «Μετίν». Συνέχισε να βήχει. Να βήχει και να ιδρώνει...

Ο ηλικιωμένος Τούρκος μέσα απ' το μαγαζί, πιστεύοντας πως ο ξένος με το μαύρο παλτό και τα γυαλιά ήθελε να του τραβήξει την προσοχή χτυπώντας το τζάμι, άνοιξε πρόθυμα την πόρτα. Μια σιδερένεια πόρτα, βαμμένη στο κόκκινο της φωτιάς.

«Μπουγιουρούν, εφέντιμ...» Και συνέχισε, μισά γαλλικά, μισά εγγλέζικα.

Ο Ηλίας ανάσανε βαθιά, ένιωσε πιο σίγουρος, απώθησε αυτό που του συνέβη, σκούπισε το ματωμένο αφρό απ' τα χείλη, έδειξε να συμμερίζεται το λογύδριο του Μετίν –αυτός ήταν ο Μετίν– για τα σπουδαία αντικείμενα που κατέληγαν στο μαγαζί του. Του έδειξε κεραμικά, αυθεντικά Ιζνίκ, Ευαγγέλια τυπωμένα στη Βενετία, με βυσσινιά βελούδα που μύριζαν γατίλα και σήψη, εικόνες βυζαντινές, κρυστάλλινες καράφες με το μονόγραμμα του Αμπντούλ Μετζίτ φτιαγμένες στη Βοημία, πατριαρχικές παντόφλες κεντημένες με μαργαριτόρυζο και ασημένια κλωστή, λιθογραφίες που απεικόνιζαν την πτώση του Αμπντούλ Χαμίτ, με την απόγνωση και την τρέλα ζωγραφισμένες στα σακουλιασμένα του μάτια, μαξιλάρια από σατέν και πάνω τους ο Μουσταφά Κεμάλ, μινιατούρες περσικές και κούκλες από την Κίνα ξύλινες, από τικ.

«Έχω κι αυτό, κύριε...» Ο Μετίν έσκυψε σε μια εταζέρα και πήρε ένα κουτί με σχέδια από σμάλτο. «Αυτό μου το 'φεραν πριν από πολλά χρόνια απ' την Εντίρνε, την Αδριανούπολη. Δείτε και υπολογίστε δουλειά και αξία. Εκτιμώ ότι είναι του δέκατου έκτου ή του δέκατου έβδομου αιώνα...»

Άνοιξε το κουτί με προσοχή, λες και το περιεχόμενο θα έσπαγε το τζάμι και θα 'παιρνε δρόμο.

«Τι είναι αυτό;» απόρησε ο Ηλίας.

«Μη φοβάστε, πάρτε το στα χέρια σας. Ελάτε στο φως, να το δείτε καλύτερα...»

Το είδε. Το έπιασε με προσοχή και το περιεργαζόταν, νιώθοντας τη ζεστασιά των ρουμπινιών που, αν και θαμπά, του φλόγιζαν τα δάχτυλα. Ένα ασημένιο κόσμημα-κουμπί, με μαργαριτάρια μικρά που σχημάτιζαν ένα πουλί. Ένα άσπρο πουλί...

«Είναι μαρτί... Πώς το λένε... άλμπατρος...» ψιθύρισε ο Μετίν στο αυτί του ξένου.

«Ένας γλάρος από μαργαριτάρια και ράμφος από ρουμπίνια».

«Ακριβώς. Καλά το κατάλαβα πως μόνο άνθρωπος σαν κι εσάς μπορεί να εκτιμήσει αυτό το αριστούργημα... Τα ρουμπίνια, φυσικά, αν γυαλιστούν, θα αναδείξουν το χρώμα τους. Αλλά εγώ, αν ήμουν αγοραστής, θα τα άφηνα έτσι. Θαμπά. Νιώθετε τη θερμότητά τους;»

«Ναι, είναι λίγο παράξενο...»

«Είναι ο τρόπος που διαλέγουν αυτά που νομίζουμε άψυχα να μας στείλουν τα μηνύματά τους, κύριε...»

«Σαν τι μηνύματα;»

«Ποιος ξέρει;» αναστέναξε ο Μετίν. «Αν ήξερα, θα ήμουν ποιητής και θα καταστρεφόμουν. Αστειεύομαι... Σας ενδιαφέρει;»

Ο Ηλίας Καπνάς ένιωθε μέσα στην παλάμη του το κόσμημα να τον καίει, να πάλλεται, να ζητά απεγνωσμένα να αποδράσει από το κουτί κι από το μαγαζί του Μετίν. Έπειτα, αποφασιστικά, κλείνοντάς το σφιχτά στην αριστερή του παλάμη, κόλλησε το πρόσωπό του στο πλαδαρό μούτρο του παλαιοπώλη, όπου περίσσευαν τα μάγουλα και τα προγούλια.

«Νε καντάρ, Μετίν μπέη; Πόσο;»

«Τσοκ ουτσούζ, αρκαντασίμ... Πολύ φτηνά, φίλε μου. Τσοκ, τσοκ ουτσούζ...»

Όταν βγήκε από το Καπαλού Τσαρσί, η Πανσέληνος είχε κρυφτεί πίσω από τα σύννεφα του χιονιού και πολλά από τα εμπορικά κατέβαζαν τα στόρια τους. Προχωρούσε σαν μεθυσμένος στο χιόνι, αλλά δεν κρύωνε. Λες και το κό-

401

σμημα –ή ό,τι άλλο ήταν αυτό που αγόρασε απ' τον Μετίν– τον θέρμαινε ολόκληρο. Ακολούθησε τις γραμμές του τραμ και κατέβηκε προς το Σουλτάν Αχμέτ, τον Ιππόδρομο των Βυζαντινών προγόνων.

Είχε ξαναρχίσει να χιονίζει κι όλα ξεπρόβαλλαν πίσω απ' το λευκό, αραιό για την ώρα, προπέτασμα. Εξωπραγματικά φάνταζαν μες στη νύχτα και στην κρυσταλλική λευκότητα τα τζαμιά του Σουλτάν Αχμέτ και του Σουλεϊμάν, πιο πέρα. Και η Αγια-Σοφιά, ο θρίαμβος των χριστιανικών τύψεων, με τέσσερις λιγνούς μιναρέδες-παραστάτες, κατάφωτη, έτσι που να αναδεικνύονται τα κοραλλιά της χρώματα. Τώρα την αντίκριζε πρώτη του φορά ο Ηλίας Καπνάς, κατάπληκτος με το μέγεθος και τον επιβλητικό της όγκο, που δικαιολογούσε το θρήνο και την απόγνωση όσων την πόθησαν. Κάποιος Τούρκος ποιητής είχε πει –το 'χε διαβάσει προετοιμαζόμενος για το ταξίδι και τότε δεν το είχε πολυκαταλάβει– πως «εύκολα χάνεις την πίστη σου μεταξύ της Αγια-Σοφιάς και του τζαμιού του Σουλτάνου Αχμέτ». Τώρα, όμως, το καταλάβαινε.

Το χιόνι έπεφτε πια πυκνό και η κίνηση στους δρόμους έκοβε. Λιγοστοί και οι διαβάτες, οι πιο πολλοί υποψήφιοι πελάτες για τα φαγάδικα που έψηναν τους πεντανόστιμους κεφτέδες με το αρνίσιο κρέας απ' τα χαράματα ως αργά το βράδυ.

Ο Ηλίας ακολουθούσε το ένστικτό του και το τραμ κι έτσι έφτασε στο Σταθμό Σιρκετζί των τρένων της ευρωπαϊκής πλευράς. Δεν ήξερε πού πηγαίνει, αλλά αυτό του έλεγε και το ένστικτο. Περιπλανιόταν καταπίνοντας νιφάδες. Λίγο έλειψε να σκαρφαλώσει σε μια αμαξοστοιχία που ξεκινούσε για τη Βουλγαρία «μέσω Εντίρνε». Θυμήθηκε πως ο μαργαριταρένιος γλάρος από εκεί είχε έρθει. Ήταν κι άλλες αναμνήσεις απ' την Εντίρνε-Αδριανούπολη, συγκεχυμένες, που δεν κατόρθωνε να τις βάλει σε τάξη. Τέλος, πήδηξε την τελευταία στιγμή σ' ένα πλοίο που περνούσε απέναντι, στο Καντίκιοϊ – τη Χαλκηδόνα των Κωνσταντινουπολιτών, στην ακτή της Ασίας.

Κάθισε έξω, για να δει την Πόλη φωταγωγημένη από μακριά. Σαν τρεις μισοβυθισμένοι «Τιτανικοί» μαζί έμοιαζε. Πήρε ένα τσάι γλυκό και στυφό, να τον βγάλει απ' την κούραση που του 'κοβε τα μάτια χωρίς να νυστάζει. Δε θυμόταν πόσες ώρες ήταν άυπνος, μα δεν τον ένοιαζε. Αλλά και οι φόβοι του είχαν συρρικνωθεί καταμεσής του Βοσπόρου. Άσπρισε ο γιακάς του παλτού, πάγωσαν τα αυτιά του, έφτασαν στο Καντίκιοϊ. Όλα άσπρα και κόκκινα απ' τις ρεκλάμες.

Πείνασε ξαφνικά, όταν ορεκτικές μυρωδιές φρεσκοψημένων γκιουζλεμέδων με σπανάκι και κιμά του χτύπησαν τη μύτη. Μπήκε σ' ένα καφενείο-μαγέρικο και δοκίμασε το φύλλο που άνοιγαν επιτόπου γυναίκες μαστόρισσες απ' την Ανατολία, καθισμένες οκλαδόν με τις βράκες τους, μπροστά σε σοφράδες αλευρωμένους.

Πήρε κουράγιο και, με γεμάτο πια το στομάχι, ξαναβγήκε να βολτάρει έτσι, στα κουτουρού, στην πλούσια σε τουρσιά, ελιές, ψάρια και ζαρζαβατικά αγορά του Καντίκιοϊ. Το χιόνι, χιόνι. Και τα φρέσκα ψάρια να αργούν να ξεψυχήσουν στους ταβάδες. Τον μαγνήτιζαν τα ερεθισμένα βράγχια των ψαριών που ακόμα συστέλλονταν, καθώς οι ψαράδες τα σαβάνωναν με χιόνι νωπό.

Ένα μεγάλο κτήριο, καμιά πεντακοσαριά μέτρα πιο μακριά, δίπλα στη θάλασσα, τον τράβηξε. Ήταν και το πιο ευδιάκριτο. Το πιο ζωντανό, πες καλύτερα, της παραλίας. Φανάρια ολόγυρά του και ρολόγια σαν μάτια τεράτων μες στη νύχτα. Σφυρίγματα τρένων έκαναν ακόμα πιο ελκυστικό το Σταθμό του Χαϊντάρ Πασά. Το κτήριο με τα τουρκομπαρόκ στοιχεία ήταν επίτευγμα Γερμανών αρχιτεκτόνων ή κάτι τέτοιο, στα τέλη του δέκατου ένατου. Η αρχή της περιπέτειας για την Ανατολή. Από 'κεί πηγαίνεις στην Άγκυρα σ' ένα δεκάωρο, πάνω κάτω. Από 'κεί ξεκινούσαν παλιά οι στρατιώτες για να πεθάνουν ενθουσιωδώς...

Ο Ηλίας Καπνάς χρησιμοποιούσε το μυαλό του όσο μπορούσε λιγότερο απόψε, που ένιωθε πληγωμένο και ματωμένο τον οισοφάγο του, χωρίς να τολμά να προσδιορίσει σε ποια γλώσσα μιλούσε και σκεφτόταν, σε ποια ονομάτιζε κάθε πράγμα που αντίκριζε, σε ποια διάβαζε το ιστορικό του παλιού, μεγαλοπρεπούς Σταθμού του Χαϊντάρ Πασά, γραμμένο σε μια μπρούντζινη πλάκα στην είσοδο της τεράστιας κεντρικής αίθουσας.

Μπήκε στο σταθμό με θολά γυαλιά και, μισό λεπτό αργότερα που καθάρισαν, την είδε να στέκεται μπροστά στον πίνακα των αφίξεων. Πλάτη.

Τον τράβηξε η λαχτάρα που διαισθάνθηκε στη γυναίκα με το λαδί τζάκετ, το καφέ κοτλέ παντελόνι χωμένο σε μπότες του ίδιου χρώματος και το μαύρο τσόχινο καπέλο με το μικρό μπορ. Διάβαζε και ξαναδιάβαζε τον πίνακα, κι εκείνος ήξερε πως την έπνιγε η αγωνία. Απ' τις συσπάσεις των ώμων; Πάντως το ήξερε.

Στην αρχή κρατήθηκε. Έμεινε καρφωμένος στο μέσο της αίθουσας, θαυμάζοντας την ανατολίτικη κομψότητα του σταθμού, που θύμιζε παρακμασμένη Ευρώπη και κατά παραγγελία μεγαλείο. Εξάλλου είχε φτιαχτεί από τα σπαράγματα της Οθωμανικής αυτοκρατορίας. Στο τέλος της.

Το μάτι του έμενε κολλημένο στην πλάτη της. Και ήταν μια πλάτη που του φωτογράφιζε την ψυχή και το πρόσωπο αυτής της νέας γυναίκας, που, όταν στράφηκε κατά το μέρος του, τον κάρφωσε με πράσινα βουρκωμένα μάτια. Δεν μπορούσε να 'ταν αλλιώς. Ήταν έτσι. Όπως την περίμενε. Απ' την αμηχανία της, έβγαλε από την τσέπη μια θήκη κραγιόν –βούτυρο κακάο ήταν, τελικά– κι άρχισε να λιπαίνει τα χείλη της. Έπειτα σωριάστηκε λυπημένη σ' έναν ξύλινο καναπέ κι έβγαλε το καπέλο. Μαλλιά καστανοκόκκινα, σαν ξεθυμασμένη φωτιά.

Τρένα έφταναν στο σταθμό σκεπασμένα με χιόνι. Όμως το δικό της το τρένο, αυτό που περίμενε, θα 'φτανε στις έντεκα. Είχε καθυστέρηση δύο ώρες περίπου.

Μπήκε και βγήκε από διάφορες πόρτες. Η γυναίκα βρισκόταν πάντα εκεί, λυπημένη ουδέτερα, με την παράξενη ομορφιά της και τα καφέ-λαδιά ρούχα, σαν τον Γουλιέλμο Τέλλο. Του φάνηκε αστεία η παρομοίωση, αλλά κανένα χαμόγελο δεν αναδύθηκε από μέσα του.

Κοιτάχτηκαν μ' έναν τρόπο σαν να γνωρίζονταν από παλιά όταν διασταυρώθηκαν οι ματιές του. Δε γνωρίζονταν, κι όμως την ήξερε. Κι αυτή η πεποίθηση τον βάραινε, μπορεί και η αϋπνία και η ορθοστασία και το κρύο – μια σαλάτα πιθανοτήτων.

Μετά του ξανάρθε ο βήχας κι ο πόνος στο λαιμό – ένας πόνος τον οποίο επίτηδες καλλιεργούσε, για να επιβεβαιώνει αυτό που του συνέβαινε. Κι αυτό που του συνέβαινε ήταν πως έτρεξε στην τουαλέτα κι έφτυσε ματωμένα υπολείμματα από κόκαλα.

«Κεμίκ, κεμίκ... Κόκαλα...» μουρμούρισε. Και συνέχισε συνθέτοντας φράσεις στα τουρκικά, μιλούσε δυνατά μπροστά στον καθρέφτη της τουαλέτας, κάποιοι απ' τα ουρητήρια έσκυψαν να δουν ποιος είναι ο παπαγάλος που λέει ξεκάρφωτες προτάσεις. Είδαν έναν ψηλό μεσήλικα άντρα με γυαλιά και μαύρο παλτό.

Πήγε και της συστήθηκε όσο μπορούσε πιο ήπια, για να μην της φανεί ένας τρελός Έλληνας που εξασκεί τα τουρκικά του σε μοναχικές γυναίκες. Άκουγε κατάπληκτος τον εαυτό του να της μιλά για την καθυστέρηση του τρένου από την Άγκυρα, για τη νυχτερινή περιήγηση στην Πόλη, για την αρχιτεκτονική του σταθμού, για το παρθενικό του ταξίδι στην Ιστανμπούλ, για τη φιλία του με μια κυρία που είχε γεννηθεί εδώ:

«... Ράνα την έλεγαν».

Η κοπέλα ήταν πολύ πιο νέα, τώρα που την έβλεπε από κοντά.

«Μεμνούν ολντούμ...» Του είπε τυπικά πως χάρηκε πολύ. «Ώστε την έλεγαν Ράνα... Εμένα Γκιουλ».

«Γκιουλ; Τριαντάφυλλο... Οτουραμπιλίρ-μιγίμ;» Μπορούσε να καθίσει;

«Ταμπιί...» Τραβήχτηκε για να του κάνει χώρο.

«Μερικές φορές νομίζουμε πως κάποιους εντελώς ξένους τους γνωρίζαμε μια ζωή...» είπε.

Η κοπέλα γέλασε. Γελούσε ωραία. Ήταν κουρασμένη κι ανυπομονούσε να κυλήσει η ώρα.

«Περιμένετε τον αδελφό σας...»

Τον κοίταξε μισοκλείνοντας τα μάτια. Πώς το 'ξερε;

«Νομίζω πως μου το είπατε... Έτσι κατάλαβα... Τα τουρκικά μου είναι λίγο...»

«Είναι λίγο τέλεια», τον διέκοψε σοβαρή. «Δε θυμάμαι να είπα τίποτα. Ναι, τον περιμένω. Είχε μια περιπέτεια με την υγεία του, αλλά ευτυχώς πέρασε. Είναι φοιτητής της Αρχιτεκτονικής...»

«Η καρδιά του». Δεν τη ρώτησε. Το είπε με βεβαιότητα.

«Μουμκιουνσέ...» Δεν ήταν δυνατόν να τη διαβάζει έτσι αυτός ο ξένος. Δεν έβρισκε το παιχνίδι του και τόσο διασκεδαστικό.

«Υπέθεσα...» δικαιολογήθηκε ο Ηλίας Καπνάς.

«Και πέσατε ταμάμ, ακριβώς... Τελικά επρόκειτο απλώς για μια αγχώδη κατάσταση...»

«Οι νέοι...» αναστέναξε ο Ηλίας. «Ο έρωτας, τα μαθήματα, η βιασύνη να ζήσουν...»

«Ναι. Μπορεί να 'ναι κι αυτό και άλλα... που μάλλον τα διαβάζετε στο μυαλό μου. Φοβάμαι ότι ήδη καταλάβατε πως θέλησα να σας κρυφτώ...» Είχε έναν κουρασμένο, εριστικό τόνο, αλλά χαμογελούσε.

«Δε σας καταλαβαίνω, Γκιουλ...»

«Δε σας πάει το όνομα. Μιλήστε ξεκάθαρα...» Τα μάτια της άστραψαν. «Το ξέρατε απ' την αρχή, αλλά δε με νοιάζει».

«Αν θέλετε, θα σας φωνάζω Γκιουλ...»

Γέλασαν και οι δύο.

«Ωραία, λοιπόν. Είμαι η Ράνα και πεινάω...»

«Υπάρχει ρεστοράν. Έχουμε δύο ώρες μπροστά μας. Είμαι ένας μεσήλικας απ' την Ελλάδα, αν θέλετε μπορούμε να πιάσουμε το νήμα της ιστορίας απ' την αρχή και να αγριέψουμε το παιχνίδι... Έχετε έρθει ποτέ στην Αθήνα;»

«Οι Τούρκοι δεν έχουν λόγους να 'ρθουν στην Αθήνα. Εσείς, ναι. Η Ιστανμπούλ η δική μας και η Κωνσταντινούπολη η δική σας κουβαλούν τη χειρότερη μορφή νοσταλγίας. Έτσι λέει ο αδελφός μου, ο ο...» Τον κοίταξε πονηρά, σαν να 'παιζαν ένα παιχνίδι γνώσεων.

«Ο Ρεσάτ», είπε εκείνος, όσο γινόταν πιο πειστικά.

«Ο Τουρχάν λέω εγώ. Κι αυτό λέτε κι εσείς, αλλά φοβάστε μήπως το βάλω στα πόδια...» Γέλασε η Ράνα.

«Με διαβάζετε...»

«Δε φταίω εγώ. Η μόνη αλήθεια είναι ότι πεινάω».

«Η μόνη αλήθεια είναι πως ο πίνακας των αφίξεων άλλαξε και πάλι».

Η γυναίκα πετάχτηκε απ' τη θέση της κι έτρεξε να δει την καινούρια ώρα άφιξης του Εξπρές απ' την Άγκυρα.

Σε μισή ώρα το τρένο του Τουρχάν θα βρισκόταν στο Σταθμό του Χαϊντάρ Πασά. Μισάωρη αποδείχθηκε η καθυστέρηση.

«Για μισή ώρα δεν αξίζει τον κόπο...» του είπε.

«Έναν καφέ, τότε».

«Ένα τσάι».

Παρήγγειλαν δύο τσάγια, παραμένοντας ταραγμένοι και σιωπηλοί.

Ο Ηλίας δεν τολμούσε να ρωτήσει τίποτα. Είχε τρομοκρατηθεί με την ιδέα που θα μπορούσε να σχηματίσει η νέα γυναίκα για τον παράξενο τουρίστα απ' το «Γιουνανιστάν» μέσα στην παγερή νύχτα.

«Αυτή είναι η δουλειά σας; Διαβάζετε τις ψυχές και τα μυαλά των άλλων; Και στην άλλη Ράνα, την παλιά σας φίλη, τα ίδια κάνατε;»

«Δεν πρόκειται για κάτι ξεχωριστό...» δικαιολογήθηκε.

«Ούτε για τόσο συνηθισμένο...» Παρήγγειλε δεύτερο τσάι.

Ο Ηλίας επιχείρησε να αλλάξει θέμα: «Το πιο αστείο είναι πως θα νομίζουν ότι φλερτάρουμε...»

«Δε φλερτάρω. Ούτε εδώ ούτε καν...»

«...στο Παρίσι», συμπλήρωσε εκείνος. «Τι δουλειά έχετε εκεί;»

«Μαντέψατε το Παρίσι και δεν ξέρετε τι δουλειά κάνω; Αν μπλοφάρετε... Αλλά, ειλικρινά, δε με νοιάζει. Στο Παρίσι διδάσκω Τουρκολογία στη Σορβόνη. Ξέρετε τι είναι η Τουρκολογία, φαντάζομαι. Θα σας το εξηγήσω, όμως, επιγραμματικά και περιφραστικά. Από τη μια απορρίπτουν τους σύγχρονους Τούρκους με μια ακαδημαϊκή χριστιανική λογική και, από την άλλη, φλέγονται να μάθουν όλα όσα περάσαμε ως φυλή για να καταλήξουμε σ' αυτή την κατάσταση που είμαστε σήμερα...»

«Το κακό είναι ότι πολλαπλασιάζεστε εξαιρετικά γρή-γορα...» είπε εκείνος θέλοντας να βάλει στη μέση την η-θική της οικονομίας.

«Ναι, είμαστε αισθησιακός λαός, κύριε...»

«Καπνάς. Ηλίας Καπνάς. Ή, αν προτιμάτε, Τουτου-ντζής στα τούρκικα».

Γέλασε κουρασμένα.

«Πεινάτε ακόμα;»

«Τώρα περιμένω εκείνον...»

«Τον αδελφό σας...»

Ήταν έτοιμη να κλάψει.

«Συγγνώμη...»

Ζητούσε συγγνώμη που τα μάτια της έτρεχαν πια. Έ-κλαιγε. Φορτωμένη από μια καταιγίδα που ξεσπούσε ή-συχα μπροστά του, μόνο και μόνο γιατί εκείνος ήξερε.

«Δεν ξέρω τι να πω για τον εαυτό μου, αλλά μάλλον εί-μαι μια παρωδία μέντιουμ...»

«Και ποιος δεν είναι παρωδία, κύριε...» Έσκυψε κοντά του, πάνω στο παλτό, να κρύψει τα αναφιλητά της.

Ίσως αυτή να ήταν η λέξη-κλειδί της βραδιάς: παρω-δία. Όπως παρωδία ήταν κι αυτό το ταξίδι και η γνωρι-μία με την Ιστανμπούλ και η ζωή του ολόκληρη. Τόλμησε να της αγγίξει τα μαλλιά. Άγγιγμα, όχι χάδι.

«Μη φύγετε, σας παρακαλώ. Μείνετε μαζί μου ώσπου να 'ρθει το τρένο του... Ξέρετε πως το θέλω...»

«Δεν ξέρω τίποτα. Σας το ορκίζομαι...» της ψιθύρισε στο αυτί, ανασαίνοντας την ευωδιά του λαιμού της. Κάτι παραπλήσιο στο «Τζίκι».

«Δε θα ξανάρθω στην Ιστανμπούλ, κύριε... Δεν πρέπει...» Χαμογέλασε μέσ' απ' τα δάκρυά της. «Αυτό ήταν... Φυσικά ξέρετε γιατί δεν πρέπει. Και βέβαια ξέρετε...»

«Το μόνο που ξέρω είναι πως είμαι πιο κυνηγημένος από σας. Με κυνηγούν τα χαρίσματά μου...» Έβαλε τα γέλια, ξαφνιάζοντάς την.

Του έσφιξε το μπράτσο, σαν να συμμεριζόταν τους γρίφους του κάτω απ' το κασμιρένιο μαύρο παλτό.

Ούτε η Ράνα ούτε ο Ηλίας Καπνάς πρόσεξαν τον γκριζομάλλη ανθρωπάκο που πρόβαλε από την πόρτα της κουζίνας, σκουπίζοντας τα χέρια σε μια ήδη βρεγμένη ποδιά. Κοίταξε το ζευγάρι που, σχεδόν αγκαλιασμένο, γελούσε. Το μεσήλικα άντρα με τα γυαλιά, που διόρθωνε τα μαλλιά της νέας γυναίκας με το λαδί τζάκετ. Τα δάκρυά της.

«Συμβαίνει κάτι...» Ο Ηλίας Καπνάς τραβήχτηκε, διαισθανόμενος αόριστα αυτό το «κάτι». Ακούστηκε η ανακοίνωση της άφιξης.

«Έφτασε...» Η Ράνα έτρεξε έξω από το καφενείο. Ο Ηλίας την ακολούθησε. Και για μια μόνο βασανιστική στιγμή είδε τον τρόμο στα μάτια ενός άγνωστου μεσόκοπου, στην πόρτα της κουζίνας του καφενείου.

Όμως η Ράνα έτρεχε κιόλας προς την πλατφόρμα αριθμός τρία. Την ακολούθησε με γρήγορο βήμα, ενώ πίσω του, μπορεί παραδίπλα ή πιο μπροστά –είχε χάσει πια το λογαριασμό– ακουγόταν καθαρά ένας ανάπηρος μεταλλικός βηματισμός.

Το Εξπρές από την Άγκυρα έμπαινε αργά, σφυρίζοντας, στο Σταθμό του Χαϊντάρ Πασά.

«Μεχμέτ, δε σχολάσαμε ακόμα...» φώναξε μια γυναίκα μέσα απ' την κουζίνα του καφενείου. «Έλα, τι σ' έπιασε;»

«Τίποτα... Νόμισα πως είδα κάποιον απ' τα παλιά...»

«Όλο νομίζεις... Έλα να τελειώνουμε!» γκρίνιαξε η γυναίκα, που είχε και το βάσανο του μικρού γιου που υπηρετούσε φαντάρος στο καταραμένο το Ντιγιάρμπακιρ. Όταν χιόνιζε, η αγωνία της κορυφωνόταν.

Ο άντρας της, ο Μεχμέτ, κλειστός απ' τη φύση του, σπάνια εκδηλωνόταν. Αλλά, όπως της έλεγε η μακαρίτισσα η πεθερά της, η Νουρ, έτσι ήταν από παιδί, στην Εντίρνε. Μουλωχτό και μονόχνοτο. Κι όταν σκοτώθηκε ο πατέρας του στο χαμάμ, «ντιπ για ντιπ στα καλά καθούμενα, απ' την ώρα την κακή», ε, τότε πια παράγινε. Η Ιστανμπούλ, ο γάμος αργότερα και προπαντός τα παιδιά τον ξάνοιξαν λιγάκι, αλλά ώρες ώρες έκανε σαν να 'βλεπε φαντάσματα.

«Μεχμέτ...» έβαλε μια φωνή. «Άιντε, έλα. Κι εγώ απ' το πρωί έχω τα χέρια μου στα βρομόνερα...» τσίριξε.

«Σους...» Ο σερβιτόρος την αποπήρε.

«Αφού, καλέ, δεν είναι κανείς. Αδειάσαμε...» δικαιολογήθηκε εκείνη.

«Είναι κάποιος...» μουρμούρισε ο Μεχμέτ, τόσο σιγανά που μόνο ο ίδιος το άκουσε.

Ένα καστανό αγόρι με μαλλιά σγουρά και μουστάκι. Ο Τουρχάν. Στα χρώματα της Ράνας. Με μάτια γελαστά. Αυτά τα μάτια που γνώρισμά τους δεν έχουν το χρώμα, αλλά το ότι γελούν και λάμπουν σαν φρεσκογυαλισμένος χαλκός. Τέτοια. Χειμωνιάτικα κι ανοιξιάτικα μαζί. Μόνο που, τώρα, κάτω απ' αυτά τα μάτια υπήρχαν μοβ κύκλοι που φανέρωναν κούραση ή μια ταλαιπωρία, τέλος πάντων. Μόνο σακάκι φορούσε, παρά την παγωνιά, κι ένα κασκόλ δεμένο χαλαρά. Σακ-βουαγιάζ πλαστικό, δάχτυλα μακριά – που ίσως να είχαν διαποτιστεί από τη νικοτίνη. Ψηλός, με κοκαλιάρικες πλάτες. Χέρια μακριά, που άνοιξαν για να ξανακλείσουν νευρικά γύρω απ' το σώμα της αδελφής. Έμειναν έτσι σφιχταγκαλιασμένοι, κάτω από τα απορημένα βλέμματα ταξιδιωτών με τη στάμπα της ισλαμικής πειθαρχίας. Οι Τούρκοι ακόμα ξαφνιάζονται από τέτοιες διαχύσεις δημόσια.

Ο Ηλίας στεκόταν παράμερα και τους παρατηρούσε, καταπίνοντας τα δάκρυά του. Ήλπιζε, μάλλον, πως ήταν δάκρυα κι όχι απολιθωμένα κουκούτσια από βύσσινα. Μετά, ο Τουρχάν κάτι ψιθύρισε στην αδελφή του κι έτρεξε προς τη σταθμευμένη αμαξοστοιχία. Ένας νεαρός, πάνω κάτω στο ίδιο σουλούπι, αλλά φανερά πιο στέρεος σωματικά, χωρίς τον κοσμοπολίτικο αέρα του Τουρχάν, περίμενε καπνίζοντας. Πέταξε το τσιγάρο και του άπλωσε το χέρι.

Μίλησαν με τη γλώσσα των ώμων. Έτσι, τουλάχιστον, το σκέφτηκε ο Ηλίας, βλέποντας τις πλάτες να κινούνται εκφραστικά. Ανάλαφρα, αμήχανα ανασηκώματα αποχωρισμού. Ο Τουρχάν χαμογέλασε απολογητικά στη Ράνα, κάτι είπε πάλι στον νεαρό και, δίνοντάς του ένα ήσυχο φιλί στα μαλλιά, γύρισε στην αδελφή του, που έκανε νοήματα στον ξένο κύριο απ' το Γιουνανιστάν να πλησιάσει.

Ο Ηλίας Καπνάς την έβλεπε που τον καλούσε κοντά τους, αλλά άκουγε δίπλα του το ανάπηρο βάδισμα που είχε αντιληφθεί νωρίτερα. Έστρεψε το κεφάλι και είδε τρεις άντρες να κουτσαίνουν. Ο ένας, που ήταν γέρος, κρατούσε μπαστούνι. Οι άλλοι δύο, με βασανισμένα αξύριστα πρόσωπα κι αυτοί, ήταν νέοι. Ο γέρος τού έριξε μια βλοσυρή ματιά και χάθηκε μέσα στο πλήθος που σκορπούσε τσουλώντας βαλίτσες.

Θυμήθηκε ξαφνικά τον ανθρωπάκο του καφενείου, αλλά η Ράνα τον είχε πιάσει ήδη από το χέρι και τον παρουσίαζε στον αδελφό της σαν... κύριο Τουτουντζή – «τουτού» ήταν στη γλώσσα τους ο καπνός. Ήταν, είπε, ένας τουρίστας από άγνωστο πλανήτη, που τα όντα που τον κατοικούν διατηρούν ακόμα τις αισθήσεις που απώλεσαν οι άνθρωποι.

«Δηλαδή;» ρώτησε προκλητικά ο Τουρχάν, σφίγγοντας το χέρι του εξωγήινου κυρίου Καπνά-Τουτουντζή.

«Δηλαδή, αντιλαμβάνονται πότε οι άλλοι είναι πεινασμένοι σαν λύκοι και προτείνουν δείπνο», είπε ο Ηλίας.

«Κι άλλα πολλά και επώδυνα...» συμπλήρωσε η Ράνα και, χαϊδεύοντας το πρόσωπο του αδελφού της, παρατήρησε τρυφερά: «Αδυνάτισε το μωρό μου...»

«Ναι, πέρασε καιρός... Κι εσύ...» Την ξαναγκάλιασε σφιχτά, γεμίζοντάς τη φιλιά.

«Αν ανήκατε στο δικό μου πλανήτη», είπε ο Ηλίας, «θα καταλαβαίνατε πόσο ζηλεύω που υπάρχετε έτσι...»

Έπνιξε κάτι σαν λυγμό. Γερνούσε μόνος, σ' έναν κόσμο αριθμημένο διαστροφικά, άδικο και παγωμένο. Απόψε δεν μπορούσε να δει ούτε τη μύτη του, πνιγμένος στην α-

νταρσία όλων αυτών των αισθημάτων που ηχούσαν με-
ταλλικά και μύριζαν ντομάτα. Πώς του 'ρθε η ντομάτα
μια τέτοια νύχτα;

Του μιλούσαν, μα το μυαλό του σκόρπαγε. Άλλοτε κα-
ταλάβαινε κι άλλοτε όχι. Άγγιξε το περιτύλιγμα του κο-
σμήματος που αγόρασε απ' το Τσαρσί. Του 'χε γίνει έμ-
μονη ιδέα πως εξαιτίας του κινδύνευε, όμως πάλι γαλήνε-
ψε. Η φωνή της Ράνας κελαηδούσε, είχε χάσει κάθε ερι-
στική χροιά, φλυαρούσε και γελούσε με την καρδιά της.
Γελούσε και, κάθε τόσο, σκούπιζε τα μάτια της. Ο σταθ-
μός πήρε ν' αδειάζει.

«Ο κύριος Καπνάς μέθυσε με τσάι...» τον πείραξαν
βλέποντας το λαλίστατο ως εκείνη την ώρα κύριο με τα
προσεγμένα τουρκικά να μη μιλά.

«Πού θα φάμε, λοιπόν;» Ο Τουρχάν τον επανέφερε στην
πεινασμένη τους πραγματικότητα.

«Εσείς ξέρετε...»

«Εσείς μαντεύετε, όμως...» είπε η Ράνα. «Τι πάθατε;»

«Τίποτα. Προσπαθώ να συνηθίσω στις εκπλήξεις του
κόσμου σας».

Ο Ηλίας Καπνάς χαμογελούσε αινιγματικά, έχοντας το
βλέμμα καρφωμένο σε μια απ' τις εισόδους του σταθμού.
Εκεί όπου στεκόταν ο οδηγός του Καπλαντζί. Ο χθεσινο-
βραδινός οδηγός, που τον πήγε στην έπαυλη του επιχειρη-
ματία Αντέλ Καπλαντζί. Ντυμένος άψογα, με μπλε νου-
άρ κοστούμι, όπως και χθες. «Όπως και κάθε χθες», σκέ-
φτηκε ο Ηλίας καταπίνοντας με δυσκολία το σάλιο του.

«Μας βρήκε...» μουρμούρισε.

«Τι είπατε;» ρώτησε ο Τουρχάν κρατώντας πάντα στην αγκαλιά του τη Ράνα.

«Αυτός ο άνθρωπος, εκεί...» είπε δυνατά, πιο πολύ για να καταπνίξει τον πανικό του και να βεβαιωθεί πως τον έβλεπαν και οι νέοι φίλοι του. «Αυτός ο άνθρωπος, εκεί... μας περιμένει».

«Ελάτε, τώρα...» Η Ράνα χαμογελούσε.

«Είναι για μας...» ξανάπε πιο ήρεμος τώρα, που ο ευγενικός οδηγός του μεγαλοεπιχειρηματία ήταν υπαρκτός, με σάρκα και οστά. Το χρώμα ξαναγύριζε αργά στο πρόσωπό του.

«Σας έψαχνα, αλλά να που στάθηκα τυχερός. Καλησπέρα σας, κύριε Καπνά. Φοβάμαι πως το αφεντικό μου χθες το βράδυ δε σας έδωσε να καταλάβετε πως κι απόψε...»

«Ναι, δεν ήμουν σίγουρος. Και, όπως βλέπετε, είμαι με παρέα...»

«Ούτε συζήτηση... Και η παρέα σας είναι ευπρόσδεκτη». Ο οδηγός έκανε μια μικρή υπόκλιση μπροστά στη Ράνα, που διασκέδαζε με το ύφος του Έλληνα.

«Μα πώς θα πάμε έτσι;» είπε εκείνη.

«Εννοείτε ντυμένη σαν τον Γουλιέλμο Τέλλο; Αστειεύομαι. Όλοι είμαστε υπέροχοι...»

«Φυσικά...» Ο Τουρχάν έκανε κέφι την περιπέτεια.

«Οι φίλοι σας είναι και φίλοι του κυρίου Καπλαντζί», είπε ο οδηγός. «Ελάτε...»

«Πού θα πάμε;»

Ο Τουρχάν ζωήρεψε απότομα και μια πονηρή ηδυπάθεια προστέθηκε στα όμορφα χάλκινα μάτια του.

«Στο Μπεμπέκ, στου κυρίου Καπλαντζί...»

«Στου Καπλαντζί...» Ο Τουρχάν φάνηκε να απορεί. Το όνομα, φυσικά, του ήταν πολύ γνωστό.

«Μας περιμένει και δεν πρέπει...» Ο Ηλίας σήκωσε το γιακά του παλτού και, μαζί με τη Ράνα και τον Τουρχάν, έτρεξαν πίσω απ' τον οδηγό, που είχε αφήσει το αυτοκίνητο με τη μηχανή αναμμένη.

Γελώντας τα δύο αδέλφια ρίχτηκαν στη δερμάτινη άνεση των πίσω καθισμάτων. Ο Ηλίας κάθισε δίπλα στον οδηγό. Άκουσε τη Ράνα να σχολιάζει ψιθυριστά: «Σονραντάν γκιορμούς». Κάτι σαν «νεόπλουτοι». Θεώρησε φυσικό ένα τέτοιο σχόλιο, αφού εκείνοι ανήκαν σε μια παλιά οικογένεια, θαμμένη κάτω απ' τη στάχτη των Οσμανλήδων. Δε θυμόταν πώς το γνώριζε, αλλά, ναι, το γνώριζε.

Αυτή τη φορά κατευθύνθηκαν προς το Ουσκουντάρ, ενώ το χιόνι έπεφτε ασταμάτητα. Πέρασαν την πρώτη κρεμαστή γέφυρα πάνω απ' τον Βόσπορο, που θα τους έβγαζε στο Ορτάκιοϊ. Κι από εκεί, ντογρού για το Μπεμπέκ. Στο ραδιόφωνο η ίδια υψίφωνος, όπως και χθες, ερμήνευε ένα απ' τα *Τραγούδια για τα νεκρά παιδιά* του Μάλερ. Τα αδέλφια, ευτυχισμένα, ξεκαρδίζονταν στα γέλια, ο Τουρχάν αναστέναζε σεργιανώντας στα νυχτερινά χιονισμένα τοπία της Ιστανμπούλ κι ο οδηγός δεν έδειχνε να νοιάζεται για τα ωραία τουρκικά του κυρίου Καπνά, που μόλις πριν από ένα εικοσιτετράωρο ήταν ανύπαρκτα.

Η κίνηση ήταν αραιή, αλλά ο οδηγός απέφευγε να πατήσει γκάζι. Πήγαιναν σαν να ακολουθούσαν μια πομπή επίσημη.

417

«Μου έλειψες... Μου έλειψες! Πόσος καιρός, Θεέ μου...»
Η Ράνα, απότομα, σταματούσε το γέλιο, για να κοιτάξει
με λατρεία τον αδελφό της. Ύστερα κολλούσε το πρόσω-
πο στο τζάμι κι έκλαιγε βουβά. Μετά, πάλι μια ρουκέτα
γέλιου. Κι έτσι πήραν την ανηφόρα για την έπαυλη Κα-
πλαντζί. Το Μπεμπέκ έδειχνε να κοιμάται κάτω απ' το
χιόνι και η μηχανή του αυτοκινήτου βογκούσε.

Αυτή τη φορά η έπαυλη του φάνηκε λιγότερο λαμπερή.
Μπορεί να 'φταιγε ο φωτισμός, μπορεί και η διάθεσή του,
αλλά οι σκιές του κήπου, καθώς τον διέσχιζε αργά το αυ-
τοκίνητο, του θύμισαν το σπίτι της Κηφισιάς. Μόνο που
αυτό το επιβλητικό κτήριο, όπου συναντιόταν άναρχα η ο-
θωμανική με την ευρωπαϊκή αρχιτεκτονική, δε συγκρινό-
ταν με το δικό του.

Φευγαλέα θυμήθηκε ότι έπρεπε να τηλεφωνήσει στον
Μπομπ Άντερσον κι ένιωσε μια στενοχώρια. Πάλι αυτό
το ανεξήγητο «κάτι», αλλά ήδη οι πόρτες άνοιγαν και ο
Αντέλ Καπλαντζί, μ' ένα γούνινο παλτό ριγμένο στους ώ-
μους, ευθυτενής και χαμογελαστός, βγήκε να τους προϋ-
παντήσει μ' ένα ανοιχτόκαρδο «Χόσγκελντινίζ». Ο Τουρ-
χάν πήδηξε σβέλτα έξω τρίβοντας τα χέρια του, τον ακο-
λούθησε πιο επιφυλακτική η Ράνα και τέλος ο Ηλίας.

«Βιαστείτε, γιατί απόψε ο καιρός δεν αστειεύεται...
Κύριε Καπνά, χαίρομαι που σας ξαναβλέπω...»

Έδωσαν τα χέρια, έγιναν οι συστάσεις –ο Καπλαντζί
αρκέστηκε στα μικρά τους ονόματα– πέρασαν στη βιβλιο-
θήκη με τα δερμάτινα καθίσματα και τα βελουδένια μαξι-
λάρια με τα ασημένια και χρυσά κεντίδια.

Η φωτιά στο τζάκι καταβρόχθιζε κούτσουρα βελανιδιάς. Μοσκομύριζε ζεστό φαΐ. Οι νέοι ξάπλωσαν στις πολυθρόνες απολαμβάνοντας την άνεση – ειλικρινά καλόγουστη άνεση για «σονραντάν γκιορμούς». Μίλησαν για το χιόνι, για τη χαρά του Τούρκου, που δέχεται σαν ευλογία αυτόν τον «καρ χαβασί», το χιονιά, που βρίσκεται στο κύτταρό του, «...αν σκεφτείτε την επιλήψιμη μογγολική καταγωγή μας από τις ανεμοδαρμένες στέπες», τόνισε ο Αντέλ Καπλαντζί ξεσηκώνοντας γέλια.

Η Ράνα παρατηρούσε τον Καπνά κάτω από το γλυκό, θερμό φως του τζακιού, λες κι αναγνώριζε σιγά σιγά κάποιο φίλο από ένα καλοφυλαγμένο παρελθόν.

Ο ηλικιωμένος υπηρέτης έφερε ένα δίσκο με κρασί κόκκινο και τέσσερα ποτήρια.

«Για ζέσταμα», φώναξε ο οικοδεσπότης γεμίζοντάς τα.

«Είναι αυτό το δικό σας...» παρατήρησε ο Ηλίας.

«Ναι. Από τα αμπέλια μας στη Θράκη... Νομίζω πως απόψε θα πρέπει να είμαστε ιδιαίτερα προσεχτικοί στα κτητικά. Τρεις Τούρκοι κι ένας Έλληνας είναι μάλλον προκλητική αναλογία. Στη φιλία μας, λοιπόν...»

Λίγο αργότερα, στην τραπεζαρία πρωταγωνιστούσε και πάλι η πορσελάνη, αλλά αυτή τη φορά τουρκικής κατασκευής, από το αυτοκρατορικό εργοστάσιο του Αμπντούλ Χαμίτ, που ακόμα υπάρχει στο Πάρκο Γιλντίζ. Δοκίμαζαν για πρώτο πιάτο «κουρμουζού μερτζιμέκ τσορμπασί», σούπα από φακή κόκκινη, με βοδινό μεδούλι.

Το πρόσωπο του Τουρχάν είχε χάσει τη χλομάδα του ταξιδιού, τα χάλκινα μάτια του εξερευνούσαν τα αδρά αρ-

ρενωπά χαρακτηριστικ τον Αντέλ Καπλαντζί, έριχνε λο-
ξές γελαστές ματιές στην αδελφή του –που χτυπούσε επί-
τηδες με το κουτάλι τη λεπτή πορσελάνη του πιάτου της,
σαν να ήθελε να τον επαναφέρει στην τάξη–, επιδοκίμαζε
την ευχέρεια του παράξενου Έλληνα να χειρίζεται τη
γλώσσα τους. Πολλές φορές τα ποτήρια κελάηδησαν, επι-
βεβαιώνοντας το κρυστάλλινο ποιόν τους.

Οι ήχοι αποκτούσαν ξεχωριστή σημασία μέσα σ' εκεί-
νη τη χαλαρή ατμόσφαιρα των απλών γευστικών ηδονών.
Το σύνθετο έδεσμα –σύνθετο για τον Ηλία Καπνά– ακο-
λούθησε αμέσως μετά από τη σούπα. Έφτασαν, σ' ένα
μεγάλο μπρούντζινο ταβά, αρνίσια κεφαλάκια μέσα σε ρο-
δοψημένο πλιγούρι, με άφθονους κόκκους μαύρου πιπεριού
και μικρά φρέσκα μπουκετάκια μαϊντανού και δυόσμου.

«Παλιά δοκιμασμένη συνταγή βάρβαρων νομάδων.
Μην τρομάζετε, κύριε Καπνά...» είπε ο Καπλαντζί ξεση-
κώνοντας νέο κύμα ευθυμίας. Ο Ηλίας κοίταζε με δέος τα
κεφάλια των αρνιών με τα κατάπληκτα μάτια. Σε μερικά
οι βολβοί των ματιών είχαν αποκολληθεί, κάνοντάς τα α-
κόμα πιο μακάβρια.

«Δοκιμάστε τα μάγουλα ή τη γλώσσα...» είπε η Ράνα
αρπάζοντας με τα δάχτυλα ένα μάτι, που το εξαφάνισε
στο στόμα του αδελφού της.

Ο Ηλίας γέμισε το ποτήρι του με το θρακιώτικο κρα-
σί και το κατέβασε μονοκοπανιά.

«Έχετε δίκιο...» χαμογέλασε ο Καπλαντζί. «Χρειάζε-
ται κουράγιο».

Από 'κεί και πέρα τα μάτια του Αντέλ, του Τουρχάν,

της Ράνας και του Ηλία Καπνά μπερδεύτηκαν στο τραπέζι με τα ελάχιστα εναπομείναντα αρνίσια. Γέλασαν με τις ιστορίες του Καπλαντζί – ναι, διηγιόταν όμορφες ιστορίες για το πώς έχτισε την αυτοκρατορία του, πώς έψαχνε τα κομμάτια των συλλογών του, τους έρωτες των νεανικών χρόνων, για να καταλήξει στην «τρελή Καναδέζα του».

Ο γερο-υπηρέτης έφερε σε μια μαύρη πήλινη γαβάθα γιαούρτι αραιωμένο με φυλλαράκια δυόσμου.

«Αντί σορμπέ, ας δοκιμάσουμε κάτι πιο δικό μας».

Και το δοκίμασαν, μέσα σε γέλια και αστεία και περίπλοκους ιδιωματισμούς, που στα αυτιά του Ηλία έφταναν σαν χρησμοί.

Δροσισμένοι από το δυόσμο και το γιαούρτι, πέρασαν στα γλυκά. Σε ασημένιους δίσκους ήρθαν ζουμερά τα «σεκέρ παρέ», κι από πάνω τους λεπτές φέτες καϊμάκι αρωματισμένες με λεμόνι. Η ώρα είχε εξαφανιστεί, το ντελικάτο άρωμα του πούρου του Αντέλ Καπλαντζί τους τύλιξε ευχάριστα, ο Τουρχάν ζήτησε εσπρέσο, αλλά ο επιχειρηματίας του επέβαλε καθαυτό τούρκικο, φρεσκοαλεσμένο στου περίφημου «Μεχμέτ Εφέντη», κάτω στο Εμίνονου.

Ο Ηλίας αισθανόταν, μέσα στην ευδιάθετη ζάλη, να του ξεφεύγουν ονόματα και ρήματα, να διαλύονται συνειρμοί. Ποιος ήταν ο «Μεχμέτ», ποιος ο «Μεχμέτ Εφέντη»; Γιατί αυτό το όνομα βιδώθηκε μέσα του; Ο ανθρωπάκος με τα τρομαγμένα μάτια στο σταθμό, ο μαργαριταρένιος γλάρος με τα θαμπά ρουμπίνια στην τσέπη του, τα μάτια των αρνιών σαν κουμπιά από φόρεμα πανάρχαιας θεότητας του φόβου... Το χέρι της Ράνας αναπαυόταν στον ώμο του αδελφού της, τα δάχτυλα του Καπλαντζί στα μαλλιά του αγοριού. Το θρακιώτικο κρασί, υπόδουλο στα κρύσταλλα του Τούρκου. Και οι μινιατούρες;

«Τις άφησα για τη χώνεψη», τον πρόλαβε ο Καπλαντζί, μαντεύοντας την επιθυμία του.

«Τι είναι αυτό; Ακούστε...» τους διέκοψε η Ράνα.

Από το βάθος του σπιτιού, ερχόταν μια φωνή γυναικεία, ίσως και παιδική. Τραγουδούσε ένα παλιό, θλιμμένο τραγούδι για όλους τους έρωτες που είναι καταδικασμένοι να σβήσουν την αυγή, με το πρώτο φως.

«Είναι η γριά Σαϊφέ», είπε ο Αντέλ Καπλαντζί, τυλιγμένος στους καπνούς του πούρου του. «Πέρασε τα ενενήντα, μπορεί και τα εκατό, αλλά η φωνή της παραμένει ίδια. Έτσι τη θυμάμαι από μικρό παιδί κι έτσι τη θυμόταν κι ο πατέρας μου. Μακρινή συγγένισσά του απ' την Ανατολία είναι. Τυφλή. Κι έχει χάσει πια την αίσθηση του χρόνου. Το περίεργο είναι πως η φωνή της βγαίνει μέσ' απ' το τζάκι, επεξεργασμένη από τη φωτιά. Το δωμάτιό της ούτε κι εγώ ξέρω πού ακριβώς βρίσκεται. Μόνο την ακούω...»

Ο Τουρχάν και η Ράνα ξέσπασαν σε γέλια. Όλα τα έβρισκαν καλά, διασκέδαζαν με το παραμικρό, ήταν ευτυχισμένοι απόψε.

«Και οι μινιατούρες;» νοιάστηκε ξαφνικά η Ράνα.

«Ααα, οι μινιατούρες μου είναι τουλάχιστον τέσσερις φορές πιο ηλικιωμένες απ' τη γριά Σαϊφέ κι έχουν θέμα την τουρκική λίμπιντο. Οι πιο πολλές, τουλάχιστον...»

«Ενδιαφέρον..» Ο Τουρχάν χαμογέλασε πονηρά.

«Θα δείτε... Αλλά χρειαζόμαστε κι αυτό εδώ», είπε ο

Καπλαντζί, παίρνοντας από δίπλα ένα μεγεθυντικό φακό με λαβή από φίλντισι. Τον πρόσφερε με μια θεατρική κίνηση στον Ηλία Καπνά, που σε μια γωνιά του μυαλού του απορούσε πώς κατόρθωνε να στέκεται όρθιος μετά από τόση αγρύπνια. Ο ύπνος, βέβαια, δεν πλανιόταν πουθενά. Κανένας από την ομήγυρη δεν έδειχνε σημάδια κόπωσης. Όλοι ήταν τόσο ζωντανοί και υπέροχοι... Κάποια στιγμή, λες και η Ράνα μάντεψε τη σκέψη του παράξενου Έλληνα, έσκυψε στο αυτί του και, δείχνοντας τον αδελφό της, ψιθύρισε:

«Τελικά, οι ωραίοι είναι λίγοι σ' αυτό τον κόσμο... Τι λετε;»

«Ναι, οι τόσο ωραίοι είναι ελάχιστοι...» συμφώνησε ο Ηλίας.

«Ελάτε...» Ο Καπλαντζί άνοιξε την πόρτα του μισοσκότεινου διαδρόμου, που οδηγούσε στις μινιατούρες του.

Το τραγούδι της Σαϊφέ σταμάτησε απότομα. Στο διάδρομο όλα ήταν όπως τα θυμόταν ο Ηλίας από χθες. Μόνο που τώρα τα δύο αδέλφια γελούσαν.

«Σςςς... Ας μην προκαλούμε τους προγόνους, και μάλιστα στις ιδιαίτερες στιγμές τους», είπε ο οικοδεσπότης.

«Ναι, να γελάμε σιγά...» Ο Τουρχάν έβαλε το χέρι του στα χείλη της Ράνας, κλείνοντάς της το μάτι. «Σςςς...»

«Εδώ είμαστε!»

Το μακρόστενο δωμάτιο με τους βελούδινους τοίχους φωτίστηκε, φανερώνοντας το θησαυρό του.

«Είχατε δίκιο...» Η Ράνα τα 'χασε με τις εκατόν πενήντα σπάνιες και τόσο ειδικής θεματολογίας μινιατούρες.

Ο Τουρχάν κάρφωσε το βλέμμα του στο ερωτικό μικρο-ζωγραφικό θαύμα.

«Ο κύριος Καπνάς πήρε μια γεύση χθες...» Ο Καπλα-ντζί τους εξηγούσε χαμηλόφωνα πώς βρέθηκαν στην κα-τοχή του οι ερωτικές μινιατούρες, έδινε λεπτομέρειες για τις πιθανές χρονολογίες φιλοτέχνησής τους. Η Ράνα απέ-φυγε να φανερώσει τις επιστημονικές της γνώσεις. Κοι-τούσε μόνο το χωρίς προοπτική πάθος των εραστών. Τους φαλλούς να ξεπηδούν από τα μισανοιγμένα καφτάνια των αριστοκρατών, τα στήθη των γυναικών, που, ημιλιπόθυ-μες από τον πόθο, δέχονταν μέσα τους την ορμή των α-ντρών. Και ολόγυρα, μαύροι ευνούχοι και σκλάβες κρυμμέ-νες στα χρωματιστά τσαρτσάφια τους να σπαρταρούν στην ανάμνηση της ηδονής.

Η φωνή του Αντέλ Καπλαντζί χαμήλωσε ακόμα πε-ρισσότερο, ώσπου έσβησε. Μια απειλητική σιωπή έπεσε στο δωμάτιο. Ο Τουρχάν, με ιδρωμένο μέτωπο, παρατη-ρούσε τους έρωτες. Πολεμιστές άρχοντες της γενιάς του Οσμάν προσκυνούσαν γυναίκες εξαίσιας ομορφιάς κάτω α-πό λουλακί ουρανούς, πληγωμένους από χρυσές αστραπές άστρων.

Ο Ηλίας Καπνάς είχε γονατίσει μπροστά στην αναπα-ράσταση του στραγγαλισμού του Τοπάλ Γιλντίζ. Ανάσαι-νε δύσκολα, παίδευε το μεγεθυντικό φακό πάνω στον πρί-γκιπα που αποδεχόταν τη μοίρα με τη φρίκη στο βλέμμα, καθώς έσβηνε η ζωή του μπροστά στην αγαπημένη που θρηνούσε. Ο φακός μεγέθυνε το ανάπηρο πόδι με το με-ταλλικό βοήθημα, τα ρούχα του μελλοθάνατου κεντημένα με χρυσά σχέδια που παρίσταναν πουλιά με φτερά ανοιγμένα, έτοιμα να πετάξουν. Και στη μέση ακριβώς, ένα ασημένιο κόσμημα: ο μαργαριταρένιος γλάρος με τα ρουμπίνια...

Ζαλίστηκε, το δωμάτιο γυρνούσε αργά, μια καταπράσινη βελούδινη ζάλη, μα πιο πολύ τον ανησύχησε η σιωπή. Κι αυτό τον συγκράτησε απ' το να σωριαστεί πάνω στο «σουμάκ» χαλί που έπιανε όλο το χώρο. Από άκρη σ' άκρη. Δεν πρόλαβε όμως να σκεφτεί γιατί όλα ήταν τόσο σιωπηλά εκεί μέσα. Χέρια αντρικά και γυναικεία του χαλάρωσαν τη γραβάτα, του ξεκούμπωσαν βιαστικά το πουκάμισο, αποσπασματικά είδε σώματα γυμνά σε απόσταση ανάσας, άκουσε επιτέλους κάτι σαν λυγμό ζώου που βρυχάται πονεμένο από τη στέρηση, έκλεισε τα μάτια καθώς σέρνονταν στο πρόσωπό του χείλη και δάχτυλα, μύες σκληροί και τρυφεροί, γεύση από αίμα και ντομάτα ξινόπικρη, σάλιο καραμελωμένο, πόροι ανοιχτοί ν' αδειάζουν τους χυμούς της νύχτας.

Πάλι ακούστηκε πίσω απ' τα βελούδα των τοίχων το τραγούδι της γριάς Σαϊφέ να περιγράφει πέτρινες εκτάσεις και κορμιά αλατισμένα από τα δάκρυα του χωρισμού. Στη βάση του λαιμού της Ράνας το άρωμα που θυμόταν από παιδί. Άνοιξαν διάπλατα οι αδένες και ξανάκλεισαν... Έπλεαν σ' ένα δροσερό ιδρώτα κατάκοποι και άδειοι όλοι τους.

Μ' ένα δίσκο τσαγιού μπήκε αθόρυβα ο ξάγρυπνος υπηρέτης και ξανάφυγε αμέσως.

«Για να βρούμε τη φωνή και την αθωότητά μας...» είπε βραχνά ο Αντέλ Καπλαντζί.

Ο Τουρχάν, μισόγυμνος, ανάσκελα στο πάτωμα, γελούσε χαϊδεύοντας τα μαλλιά της αδελφής του. Στους ώμους της υπήρχαν σημάδια δοντιών.

«Τι ώρα είναι;» Ο μόνος που ενδιαφέρθηκε για την ώρα ήταν ο Ηλίας Καπνάς.

«Σε λίγο θα ξημερώσει... Σας χρειάζεται ύπνος, κύριε Καπνά;»

Σε λίγο θα ξημέρωνε κι ο οδηγός περίμενε υπομονετικά να τους κατεβάσει στην Ιστανμπούλ. Προτού ο Αντέλ Καπλαντζί σβήσει τα φώτα στο δωμάτιο με τις μινιατούρες, ο Ηλίας ακούμπησε στο πάτωμα, σε μια γωνιά, το κόσμημα-κουμπί, τυλιγμένο σ' ένα φύλλο παλιάς εφημερίδας.

Είχε σταματήσει πια να χιονίζει. Η Πανσέληνος έτρεχε κυνηγημένη από σύννεφα και ανέμους πέρα, κατά τη Θάλασσα του Μαρμαρά. Ο οδηγός άφησε πρώτα τον Ηλία στο Εμίνονου, πνιγμένο τέτοια ώρα στην κίνηση. Του ευχήθηκε να 'χει μια καλή μέρα. Αυτό μόνο.

Τον κατέβασε κι έφυγε με μεγάλη ταχύτητα, προτού καν προλάβει να χαιρετίσει τον Τουρχάν και τη Ράνα. Φώναξε πίσω του «Ντουρ... Σταμάτα...», αλλά το αυτοκίνητο είχε κιόλας τραβήξει προς το Σαράι Μπουρνού.

Ένιωθε παγωμένος μες στο πρωινό αγιάζι, όμως δε λαχτάρησε ούτε λεπτό την απρόσωπη πολυτέλεια του ξενοδοχείου με τα χριστουγεννιάτικα της Έλα Φιτζέραλντ και το υπέροχο μπρέκφαστ. Βούτηξε στα βρόμικα χιόνια και χώθηκε στις γκρίζες ομίχλες, ακολουθώντας το χθεσινό ή το περσινό ή το προπέρσινο δρομολόγιο —ο χρόνος διαλυόταν σαν νερομπογιά— προς τις γέφυρες του Κερατίου, του Χαλίτς, με τους γλάρους να παίζουν με τους καπνούς των πλοίων. Μερικοί παράτολμοι έπεφταν πάνω στα υπαίθρια μαγκάλια αρπάζοντας ψάρια, κεμπάπια ή κάστανα και μετά το 'σκαγαν με καψαλισμένα τα φτερά. Προχωρούσε κι άκουγε ανάπηρους μεταλλικούς βηματισμούς. Σκόρπιες λέξεις ελληνικές έφτασαν στ' αυτιά του: «Έλα από 'δώ...» και: «Μην ξεχάσουμε την καρυδόψιχα απ' το Μισίρ Τσαρτσισί». Απόρησε που μέσα σ' αυτό το πρωινιάτικο βιαστικό πλήθος των ταπεινών ακούγονταν και ελληνικά. Γυναίκες, απομεινάρια της κραταιάς το πάλαι ρωμαίικης κοινωνίας της Πόλης, που βγήκαν αχάραγα στις αγορές για ψώνια. Μόνος του έκανε σενάρια και περπατούσε μ' εκείνο το βήμα που τον αγρίευε. Τα χιονισμένα γυαλιστερά πεζοδρόμια του υπαγόρευαν ένα βήμα ανάπηρο, ολοκαίνουργο. Κατάλαβε πως κούτσαινε ασυναίσθητα, αναζητώντας στεγνό ή στέρεο έδαφος για να πατήσει. Η ψυχή του είχε ελαφρύνει σαν αεράκι και, αν δεν κουβάλαγε το βάρος του κορμιού, που ωστόσο αρνιόταν να παραδεχτεί πως κουράστηκε, ίσως να 'ταν καλύτερα. Πέρασε τους φαρδείς αυτοκινητόδρομους του Ουν Καπανού, τη γέφυρα του Ατατούρκ και μπήκε στους στενούς δρόμους του Φενέρ – έτσι έλεγαν το Φανάρι. Σταμάτησε ν' ανασάνει εκεί όπου η ομίχλη ξάνοιγε, διωγμένη από το κρύο φως της μέρας. Ακριβώς ανάμεσα στην κατακόκκινη Μεγάλη του Γένους Σχολή και στο χαμάμ του Κιουτσούκ Μουσταφά Πασά, που οι παμπάλαιοι θόλοι του, πνιγμένοι σε νεόδμητα της συμφοράς, κάπνιζαν από νωρίς.

Μπήκε γρήγορα μέσα.

Ο νεαρός στο καροτσάκι έπινε τσάι στο μισοσκόταδο, θαυμάζοντας το μαγικό κόσμο της τούρκικης ποπ στην τηλεόραση.

«Μέραμπα, γκιναϊντίν», τον καλημέρισε δίνοντάς του ένα κλειδί και δύο πετσέτες.

Όπως και χθες, όπως και κάθε χθες. Γδύθηκε αργά χωρίς ν' ανάψει το φως και πέρασε στους χλιαρούς θαλάμους. Ο Κούρδος έτριβε κάποιον τραγουδώντας δυνατά έ- ναν αμανέ. Τον χαιρέτισε με το σκληρό γάντι, τον κετσέ, και συνέχισε να θρηνεί εν θριάμβω: «Αμααάν... άααχ α- μάν, τζάνεμ Πακιζέ».

Ο Ηλίας, εξοικειωμένος με το περιβάλλον, έπεσε στα ζεστά μάρμαρα, έχοντας κατά νου να διώξει τον ύπνο έ- τσι κι ερχόταν. Δεν μπορούσε να θυμηθεί με τίποτα τα λό- για της Ράνας, όσο κράτησε η διαδρομή απ' το σπίτι του Καπλαντζί ως το Εμίνονου. Του μιλούσε για πράγματα που γνώριζαν μόνο οι δυο τους, εμπιστευόταν την εχεμύ- θειά του, τον ευχαριστούσε που όλα έγιναν έτσι. Μεθυ- σμένα λόγια, περασμένα απ' το φίλτρο μιας συγκινημένης ευγνωμοσύνης, που μέσα του κελάρυζε σαν αστείο. Δε θυ- μόταν όμως ποια ήταν αυτά τα λόγια που τον ξάφνιαζαν και τον τρόμαζαν και τον γλύκαιναν με την ψιθυριστή, πένθιμη εκφορά τους. Είχε γδαρμένο το λαιμό απ' τους έ- ρωτες. «Λατρεύω τους σονραντάν γκιορμούς. Λατρεύω τους νεόπλουτους...» Κι ο οδηγός, ατάραχος, να οδηγεί με την καταραμένη υψίφωνο παντελώς απογειωμένη απ' τον αι- σθησιασμό του πένθους για τα νεκρά παιδιά.

«Είσαι κουρασμένος, αφεντικό...» του είπε ο Κούρδος

κι άρχισε να του ξύνει την πλάτη. «Κουρασμένος και χορτάτος από αγάπη».

«Από τι;» Ο Ηλίας γέλασε.

«Αυτό τι είναι, αφεντικό; Δόντια γυναίκας είναι...»

«Γιατί; Τα αντρικά πώς τα ξεχωρίζεις;»

«Τα αντρικά είναι σαν τα δόντια του σκύλου... Άφεριν, άφεριν...»

Τον επιβράβευε κιόλας που ανακάλυπτε γδαρσίματα και δαγκωνιές. Που ήταν «χορτάτος από αγάπη». Του άρεσε αυτή η φράση, έτσι που του την έλεγε στα τούρκικα: «Σεβνταντάν ντοϊμούς». Ήταν κουρασμένος από αγάπη.

Τραγουδιστά κυκλοφόρησε στο αίμα του η φράση του Κούρδου, ώσπου βούρκωσε κι άρχισε να κλαίει μ' ένα παλιό παιδικό παράπονο για την αγάπη, που δεν τη χόρτασε ποτέ στην υπέρλαμπρη ζωή του ο Ηλίας Καπνάς. Που παρέμεινε κομπάρσος στην αγάπη, όπως ο Ηρακλής που δεν προήχθη ποτέ από κομπάρσος σε πρωταγωνιστή, κι ας γράφτηκε το όνομά του σε κάμποσα φιλμάκια, όπου ψέλλιζε μόνο πού και πού ατάκες ήσσονος σημασίας. Κι ας πρόφερε τα επιφωνήματα τόσο ωραία, όπως διατεινόταν αργότερα, που γέρασε.

Έκλαψε πικρά ο Ηλίας μες στα χέρια του Κούρδου, καθώς του μάλαζε τη ράχη, τους μηρούς και τις γάμπες. Με αναφιλητά που ο άλλος συμμερίστηκε κι απάλυνε μ' έναν αμανέ τρεις φορές πιο μερακλωμένο από εκείνον που τραγουδούσε πριν. Μια γυναίκα, μέσ' απ' τη βραχνή, μπάσα φωνή του Κούρδου, καταριόταν τη μάνα της που την πάντρεψε στα δεκαπέντε της μ' ένα γέρο πλανόδιο φαρμακοποιό, που έφτιαχνε βότανα για τη λήθη. Έτσι το κατάλαβε ο Ηλίας, αν και υποπτευόταν πως κοιμήθηκε κι όλα αυτά ήταν μόνο όνειρο.

«Με τις υγείες σου!» του ευχήθηκε στάζοντας ο τρίφτης.

«Τεσεκιούρ εντέριμ», τον ευχαρίστησε ο Ηλίας. «Ελινέ σαλούκ!» Γεια στα χέρια σου!

«Έχω μνήμη. Έχω μνήμη ακόμη... Θυμάμαι ότι έχω να κοιμηθώ..» Δε θυμόταν. Μέτρησε γρήγορα τις μέρες του στην Πόλη, αλλά στον ύπνο μπερδεύτηκε. Θυμόταν όμως πως τον απασχολούσε ο Μπομπ Άντερσον, ο ένοικος του σπιτιού της Κηφισιάς. Θα τηλεφωνούσε στον Μπόμπ κι ύστερα θα περίμενε κάποιον άνθρωπο του Φερίκ Καπλαντζί να τον πάει ξανά στο Μπεμπέκ, να δει τις μινιατούρες. Γέλασε δυνατά, τόσο που κόλλησε κι ο ταξιτζής που τον πήγαινε στο ξενοδοχείο – σημειωτόν, λόγω της κίνησης και του χιονιού.

«Αμέρικαν;» ο ταξιτζής ξεθαρρεύτηκε.

«Γιοκ τζάνεμ. Γιουνάν».

«Γιουνάν; Γιουνανιστανταν; Αρκαντάς, αρκαντάς!» ενθουσιάστηκε ο Τούρκος που πέτυχε «φίλο Έλληνα». Έβγαλε πακέτο να τον κεράσει τσιγάρο. Ο Ηλίας το δέχτηκε, πιο πολύ από μια ανάγκη να βάλει κάτι μέσα του, ας ήταν και καπνός.

Στη ρεσεψιόν τον περίμεναν τρία μηνύματα απ' την ελληνομαθή γραμματέα του Καπλαντζί. Στις έντεκα ακρι-

43¹

βώς θα περνούσε συνεργάτης του κυρίου Φερίκ Καπλαντζί, για να μεταβούν στο πατρικό της οικογένειας, στο Μπεμπέκ. Και μετά γεύμα εργασίας στο Σισλί, με στελέχη των εταιρειών που ήθελαν να γνωρίσουν από κοντά τον κύριο Καπνά.

«Δε θα πάρετε πρωινό; Ο μπουφές είναι πέρα απ' το μεγάλο διάδρομο».

Δεν ήθελε τίποτα. Θα παράγγελνε στο δωμάτιο ένα κρουασάν και καφέ. Σκέφτηκε πόσο αξιοθρήνητη όψη θα είχε, για να του υπενθυμίσουν πως έπρεπε ίσως να τονωθεί μ' ένα καλό πρωινό. Στο ασανσέρ τον περιέλαβε ο Παβαρότι, μ' ένα χριστουγεννιάτικο που του φάνηκε σαν γιαπωνέζικη αναθεώρηση της «Άγιας Νύχτας».

Ανεβαίνοντας στο δωμάτιό του, ένιωσε μια παραπάνω από έντονη σουβλιά στο δεξί πόδι, που για δευτερόλεπτα τον παρέλυσε. «Με εκδικείται η ισχιαλγία μου...» μουρμούρισε. Ο Παβαρότι τον ακολούθησε και στο διάδρομο, καθώς βάδιζε κουτσαίνοντας. Βιαζόταν να μπει στο δωμάτιο, να κατουρήσει, να πετάξει τα ρούχα, να βρει τα σημάδια της νύχτας, να παραγγείλει καφέ, να ξαναβρεί τον «αρχιτέκτονα των οικονομικών», αλλά κατάλαβε πως αυτό ήταν το τελευταίο πράγμα που τον ενδιέφερε.

Στο μπάνιο πήρε μερικές απολυμαντικές εισπνοές, ευχαριστήθηκε χλώριο και καθαριότητα, επίτηδες δεν τράβηξε το καζανάκι, να 'ναι σίγουρος πως κατούρησε. Μια ασπιρίνη ενδεικνυόταν.

«Χλομό-πρόσωπο-πρέπει-τηλεφωνήσει-Μπομπ...» απήγγειλε στον καθρέφτη με κορακίστικα ινδιάνικα, τα νεύρα βιολοντσέλο και στην τηλεόραση το NTV έδειχνε την Ιστανμπούλ κάτασπρη, με χιονάνθρωπους και καραμπόλες αυτοκινήτων. Απέφυγε το κρεβάτι – ο τρόμος του ύπνου πάντοτε. Όρθιος πήρε το νούμερο των Άντερσον στην Κηφισιά. Στο έκτο χτύπημα το σήκωσαν. Αντρική φωνή.

«Μπομπ; Εδώ Ηλίας Καπνάς...»

Ήταν ο αδελφός του. Δεν κατάλαβε τι είναι «Ηλίας Καπνάς». Του εξήγησε. Επρόκειτο για κάτι προσωπικό.

«Μίστερ Καπνάς, συνέβη ένα σοβαρό ατύχημα...»

«Τι ατύχημα;»

«Ο Μπομπ... Με ακούτε;»

Ο Μπομπ Άντερσον, χθες ή προχθές –ο χρόνος τον μπέρδευε– είχε χτυπήσει με το αυτοκίνητο. Ναι, θα ζούσε αλλά με ένα πόδι. «Τον ακρωτηρίασαν, γιατί...» Ο άντρας στην άλλη άκρη της γραμμής δυσκολευόταν να συνεχίσει. Μίλησε για το σοκ των παιδιών και τη σύζυγο που πασχίζει να φανεί ψύχραιμη. Η χειρότερη Ημέρα των Ευχαριστιών...

«Ποιος τη χέζει την Ημέρα των Ευχαριστιών...» Ο Ηλίας ανέσυρε λεξιλόγιο καταχωρημένο στο κεφάλαιο «Αλήτης με γλώσσα γυαλόχαρτο».

«Είπατε κάτι, μίστερ Καπνάς;»

«Τίποτα...» Βρόντησε το ακουστικό και το ξανασήκωσε σαν τρελός, να παραγγείλει ένα καζάνι καφέ. Στα γαλλικά και στα εγγλέζικα. Δε θυμόταν ούτε μισή τούρκικη λέξη. Έκλεισε την τηλεόραση και βγήκε στο μπαλκόνι. Κοτσύφια στα κάγκελα. Τρόμαξαν και πέταξαν. Έχωσε

433

τα χέρια στο χιόνι να δροσιστούν. Έτριψε με χιόνι το σβέρκο και τα μάγουλα. Και το πόδι βαρύ σαν μολύβι. Ο Βόσπορος, πέρα, ένα θολό ποτάμι, μια να κρύβεται, μια να φανερώνεται. Καπνοί και ομίχλη ένα με τα σύννεφα και τους γλάρους. Πονούσε. Έβγαλε τα ρούχα, πασαλείφτηκε με κρέμα, γδαρμένος στην πλάτη και στο στήθος απ' το τρίψιμο του Κούρδου. Αχνό το σημάδι από τα δόντια της Ράνας στον ώμο. Απέφυγε να το σκεπάσει με κρέμα. Νυχιές στα πλευρά. Δε θέλησε να θυμηθεί πώς και γιατί. Γιατί έτσι.

Κοίταξε τα πόδια του. Όποιο κι αν του έλειπε, θα το νοσταλγούσε αφόρητα. Ήταν τυχερός που πονούσε, που τυλιγόταν με την πετσέτα, που άνοιγε την πόρτα στο «ρουμ σέρβις», που υπέγραφε, που έπινε τον καφέ. Και δεύτερο φλιτζάνι. Και το κρουασάν ζεστό, με τη βουτυρίλα του. Κι από πάνω μια ασπιρίνη αναβράζουσα. Για το πόδι, για το κεφάλι, για τη μέρα που τον περίμενε στην Πόλη.

Στις έντεκα και δέκα τον παρέλαβε μ' ένα τζιπ-λιμουζίνα κάποιος απ' το επιτελείο του Φερίκ Καπλαντζί. Δε θυμόταν να τον είχε συναντήσει ξανά. Ήταν νέος κι ευδιάθετος, από τη γενιά της παγκοσμιοποίησης, που στην Τουρκία επιπλέον είχε να παλέψει με το «καρκίνωμα του Ισλάμ σαν πολιτική και κοινωνική στάση, κύριε Καπνά, που, δυστυχώς, εσείς και όλη η Ευρώπη το θεωρούν ήσσονος σημασίας, εστιαζόμενοι στη μαντίλα των φοιτητριών και των ισλαμιστριών βουλευτών. Ο κύριος Καπλαντζί αγωνίζεται να ισορροπήσει ανάμεσα σε ακραίες καταστάσεις. Προσπαθεί να πείσει και την ηγεσία και το

434

λαό ότι η παράδοσή μας είναι ιερή και αξίζει να την προστατέψουμε από τους φανατικούς. Φανατικοί δεν είναι μόνο όσοι πηγαίνουν πέντε φορές τη μέρα στο τζαμί, αλλά και οι άλλοι, που στο όνομα της προόδου σηκώνουν αυτούς τους ουρανοξύστες που, σε τελευταία ανάλυση, ανταγωνίζονται τους μιναρέδες, κύριε Καπνά...»

Η φλυαρία του ωραίου νέου –με οξφορδιανά, επιτηδευμένα αγγλικά– τον νανούριζε, αλλά αντιστεκόταν σε κάθε υποψία ύπνου. Διέσχιζαν τα χιονισμένα παραθαλάσσια τοπία κατευθυνόμενοι προς το Μπεμπέκ, που το είχε δει νύχτα μόνο. Το ανάκτορο του Ντολμά-Μπαχτσέ φάνταζε ακόμα πιο βαρύ λόγω του χιονιού.

«Τι ακριβώς θέλετε να δείτε στο σπίτι του Μπεμπέκ; Εγώ θα σας πρότεινα να πάμε στο Μουσείο...»

«Μινιατούρες», τον διέκοψε ο Ηλίας.

«Έχουν κάτι το άψυχο, όμως είναι κι αυτές μέρος της εικαστικής μας αντιπαράθεσης στη δυτική ζωγραφική. Βέβαια οι Σουλτάνοι, όταν πείστηκαν ότι ο Προφήτης είναι μια ισχυρή υπνοφόρα ουσία που εξυπηρετεί τους ίδιους και κυρίως ότι δε διατρέχουν μεταφυσικούς κινδύνους, φώναξαν Ευρωπαίους ζωγράφους και πόζαραν κανονικά... Όμως οι πρώτοι Σουλτάνοι, σαν πιο αυθεντικοί και πρωτόγονοι, ακολουθούσαν πιστά τις εντολές του Ισλάμ, που απαγόρευε οποιαδήποτε απεικόνιση προσώπων...»

«Ναι, οι μινιατούρες είναι κάτι σαν ρεπορτάζ εκείνων των καιρών», είπε ο Ηλίας. «Γνωρίσατε τον πατέρα του κυρίου Καπλαντζί; Αλλά είστε πολύ νέος...»

«Ξέρω το ιστορικό του, πάνω κάτω...» χαμογέλασε ο

Τούρκος. «Δυναμικός, διορατικός, με πολλές αδυναμίες που τις αξιοποίησε. Δυστυχώς πέθανε νέος σχετικά σ' ένα ατύχημα. Το σπίτι αυτό χτίστηκε σε σχέδια του ίδιου. Θα το δείτε και μόνος σας. Ένας οθωμανικός Λευκός Οίκος... Είναι από τα αγαπημένα σπίτια των φωτογράφων των περιοδικών διακόσμησης...»

«Η γειτονιά φαίνεται ήσυχη», σχολίασε ο Ηλίας.

«Το χρήμα και το χιόνι...»

«Ααα, γι' αυτό...» Χαμογέλασαν και οι δύο συνωμοτικά. Επιτέλους, θα έβλεπε την έπαυλη Καπλαντζί μέρα. Σταμάτησαν έξω, στην είσοδο με τη σιδερένια τεράστια καγκελόπορτα, όπου υπήρχε φυλάκιο με δύο αστυνομικούς. Κάτι τους είπε ο οδηγός και προχώρησαν μαρσάροντας στον ευρύχωρο κεντρικό διάδρομο, ανάμεσα από ψηλά γέρικα δέντρα με λυγισμένα από το χιόνι κλαδιά.

Το σπίτι έδειχνε περήφανο και συρρικνωμένο μαζί, προστατευμένο από έναν απέραντο κήπο. Το μάτι του Ηλία πήρε κάποια κιόσκια και πέργκολες, ένα σιντριβάνι μ' ένα μικρό μπρούντζινο άγγελο, που απ' το στόμα του κρέμονταν λεπτά παγοκρύσταλλα. Σε αντίθεση με τη λευκότητα του τοπίου, η τουρκική σημαία σ' ένα ψηλό κοντάρι. Ανέβηκαν τα πλατιά μαρμάρινα σκαλιά με προσοχή. Το χιόνι είχε παγώσει.

«Είστε καλά; Ελπίζω μέσα να είναι πιο ζεστά...»

Δεν απάντησε, γιατί δεν ήξερε πόσο καλά αισθανόταν. Ένιωθε ευάλωτος και ακάλυπτος από τις διαισθήσεις του. Καμιά διαίσθηση. Μύριζε σβησμένο τζάκι, παρκετίνη και ύποπτη σιωπή το σπίτι του Αντέλ Καπλαντζί.

Ένας ηλικιωμένος επιστάτης που δεν του θύμιζε τίποτα τους καλημέρισε. Εξήγησε ότι έκανε ό,τι μπορούσε με τη θέρμανση, αλλά δεν ήταν εύκολο μια τόσο κρύα μέρα... Τους συμβούλεψε να μη βγάλουν τα πανωφόρια τους. Έπειτα άρχισε να ανάβει τα φώτα, για να πάρουν μια ιδέα από το σπίτι. Ο Ηλίας Καπνάς ανάσαινε δύσκολα. Όλα γνωστά και πρωτόγνωρα. Το ψηλό τζάκι καθαρό, σβηστό, χωρίς ίχνος στάχτης, οι δερμάτινες πολυθρόνες όπως τις θυμόταν, τα επιτραπέζια φωτιστικά με βάσεις από παλιά μπρούντζινα κηροπήγια, η βιβλιοθήκη με τα δερματόδετα βιβλία.

Περπατούσαν σιωπηλοί. Και όταν μιλούσαν, περιορίζονταν στα στοιχειώδη, με φωνές χαμηλωμένες. Στην τραπεζαρία αναγνώρισε το μεγάλο τραπέζι όπου ο Αντέλ Καπλαντζί τον ξενάγησε στη γευστική φρίκη μιας ανατολίτικης κουζίνας γεμάτης σοφά μαγειρεμένα πτώματα ζώων. Ζαλιζόταν, το στομάχι μετακινιόταν προς τα πάνω, έστριψαν. Να ο διάδρομος με το μαλακό φωτισμό, που σήμερα του θύμισε τους διαδρόμους στο σπίτι της Κηφισιάς, όταν ζούσε η κυρά. «Σαν νυσταγμένος σιδηροδρομικός σταθμός χωρίς τρένα», σκέφτηκε.

«Μας οδηγεί στην αίθουσα με τις μινιατούρες...»

«Ρώτησέ τον για τη γριά Σαϊφέ», ζωντάνεψε ξαφνικά ο Ηλίας, κατανικώντας τη ναυτία.

Ο επιστάτης χαμογέλασε ακούγοντας το όνομα. Η γριά Σαϊφέ είχε το χάρισμα, αν και γριά, γιατί ως γριά τη γνώριζαν απαξάπαντες, να τραγουδά με φωνή μικρού παιδιού. Τη ζωή της την πέρασε σ' ένα καμαράκι στον κάτω όροφο ανοίγοντας φύλλο, «γιοφκά», για μπουρέκια και μπακλαβάδες. Αυτό έκανε μια ολόκληρη ζωή, ώσπου πέθανε στα εκατό, αλευρωμένη, δουλεύοντας και τραγουδώντας τυφλά ως το τέλος... «Πώς το ήξερε ο κύριος;»

Απάντηση δε δόθηκε, γιατί ήδη είχαν μπει στην αίθουσα που, απ' άκρη σ' άκρη, καλυπτόταν με πράσινο βελούδο. Και οι μινιατούρες με την ερωτική τους ασυδοσία εκεί.

«Εδώ είμαστε... Ομολογώ πως κι εγώ πρώτη φορά τις βλέπω. Ήξερα ότι υπάρχουν, αλλά δε φανταζόμουν ότι ήταν τόσο πολλές...» σφύριξε με θαυμασμό μπροστά στην ερωτική φαντασία των προγόνων του ο νέος.

Ο Ηλίας Καπνάς, αφού διέτρεξε όλη τη συλλογή με γρήγορες ματιές, βρήκε αυτές που του είχαν περισσότερο εντυπωθεί. Έρωτες και συνευρέσεις σε χρυσά πλαίσια, με λεπτομερείς περιγραφές υφασμάτων, προέκταση του πολυτελούς πάθους των εραστών. Έψαχνε στις κάτω σειρές, ανάμεσα στη σχεδόν απόλυτη ομοιομορφία των χρωμάτων, να ξεχωρίσει τη μινιατούρα του Τοπάλ Γιλντίζ. Είχε χάσει κάπως τον προσανατολισμό του στη μόνωση της αίθουσας. Κοίταζε, ξανακοίταζε, χανόταν και ξανάρχιζε.

«Εδώ είναι... Εδώ!» φώναξε ενθουσιασμένος στα ελληνικά.

Οι δύο Τούρκοι είδαν τον Ηλία Καπνά να πέφτει στα γόνατα, αρπάζοντας κάτι απ' το δάπεδο.

«Εδώ είναι... Εδώ είναι από χθες. Το ήξερα...»

«Μπου νε ντιρ;» ρώτησε ο επιστάτης. «Τι είναι αυτό;»

«Μου έπεσε...» δικαιολογήθηκε χαμογελώντας παράξενα. Έπειτα αφέθηκε να παρατηρεί τη μινιατούρα με τη γνωστή αναπαράσταση του στραγγαλισμού του Τοπάλ

Γιλντίζ, του «Κουτσού Άστρου», κρατώντας σφιχτά το κόσμημα στην παλάμη του.

«Κάτι συνέβη εδώ...» μουρμούρισε ο Ηλίας παρατηρώντας καλύτερα τη μινιατούρα. Η φιγούρα του άτυχου πρίγκιπα μόλις που διακρινόταν. Σαν να 'χε δραπετεύσει, αφήνοντας πίσω τη θλιβερή της αύρα...

«Να σας βοηθήσω, κύριε Καπνά...» προθυμοποιήθηκε ο νεαρός, αλλά ο Ηλίας τον απέτρεψε με μια κίνηση του χεριού.

«Έφυγε...»

«Ποιος έφυγε;»

«Τίποτα. Αυτή η μινιατούρα νομίζω ότι έχει ένα πρόβλημα».

Ο επιστάτης θεώρησε καθήκον του να προτείνει τσάι ή καφέ. Ό,τι ήθελαν οι κύριοι. Με κόπο, κάτωχρος, ο Ηλίας σηκώθηκε παραπατώντας.

«Σπουδαία συλλογή...» είπε πνιχτά.

«Φέρτε μας δύο τσάγια», έδωσε ο άλλος εντολή στον επιστάτη και βγήκαν αμίλητοι στο διάδρομο με τον πένθιμο φωτισμό.

Στην επιστροφή, ο νεαρός Τούρκος προσέγγιζε με κέφι θέματα για τη διεθνή οικονομία, για τις επενδύσεις πολυεθνικών στην Τουρκία, για τα εργοστάσια που άνοιγαν εδώ οι βιομηχανίες αυτοκινήτων, για αντιπληθωριστικά σενάρια και για τη νέα τάξη επιχειρηματιών, όπως ο Φερίκ Καπλαντζί, που διακρίνονται «...για την αγάπη προς τον άνθρωπο και το πάθος για τον πολιτισμό. Άνθρωποι σαν τον κύριο Καπλαντζί θα έπρεπε να επεμβαίνουν πιο δραστικά στους τομείς της κοινωνικής δικαιοσύνης. Δυστυχώς, δε μας το επιτρέπουν πάντα οι πολιτικοί, κι έτσι το Ισλάμ κερδίζει έδαφος... Τουλάχιστον η Ευρώπη θα είναι μια εγγύηση για μας ότι δε θα διαιωνιστούν οι ακρότητες που συναντά κανείς σήμερα στη χώρα μας, κύριε Καπνά...»

Άφηνε τον καλογυαλισμένο νεαρό με το πιπεράτο άφτερ σέιβ να κελαηδά με τα ακόμα πιο στιλβωμένα αγγλικά του. Τον άκουγε χωρίς να καταλαβαίνει, αδιάφορος για όσα αράδιαζε. Και ο άλλος, παίρνοντας τη σιωπή για κατάφαση, συνέχιζε...

«Είμαι ηλίθιος...» τον διέκοψε. «Ξέχασα ν' αγοράσω απ' το Μπεμπέκ εκείνα τα γλυκά».

«Τα μπαντέμ εζμεσί... Να γυρίσω;» προθυμοποιήθηκε.

«Συνεχίστε... Θα βρω τρόπο. Αφήστε με, σας παρακαλώ, στην πλατεία της Αγια-Σοφιάς».

«Στο Σουλτάν Αχμέτ; Νομίζω πως σας περιμένει για γεύμα ο κύριος Καπλαντζί...»

«Είναι κάτι που με αφορά... Στην Αγια-Σοφιά, σας παρακαλώ...»

«Να σας διευκολύνω, αν θέλετε... Και, όταν τελειώσετε, φεύγουμε για να κερδίσετε χρόνο».

«Ποιο χρόνο; Δε θέλω να κερδίσω απολύτως τίποτα, κύριε...»

«Αφεντέρσινίζ...» Το ύφος του Ηλία Καπνά ξάφνιασε τον Τούρκο τόσο, που έχασε τη βρετανοτραφή του αυτοπεποίθηση και ζήτησε συγγνώμη στα τουρκικά.

«Στην Αγια-Σοφιά. Μόνο αυτό...»

«Νόμισα...»

Είχε ξαναρχίσει το χιόνι. Χοντρές νιφάδες έπαιζαν με τους υαλοκαθαριστήρες του τζιπ, που έτρεχε με αγχώδη ζιγκ-ζαγκ προς το Σουλτάν Αχμέτ, δηλαδή το βυζαντινό Ιππόδρομο, διασχίζοντας απίθανα πλήθη που θύμιζαν στον Ηλία τους χορωδούς και τους κομπάρσους στις πολυπρόσωπες όπερες, όταν παίζουν τους απελπισμένους με ευχάριστα πρόσωπα. Κι εδώ όλοι αυτοί έξω στους δρόμους είχαν πάνω τους την πατίνα μιας κυτταρικής ταλαιπωρίας, αλλά και το φωτοστέφανο της ευτυχίας να 'ναι οι κομπάρσοι στη φαντασμαγορική όπερα *Περιτομές υπό το μηδέν*. Κινήσεις προμελετημένες, ώσπου να εμφανιστεί ο τενόρος με τη σοπράνο για να πουν τη λυτρωτική άρια και να πέσει η αυλαία.

«Φτάσαμε, κύριε Καπνά...»

«Σας ευχαριστώ».

«Μήπως αλλάξατε γνώμη;»

«Μπορείτε να φύγετε...»

Ανήσυχος, ο συνεργάτης του Καπλαντζί πάτησε γκάζι. Τρικλίζοντας, ο Ηλίας έβγαλε εισιτήριο μαζί μ' ένα θορυβώδες γκρουπ Αμερικανών απ' την Αριζόνα, που χασκογελούσαν ανατριχιάζοντας προκαταβολικά, λες και θα 'μπαιναν σε σπήλαιο φαντασμάτων του τοπικού Λούνα Παρκ. Τους οδηγούσε μια ηλικιωμένη γκριζομάλλα, έχοντας υψωμένο ένα εμπριμέ σημαιάκι.

Ο Ηλίας, κατάπληκτος, την άκουσε να προτρέπει το γκρουπ να προσευχηθεί για δύο λεπτά, προτού εισβάλουν στην Αγια-Σοφιά. Κόντεψε να σωριαστεί μέσα στο ιερό χάος. Πάγωσε από δέος κάτω απ' το ορθάνοιχτο στόμα-τρούλο του βυζαντινού Θεού. Φοβήθηκε πως, από στιγμή σε στιγμή, θα κατέβαινε να τον κατασπαράξει με τις ενα-πομείνασες ψηφίδες του. Λίγοι Γιαπωνέζοι με μηχανές και το αμερικάνικο γκρουπ να ακολουθεί τρομοκρατημένο τη μισότρελη ξεναγό.

«Αυτό είναι το βυζαντινό Εμπάιαρ Στέιτ Μπίλντινγκ, ο θρίαμβος του Ιουστινιανού, η αιώνια εκδίκηση του χρι-στιανισμού», ούρλιαζε η Αμερικάνα. Ο Ηλίας στάθηκε ε-ντυπωσιασμένος παράμερα. «Η Αγια-Σοφιά κατέστρεψε την Οθωμανική αυτοκρατορία. Απ' τη στιγμή που την α-ντίκρισαν οι Οθωμανοί άρχισε το δράμα τους, γιατί ήταν αναγκασμένοι να χτίζουν χωρίς ανάσα παρεμφερή τεμένη α-νε-πι-τυ-χώς... Ποτέ δεν αξιώθηκαν να ξεπεράσουν αυτό το ναό! Και δεν τους πέρασε καν από το νου να τον γκρεμίσουν και ν' απαλλαγούν από τη σύγκριση. Αντιθέ-τως, τον κράτησαν με νύχια και με δόντια, ενώ άφησαν άλλες χριστιανικές εκκλησίες να ρημάξουν. Όμως πλήρω-σαν και πληρώνουν το λάθος τους, γιατί το μάτι του Χρι-στού είναι ΕΚΕΙ ΠΑΝΩ...»

Το γκρουπ, φοβισμένο, τόλμησε να ρίξει μια ματιά προς την κατεύθυνση που έδειχνε το δάχτυλο της τρομε-ρής γυναίκας.

Ο Ηλίας Καπνάς απομακρύνθηκε κουτσαίνοντας. Η υ-γρασία επιδείνωνε την ισχιαλγία του. Έψαχνε κι έψαχνε κι έψαχνε... Τελικά αυτό έκανε. Έψαχνε. Άκουγε τις κραυ-γές της μαινάδας ξεναγού να απομακρύνονται, καθώς απομονωνόταν στα παρεκκλήσια και μετά πάνω, στο γυναικωνίτη. Άκουγε και το βήμα το ανάπηρο, το μεταλλικό, να πολλαπλασιάζεται μέσα στη σκοτεινή, λόγω καιρού, Αγια-Σοφιά.

Τελικά ήταν ηλίθιος που άφησε τον οδηγό του Αντέλ Καπλαντζί να εξαφανιστεί με τον Τουρχάν και τη Ράνα. Όλα είχαν γίνει τόσο γρήγορα... Και αυτός ήθελε τόσα να τους πει, τόσα για όλη του τη ζωή, ήθελε να ξαναγίνει η αφορμή να σμίξουν τα αδέλφια με όποιο τρόπο εκείνα έκριναν καλύτερο. Της χρωστούσε όλη του τη ζωή... Στη Ράνα χρωστούσε όλη του τη ζωή, έστω κι αν αυτή η ζωή δεν άστραφτε από χαρά. Ήταν, όμως, μια ξεχωριστή ζωή. Και οι ξεχωριστές ζωές δεν είναι συνώνυμες της ευτυχίας...

Ακούμπησε με την πλάτη στα μάρμαρα και κάθισε κάτω, κρύβοντας στα χέρια το πρόσωπό του. Πονούσε σε όλο του το κορμί ευχάριστα στην ανάμνηση της προηγούμενης νύχτας. Κι αυτό θα του έδινε κουράγιο και δύναμη να ψάξει. Κάπου θα τους πετύχαινε, ίσως να πίνουν καφέδες. Θυμόταν που στον Τουρχάν άρεσε ο εσπρέσο... Και στη Ράνα;

Άκουσε κοντά του βήματα και τρεχαλητά. Ξαφνικά ο γυναικωνίτης γέμισε παιδιά. Πίσω τους ένας δάσκαλος αγωνιζόταν να επιβάλει την τάξη. Σήκωσε το κεφάλι κι αντίκρισε δύο μεγάλα μαύρα μάτια να τον κοιτάζουν λυπημένα.

«Νίτσιν;» τον ρώτησε το αγοράκι. Γιατί;

«Τσουνκιού... Τσουνκιού μπιλμίγιορουμ. Γιατί... Δεν ξέρω γιατί». Κι άρχισε να κλαίει, γεμάτος ευγνωμοσύνη που δεν ήταν μόνος σ' αυτό το βυζαντινό κόσμο. Το παιδί καταλάβαινε.

«Μεχμέτ, μπούραγια γκελ... Γκελ...» τον αποπήρε ο δάσκαλος κι εκείνο έφυγε τρέχοντας.

Σηκώθηκε σέρνοντας σχεδόν το πόδι απ' τον πόνο, αλλά τα κατάφερε και βρέθηκε στην έξοδο. Θα έψαχνε όσο τον έπαιρνε. Έπρεπε να τους βρει προτού νυχτώσει.

«Γι' αυτό βρίσκομαι εδώ, για να τους συναντήσω... Γιατί εγώ μπορώ να τους φέρω κοντά... Γιατί εγώ...»

Στα χείλη του και στα βλέφαρα, πίσω απ' τα γυαλιά, έλιωναν οι νιφάδες του χιονιού.

Οι κατά φαντασίαν άγιοι και προφήτες κοιμόνταν στους τουρμπέδες τους, τα ψάρια βουτούσαν πιο βαθιά για να ζεσταθούν κι ένας ψεύτικος ήλιος κορόιδευε μέσα στην καταχνιά του απογεύματος τη Βασιλεύουσα, δίνοντάς της ένα χρώμα βουτύρου. Εκείνος περπατούσε χωρίς να μπορεί να ορίσει την κούρασή του. Έτσι, δεν υπήρχε καμιά κούραση. Βρεγμένες σόλες και κάλτσες. Παπούτσια σφουγγάρια κι απ' το στόμα να βγαίνει μπουκέτο γκρίζο η ανάσα. Πατούσε οπουδήποτε, αψηφώντας το πάχος του χιονιού. Ανηφόριζε ή κατηφόριζε με πείσμα τα σοκάκια, χανόταν σε αδιέξοδα, αλλά έβρισκε πάλι τρόπο να προσανατολιστεί. Καφενεία, κιόσκια, μπιλιάρδα και ξανά στα μουσεία. Κάτασπρο το Τοπ Καπού και, μέσα στη σκοτεινιά, οι αμύθητοι θησαυροί του, διαμάντια και σμαράγδια να στραφτοκοπούν δαιμονικά στα μάτια των Γιαπωνέζων. Περπατούσε γρήγορα καταπίνοντας τους αιώνες – φρυγανισμένοι αιώνες πίσω απ' τις βιτρίνες τους.

Προσπέρασε την Αγία Ειρήνη, κλειστή τέτοια παγωμένη μέρα, και συνέχισε για το Αρχαιολογικό Μουσείο. Μόλις που πρόφτασε να 'ρθει πρόσωπο με πρόσωπο με τους ελληνιστικούς Μεγαλέξανδρους. Στην αυλή, κεφάλια Ρωμαίων και επιτύμβιες στήλες, δέσμια όλα του παγετού. Διέσχισε υποθετικά μονοπάτια για να βρεθεί στο έρημο, τέτοια ώρα, Πάρκο του Γκιουλχανέ.

Τον βάρεσε η αλμύρα και η μυρωδιά του ταξιδιού απ' το Σταθμό του Σιρκετζί. Στους σταθμούς θα έψαχνε. Αναθάρρησε και τράβηξε προς τον αυτοκινητόδρομο. Σταμάτησε ένα ταξί. «Στο σταθμό». Ένα βήμα με τα πόδια. Με το χιονιά διακόσια. Στο ράδιο τραγούδια αλά τούρκα.

«Αυτός είναι ο τραγουδιστής Σερτσέ. Πέθανε εδώ και χρόνια», είπε ο ταξιτζής.

«Σερτσέ;» Δεν τον είχε ακουστά.

«Αζίζ... Άγιος!»

Ο Ηλίας σήκωσε τους ώμους. Γιατί όχι; Η αγιοσύνη ανέκαθεν ήταν απρόβλεπτη. Όλες οι ελπίδες του στους σταθμούς των τρένων. Μπήκε στο σταθμό της «ευρωπαϊκής Κωνσταντινούπολης», εδώ που κατέληγε ή ξεκινούσε κάποτε το «Οριάν Εξπρές». Από 'δώ τα τρένα έφευγαν για την Αδριανούπολη, για την Ευρώπη, για την Ελλάδα.

«Σιμίτ;» Ο σιμιτζής πουλούσε μοσκομυριστά κουλούρια.

Το σουσάμι του άνοιξε την όρεξη. Μπορεί και να πεινούσε. Παρατηρούσε τις γυναίκες που φορούσαν καπέλα, νέα κορίτσια συνήθως. Πολλά αγόρια έμοιαζαν του Τουρχάν.

Στον άλλο σταθμό. Με ταξί πήγε στο σιδηροδρομικό σταθμό της ασιατικής ακτής. Στο Σταθμό του Χαϊντάρ Πασά. Μεγαλύτερη κίνηση, λασπωμένα χιόνια στις σκάλες, ρεύματα παγωμένης στέπας κι απέναντί του τα τζαμιά της παλιάς Πόλης ν' ανάβουν σιγά σιγά τα φώτα, καθώς έπεφτε η νύχτα. Άκουσε πολεμοχαρή τραγούδια, νταούλια και αντρικές ενθουσιώδεις φωνές. Μια μεγάλη χαρούμενη παρέα οπαδών της ποδοσφαιρικής ομάδας «Γαλατά Σαράι» τραβούσε για κάποιο γήπεδο της περιοχής. Τα σφυρίγματα των τρένων κάλυψαν τις φωνές και τα τραγούδια.

Μπήκε στο καφενείο του σταθμού ψάχνοντας μέσα στους αγνώστους. Τσιγάρα και χέρια που κρατούσαν ποτηράκια με τσάι. Πλήθη που εναλλάσσονταν, μεσήλικες που διάβαζαν τη Σαμπάχ και τη Χουριέτ, γυναικεία μάτια χαμηλωμένα, παιδιά που ξεφλούδιζαν κάστανα, αστυνομικοί με σίγουρο βήμα.

Σχεδόν παρακαλούσε ν' ανοίξει η πόρτα και να εμφανιστεί ο οδηγός του Αντέλ Καπλαντζί. Κοίταξε την ώρα ταραγμένος. Μπορεί να τον έψαχναν στο ξενοδοχείο... Σηκώθηκε κουτσαίνοντας. Δεν πονούσε. Κούτσαινε κι άκουγε το ανάπηρο, δικό του, καταδικό του, βήμα.

Έσφιξε το κόσμημα του Τοπάλ Γιλντίζ στην τσέπη και βγήκε στο παγωμένο μαβί δειλινό. Οι γλάροι έκαναν επίθεση σ' ένα γιγάντιο χιονάνθρωπο, στο μικρό πάρκο του σταθμού. Ύστερα πέταξαν στη θάλασσα, να συναντήσουν το μαύρο ρώσικο πετρελαιοφόρο που περνούσε ράθυμα. «Χάθηκαν...» ψιθύρισε στον εαυτό του με τη λύπη παιδιού.

Επέστρεψε στο ξενοδοχείο γύρω στις έξι.

«Κύριε Καπνά...» Ο γνωστός ρεσεψιονίστ, μόλις τον είδε, έτρεξε κοντά του. Του φάνηκε τόσο παράξενο να τον φωνάζουν μ' αυτό το όνομα! Σαν να 'χε πέσει από το α-πολιθωμένο άστρο ενός παγερού γαλαξία στο πολυτελές λόμπι του ξενοδοχείου που έσφυζε από χριστουγεννιάτικο κέφι. Ο Νατ Κινγκ Κόουλ με απόλυτη επίγνωση του θα-νάτου του –σαράντα χρόνια πεθαμένος– ερμήνευε σε εμπι-στευτικούς τόνους τα συνταρακτικά νέα της Άγιας Νύ-χτας. Θέλησε να διαμαρτυρηθεί γι' αυτό το χριστουγεν-νιάτικο πάρτι διαρκείας σε μια πολιτεία αναποφάσιστη α-κόμα για τους θεούς που τη στοίχειωναν.

«Κύριε Καπνά, μ' ακούτε;»

Φυσικά και τον άκουγε. Ο ρεσεψιονίστ του έβαλε στο χέ-ρι πέντε χαρτάκια, το ένα πιο αγωνιώδες από το άλλο, όλα από τον κύριο Καπλαντζί. Τον νεότερο. Στα γραφεία της ε-ταιρείας ήταν ανήσυχοι και τον παρακαλούσαν να επικοινω-νήσει το ταχύτερο μαζί τους. Τα έσκισε χαμογελώντας.

«Άλλος; Μήπως με ζήτησε ο άλλος οδηγός του κυρίου Καπλαντζί; Ο βραδινός. Τον είδατε χθες. Έτσι δεν είναι;»

«Από τις τέσσερις, που έπιασα βάρδια, όχι. Δεν ήρθε κανείς...»

«Θα με ζητήσουν. Όταν θα 'ρθει, καλέστε με στο δω-μάτιο. Τον θυμάστε;»

«Αν λέτε για το χθεσινό κύριο, ναι!» είπε ψέματα ο ρε-σεψιονίστ. Θυμόταν αόριστα μια σκουροντυμένη φιγούρα.

Θα ερχόταν. Όπως και τις δύο προηγούμενες βραδιές, με μια δραματική επισημότητα που του άρεσε. Και ο οι-κοδεσπότης θα τον ξεναγούσε στις ανατολίτικες γεύσεις, αφήνοντάς του περιθώρια ρίσκου. Απόψε ήταν αποφασισμένος να του μιλήσει ανοιχτά για τα αδέλφια-εραστές, για τη γνωριμία του με τη Ράνα που τον αντάμειψε προτού πεθάνει και που χάθηκε για δεύτερη φορά, ενώ είχε αποφασίσει να τη στηρίξει απεριόριστα στον έρωτά της για τον Τουρχάν. Μέσα απ' αυτό τον έρωτα γνωρίστηκαν.

Θα του εξηγούσε για τον Τοπάλ Γιλντίζ, που η ιστορία του δεν πέρασε τόσο ανώδυνα στα μητρώα των Οσμανλήδων. Όταν συμβεί κάτι κακό, αυτό που μένει δεν είναι μόνο οι παραλλαγές της ανάμνησης. Θα του μιλούσε και για τον ίδιο, που συχνά γινόταν ενδιάμεσος κρίκος στους ανήσυχους νεκρούς και στον τρέχοντα χρόνο. Θα έλεγε πράγματα που χρόνια και χρόνια έκρυβε επιμελώς κάτω απ' την πετυχημένη καριέρα με τα πτυχία και τα έλκη των διαζυγίων. Για τη μητέρα του, που δεν τη θυμόταν πια, που η θύμησή της λιγόστευε όσο περνούσε ο καιρός, για τη Στέλα που ερχόταν στον ύπνο του εκδικητική, με καλοκαιρινά φορέματα γεμάτα λεκέδες από ώριμες ντομάτες του 1958, χωρίς να υπολογίζει τα αγορίστικα τραύματά του. Μπορεί και για τη Χαρίκλεια Κρουπ να του μιλούσε, που συνέχιζε να κηδεμονεύει με ζήλο τα συμφέροντά του. Τόσα πολλά. Ναι, απίστευτο πόσα θα έλεγε απόψε στον Τούρκο επιχειρηματία που εξαφάνιζε μαγικά το χρόνο για χάρη του, τιμώντας τον με ολονυχτίες αϋπνίας και δέους.

Καθόταν στο δωμάτιο του ξενοδοχείου με τα φώτα σβηστά. Μπροστά του ο Βόσπορος και η μεγάλη χιονισμένη νύχτα. Κι εκείνος περίμενε υπομονετικά, στο σκοτάδι. Όταν κοίταξε την ώρα, ήταν περασμένες έντεκα.

Κόντευαν «γκετζέ γιαρουσού», μεσάνυχτα. Και οι λέξεις να του έρχονται μια στα τούρκικα, μια στα ελληνικά. Α-σύνδετες.

«Το παλτό είναι στεγνό...» μουρμούρισε. «Φορώ το παλτό. Άρα...» Άρα είχε ντυθεί για έξω. Γι' αυτό περί-μενε, αλλά ποτέ δεν πρέπει να βασίζεσαι στην αντίληψη του ρεσεψιονίστ. Μπορεί και να τον ζήτησαν, αλλά στο μεταξύ η βάρδια να 'χε αλλάξει. Πολλά μπορεί.

Σηκώθηκε νιώθοντας αδυναμία στο παθημένο του πόδι. Άναψε το πορτατίφ του κρεβατιού για συντροφιά. Φιλικό και ξένο το δωμάτιο. Κρεμ σεντόνια με βεραμάν μαξιλά-ρια, ένα περιοδικό αγορών, ένα άλλο με τα βασικά αξιοθέ-ατα, ένα μικρό κουτί σοκολάτες δεμένο με μπεζ κορδέλα, ε-σπερινή προσφορά του ξενοδοχείου μαζί με την πρόβλεψη του καιρού. Θα χιόνιζε και μετά θα το γύριζε σε βροχή.

Κοιτάχτηκε στον καθρέφτη, αναγνωρίζοντας το αγέλα-στο είδωλο του κουρασμένου άντρα με τα κόκκινα μάτια.

«Είσαι ο Ηλίας Καπνάς. Σε ξέρω. Σε ξέρω, έτσι θαρρώ».

Ήπιε εμφιαλωμένο νερό με δύο ασπιρίνες και βγήκε.

«Με ζήτησαν;»

«Όχι, κύριε Καπνά...» Ήταν ο ίδιος απογευματινός ρε-σεψιονίστ.

«Μιλώ για τον οδηγό του κυρίου Καπλαντζί...»

«Σας άφησαν ένα μήνυμα...» Ο ρεσεψιονίστ, με μια α-διόρατη ειρωνεία, συμπλήρωσε: «Σαν αυτά που σκίσατε, κύριε Καπνά».

Ο Ηλίας ζήτησε να το δει. Από το γραφείο του Φερίκ Καπλαντζί. Συνέχιζαν να ανησυχούν και να τον παρακαλούν να τους τηλεφωνήσει όποια ώρα επέστρεφε. Ακολουθούσαν πέντε αριθμοί τηλεφώνων.

«Να καλέσω ταξί...» προθυμοποιήθηκε ο ρεσεψιονίστ.

Ο Ηλίας ζύγιασε μια στιγμή την πρόταση και κούνησε το κεφάλι. Κάποιο λάθος ή κάτι είχε πάει στραβά.

«Θα χιονίσει κι απόψε. Αν είδατε τα νέα στην τηλεόραση, ματαιώθηκαν πτήσεις, αποκλείστηκαν πόλεις...»

«Αλήθεια;»

«Αύριο, όμως...» Ο ρεσεψιονίστι θεώρησε σωστό ν' απαγγείλει όλο το έκτακτο δελτίο κακοκαιρίας στον κύριο Καπνά απ' την Ελλάδα, φιλοξενούμενο του μεγαλοεπιχειρηματία Καπλαντζί.

«Μπεμπεγέ...»

Έδωσε εντολή στον ταξιτζή, που τσακίστηκε να τον εξυπηρετήσει. Δυνάμωσε τη θέρμανση, έβαλε στο κασετόφωνο τα σουξέ της Λορίνα Μακ Κένιτ ερμηνευμένα από Τουρκάλα εξίσου καλά, αλλά χωρίς την κέλτικη ψευδορομαντική φρεσκάδα του πρωτοτύπου, πρόσφερε τσιγάρο. Καθαρό σαλόνι δερμάτινο, παραγεμισμένο φλούδες λεμονιού και πεύκου. Έτσι του φάνηκε.

Στρίγκλισαν οι ρόδες στο παγωμένο χιόνι και τράβηξαν προς το Μπεμπέκ απ' τη γνώριμη παραλιακή λεωφόρο. Ελάχιστη η κίνηση. Αραιές νιφάδες σε μέγεθος νυχτερίδας απ' το Ορτάκιοϊ κι ύστερα. Παρέες νέων στα πεζοδρόμια, που έβγαιναν ή έμπαιναν στις ταβέρνες.

«Πήγαινε πιο σιγά...» διέταξε τον οδηγό. Ήθελε να δει, να βεβαιωθεί αν ανάμεσα στους ατρόμητους του χιονιού ήταν η Ράνα κι ο Τουρχάν. Λουστράκια με κασελάκια

κι ελαφρό ντύσιμο χοροπηδούσαν γύρω από βαρέλια με α-
ναμμένες φωτιές. Έψηναν ψάρια, κάπνιζαν, έπαιζαν χιο-
νοπόλεμο μέχρι θανάτου. Σκοτάδια και ξανά φωτισμένα
καφενεία με νοτισμένα τζάμια. Και δίπλα στον Βόσπορο,
πάλι φωτιές με άντρες και παιδιά. Σε κύκλο.

Το Μπεμπέκ, στην παραλία τουλάχιστον, δεν κοιμόταν
ακόμα. Κάποια ζαχαροπλαστεία έμεναν ανοιχτά. Θυμήθη-
κε τα γλυκά που του είχε ζητήσει κάποτε η Χαρίκλεια
Κρουπ. Δεν ήταν ώρα να προσδιορίσει το πότε. Θυμόταν
ότι του είχε ζητήσει «μπαντέμ εζμεσί». Τα πιο ονομαστά
ήταν σ' αυτή τη γειτονιά.

«Ντουρ... Λούτφεν μπεκλέ μπιράζ...» Τον παρακάλεσε
να σταματήσει και να περιμένει. Αγόρασε μερικά κουτιά
και ξαναγύρισε με χιόνια στο κεφάλι. Χιόνιζε ασταμάτη-
τα. Νιφάδες με γεύση πικραμύγδαλου. Ίσως και λόγω των
«μπαντέμ εζμεσί», της φημισμένης αμυγδαλόψιχας.

Το αμάξι, αγκομαχώντας, πήρε την ανηφόρα για το
σπίτι των Καπλαντζί. Ένα τετράγωνο πριν από το σπίτι
κατέβηκε.

«Αν θέλετε, μπορώ να περιμένω...» Ο ταξιτζής δεν κα-
ταλάβαινε πού θα πήγαινε μέσα στα άγρια μεσάνυχτα ο κύ-
ριος που δεν ενδιαφέρθηκε για τα πληθωριστικά ρέστα απ'
τα εκατομμύρια τούρκικες λίρες που του γέμισε τα χέρια.

«Τεσεκιούρ εντέριμ... Ιγί γκετζελέρ». Ένα χαμηλόφω-
νο ευχαριστώ, σαν λυγμός. Και καληνύχτα.

Τα πιο ευσυνείδητα σκυλιά της περιοχής θεώρησαν κα-
θήκον τους να γαβγίσουν φοβισμένα κι αμέσως να λουφά-
ξουν. Περπατούσε σύρριζα στον τοίχο του κήπου, για να

μη γλιστρά. Αβέβαιο το βήμα, είχε και τα γλυκά της Κρουπ στα χέρια. Κατάπινε το χιόνι, αλλά τον δυσκόλευαν τα γυαλιά. Προετοιμαζόταν να εξηγήσει στον Αντέλ Καπλαντζί ότι οι ρεσεψιονίστ είναι περίεργα άτομα και τα χάνουν όταν πρόκειται να μεταφέρουν μηνύματα.

Ατέλειωτη του φάνηκε η διαδρομή ως την είσοδο της έπαυλης. Θα τον σταματούσαν βέβαια στο θυρωρείο οι άντρες της Ασφάλειας, αλλά μ' ένα απλό τηλεφώνημα όλα θα 'μπαιναν στη θέση τους. Μάλιστα σκεφτόταν πως ένας τόσο ερωτικός άντρας σαν τον Αντέλ ενδεχομένως να είχε καλέσει κι απόψε τη Ράνα με τον Τουρχάν, έχοντας τον Ηλία Καπνά για σίγουρο. Αν δεν συνέπεσαν με τον οδηγό, άλλη υπόθεση... Η Κωνσταντινούπολη δεν είναι δα και η πιο οργανωμένη πόλη στον κόσμο... Μέσα σε τόσα εκατομμύρια, τι πιο εύκολο να χαθούν;

Λαχάνιασε και σταμάτησε να πάρει μια ανάσα της προκοπής. Τα σκυλιά ξανάρχισαν να γαβγίζουν, μιμούμενα τα ουρλιαχτά των λύκων. Εκτός και δεν ήταν σκυλιά, αλλά παπαγάλοι που μιμούνταν τους θρήνους των λύκων. Έστησε αυτί ν' ακούσει το σκληρό βηματισμό, χωρίς να μπορεί να προσδιορίσει από πού ερχόταν. Κάποιος τον ακολουθούσε ξύνοντας με σίδερο ή με ξύλο τον τοίχο. Αρνήθηκε να επιτρέψει στον εαυτό του να κοιτάξει πίσω. Προχώρησε όσο γινόταν πιο γρήγορα. Κουτσαίνοντας. Λίγο ακόμα και θα έφτανε στην είσοδο, αφού, όσο πυκνό κι αν έπεφτε το χιόνι, έβλεπε τα ψυχρά φώτα της.

Τα χέρια του ήταν ζεστά και γδαρμένα έτσι που τα έσερνε στο ντουβάρι, αλλά κοντά στην πόρτα άρχιζαν ψηλά, χοντρά κάγκελα. Φυσικά και δεν μπορούσε να δει τα φώτα του σπιτιού απ' έξω με τόσα δέντρα. Μια τελευταία στάση να ξεκουράσει το πόδι. Λίγες ανάσες βαθιές. Σιωπή παντού. Και τα σκυλιά-παπαγάλοι. Μόνο το στήθος του που ανεβοκατέβαινε άφηνε ένα σφύριγμα απαλό. Το χνότο του το κατασπάραξαν οι νιφάδες του χιονιού. Τίποτ' άλλο.

Ένα ευρύχωρο σχετικά δωμάτιο, φωτισμένο με νέον, ήταν το θυρωρείο της έπαυλης. Δύο άντρες με στολή χάζευαν ποδόσφαιρο στην τηλεόραση καπνίζοντας. Ήθελε να τους εξηγήσει πως είχε καθυστερήσει με τον καιρό κι ότι έπρεπε να ειδοποιήσουν τον οικοδεσπότη πως ο επίσημος ξένος έφτασε. Θα τους πρόσφερε πιθανόν κι ένα κουτί γλυκά, αλλά τον λύγισε ο πειρασμός σαν είδε μισάνοιχτη την επιβλητική σιδερένια πόρτα. Πέρασε χωρίς να τον αντιληφθούν και τράβηξε την ανηφόρα που οδηγούσε στο σπίτι.

Παχύ χιόνι κάλυπτε τον κήπο. Αδύναμα φώτα, σκόρπια μέσα στα δέντρα, στα παρτέρια, σκιές γιγάντων λευκές, λευκά αρπακτικά χέρια απλωμένα. Κάπου έκαιγαν κάρβουνο και η ευαίσθητη μύτη του Ηλία το έπιασε. Περπατούσε βυθισμένος στο χιόνι, σαν να κολυμπούσε σε μια κρύα, γαλατένια θάλασσα. Και η καρδιά να χοροπηδά πιο ζεστή από ποτέ, να ζητά να ξεφύγει απ' το μουσκεμένο παλτό.

«Σιριλσικλάμ ολντούμ», ψιθύρισε. Είχε μουσκέψει.

Χάρηκε που ένιωθε κοντά το σπίτι με τη μεγαλόπρεπη όψη. Δε θ' αργούσε να φανεί. Και δεν άργησε. Τυλιγμένο σε κίτρινα φώτα ομίχλης απόψε, το άσπρο σπίτι έδειχνε πιο απόκοσμο και ήσυχο από ποτέ. Σαν να μην υπήρχε ζωή πίσω απ' τις κλειστές μπαλκονόπορτες και τα παραθυρόφυλλα.

Γλίστρησε κι έπεσε στα μαλακά. Στο πλατύσκαλο. Πόνεσε, αλλά η ιαματική παγωνιά τον ανακούφισε αμέσως κι έτσι συνέχισε να προχωρεί γυροφέρνοντας το τεράστιο κτίσμα. Τότε άκουσε γέλια. Γελούσαν. Φυσικά και γελούσαν. Τους άκουγε. «Νιχαγιέτ. Επιτέλους». Γελούσαν. Κι ανάμεσα στα γέλια ξεκαρδίζονταν. Να και το γέλιο της Ράνας. Καθαρό σαν νερό πηγής.

Διψούσε και μπουκώθηκε χιόνι. Δυο, τρεις, πέντε χούφτες χιόνι. Αυτό θα τον βοηθούσε να βρει τη φωνή του. Είχε βρει το δρόμο του ίσαμε εδώ, τη φωνή του δε θα 'βρισκε; Έστριψε σε μια απ' τις δεκάδες γωνίες που συνάντησε – γωνίες, εσοχές κυκλικές, κάθε είδους αρχιτεκτονική επινόηση στο διάβα του.

Και τότε τους είδε. Τους είδε πίσω απ' τα τζάμια, στη βιβλιοθήκη, να στέκονται όρθιοι, ντυμένοι επίσημα, ωραίοι όσο ποτέ. Κι ο Αντέλ Καπλαντζί να αφηγείται τους άθλους της νεότητας, ξαναμμένος από διάθεση ερωτική, με τα μαύρα μάτια του φωτισμένα απ' το θαυμασμό των άλλων.

«Ράνα, Ράνα...» φώναξε. Αλλά του φάνηκε σαν σβησμένη η φωνή του. Ξαναφώναξε όσο άντεχε, στυπόχαρτο το χιόνι, ρούφηξε τη φωνή. Στο στόμα του ήρθε το όνομα της κυρίας της Κηφισιάς: «Μερόπη-Ιουστίνη...» Το χιόνι το κατάπιε κι αυτό. Φώναζε διάφορα ονόματα-δολώματα. Κάποιο θα διαπερνούσε τα τζάμια και το γέλιο τους. Μακριά ακούστηκε παραπονεμένο γρύλισμα σκύλου. Και τα θλιμμένα ουρλιαχτά των παπαγάλων που μιμούνταν τους λύκους.

Ο Αντέλ Καπλαντζί τους παρέσυρε σ' ένα άλλο δωμάτιο. Να κι ο γέρος επιστάτης που συνάντησε το πρωί ή χθες το βράδυ ή προχθές. Τράβηξε τις κουρτίνες κι έσβησε τα φώτα. Σκοτάδι. Ο Ηλίας σύρθηκε τοίχο τοίχο. Προχωρούσε βλαστημώντας σε άγνωστη, άφθογγη γλώσσα. Το σπίτι δεν έδινε σημάδια ζωής. Περπατούσε με δυσκολία, γιατί το χιόνι σε μερικά απάνεμα σημεία έφτανε το μισό μέτρο. Είχε χάσει την αίσθηση του χρόνου βαδίζοντας μες στο δροσερό καϊμάκι του Αντέλ Καπλαντζί.

Είχε πλάκα ο Αντέλ με τις εμμονές του στην παράδοση. Τον φανταζόταν να σμίγει με τα δύο αδέλφια πίσω απ' τη βελουδένια ταπετσαρία με τις μινιατούρες.

Τότε ξεχώρισε ένα ψιθυριστό τραγούδι για έρωτες που σκορπίζονται την αυγή, σαν τις ψυχές των βασανισμένων τούτου του κόσμου που αγρυπνούν από νοσταλγία για τη θλίψη της αγάπης. Η γριά Σαϊφέ, με παιδική φωνή, τραγουδούσε τόσο γλυκά και παραπονεμένα, που στα μάτια του ανάβλυσαν δάκρυα θερμά. Πού βρέθηκαν τόσα δάκρυα;

Ξαναγύρισε από άλλη μεριά στην είσοδο με τα κίτρινα φώτα. Δεν του ήταν άγνωστος αυτός ο φωτισμός. Αγωνίστηκε να ισιώσει το κορμί του και τα κατάφερε.

Μια λιγνή αντρική φιγούρα, σκοτεινή, στεκόταν στα σκαλιά της εισόδου. Δεν απείχε περισσότερο από είκοσι μέτρα, αλλά το πρόσωπο ήταν δύσκολο να το διακρίνει. Είχε πάψει να χιονίζει κι έκανε παγωνιά. Την ένιωσε απότομα στη ραχοκοκαλιά και στην καρδιά του ο Ηλίας την παγωνιά. Τα γυαλιά του βρίσκονταν στη θέση τους, γεμάτα μικρούς κρυστάλλους πάγου. Μέσα απ' τους παγωμένους φακούς είδε τον άντρα που κινήθηκε προς το μέρος του, τυλιγμένος στην ομίχλη. Κούτσαινε και είχε τα χέρια του απλωμένα σαν υπνοβάτης. Προτού τον αγγίξει, μυρωδιά από κάρβουνο και μπαχαρικά έφτασε στον εγκέφαλό του.

«Είμαι ο Ηλίας Καπνάς...» συστήθηκε δακρυσμένος στον Τοπάλ Γιλντίζ. Κι έβγαλε από την τσέπη του παλτού το κόσμημα, τυλιγμένο πάντα στην εφημερίδα.

«Μεμνούν ολντούμ», άκουσε μια ψιλή φωνή παπαγάλου, που μιμούνταν αυτόν που δεν κοιμόταν ποτέ, να λέει πως χάρηκε που τον γνώρισε. Και να γελά...

Λίγο μετά τις εννιά, οι φύλακες της πρωινής βάρδιας βρήκαν στον κήπο της έπαυλης παγωμένο το κορμί ενός άντρα. Απ' το διαβατήριο έμαθαν πως ανήκε στον Ηλία Καπνά του Ηρακλέους, από την Ελλάδα. Ειδοποιήθηκε το ιδιαίτερο γραφείο του Φερίκ Καπλαντζί, που, σε συνεργασία με το ελληνικό Προξενείο της Κωνσταντινούπολης, φρόντισε για τη μεταφορά της σορού στην Αθήνα με ειδική πτήση και απόλυτη μυστικότητα.

Αθόρυβα έγινε και η κηδεία. Η νεκρώσιμη ακολουθία —αν και άθεος ο εκλιπών— ψάλθηκε στο παρεκκλήσι του Νεκροταφείου της Κηφισιάς, σε πολύ στενό κύκλο συνεργατών.

Ο ιερέας πρώτη του φορά βρισκόταν αντιμέτωπος με κάτι τέτοιο: μια γηραιά κυρία που επέμενε να καπνίζει α-

πολύτως ψύχραιμη σε όλη τη διάρκεια της ακολουθίας. Α-
πό την ταραχή του έκανε πολλά σοβαρά λάθη, που όμως
δεν τα κατάλαβε κανένας. Τελειώνοντας, ρώτησε αν κά-
ποιος απ' τους παρευρισκομένους είχε να πει κάτι για το
μεταστάντα.

Αμέσως η Χαρίκλεια Κρουπ ζύγωσε το φέρετρο και,
με την μπάσα φωνή της, σαν να τους επέπληττε, χωρίς να
παρατήσει το τσιγάρο ούτε στιγμή, απευθύνθηκε σε ό-
λους, μα και στον καθένα χωριστά. Ακόμα και στον έ-
ντρομο ιερέα:

«Ο Ηλίας... ο Ηλίας Καπνάς ήταν ένας ξεχωριστός
άνθρωπος, από αυτούς που δε συμφέρει να κυκλοφορούν α-
νάμεσά μας για λόγους...» Εδώ σταμάτησε για μια γερή
ρουφηξιά και συνέχισε: «...για λόγους που δεν είμαι υπο-
χρεωμένη να φανερώσω, αλλά κι αν σας τους φανέρωνα,
πάλι δε θα με πιστεύατε...»

Έφυγε τελευταία από το νεκροταφείο, δίνοντας οδη-
γίες στον αρμόδιο που θα φρόντιζε τον τάφο. Όταν τη ρώ-
τησε τι λουλούδια ή πρασινάδες προτιμούσε να φυτευτούν
γύρω απ' το μνήμα, η Χαρίκλεια Κρουπ ήταν σαφής:

«Οτιδήποτε, εκτός από ντοματιές...»

ΤΟ ΒΙΒΛΙΟ ΤΟΥ ΓΙΑΝΝΗ ΞΑΝΘΟΥΛΗ

Ο ΤΟΥΡΚΟΣ ΣΤΟΝ ΚΗΠΟ

ΜΕ ΕΠΙΜΕΛΕΙΑ ΤΗΣ ΠΟΠΗΣ ΜΟΥΠΑΓΙΑΤΖΗ ΣΤΟΙ
ΧΕΙΟΘΕΤΗΘΗΚΕ ΜΕ ΑΠΛΑ, ARTEMISIA ΚΑΙ POR
SON ΚΑΙ ΣΕΛΙΔΟΠΟΙΗΘΗΚΕ ΣΤΟ ΕΠΙΤΡΑΠΕΖΙΟ ΕΚ
ΔΟΤΙΚΟ ΣΥΣΤΗΜΑ ΤΩΝ ΕΚΔΟΣΕΩΝ ΚΑΣΤΑΝΙΩΤΗ.
ΤΗ ΜΑΚΕΤΑ ΤΟΥ ΕΞΩΦΥΛΛΟΥ ΣΧΕΔΙΑΣΕ Ο ΑΝΤΩ
ΝΗΣ ΑΓΓΕΛΑΚΗΣ, ΤΑ ΦΙΛΜ ΕΚΑΝΕ Η «ΑΡΤΥΠΟΣ
Ε.Π.Ε.» ΚΑΙ ΤΟ ΜΟΝΤΑΖ Ο ΣΤΑΘΗΣ ΔΗΜΑΚΟΣ. Η
ΠΡΩΤΗ ΕΚΔΟΣΗ ΤΥΠΩΘΗΚΕ ΣΕ 2.000 ΑΝΤΙΤΥΠΑ
ΑΠΟ ΤΟΝ ΧΑΡΑΛΑΜΠΟ ΚΛΑΔΗ ΚΑΙ ΒΙΒΛΙΟΔΕΤΗΘΗ
ΚΕ ΑΠΟ ΤΗ «Θ. ΗΛΙΟΠΟΥΛΟΣ – Π. ΡΟΔΟΠΟΥΛΟΣ
Ο.Ε.» ΤΟΝ ΜΑΪΟ ΤΟΥ 2001 ΓΙΑ ΛΟΓΑΡΙΑΣΜΟ ΤΩΝ
ΕΚΔΟΣΕΩΝ ΚΑΣΤΑΝΙΩΤΗ

...ΥΣΤΕΡΑ, ΗΡΘΑΝ ΟΙ ΜΕΛΙΣΣΕΣ

Μυθιστόρημα

...Εκείνοι που ανέλαβαν να παίξουν το ρόλο του Θεού πριμοδότησαν και τους θανάτους-τιμωρία των αναμνήσεών τους. Θάνατος προσώπων από ένα υγρό, αμύθητο παρελθόν, ευτράπελο όσο και τρομακτικό, προσκολλημένο στα τέλη της δεκαετίας του '40. Τότε που ο θίασος της Μαρίκας Σουέζ περιόδευε με τρέλα και αυταπάρνηση στις ιαματικές λουτροπηγές μιας εξαθλιωμένης από τους πολέμους Ελλάδας. Για τον Στάθη, που κόντευε τα εξήντα, με παράστημα αλά Κλιντ Ίστγουντ, όπως αρμόζει σε διασωθέντα ήρωα, όλα αυτά ήταν γρίφος. Όμως όσο κι αν το πήρε αψήφιστα, ασφαλισμένος στο χλιαρό παρόν του, συνεχίζοντας δηλαδή να εκδίδει επιμελώς μοναχικά το μελισσοκομικό περιοδικό του –μέρος κι αυτό της αλυσιδωτής περιπέτειας– χρειάστηκε να μπει στη λογική του φόβου και στα «επιμέρους» μιας ηθελημένα ξεχασμένης περιόδου. Ίσως της πιο ανεξέλεγκτα ασύδοτης. Γεμάτης πάθος, παράλογη βία, έρωτες, παραστάσεις με ομοιοκατάληκτα δράματα, όπως Η Παναγιά τιμωρεί το Κρεμλίνο – αινίγματα φωσφορούχα στα μάτια ενός μικρού αγοριού που βιαζόταν να μεγαλώσει. Έτσι, άνοιξε η επικίνδυνη χαραμάδα στο «ιαματικό» παρελθόν, μπάζοντας ταυτόχρονα ανέμους με αλήθειες και υστερικά συναισθήματα, φορτωμένα τα εύσημα της αγάπης, του μίσους αλλά και της μεγάλης νοσταλγίας που υφαίνει το δέρμα του ανήσυχου ύπνου.

ISBN 960-03-2081-0

ΤΟ ΤΡΕΝΟ ΜΕ ΤΙΣ ΦΡΑΟΥΛΕΣ

ISBN 960-03-1489-6

Όλα ξεκίνησαν ή όλα τέλειωσαν σε μια νύχτα. Είκοσι πέντε χρόνια γάμου θυσιάστηκαν σε μια παρόρμηση. Εκείνο το βράδυ ξύπνησε η κοιμισμένη τύψη για μια άδεια ζωή χωρίς αγάπη, χωρίς χαρά. Έπειτα έπεσε το ζεστό, υγρό σκοτάδι με την απόλυτη σιωπή ενός θεραπευτηρίου για άτομα με ανάγκη υποστήριξης. Μόνο η καρδιά ξαγρυπνούσε κι αφουγκραζόταν ένα μακρινό τρένο με αρώματα παλιού μαγιάτικου μεσημεριού. Το τρένο με τις φράουλες διέσχιζε πάλι τη ζωή της Μαργαρίτας, φέρνοντας την ανάμνηση μιας ξεθυμασμένης ευτυχίας, ζωγραφισμένης με μπογιές. Τον ίδιο καιρό ένας άντρας με απειλητικό παρόν στοίχειωνε τους ύπνους της, μοσκοβολώντας μαύρο πιπέρι.

Η ΕΠΟΧΗ ΤΩΝ ΚΑΦΕΔΩΝ

ISBN 960-03-1006-8

Δε γνώριζα γι' αυτή την εποχή κι ούτε είχα ακουστά πως υπήρχε. Μόνο όταν την άγγιξα, τον περασμένο Ιούλιο, ένιωσα φόβο για την ανάπλαση όσων ευαισθησιών ήμουν αναγκασμένος να ανασύρω από μια σκοτεινή ανάμνηση. Ανάμνηση εφιάλτης κι αγάπη μαζί. Κάτι είχε απωθήσει απ' τη μνήμη τον παλιό μου φίλο Ερμή κι άλλα πρόσωπα κι άλλες πτυχές δικές μου, επικίνδυνες. Κι αυτό το «κάτι» ξαναγύρισε έντονα και καταλυτικά τον Ιούλιο των διακοπών. Αυτό το κάτι ήταν που με παρέσυρε στην Εποχή των Καφέδων, μέσα στη βελουδένια βραδινή υφή ενός αρχαίου πόνου.

Η ΔΕΥΤΕΡΑ ΤΩΝ ΑΘΩΩΝ
ISBN 960-03-1230-3

Εμείς οι ένοχοι, εμείς οι αθώοι. Πιστεύαμε κάποτε στην ενοχή και στην αθωότητα της Δευτέρας, μαθημένοι από ημερολόγια τύψεων. Ύστερα, ένα βροχερό Σαββατόβραδο, άρχισε η περιπέτεια που με ταξίδεψε στον ταραγμένο Ατλαντικό των εκκρεμοτήτων. Θα 'πρεπε ίσως να σημειώσω πως ο πατέρας μου, σκοτεινός θαυμαστής κι αυτός της Δευτέρας, είχε εμπιστοσύνη στο ζωικό λίπος απ' τον καιρό που έχανε την αγάπη· αλλά ήταν και πολλά άλλα που οδήγησαν το υπερωκεάνιο «Τιτανικός» στο διάσημο ναυάγιο, κι εμένα στο γρίφο της αθωότητας. Αλλά ας πάρουμε τα πράγματα με τη σειρά. Εκείνο το βεβαρημένο απόγευμα του Νοέμβρη...

ΤΟ ΡΟΖ ΠΟΥ ΔΕΝ ΞΕΧΑΣΑ
ISBN 960-03-0823-3

Τα πρόσωπα ήταν πάντα τα ίδια. Γύριζαν και ξαναγύριζαν μέσ' από διαφορετικές σιωπές και σχήματα στη ζωή μου, αλλά ήταν τα ίδια. Η ίδια αίσθηση, ο ίδιος πόνος. Γι' αυτό τα μισώ, τ' αγαπώ και τα στερούμαι με την ίδια ένταση απ' τον πρώτο καιρό της γνωριμίας μας. Ξαναγυρνώ στις σκιές τους κι αναγνωρίζω τον ωραίο τρόμο που μου χάρισαν κάποτε. Κι όσο περνά ο καιρός, τόσο πιστεύω ότι ήμουν, τελικά, ταγμένος να γίνω ο Ευαγγελιστής των αδυναμιών τους, όταν θα εξιστορούσα το αιρετικό μου Ευαγγέλιο. Ωστόσο, αν είναι κάτι που δεν ξέχασα, αυτό είναι το ροζ.

Ο ΧΑΡΤΙΝΟΣ ΣΕΠΤΕΜΒΡΗΣ
ΤΗΣ ΚΑΡΔΙΑΣ ΜΑΣ

ISBN 960-03-0322-3

Το ταραγμένο καλοκαίρι του 1974, η μεταπολίτευση κι εμείς. Εμείς ολομόναχοι στον έρωτα, στη ζωή, στο θάνατο και στους μεγάλους αποχαιρετισμούς. Τότε που ήμασταν ακόμη νέοι, αλλά έπρεπε να αποκτήσουμε γρήγορα τη σοφία των δοκιμασμένων – και περισσότερο εγώ, που κυνηγούσα τα φαντάσματα της αγάπης μέσα στα παραμύθια μιας ένοχης αθωότητας. Μα δε γινόταν ν' απαρνηθώ τη ζωή μου στο άψε σβήσε, τόσο γρήγορα, με το πρόσχημα της ενηλικίωσης. Κι εξάλλου ήθελα να ζήσω το δράμα αυτής της περίφημης «ενηλικίωσης» σ' όλη του την έκταση, για να μάθω, επιτέλους, ποιο ήταν το άλλοθι για τόσα «συναισθηματικά τιμήματα».

ΤΟ ΠΕΘΑΜΕΝΟ ΛΙΚΕΡ

ISBN 960-03-0032-1

Κάποια ιδιαίτερη ανάμνηση με οδήγησε από μόνη της στην υγρασία του παλιού ποτοποιείου, όπου γινόταν το «πεθαμένο λικέρ». Κι εκεί, στη γλυκιά αλκοολική σκουριά και στη σιωπή, βρήκα τους ήρωές μου. Τη Ραλλού, τον Φώτη κι εμένα. Ν' αγαπιόμαστε και να δενόμαστε με τα πιο κρυφά μυστικά, στη μυθική Κυψέλη του 1957. Παρασύρθηκα, έτσι, ζωντανεύοντας πράγματα παλιά αλλά αρωματικά και μεθυστικά, όπως το «λικέρ», όπως ο πόθος και ο φόβος των παιχνιδιών που παίζουν οι μεγάλοι – ονομάζοντας το παιχνίδι ζωή, ελπίζοντας σε κάποια σπλαχνική ασυλία.

Ο ΣΟΟΥΜΑΝ ΔΕ ΘΑ 'ΡΘΕΙ ΑΠΟΨΈ

ISBN 960-03-0465-3

Στο βιβλίο αυτό μιλώ για τους συναισθηματικά περιθωριακούς ανθρώπους που έπαιξαν κερδίζοντας ή χάνοντας κάτω απ' την παρανομία της ευτυχίας, αν υποτεθεί πως η ευτυχία είναι η λιγότερο νόμιμη εκδοχή της ζωής. Όλοι οι ήρωες είναι φανταστικοί, παρόλο που εκφράζουν κάποιες ιδιαίτερες στιγμές νοσταλγίας. Όσο για τον Σόουμαν, είναι ο άγγελος της δοκιμασίας, αφορμή για να δηλώσω τη συναισθηματική ταυτότητα της ιστορίας μου. Κι είναι πια εποχή ν' αρχίσω να εφευρίσκω τους αγγέλους μου, ξέροντας καλά μετά τόσα και τόσα μαθήματα Θρησκευτικών πως οι άγγελοι είναι αυτοί που μας προετοιμάζουν, μυστικά και σοφά, για τις μέρες του πάθους, του έρωτα, της σιωπής και του θανάτου.

ΤΟ ΚΑΛΟΚΑΙΡΙ ΠΟΥ ΧΑΘΗΚΕ ΣΤΟ ΧΕΙΜΩΝΑ

ISBN 960-03-0198-0

Το καλοκαίρι του 1962 ήταν για κείνον αποκαλυπτικό στον έρωτα και στο θάνατο. Η Ντάλια Βεντάλια ήταν η καθηγήτρια «καταλύτης» στη γνωριμία του με τον πόθο και το φόβο, έτσι όπως διαιωνίζονταν μέσα του εκείνο το ατέλειωτο καλοκαίρι που σφράγισε την εφηβεία του με καύσωνες, θανάτους κι έρωτες. Κι αυτός μόνος στη μακρινή επαρχία του, ζούσε στους ξέφρενους ρυθμούς του σπιτιού του, βεβαρημένου από καθημερινά πάθη, που τα μεγάλωνε η ηχώ της ευαισθησίας του και τα 'κανε ένοχες προσευχές. Μα, πάνω απ' όλα, ήταν η ανάγκη να μάθει πόσο πραγματική ήταν η ζωή του...